EL CHINO

colección andanzas

Libros de Henning Mankell en Tusquets Editores

SERIE WALLANDER
(por orden cronológico)

Asesinos sin rostro (Andanzas 431 y Maxi Serie Wallander 1)
Los perros de Riga (Andanzas 493 y Maxi Serie Wallander 2)
La leona blanca (Andanzas 507 y Maxi Serie Wallander 3)
El hombre sonriente (Andanzas 523 y Maxi Serie Wallander 4)
La falsa pista (Andanzas 456)
La quinta mujer (Andanzas 408)
Pisando los talones (Andanzas 537)
Cortafuegos (Andanzas 556)
La pirámide (Andanzas 572)

*

El retorno del profesor de baile (Andanzas 586 y Maxi 004/1)

*

SERIE LINDA WALLANDER

Antes de que hiele (Andanzas 598 y Maxi 004/2)

* *

El cerebro de Kennedy (Andanzas 614)
Profundidades (Andanzas 631)
Zapatos italianos (Andanzas 643)
El chino (Andanzas 674)

*

SERIE AFRICANA

Comedia infantil (Andanzas 475)

ENSAYO

Moriré, pero mi memoria sobrevivirá

HENNING MANKELL
EL CHINO

Traducción del sueco de Carmen Montes

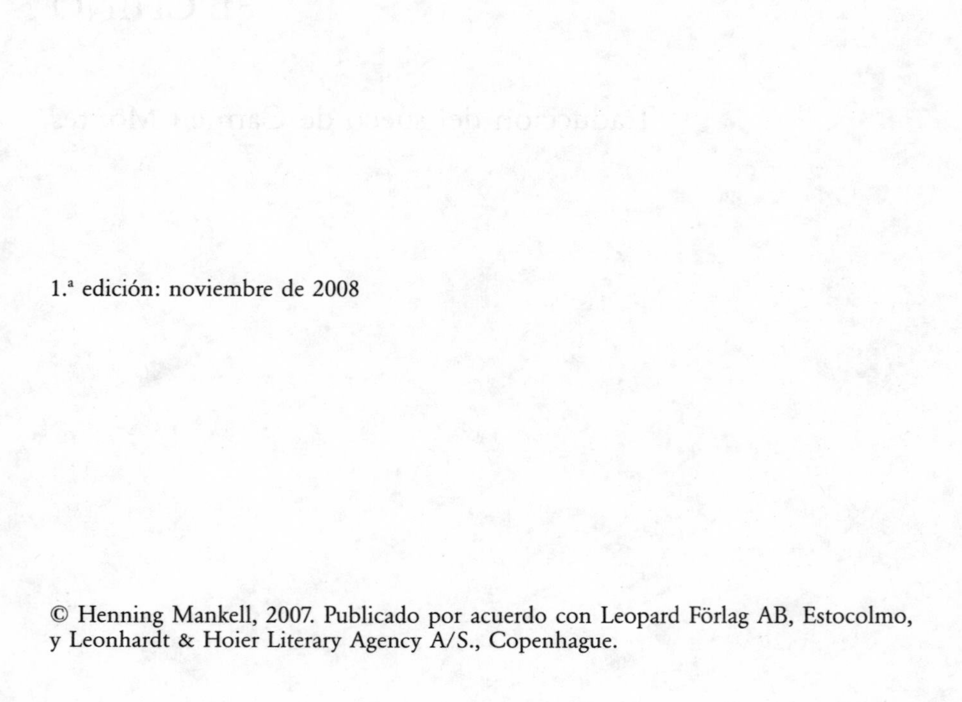

Título original: *Kinesen*

1.ª edición: noviembre de 2008

Diseño de la colección: Guillemot-Navares

Tusquets Editores, S.A. - Cesare Cantù, 8 - 08023 Barcelona
www.tusquetseditores.com
ISBN: 978-84-8383-095-6
Depósito legal: B. 43.527-2008
Fotocomposición: Pacmer, S.A. - Alcolea 106-108, 1.º - 08014 Barcelona
Impresión y encuadernación: Romanyà-Valls
Impreso en España

Índice

Primera parte
La calma (2006)

Yo, Birgitta Roslin,

juro y declaro por mi honor y conciencia mi deseo e intención de hacer justicia fielmente en todo tiempo conforme a mi mejor criterio y conciencia, tanto para el pobre como para el rico, y juzgar según la legislación y normativas de Suecia; que nunca tergiversaré la ley ni favoreceré injustamente por parentesco directo o indirecto, por amistad, por envidia, por mala voluntad o por temor, ni aceptaré sobornos, regalos ni otras prebendas, cualquiera que sea la causa que juzgue; asimismo, tampoco imputaré a aquel que no es imputable ni declararé inocente al que no lo es. Juro igualmente que, ni antes ni después de la sentencia, revelaré a los implicados en una causa los términos de los consejos que el tribunal celebre a puerta cerrada. Todo esto lo mantengo y lo mantendré como juez justo y honesto.

Rättegångsbalken 4 kap. 11§
(Código de Derecho Procesal, capítulo 4, párrafo 11)
Juramento del cargo de juez

El epitafio

1

Skare, frío intenso. Mediados de invierno.

Uno de los primeros días de enero de 2006, un lobo solitario cruza la frontera sin señalizar y llega a Suecia desde Noruega a través de Vauldalen. El conductor de un ciclomotor cree haberlo avistado a las afueras de Fjällnas, pero el lobo se esfuma por entre los bosques en dirección este sin que nadie logre ver hacia dónde se dirige. En medio de los valles noruegos de Österdalarna, el animal encontró restos de un cadáver de alce congelado donde aún quedaban huesos por apurar. Sin embargo, de eso hacía más de dos días. Ahora empieza a acusar el hambre de nuevo y busca alimento.

Es un macho joven en busca de un territorio propio. Y continúa avanzando incansable hacia el este. Cerca de Nävjarna, al norte de Linsell, el lobo encuentra otro cadáver de alce. Durante un día entero permanece junto a él hasta saciar su hambre antes de proseguir. Siempre hacia el este. En las inmediaciones de Kårböle atraviesa a la carrera la helada superficie del Ljusnan y sigue el río en su accidentado discurrir hacia el mar. Una noche de luna clara, se mueve sobre sus mudas patas por el puente de Järvsö para adentrarse después en los espesos bosques que se extienden hacia el mar.

La mañana del 13 de enero, muy temprano, el lobo llega a Hesjövallen, un pequeño pueblo al sur de Hansesjön, en la región de Hälsingland. Se detiene y olfatea. Percibe un olor a sangre de origen indeterminado. El lobo otea a su alrededor. En las casas vive gente, pero de las chimeneas no sale humo. Ni su aguzado oído siente sonido alguno.

Sin embargo, ahí se percibe el olor a sangre, el lobo está seguro de ello. Aguarda en el lindero del bosque, intenta olfatear de dónde procede. Después comienza a correr despacio por la nieve. El olor llega arrastrándose desde una de las casas que se alza en los confines del pueblecito. Está alerta, en las proximidades del hombre hay que ser tan cauto como paciente. Se detiene de nuevo. El olor procede de la parte posterior de la casa. El lobo aguarda. Finalmente se pone en movimiento otra vez hasta que llega a su objetivo, un nuevo cadáver. Arrastra la pesada presa hasta el extremo del bosque. Nadie lo ha descubierto todavía, ni siquiera se ha oído el ladrido de ningún perro. El silencio llena cada rincón de aquella fría mañana.

En el lindero del bosque empieza a comer. Puesto que la carne aún no está congelada, le resulta fácil. Está muy hambriento. Después de haber arrancado uno de los zapatos de piel, comienza a roer la parte inferior de la pierna, justo por encima del pie.

Ha nevado durante la noche, hasta que se produjo una tregua. Mientras el lobo come empiezan a caer de nuevo leves copos de nieve sobre la tierra helada.

2

Cuando Karsten Höglin se despertó, recordaba que había soñado con una imagen. Yacía inmóvil en la cama y notó cómo regresaba a su mente, como si el negativo del sueño le enviase una copia a su conciencia. Y reconoció la imagen. Era en blanco y negro y representaba a un hombre sentado en una vieja cama de hierro, con una escopeta de caza colgada en la pared y un orinal a sus pies. La primera vez que la vio, captó su atención la melancólica sonrisa de aquel hombre ya mayor. Había en él cierto retraimiento, cierta reserva. Mucho después, Karsten tuvo ocasión de conocer la historia de esa instantánea. Unos años antes de que se tomase la fotografía, el hombre le había disparado accidentalmente a su hijo durante una cacería de aves marinas, el hijo había muerto y, desde aquel día, la escopeta siempre estuvo allí colgada y el hombre se fue volviendo cada vez más huraño.

Karsten Höglin pensó que, de los miles de fotos y negativos que había visto en su vida, aquélla no la olvidaría jamás. De hecho, le habría gustado ser el fotógrafo que la hizo.

El reloj de la mesilla de noche indicaba las siete y media. En condiciones normales, Karsten Höglin se levantaba muy temprano; pero aquella noche había dormido mal, la cama y el colchón eran bastante incómodos. Había decidido protestar antes de marcharse, cuando llegase el momento de pagar la cuenta del hotel.

Era el noveno y último día de su viaje. Financiado por una beca que le ofreció la oportunidad de documentar pueblos desiertos y pequeñas aldeas en trance de quedar deshabitadas. Ahora se encontraba en Hudiksvall y sólo le faltaba un pueblo por fotografiar. Había elegido precisamente ese pueblo porque un anciano que vivía en él y que había leído algo acerca de su trabajo le escribió una carta en la que le hablaba de aquel lugar. Karsten Höglin quedó impresionado por la misiva y decidió concluir allí su viaje fotográfico.

Se levantó y descorrió las cortinas. Había nevado durante la noche. El cielo todavía estaba gris, aún no se divisaba el sol en el horizonte.

Una mujer embutida en ropa de abrigo pasó calle abajo en bicicleta. Karsten la siguió con la mirada mientras se preguntaba a qué temperatura estarían. A cinco grados bajo cero, quizá siete. No mucho menos.

Se vistió y bajó a la recepción en el lento ascensor. Había estacionado el coche en el patio del hotel. Allí estaba seguro. Sin embargo, se había llevado las cámaras junto con las fundas a la habitación, como hacía siempre. Su peor pesadilla consistía en meterse en el coche y comprobar que las cámaras habían desaparecido.

La recepcionista era una mujer joven, casi una adolescente. Se percató de que iba mal maquillada y desestimó presentar una reclamación por la cama. Después de todo, jamás volvería a ese hotel.

En el comedor había unos cuantos huéspedes que leían el periódico. Por un instante se sintió tentado de sacar la cámara y tomar una foto de aquel salón silencioso. En cierto modo, le hacía experimentar una Suecia que siempre había sido así exactamente. Personas calladas, inclinadas sobre diarios y tazas de café, cada uno con sus pensamientos y sus destinos.

Desechó la idea, se sirvió un café y un huevo cocido, y se preparó un par de bocadillos. Puesto que no había ningún periódico disponible, desayunó rápido. Detestaba estar solo sentado a una mesa sin tener nada que leer.

Fuera hacía más frío de lo que había imaginado. Se puso de puntillas para ver el termómetro que había en la ventana de la recepción. Once grados bajo cero. Además, se dijo, la temperatura iba en descenso. Hemos tenido un invierno demasiado cálido. Y ahora llega el frío que tanto esperábamos. Colocó las cámaras en el asiento trasero, puso el motor en marcha y empezó a raspar la nieve del parabrisas. En el asiento había un mapa. El día anterior, cuando terminó de fotografiar una aldea cercana al lago de Hasselasjön, hizo una pausa con objeto de localizar en él la carretera que le conduciría al último pueblo. Primero, tenía que tomar la carretera principal en dirección sur y girar en Iggesund rumbo a Sörforsa. A partir de ahí tenía dos posibilidades, podía tomar por el este o por el oeste del lago, el cual, según la orilla, se llamaba Storsjön o Långsjön. En la gasolinera que había a la entrada de Hudiksvall le habían dicho que la carretera del oeste era bastante mala. Pese a todo, se decidió por ella. Llegaría antes. Y la luz de aquella mañana de invierno era tan hermosa... Ya veía ante sí el humo de las chimeneas apuntando hacia el cielo.

Le llevó cuarenta y cinco minutos llegar a su destino. Y eso que se equivocó de camino una vez al desviarse por una carretera que discurría hacia el sur, en dirección a Näcksjö.

Hesjövallen se extendía por una pequeña cuenca paralela a un lago cuyo nombre no recordaba. ¿Hesjön, quizá? Los espesos bosques se extendían hasta el pueblo, que surgía a lo largo de la pendiente que desembocaba en el lago, a ambos lados de la estrecha carretera de ascenso hasta Härjedalen.

Karsten se detuvo a la entrada del pueblo y salió del coche. La capa de nubes había empezado a abrirse, puede que entonces la luz le resultara más molesta y tal vez fuera menos expresiva. Miró a su alrededor. Se veían casas aquí y allá, todo estaba en calma. Oyó en la distancia el sonido de los coches que transitaban por la carretera principal.

Una incierta sensación de inquietud lo invadió de pronto. Contuvo la respiración, como solía hacer cuando no comprendía lo que tenía ante sí.

Después cayó en la cuenta. Eran las chimeneas. Estaban frías. No veía el humo que se convertiría en ese detalle espectacular de las fotografías que esperaba poder hacer. Muy despacio, paseó la mirada por las casas. Alguien había estado retirando la nieve fuera, se dijo. Sin embargo, nadie se ha levantado aún para encender los fogones y las chimeneas. Recordó la carta que le había escrito el hombre por el que supo de aquel pueblo. Él le había hablado de las chimeneas; de que las casas, como niños, parecían enviarse señales de humo.

Lanzó un suspiro. Recibes una carta, se dijo. La gente no te escribe la verdad, sino lo que creen que quieres leer. Y ahora tendré que fotografiar esas chimeneas frías. O tal vez renunciar a ello. Nadie lo obligaba a sacar fotos de Hesjövallen y sus habitantes. Ya tenía suficientes instantáneas de la Suecia que se desvanecía, de las granjas desiertas, de los pueblos aislados y, en ocasiones, salvados por los alemanes y los daneses, que convertían las viviendas en casas de veraneo; o de los que simplemente se derrumbaban hasta volver a la tierra de la que venían. Decidió marcharse de allí y se sentó de nuevo al volante; pero se quedó con la mano en la llave. Ya que había recorrido tantos kilómetros, bien podía intentar sacar algunos retratos de las personas que vivían en el pueblo. Después de todo, lo que él buscaba eran rostros. A lo largo de todos los años que llevaba ejerciendo como fotógrafo, Karsten Höglin había ido sucumbiendo a los rostros de las personas mayores. Una misión secreta que se había encomendado a sí mismo, antes de dejar la cámara para siempre, era la de reunir un libro de retratos de mujeres. Sus instantáneas hablarían de la belleza que sólo podía encontrarse en los rostros de las mujeres verdaderamente ancianas, cuyas vidas y esfuerzos quedaban tallados en la piel, como los sedimentos de una pared rocosa.

Karsten Höglin siempre iba en busca de rostros, en especial de gente mayor.

Volvió a salir del coche, se encajó bien el gorro de piel, sacó su Leica M6, que desde hacía diez años llevaba siempre consigo, y empezó a caminar hacia la casa más próxima. Había diez casas en total, la mayoría de color rojo, alguna con un porche añadido. Tan sólo una casa de reciente construcción, por llamarlo de alguna manera, pues se trataba de una propiedad de los años cincuenta. Cuando llegó a la verja, se detuvo y sacó la cámara. Un cartel anunciaba que allí vivía la familia Andrén. Sacó algunas fotos, cambió el diafragma y el tiempo de exposición, buscó distintos ángulos. El cielo aún está demasiado gris, se dijo. Sólo saldrá una imagen borrosa, pero nunca se sabe. Ser fotógrafo supone descubrir, en ocasiones, secretos inesperados.

Karsten Höglin trabajaba a menudo por pura intuición. No porque renunciase a medir y controlar la luz cuando era necesario. Pero a veces había alcanzado resultados sorprendentes precisamente por no calcular demasiado los tiempos de exposición. La improvisación formaba parte del trabajo. En cierta ocasión, en Oskarshamn, vio un barco de vela varado en el fondeadero con las velas desplegadas. Era un día claro y de sol radiante. En el momento en que iba a tomar la fotografía tuvo la idea de empañar el objetivo. Cuando la reveló, vio que representaba un buque fantasma que hendía la bruma al navegar. Por aquella foto ganó un buen premio.

Jamás olvidaba la bruma.

La puerta de la verja se resistía y tuvo que empujar con fuerza para abrirla. En la nieve recién caída no había huellas de pisadas. Seguía sin oírse nada, ni siquiera un perro, pensó. Es como si todos se hubiesen marchado de repente. Esto no es un pueblo, es un holandés errante.

Subió la escalinata y llamó a la puerta, esperó y volvió a llamar. Ni perro, ni los maullidos de un gato, nada. Empezó a dudar. Allí pasaba algo raro, no cabía duda. Volvió a llamar, con más fuerza y más veces, antes de tantear la manija. Estaba cerrada con llave. La gente mayor es asustadiza, constató. Echan la llave, temen que lo que leen en los periódicos les suceda a ellos.

Aporreó la puerta, pero nadie contestó. Entonces concluyó que la casa debía de estar vacía.

Volvió a salir por la puerta de la verja y continuó hasta la casa vecina. Había empezado a clarear. Era una casa amarilla. La masilla de las ventanas estaba en mal estado y en su interior debía de colarse la corriente. Antes de llamar comprobó la manija, también en este caso estaba la casa cerrada. Golpeó la puerta con fuerza y empezó a aporrearla antes de esperar siquiera una respuesta. Sin embargo, tampoco allí parecía haber nadie.

Una vez más, decidió que lo mejor sería dejarlo. Si emprendía el regreso ahora, estaría en Piteå, donde vivía, a primera hora de la tarde. Magda, su mujer, se alegraría. Ella lo consideraba demasiado mayor para tanto viaje, pese a que aún no había cumplido los sesenta y tres. Sin embargo, había manifestado vagos indicios de una angina de pecho. El médico le había recomendado que cuidara lo que comía y que intentase moverse lo más posible.

Pese a ello, no volvió a Piteå, sino que se encaminó a la parte posterior de la casa y tanteó una puerta que parecía conducir al lavadero situado a espaldas de la cocina. También estaba cerrado con llave. Se acercó a la ventana más próxima, se puso de puntillas y miró adentro. A través de una abertura de las cortinas vio el interior de una habitación donde había un televisor. Siguió hasta la ventana contigua, que pertenecía a la misma habitación y seguía viendo el televisor. JESÚS ES TU MEJOR AMIGO, se leía en un tapiz que adornaba la pared, y ya estaba a punto de continuar hasta la siguiente ventana, cuando algo captó su atención. Había un objeto en el suelo. En un primer momento creyó que se trataba de un ovillo de lana, pero después se dio cuenta de que era un calcetín, que estaba puesto en un pie. Se apartó de la ventana con el corazón acelerado. ¿Habría visto bien? ¿Sería aquello de verdad un pie? Volvió a la primera ventana, pero desde allí no podía ver esa parte de la habitación. Así que regresó a la otra ventana. Estaba seguro. Aquello era un pie. Un pie inmóvil. Ignoraba si pertenecía a un hombre o a una mujer. Podría ser que el dueño del pie estuviese sentado en una silla, pero también que estuviese tumbado.

Golpeó con tanta fuerza como pudo el cristal de la ventana. Ninguna reacción. Sacó el móvil y empezó a marcar el número de emergencias. Había tan poca cobertura que no pudo comunicarse con ellos. Corrió hacia la tercera casa y golpeó la puerta, pero tampoco allí le abrió nadie. Empezaba a preguntarse si aquel paraje no estaría transformándose en una pesadilla. Junto a la puerta había un limpiabarros. Lo introdujo entre la cerradura y la puerta y forzó la puerta hasta abrirla. Su única idea era encontrar un teléfono. Entró precipitadamente cuando, de pronto, cayó en la cuenta de que también allí hallaría el mismo espectáculo: una persona, una anciana, yacía muerta en el suelo de la cocina. Tenía la cabeza casi desprendida del cuerpo y, a su lado, se veía el cadáver de un perro partido en dos.

Karsten Höglin lanzó un grito y se dio la vuelta, dispuesto a salir cuanto antes de aquella casa. Desde el vestíbulo vio a un hombre tumbado en el suelo de la sala de estar, entre la mesa y un sofá rojo cubierto de una funda blanca. El anciano estaba desnudo y tenía toda la espalda llena de sangre.

Karsten Höglin salió de la casa a toda velocidad. Sólo deseaba alejarse de allí. Mientras corría se le cayó la cámara, pero no se molestó en detenerse a recuperarla. Empezó a sentir el temor creciente de que un ser al que no podía ver le daría un hachazo en la espalda en cualquier momento. Ya en el coche, se marchó de allí.

No se detuvo hasta que llegó a la carretera principal, donde, con las manos temblorosas, volvió a marcar el número de emergencias. En el preciso momento en que se llevó el auricular a la oreja sintió un intenso dolor en el pecho. Era como si alguien le hubiese dado alcance, pese a todo, y le estuviese clavando un cuchillo.

Una voz le contestó al teléfono, pero él no pudo articular palabra. El dolor era tan terrible que no logró emitir más que un silbido.

–No le oigo –le advirtió una voz de mujer.

Höglin volvió a intentarlo, pero apenas consiguió decir algo más que la primera vez. Estaba muriéndose.

–¿Podría hablar más alto? –insistió la mujer–. No entiendo lo que me dice.

Con un esfuerzo sobrehumano, logró pronunciar unas palabras.

–Me muero –declaró con voz bronca–. Dios mío, me muero. Ayúdenme.

–¿Dónde se encuentra?

Pero la mujer no obtuvo ya más respuestas. Karsten Höglin iba camino de las tinieblas. En un convulso intento por liberarse de aquel terrible dolor, como si estuviera ahogándose e intentase inútilmente alcanzar la superficie, pisó el acelerador. El coche salió disparado e invadió el carril contrario. El pequeño camión cargado de muebles de oficina que iba camino de Hudiksvall no consiguió frenar a tiempo y se produjo el choque. El conductor salió del camión para ver cómo estaba el hombre del turismo con el que había colisionado. Lo halló inclinado sobre el volante.

–¿Se encuentra bien? –preguntó el hombre.

–El pueblo –susurró Karsten Höglin–. Hesjövallen.

Y eso fue cuanto dijo. Cuando la policía y la ambulancia acudieron al lugar, Karsten Höglin ya había fallecido por un infarto masivo.

Al principio no se sabía con exactitud lo que había sucedido y, desde luego, nadie podía imaginarse lo que constituyó la verdadera causa del repentino ataque sufrido por el hombre que conducía aquel Volvo de color azul oscuro. Después, cuando ya se habían llevado el cadáver de Karsten Höglin y la grúa transportaba el camión con los muebles de oficina, que era el vehículo más dañado, uno de los policías se tomó la molestia de escuchar lo que el conductor bosnio intentaba comunicarles. El policía se llamaba Erik Huddén y no le gustaba lo más mínimo entablar conversación sin necesidad con personas que no hablaban bien el sueco. Parecía que sus testimonios perdiesen importancia, puesto que su capacidad de expresión era insuficiente. Claro que empezó por hacerle la prueba del alcohol, por si acaso, pero el conductor estaba sobrio, el indicador dio verde y su permiso de conducir parecía en orden.

–Intentaba decirme algo –aseguraba el conductor.

–¿Cómo? –preguntó Erik Huddén reacio.

–Sí, decía algo sobre Herö. ¿Un lugar, quizá?

Erik Huddén, que era de la zona, negó impaciente con la cabeza.

–Por aquí no hay nada que se llame Herö.

–Tal vez no lo oí bien... Creo que era algo con ese, como Hersjö, tal vez.

–¿Hesjövallen?

El conductor asintió.

–Sí, eso mismo.

–¿Y qué quería decir?

–No lo sé. Murió.

Erik Huddén se guardó el bloc de notas. No había anotado lo que le dijo el conductor. Media hora después, cuando se marcharon las grúas con los vehículos accidentados y otro coche de policía recogió al conductor bosnio para seguir interrogándolo en la comisaría, Erik Huddén se sentó en el coche con la intención de volver a Hudiksvall. Lo acompañaba su colega Leif Ytterström, que era quien conducía.

–Vamos a pasar por Hesjövallen –le dijo de pronto Erik.

–¿Por qué? ¿Algún aviso?

–No, sólo quiero comprobar una cosa.

Erik Huddén era el mayor de los dos. Tenía fama de retraído y tozudo. Leif Ytterström giró para tomar la carretera hacia Sörforsa. Cuando llegaron a Hesjövallen, Erik Huddén le pidió que cruzara el pueblo despacio. Aún no le había explicado al colega por qué habían dado aquel rodeo.

–Parece desierto –comentó Leif Ytterström mientras dejaban atrás casa tras casa.

–Vuelve en la otra dirección, igual de despacio.

Al cabo de un momento, le dijo a Leif Ytterström que se detuviese. Algo había llamado su atención. En efecto, divisó algo entre la nieve junto a una de las casas. Salió del coche y se acercó. De repente, se detuvo sobresaltado y sacó el arma. Leif Ytterström bajó al instante del coche y lo imitó.

–¿Qué pasa?

Erik Huddén no respondió. Empezó a acercarse con sumo cuidado, hasta que se detuvo y se inclinó, como si le hubiese dado una punzada de dolor en el pecho. Cuando volvió al coche, estaba pálido.

–Allí hay un hombre muerto –explicó–. Está destrozado. Le falta algo.

–¿Qué quieres decir?

–Le falta una pierna.

Ambos guardaron silencio mirándose fijamente. Después, Erik Huddén se sentó en el coche y pidió por radio que lo pusieran con Vivi Sundberg, pues sabía que hoy estaba de servicio.

–Soy Erik, estoy en Hesjövallen.

Casi podía oírla pensar, pues había infinidad de lugares en la zona cuyos topónimos se parecían muchísimo.

–¿Al sur de Sörforsa?

–Más bien al oeste. Pero quizá soy yo el que se equivoca.

–¿Qué ha pasado?

–No lo sé, pero he encontrado en la nieve el cadáver de un hombre al que le falta una pierna.

–Repítelo.

–Un hombre muerto. En la nieve. Parece que lo hayan matado a hachazos. Y le falta una pierna.

Vivi Sundberg y Erik Huddén se conocían bien. Ella sabía que, por increíble que sonase lo que estaba contando, él nunca exageraba.

–Vamos para allá –aseguró Vivi.

–Llama a los técnicos de Gävle.

–¿Quién está contigo?

–Ytterström.

Vivi reflexionó un instante.

–¿Se te ocurre alguna explicación lógica de lo que haya podido suceder?

–Jamás en mi vida he visto algo parecido.

Erik sabía que ella lo comprendería. Llevaba tantos años en la policía que ya había visto todo tipo de desgracias y actos violentos.

Treinta y cinco minutos más tarde, oyó las sirenas en la distancia.

Erik Huddén intentó convencer a Leif Ytterström de que lo acompañase a hablar con los vecinos más cercanos, pero éste se negó, no pensaba salir hasta que no viniesen refuerzos. Puesto que Erik Huddén no quería ir a la casa solo, se quedó junto al coche. Ambos aguardaron en silencio.

Vivi Sundberg salió del primer vehículo que llegó al pueblo. Era una mujer de unos cincuenta años, de constitución robusta. Quienes la conocían sabían que, pese a su corpulencia, era capaz de aguantar y resistir bastante. Tan sólo unos meses antes había dado alcance a dos ladrones de unos veinte años. Los dos jóvenes se burlaron de ella cuando la vieron correr, pero doscientos metros después, cuando los detuvo a ambos, ya no se reían tanto.

Vivi Sundberg era pelirroja. Cuatro veces al año acudía a la peluquería de su hija para teñirse.

Había nacido en una granja a las afueras de Harmånger y estuvo cuidando de sus padres hasta que fallecieron. Entonces empezó a estudiar, unos años después solicitó la admisión en la academia de policía y, para su asombro, la admitieron. En realidad, nadie se explicaba cómo la habían aceptado con aquel cuerpo tan inmenso, pero nadie se atrevió a preguntar y ella tampoco dio nunca explicaciones. Cuando alguno de sus colegas, por lo general hombres, hablaba de ponerse a dieta, ella gruñía irritada. Vivi Sundberg era cauta con el azúcar, pero, al mismo tiempo, le gustaba comer. Había estado casada dos veces. La primera, con un obrero industrial de Iggesund con el que había tenido a su hija, Elin. El hombre había fallecido en un accidente laboral. Pocos años después volvió a casarse con un fontanero de Hudiksvall. No llevaban dos meses de matrimonio, cuando el marido se mató en un accidente de coche mientras conducía por la carretera helada entre Delsbo y Bjuråker. Después, nunca volvió a casarse. Sin embargo, entre sus colegas circulaba el rumor de que tenía un amigo en alguna de las numerosas islas griegas, adonde viajaba dos veces al año para pasar las vacaciones. En cualquier caso, nadie lo sabía con certeza.

Vivi Sundberg era una buena policía. Era persistente y tenía gran capacidad de análisis, incluso de las pistas más insignificantes, que en ocasiones eran las únicas de que disponían en una investigación de asesinato.

Se pasó la mano por el cabello mientras observaba a Erik.

–¿Dónde es?

Los dos colegas se pusieron en marcha en dirección al lugar donde se encontraba el cadáver. Vivi Sundberg hizo un mohín al tiempo que se acuclillaba.

–¿Ha llegado el médico?

–La chica está en camino.

–¿La chica?

–Sí, Hugo tiene una sustituta. Lo van a operar de un tumor.

Vivi Sundberg perdió momentáneamente el interés por el cuerpo ensangrentado que yacía en la nieve.

–¿Está enfermo?

–Tiene cáncer. ¿No lo sabías?

–No. ¿Cáncer de qué?

–De estómago, pero parece que no se ha extendido. La sustituta es de Uppsala. Se llama Valentina Miir, no sé si lo pronuncio bien.

–¿Y está en camino?

Erik Huddén le gritó la pregunta a Ytterström, que estaba tomando café junto a uno de los coches. El colega le confirmó que el forense no tardaría en llegar.

Vivi Sundberg empezó a examinar el cuerpo a conciencia. Cada vez que se enfrentaba al cadáver de una persona que había muerto asesinada la asaltaba la misma sensación de absurdo. Ella no podía resucitar a los muertos, tan sólo, y en el mejor de los casos, aclarar los motivos del crimen y enviar al criminal a la cárcel o tras las puertas cerradas a cal y canto de un centro para enfermos mentales.

–Alguien ha estado arrasando aquí con un cuchillo –constató–. Y con un cuchillo bastante grande. O con una bayoneta. Quizás una espada. He contado hasta diez cortes distintos, casi todos mortales, probablemente. Lo que no comprendo es lo de la pierna. ¿Sabemos quién es?

–Aún no. Todas las casas parecen desiertas.

Vivi Sundberg se puso de pie y observó el pueblo con atención. Era como si las casas, recelosas, correspondiesen a sus miradas.

–¿Has llamado a alguna?

–He preferido esperar. Quien haya hecho esto puede seguir aquí.

–Sí, has hecho bien.

Le hizo un gesto a Ytterström para que se acercase. El colega arrojó la taza de papel a la nieve.

–Vamos a entrar –dijo Sundberg–. Aquí tiene que haber alguien. Esto no es un pueblo desierto.

–Pues no ha aparecido un alma.

Vivi Sundberg volvió a observar las casas, los jardines cubiertos de nieve, la carretera. Sacó la pistola y empezó a caminar en dirección a la casa más cercana. Los demás la seguían de cerca. Eran las once y unos minutos.

Lo que sucedió después llegaría a formar parte de los anales judiciales suecos, pues el espectáculo que se presentó ante los tres policías no tenía precedentes en la historia criminal del país. Fueron de casa en casa, empuñando las armas. Y no hallaron más que personas muertas. Gatos y perros acuchillados, incluso un papagayo al que le habían cortado la cabeza. En total diecinueve personas muertas, todas mayores, salvo un niño de unos doce años. Algunos habían sido asesinados en sus lechos mientras dormían, otros yacían en el suelo o estaban sentados en una silla, ante la mesa de la cocina. Una anciana había muerto mientras se peinaba, un hombre aparecía tendido en el suelo, junto al café derramado de la cafetera. En una de las casas encontraron a dos personas atadas la una a la otra. Todos habían sufrido la misma violencia desmedida. Era como si un huracán sangriento hubiese arrasado los hogares de aquellos ancianos, poco antes de que se levantaran. Puesto que la gente mayor que vivía en el campo solía madrugar mucho, Vivi supuso que los asesinatos se habían cometido después del anochecer o de madrugada, muy temprano.

Vivi Sundberg tuvo la sensación de que la cabeza se le inundaba de sangre. Pese a que temblaba de indignación, supo mantener una fría calma. Era como si estuviese observando aquellos cuerpos muertos y mutilados a través de unos prismáticos, lo que le ayudaba a no sentirlos demasiado cerca.

Además, estaba el olor; aunque los cadáveres apenas si se habían enfriado, emitían ya un olor dulzón y amargo al mismo tiempo. Mientras permanecía en el interior de las casas, procuraba respirar por la boca. Cuando salió, comenzó a respirar profundamente. Entrar en la siguiente casa era como prepararse para algo casi impracticable.

Cuanto se le presentaba a la vista, un cuerpo tras otro, llevaba el mismo sello de iracundia y el mismo tipo de heridas infligidas con la misma arma afilada. La lista que elaboró más tarde, ese mismo día, se componía de breves notas que describían con exactitud lo que había visto:

Casa número uno: Hombre mayor, muerto, medio desnudo, pijama roto, zapatillas, tendido en la escalera como bajando del primer piso. La cabeza casi seccionada del cuerpo, el pulgar de la mano izquierda, a un metro del cuerpo. Mujer mayor, muerta, en camisón, el estómago rajado de arriba abajo, una parte de la membrana del intestino está suelta y cuelga por fuera, la dentadura postiza destrozada.

Casa número dos: Hombre muerto y mujer muerta, ambos ancianos, ochenta años como mínimo. Se hallaron sus cuerpos en la cama, en el piso de abajo. La mujer pudo morir mientras dormía, de una cuchillada que va desde el hombro izquierdo, a través del pecho, hasta la cadera derecha. El hombre intentó defenderse con un martillo, pero le cortaron el brazo, la garganta abierta de lado a lado. Lo extraño es que los cuerpos están atados. Da la impresión de que el hombre aún vivía cuando lo amarraron, mientras que la mujer ya había muerto. Como es lógico, no tengo ninguna prueba de ello, es tan sólo una intuición. Niño muerto en un pequeño dormitorio. Es posible que estuviese dormido cuando lo mataron.

Casa número tres: Mujer sola. Muerta en el suelo de la cocina. Un perro de raza indefinida acuchillado junto a ella. La columna de la mujer parece rota por varios sitios.

Casa número cuatro: Hombre muerto en el vestíbulo. Viste pantalón, camisa, está descalzo. Probablemente opuso resistencia. El cuerpo está prácticamente partido en dos a la altura del estómago. Mujer muerta, sentada en la cocina. Dos, quizá tres cuchilladas en la coronilla.

Casa número siete: Dos mujeres mayores y un hombre, también anciano, muertos en sus camas del piso superior. Impresión: estaban despiertos, conscientes, pero no pudieron reaccionar. Gato muerto a cuchilladas en la cocina.

Casa número ocho: Hombre de edad muerto fuera de la casa, le falta una pierna. Dos perros decapitados. Mujer muerta en la escalera, indescriptible lo destrozado que está su cuerpo.

Casa número nueve: Cuatro personas muertas en la sala de estar de la planta baja. Medio desnudas, con tazas de café, la radio puesta, programa P1. Tres mujeres de edad, un hombre también mayor. Todos con la cabeza entre las rodillas.

Casa número diez: Dos personas de edad muy avanzada, un hombre y una mujer, muertos en sus camas. Imposible saber si fueron o no conscientes de lo que les sucedió.

Ya al final de la lista no tuvo fuerzas para pedirle a su memoria que registrase los detalles. Lo que acababa de ver era, de todos modos, inolvidable, como echar un vistazo al mismísimo infierno.

Numeró las casas en que habían ido hallando los cadáveres, pero en el pueblo no estaban en ese orden. Cuando, a lo largo de su macabro reconocimiento, llegaron a la casa número cinco, encontraron señales de vida. Desde el jardín se oía una música que atravesaba tanto ventanas como paredes. Ytterström dijo que le parecía Jimmy Hendrix. Vivi Sundberg sabía quién era; en cambio Erik Huddén no tenía la más remota idea de quién hablaban. Su favorito era Björn Skifs.

Antes de entrar llamaron a otros dos policías que estaban acordonando la zona. El perímetro era tan grande que tuvieron que llamar a Hudiksvall para pedir más rollos de cinta. Fueron acercándose a la puerta con las armas preparadas. Erik Huddén la aporreó y un hombre medio desnudo de largos cabellos apareció en el umbral. Al ver tantas pistolas apuntándole retrocedió aterrado. Vivi Sundberg bajó la suya al ver que estaba desarmado.

–¿Estás solo en casa?*

–Está mi mujer –respondió el hombre con voz trémula.

–¿Nadie más?

–No. ¿Ha ocurrido algo?

Vivi Sundberg se guardó el arma y les hizo una seña a los demás para que la imitaran.

–Vamos a entrar –le dijo al hombre medio desnudo, que no dejaba de tiritar del frío que le llegaba de la calle–. ¿Cómo te llamas?

–Tom.

–¿Qué más?

–Hansson.

–Bien, pues vamos a entrar, Tom Hansson, así dejarás de pasar frío.

En el interior de la casa la música estaba muy alta. A Vivi Sundberg le dio la impresión de que había altavoces ocultos en todas las habitaciones. Siguió al hombre a través de una sala de estar en total desorden, donde vio a una mujer en camisón, acurrucada en el sofá. El hombre bajó la música y se puso un par de pantalones que había en una silla. Tom Hansson y la mujer del sofá parecían algo mayores que Vivi Sundberg, rondarían los sesenta.

–¿Qué ha pasado? –preguntó la mujer asustada.

Vivi Sundberg se percató enseguida de su acento tan típico de Estocolmo. Probablemente se habrían mudado hasta allí en aquella época en que los jóvenes de la capital se trasladaban a vivir en el campo con el propósito de llevar una vida sencilla. Vivi decidió ir al grano. El tremendo descubrimiento que acababan de hacer ella y sus colegas la inducía a pensar que aquello era muy urgente. No había razón alguna para no suponer que la persona o personas que habían llevado a cabo aquella macabra matanza bien podían estar a punto de cometer otra similar.

–Parte de vuestros vecinos están muertos –reveló Vivi Sundberg–. Esta noche han sucedido en el pueblo cosas terribles. Es importante que respondáis a nuestras preguntas. ¿Cómo te llamas tú?

–Ninni –contestó la mujer del sofá–. ¿Herman y Hilda están muertos?

–¿Dónde viven?

–En la casa de la izquierda.

Vivi Sundberg asintió.

–Sí, por desgracia, están muertos. Han sido asesinados, pero no sólo

* El tuteo entre desconocidos es habitual en Suecia. Mantenemos este rasgo en la traducción aunque pueda resultar inusual al lector de lengua española. *(N. del E.)*

ellos. Parece que muchos de los habitantes de este pueblo han muerto asesinados.

–Si se trata de una broma, no tiene ninguna gracia –observó Tom Hansson.

Vivi Sundberg perdió el control por un instante.

–No puedo perder tiempo, necesito que respondáis a algunas preguntas. Comprendo que os parezca incomprensible lo que digo, pero, aun así, es cierto. Es horrible y cierto. ¿Cómo habéis pasado la noche? ¿Habéis oído algo?

El hombre se había sentado en el sofá, junto a la mujer.

–No, estábamos durmiendo.

–¿Y no oísteis nada?

Ambos negaron con un gesto.

–¿Ni siquiera os habéis dado cuenta de que el pueblo estaba lleno de policías?

–Cuando ponemos la música muy alta, no oímos nada.

–¿Cuándo fue la última vez que visteis a vuestros vecinos?

–Si te refieres a Herman y Hilda, los vimos ayer –intervino Ninni–. Solemos vernos cuando salimos a pasear a los perros.

–¿Vosotros tenéis perro?

Tom Hansson asintió y señaló la puerta de la cocina.

–Es bastante viejo y muy perezoso. Ni siquiera se levanta cuando viene visita.

–¿No ladró anoche?

–Nunca lo hace.

–¿A qué hora visteis a los vecinos?

–Ayer, sobre las tres de la tarde, pero sólo a Hilda.

–¿Todo estaba como de costumbre?

–Le dolía la espalda. Herman estaría en la cocina, haciendo crucigramas. A él no lo vi.

–¿Y qué me dices de los demás habitantes del pueblo?

–Todo era normal. En este pueblo no hay más que ancianos y suelen quedarse en casa cuando hace frío. En primavera y en verano nos vemos más.

–¿No hay niños en el pueblo?

–Ninguno.

Vivi Sundberg guardó silencio, pensaba en el niño asesinado.

–¿Es verdad lo que dices? –preguntó la mujer.

Vivi percibió miedo en su voz.

–Sí –respondió–. Lo que os he contado es verdad. Es posible que todos los habitantes del pueblo estén muertos, a excepción de vosotros.

Erik Huddén se hallaba junto a la ventana.

–No, quizá no –dijo muy despacio.

–¿Qué quieres decir?

–Que no todos están muertos. Ahí fuera hay alguien.

Vivi Sundberg se apresuró a acercarse a la ventana. Y entonces vio lo que había captado la atención de Erik Huddén.

Había una mujer en la carretera. Era vieja, vestía un albornoz y llevaba unas botas negras de goma. Tenía las manos entrelazadas, como si estuviese rezando.

Vivi Sundberg contuvo la respiración. La mujer no se movía.

3

Tom Hansson se acercó a la ventana y se colocó al lado de Vivi Sundberg.

–Ah, es Julia –explicó–. A veces nos la encontramos fuera sin abrigo. Hilda y Herman suelen echarle un ojo cuando no está aquí la asistente.

–¿Dónde vive? –quiso saber Vivi.

Tom señaló la penúltima casa del pueblo.

–Llevamos aquí casi veinte años –prosiguió–. La idea era que viniesen más. Al final, nosotros fuimos los únicos. Cuando llegamos, Julia estaba casada. Su marido se llamaba Rune y era conductor de vehículos y maquinaria para el trabajo en el bosque. Un día se le reventó una arteria. Murió en la cabina del vehículo. A partir de entonces, Julia empezó a comportarse de forma extraña. Una persona indignada con la injusticia pero que no lo demostraba, llevaba los puños cerrados, pero metidos en los bolsillos, no sé si me explico. Y luego se volvió senil. Somos de la opinión de que debe poder morir aquí. Tiene dos hijos que vienen a verla una vez al año. Sólo piensan en heredar y no se preocupan mucho de ella, la verdad.

Vivi Sundberg salió con Erik Huddén. La mujer seguía inmóvil en la carretera. Cuando Vivi se detuvo ante ella alzó la vista, pero no dijo nada. Y tampoco protestó cuando Erik Huddén ayudó a Vivi a conducirla de vuelta a su casa. Estaba limpia y ordenada y, en las paredes, había fotografías del marido muerto y de los dos hijos que no se preocupaban de ella.

Por primera vez desde que llegó a Hesjövallen, Vivi Sundberg sacó un bloc de notas. Entretanto, Erik Huddén leía un documento oficial que había sobre la mesa de la cocina.

–Julia Holmgren –leyó en voz alta–. Tiene ochenta y siete años.

–Que alguien llame a los servicios sociales. No me importa el horario que le hayan asignado. Tienen que venir a atenderla ahora.

La anciana estaba sentada a la mesa de la cocina, mirando por la ventana. Una pesada y compacta capa de nubes se extendía sobre el paisaje.

–¿Quieres que intentemos preguntarle algo?

Vivi Sundberg negó con un gesto.

–No servirá de nada. ¿Qué nos va a contar?

Dicho esto, le hizo una seña a Erik Huddén de que saliese y las dejase solas. Su colega salió al jardín. Vivi entró en la sala de estar, se colocó en el centro y cerró los ojos. No tardaría en verse obligada a enfrentarse cara a cara con todo el horror del suceso. Debía intentar hallar algún punto de partida.

Había algo en la anciana que emitía una vaga señal de presagio cuyo destinatario era su conciencia, pero Vivi no conseguía concretar la idea en su mente. Permaneció inmóvil, abrió los ojos y se esforzó por pensar con lógica. ¿Qué había sucedido allí aquella mañana de enero? En un pueblo apartado y aislado habían muerto asesinadas varias personas. Como también un puñado de animales domésticos. Todo indicaba que los asesinatos se habían ejecutado con una rabia llena de cólera. ¿Era realmente posible que un solo hombre hubiese llevado a cabo aquella matanza? ¿Habrían sido varios los que, al amparo de la noche, se presentaron en el pueblo para desaparecer una vez ejecutada su brutal masacre? Aún era demasiado pronto; Vivi Sundberg carecía de respuestas, por el momento, tan sólo contaba con una limitada serie de circunstancias concretas y, claro está, con todos aquellos cadáveres. Un matrimonio que pasaba allí el invierno desde el día en que huyeron de Estocolmo y una mujer senil que salía a la carretera en camisón.

No obstante, se dijo, ahí se le ofrecía un punto de partida. No todos los habitantes del pueblo estaban muertos. Tres personas se habían librado. ¿Por qué? ¿Se trataba de un hecho fortuito o tendría algún significado?

Vivi Sundberg aguardó así, sin moverse, unos minutos más. A través de una ventana vio que los técnicos criminalistas de Gävle ya habían llegado, acompañados por una mujer, que supuso sería la forense. Respiró hondo. Era ella la que tenía el mando y, por más que aquel caso suscitaría un enorme interés no sólo en el país, sino fuera de sus fronteras, debía asumir su responsabilidad. Pese a todo, tenía decidido solicitar apoyo de Estocolmo aquel mismo día. Hubo un tiempo, cuando era joven, en que soñaba con trabajar en el grupo de homicidios de la capital, que tenía fama de llevar a cabo brillantes investigaciones de asesinato perfectamente organizadas. Ahora, en cambio, deseaba más bien que dicho grupo acudiese a relevarla.

Vivi Sundberg empezó por hacer una llamada desde su móvil. Tardaron en responder.

–Sten Robertsson.

–Soy Vivi. ¿Estás ocupado?

–Puesto que soy fiscal, siempre lo estoy. Dime, ¿qué quieres?

–Estoy en un pueblo llamado Hesjövallen. ¿Sabes dónde se encuentra? Junto a Sörforsa.

–A ver, tengo un mapa en la pared... ¿Qué ha pasado?

–Mira a ver si lo encuentras primero.

–Pues tendrás que esperar –advirtió dejando el auricular sobre la mesa.

Vivi Sundberg se preguntó cómo reaccionaría. «Ninguno de nosotros ha vivido antes una situación similar», se dijo. «Ni un solo policía de este país y seguro que muy pocos de otros países. Siempre pensamos que los casos a los que nos enfrentamos no pueden ser peores, pero los límites se desplazan día tras día. Hoy estamos aquí. ¿Dónde estaremos mañana, o dentro de un año?

Robertsson volvió al teléfono.

–Bien, ya he localizado el lugar. ¿No es un pueblo deshabitado?

–No exactamente, pero lo será pronto, aunque no a causa del éxodo.

–¿Qué quieres decir?

Vivi Sundberg le contó, con tanto detalle como le fue posible, lo que había acontecido. Robertsson la escuchó sin interrumpirla. Vivi lo oía respirar.

–¿Y quieres que me lo crea? –preguntó Robertsson una vez que Vivi hubo terminado.

–Pues sí.

–Parece incomprensible.

–Es incomprensible. Se trata de un caso de tales proporciones que tú, como fiscal, no sólo tendrás que tomar cartas en el asunto como jefe de la investigación previa. Además, quiero que vengas, debes ver con tus propios ojos lo que tengo ante mí.

–Me pongo en marcha enseguida. Dime, ¿hay algún sospechoso?

–Ninguno.

A Sten Robertsson le dio un ataque de tos. En una ocasión le había confiado a Vivi Sundberg que padecía EPOC, enfermedad pulmonar obstructiva crónica, tras haber sido fumador habitual hasta que lo dejó el día de su quincuagésimo cumpleaños. Robertsson y ella no sólo tenían la misma edad, sino que además cumplían años el mismo día, el 12 de marzo.

Dieron por concluida la conversación, pero Vivi Sundberg se quedó de pie, dudando, y no salió de la casa. Tenía que hacer otra llamada ahora, pues, de lo contrario, no sabía cuándo se le presentaría otra ocasión.

Marcó el número.

–Peluquería Elin, ¿dígame?

–Soy yo. ¿Dispones de tiempo?

–No mucho, tengo a dos señoras en los secadores. ¿Qué pasa?

–Estoy en un pueblo a bastantes kilómetros de la ciudad. Ha ocurrido algo horrible. Y será un escándalo. No tendré mucho tiempo.

–¿Qué ha pasado?

–Han matado a un montón de ancianos. Espero que haya sido obra de un loco.

–¿Por qué?

–Porque sería del todo inexplicable que el responsable fuese una persona normal.

–¿No puedes decirme nada más? ¿Dónde estás?

–Ahora no tengo tiempo. Quería pedirte un favor. Necesito que llames a la agencia de viajes. La semana pasada hice la reserva para la isla de Leros. Si la anulo ahora, no perderé dinero.

–Claro, lo hago hoy mismo. ¿Corres tú algún peligro en el pueblo ese?

–Estoy rodeada de gente, no hay peligro. Tú ve y ocúpate de las señoras que tienes en los secadores, antes de que se les chamusque el cerebro.

–¿Has olvidado que tenías cita conmigo mañana?

–Anúlalo también. Existe el riesgo inminente de que me salgan canas con este caso.

Se guardó el teléfono en el bolsillo y salió de la casa. Ya no podía postergarlo más. Los técnicos criminalistas y la forense la aguardaban.

–No pienso contaros nada. Tenéis que verlo con vuestros propios ojos. Empezaremos por el hombre que está fuera, en la nieve. Después revisaremos casa por casa. Ya me diréis si necesitáis más colaboradores. El escenario del crimen es enorme. Probablemente, el más grande de cuantos hayáis presenciado o vayáis a presenciar. Pese a que es tan atroz que apenas somos capaces de entender qué tenemos delante, hemos de intentar contemplarlo como una investigación de asesinato más.

Todos tenían alguna pregunta que hacer, pero Vivi Sundberg se mantuvo firme. Lo más importante era que lo viesen con sus propios ojos. Condujo a su séquito de casa en casa. Cuando llegaron a la tercera, Lönngren, que era el técnico criminalista de más edad, dijo que quería llamar enseguida para pedir refuerzos. En la cuarta casa, la forense anunció que también ella tenía que pedir refuerzos. Mientras ambos hacían sus llamadas se detuvo la procesión. Continuaron después, recorriendo el resto de las casas, y volvieron a reunirse en la carretera. Para entonces ya había llegado el primer periodista. Vivi Sundberg le dijo a Ytterström que procurase que nadie hablara con él. Ya lo haría ella cuando tuviese tiempo.

Todos los que se encontraban con ella en la carretera llena de nieve estaban pálidos y taciturnos. Ninguno era capaz de comprender el alcance de lo que acababan de ver.

–Veamos, la situación es la siguiente –comenzó Vivi Sundberg–. Toda nuestra experiencia y nuestra capacidad se verán sometidas a una serie de pruebas que jamás habríamos podido imaginar. Esta investigación dominará los medios, y no sólo en Suecia. Se nos exigirá que obtengamos resultados en un plazo de tiempo bastante breve. Lo único que podemos hacer es confiar en que el autor o los autores de esto hayan dejado alguna huella que nos lleve a detenerlos lo antes posible. Hemos de reunirnos y llamar a todo aquel cuya ayuda consideremos necesaria. El fiscal Robertsson está en camino. Quiero que lo vea todo personalmente y que entre a formar parte del equipo como jefe de la investigación previa. ¿Alguna pregunta? De lo contrario, empecemos a trabajar.

–Yo creo que sí tengo una pregunta –intervino Lönngren, un hombre menudo y de baja estatura.

Vivi Sundberg lo consideraba un técnico altamente cualificado. Sin embargo, tenía la desventaja de que, con bastante frecuencia, trabajaba con una lentitud exasperante para quienes aguardaban sus resultados.

–¡Hazla!

–¿Existe el riesgo de que el loco este, si es que se trata de un loco, vuelva a atacar?

–Existe ese riesgo, sí –confirmó Vivi Sundberg–. Puesto que no sabemos nada, hemos de partir de la base de que puede volver a ocurrir.

–Cundirá el pánico entre los pueblos vecinos –prosiguió Lönngren–. Por una vez en la vida me alegro de vivir en la ciudad.

El grupo se dispersó y, en ese mismo momento, llegó Sten Robertsson. El periodista que aguardaba al otro lado del cordón policial se le acercó en cuanto lo vio salir del coche.

–Ahora no –le gritó Vivi Sundberg–. Tendrás que esperar.

–¿No hay nada que puedas adelantarme, Vivi? Tú no sueles ser implacable...

–Pues esta vez sí.

A Vivi no le gustaba aquel periodista, que trabajaba para *Hudiksvalls Tidning*. Tenía la costumbre de escribir artículos tendenciosos sobre el trabajo de la policía. Y lo que más le molestaba de él era, probablemente, que solía tener razón en sus críticas.

Robertsson tenía frío, pues llevaba una cazadora demasiado ligera. «Es un poco vanidoso», concluyó Vivi. «Ni siquiera lleva gorro, por miedo a que sea verdad eso que dicen de que se pierde antes el pelo.»

–Veamos, cuéntame –la animó Robertsson.

–No. Mejor ven conmigo.

Por tercera vez aquella mañana, Vivi Sundberg recorrió casa por casa. En dos ocasiones, Robertsson se vio obligado a salir a la calle rápidamente, pues estuvo a punto de vomitar. Ella lo aguardó paciente. Era importante que Robertsson comprendiera con exactitud qué clase de investigación iba a dirigir. Vivi no estaba segura de que pudiese con ella. Sin embargo, era consciente de que, de los fiscales disponibles, él era el más adecuado. A no ser que una instancia superior decidiera nombrar a otro con más experiencia.

Cuando terminaron y volvieron a la carretera, Vivi propuso que se sentaran en su coche. Le había dado tiempo de prepararse un termo de café antes de salir de la comisaría.

Robertsson estaba impresionado y le temblaba la mano con la que sostenía la taza de café.

–¿Habías visto tú antes algo similar? –le preguntó a Vivi.

–Ninguno de nosotros.

–¿Quién puede haber hecho algo así, aparte de un loco?

–No lo sabemos. Ahora lo que tenemos que hacer es localizar huellas y trabajar sin ideas preconcebidas. Les he pedido a los técnicos que soliciten más recursos si lo consideran justificado. Y lo mismo le he dicho a la forense.

–¿Quién es?

–Una sustituta. Creo que éste es su primer escenario del crimen. Ya ha llamado pidiendo ayuda.

–¿Y tú?

–¿Qué quieres decir?

–¿Tú qué necesitas?

–En primer lugar, que me digas si hay algo en concreto en lo que debamos concentrarnos. Después, tendrá que actuar el departamento de homicidios de la jefatura nacional.

–¿En qué crees que deberíamos concentrarnos?

–Tú eres el jefe de la investigación preliminar, no yo.

–Lo único que importa es encontrar a quien ha hecho esto.

–O a quienes lo han hecho. No podemos descartar la idea de que hayan sido varios.

–Los locos rara vez trabajan en equipo.
–Pero no podemos excluir esa posibilidad.
–¿Hay alguna posibilidad que podamos excluir?
–Ninguna. Ni siquiera que no pueda ocurrir de nuevo.
Robertsson asintió. Ambos guardaron silencio. La gente iba y venía por las casas y por la carretera. De vez en cuando se vislumbraba el flash de una cámara. Estaban levantando una tienda alrededor del cuerpo que habían hallado fuera, en la nieve. Entretanto, habían acudido al lugar más fotógrafos y periodistas. Además del primer equipo de televisión.
–Quiero que estés en la conferencia de prensa –le dijo Vivi–. No puedo enfrentarme sola a ellos. Y ha de celebrarse hoy mismo. Por la tarde, como mucho.
–¿Has hablado con Ludde?
Tobias Ludwig era el jefe de la policía local de Hudiksvall. Era un hombre joven y jamás había sido policía en activo. Había estudiado derecho y después continuó directamente con los estudios para jefe de policía. Ni Sten Robertsson ni Vivi Sundberg lo apreciaban demasiado. Apenas tenía una idea remota de en qué consistía el trabajo policial de campo y dedicaba la mayor parte de su tiempo a cavilar sobre la administración interna de la policía.
–No, no he hablado con él –confesó Vivi–. Lo único que aportará será su recomendación de que cumplimentemos correctamente todos los impresos.
–A ver, tan malo no es, no exageres –objetó Robertsson.
–Es peor –afirmó Vivi Sundberg–. Pero lo llamaré.
–Pues hazlo ahora.
Vivi Sundberg llamó a la comisaría de Hudiksvall, donde le comunicaron que Tobias Ludwig estaba de viaje de trabajo en Estocolmo. Entonces le pidió a la joven de la centralita que lo localizase en el móvil.
El jefe de policía les devolvió la llamada al cabo de veinte minutos. Robertsson estaba hablando en ese momento con algunos de los técnicos criminalistas recién llegados de Gävle. Vivi Sundberg se encontraba en el jardín con Tom Hansson y su esposa Ninni, que se habían cubierto con sendos abrigos viejos de piel, de los que usaban los militares. Ambos observaban lo que sucedía a su alrededor.
«He de empezar por los vivos», se dijo. «Con Julia no se puede hablar, se ha retirado a un mundo interior que está muerto. Al menos a mí me resulta inaccesible. Tom y Ninni Hansson, en cambio, han podido ser testigos de algo sin tener conciencia de ello.»

Aquélla era una de las pocas conclusiones a las que había podido llegar hasta el momento. Un asesino que decide atacar a todo un pueblo, por loco que esté, debe de tener necesariamente un plan de acción.

Salió a la carretera y miró a su alrededor. El lago congelado, el bosque, las montañas que se elevaban y descendían a lo lejos. «¿De dónde venía ese hombre?», se preguntó. «Creo que puedo dar por supuesto que no ha sido una mujer, pero de algún lugar ha tenido que venir y a algún lugar tuvo que escapar.»

Justo cuando se disponía a volver a cruzar la puerta de la verja llegó un coche que se detuvo ante ella. Era una de las patrullas de perros policía que habían solicitado.

–¿Sólo una patrulla? –preguntó sin ocultar su contrariedad.

–*Karpen* está enfermo –explicó el policía que llevaba el perro.

–¿Acaso pueden ponerse enfermos los perros policías?

–Eso parece. ¿Por dónde quieres que empiece? ¿Y qué ha pasado, en realidad? Hablan de muchos muertos.

–Que te ponga al corriente Huddén. Y luego intenta que el perro olfatee algún rastro.

El policía quería hacer otra pregunta, pero ella le dio la espalda. «No debería actuar así», se recriminó. «En estos momentos debería tener tiempo para todo el mundo. He de ocultar que estoy nerviosa e irritada. Nadie que presencie un espectáculo como éste podrá olvidarlo jamás. Y muchos sufrirán ataques de ansiedad, seguro.»

Entró en la casa con Tom y Ninni. Acababan de sentarse cuando sonó su móvil.

–Me han dicho que querías hablar conmigo –le dijo Tobias Ludwig–. Ya sabes que no me gusta que me molesten cuando tengo reunión con la dirección de la policía nacional.

–En esta ocasión no había otro remedio.

–¿Qué ha pasado?

–Tenemos un buen número de personas asesinadas en el pueblo de Hesjövallen.

Le hizo una breve exposición de lo ocurrido. Tobias Ludwig no decía nada y Vivi Sundberg aguardaba su reacción.

–Suena tan repugnante que me cuesta creerlo.

–Sí, a mí también me cuesta, pero es la pura verdad. Tienes que venir.

–Lo comprendo. Saldré en cuanto pueda.

Vivi Sundberg miró el reloj.

–Hemos de convocar una conferencia de prensa –le advirtió–. La fijaremos para las seis. Hasta entonces sólo diré que se ha cometido un asesinato. No revelaré el alcance del crimen. Ven tan pronto como puedas, pero no te mates conduciendo.

–Intentaré que me lleven en un coche de emergencias.

–Mejor ven en helicóptero. Estamos hablando de diecinueve personas asesinadas, Tobias.

Concluyó la conversación. Tom y Ninni lo habían oído todo y Vivi vio la incredulidad reflejada en sus rostros, la misma incredulidad que ella sentía.

Era como si la pesadilla creciese sin cesar. Aquello a lo que se acercaban no era la realidad.

Apartó al gato que dormía en una silla y se sentó.

–Todos los habitantes del pueblo están muertos. Incluso los animales de compañía. Entiendo que estéis estupefactos. Todos lo estamos. Sin embargo, he de haceros unas preguntas. Os ruego que intentéis responder con tanto detalle como sea posible. Además, quiero que penséis en circunstancias y datos sobre los que yo no os pregunte, cualquier cosa que os parezca que puede ser importante.

Ambos asintieron aterrados y en silencio. Vivi Sundberg decidió proceder con cautela, y empezó hablando de aquella mañana. ¿Cuándo se despertaron? ¿Oyeron algún ruido? Y durante la noche, ¿ocurrió algo? Era preciso que se esforzasen en recordar. Todo podía ser importante.

Tom y Ninni se turnaban a la hora de contestar, el uno completando las respuestas del otro cuando éste se detenía. Vivi Sundberg se percató de que hacían verdaderos esfuerzos por ayudarla.

Retrocedió en el tiempo, en una especie de peregrinaje invernal por un paisaje desconocido. Y la tarde anterior, ¿sucedió algo especial? Nada. «Todo fue normal, como siempre», eran las palabras que repetían casi en cada respuesta.

Erik Huddén se acercó e interrumpió la conversación. ¿Qué debía hacer con los periodistas? Habían llegado muchos más y pronto se convertirían en una manada nerviosa e impaciente.

–Espera –le dijo–. Ya salgo. Diles que habrá una conferencia de prensa a las seis en Hudiksvall.

–¿Nos dará tiempo?

–Nos tiene que dar.

Erik Huddén se marchó. Vivi Sundberg prosiguió la conversación. Otro paso atrás, al día de ayer. En esta ocasión, fue Ninni quien contestó.

–Todo fue normal ayer también. Yo estaba un poco resfriada y Tom estuvo cortando leña todo el día.

–¿Hablasteis con alguno de los vecinos?

–Bueno, Tom charló un rato con Hilda, pero eso ya te lo hemos contado.

–¿Visteis a alguien más?

–Sí, yo sí, seguramente. Estaba nevando y cuando nieva la gente sale a retirar la nieve. Sí, seguro que vi a varios vecinos, aunque no pensé en ello.

–¿Viste a alguien que no fuese un vecino, alguien nuevo?

–¿Cómo que alguien nuevo?

–Alguien que no fuese del pueblo, algún coche desconocido.

–A nadie en absoluto.

–¿Y el día anterior?

–Pues más o menos lo mismo. Aquí no pasan grandes cosas.

–¿Nada anormal?

–No.

Vivi sacó el bloc de notas y el bolígrafo.

–Bien, ahora tendré que haceros una pregunta difícil. Debo pediros los nombres de todos vuestros vecinos.

Arrancó una hoja y la puso sobre la mesa.

–Dibuja el pueblo –le propuso–. Vuestra casa y las demás. Luego les asignamos un número a cada una. La vuestra es la número uno. Quiero saber los nombres de las personas que vivían en cada una de las casas.

La mujer se levantó, fue a buscar un folio más grande y dibujó el pueblo. Vivi Sundberg adivinó que estaba acostumbrada a dibujar.

–¿De qué vivís, a qué os dedicáis? –preguntó–. ¿De la agricultura?

La respuesta la dejó perpleja.

–Tenemos una cartera de acciones. No es muy grande, pero la cuidamos bien. Cuando la Bolsa sube, vendemos, y cuando baja, compramos. Somos *daytraders.*

Vivi Sundberg pensó fugazmente que, a aquellas alturas, nada debería sorprenderla. ¿Por qué no iban a dedicarse a comerciar con acciones un par de hippies que pasaban el invierno en la región de Hälsingland?

–Además, hablamos mucho –prosiguió Ninni–. Nos contamos cuentos unos a otros. Eso ya no lo hace nadie hoy en día.

Vivi Sundberg tuvo la sensación de que aquella charla se le escapaba de las manos.

–Los nombres –le recordó–. Y también la edad, si puede ser. Tomaos el tiempo necesario, el caso es que los datos sean correctos; pero que no os lleve más tiempo del necesario.

Vio cómo se inclinaban sobre el papel y, murmurándose los nombres, empezaron a anotarlos. De pronto se le ocurrió una idea. Entre todas las explicaciones probables de la masacre, existía también la posibilidad de que el autor del crimen fuese alguien que vivía en el pueblo.

Quince minutos más tarde ya tenía la lista. La cantidad de personas no cuadraba. A ella le salía un muerto más. Debía de tratarse del niño. Se colocó junto a la ventana y la leyó con atención. A juzgar por lo que allí veía, no había en el pueblo más de tres familias distintas. Un grupo de apellido Andersson, otro con el apellido Andrén y dos personas llamadas Magnusson. De repente, con la lista en la mano, cayó en la cuenta de todos los hijos y nietos que tendrían por ahí desperdigados y que, dentro de unas horas, cuando se enterasen de lo ocurrido, sufrirían el shock de su vida. «Necesitaremos ayuda de todo tipo para poder informarles», constató para sí. «Se trata de una catástrofe que afectará a muchas más personas de las que yo imaginaba.»

Al comprender que esa tarea recaería principalmente sobre ella se sintió impotente y asustada. Lo que había ocurrido era demasiado horrendo para que una persona normal y corriente pudiese entenderlo primero y soportarlo después.

A medida que los nombres desfilaban ante sus ojos intentaba recrear en su mente sus rostros, pero las imágenes aparecían borrosas.

De pronto cruzó su mente una idea que había obviado por completo. Salió al jardín y llamo a Erik Huddén, que estaba hablando con uno de los técnicos.

–Erik, ¿quién descubrió todo esto?

–Un hombre que llamó por teléfono. Después murió, chocó contra un camión que transportaba muebles. El conductor es bosnio.

–¿Murió en el accidente?

–No, murió. Probablemente le dio un infarto. Y luego chocó con el camión.

–¿Pudo ser él quien cometió esta atrocidad?

–Esa idea no se me había ocurrido... Llevaba el coche lleno de cámaras. Parece que era fotógrafo.

–Averigua lo que puedas sobre él. Después estableceremos una especie de cuartel general en esta casa. Tenemos que repasar los nombres y buscar a los familiares. ¿Qué ha sido del conductor del camión?

–Tuvo que soplar, pero estaba sobrio. Hablaba tan mal el sueco que se lo llevaron a Hudiksvall en lugar de retenerlo para interrogarlo aquí. Pero él parecía no saber nada.

–Ya lo veremos. ¿No ha sido en Bosnia donde se han hecho pedazos unos a otros no hace mucho?

Erik Huddén se marchó y Vivi estaba a punto de volver a entrar en la casa cuando vio a un policía que venía corriendo por la carretera, de modo que fue a su encuentro. Enseguida se dio cuenta de que su colega estaba asustado.

–Hemos encontrado la pierna –anunció–. El perro la olfateó a unos cincuenta metros, entre los árboles –explicó señalando el lindero del bosque.

Vivi Sundberg tuvo la sensación de que el hombre quería decirle algo más.

–¿Eso es todo?

–Pues..., creo que será mejor que lo veas tú misma.

Dicho esto, el policía se volvió para vomitar. Vivi no se detuvo a ayudarle, sino que se apresuró en dirección al bosque. Resbaló y cayó dos veces.

Cuando llegó al lugar en cuestión entendió perfectamente lo que había puesto tan nervioso al policía. La pierna había sido roída por ciertas zonas hasta quedar convertida en un hueso de esqueleto. El pie estaba completamente descarnado.

Miró a Ytterström y al policía del perro, que estaban junto al hallazgo.

–Un caníbal –declaró Ytterström–. ¿Es eso lo que estamos buscando? ¿Habremos venido a molestarlo en mitad del almuerzo?

A Vivi Sundberg le cayó en la mano algo que la sobresaltó, pero no era más que un copo de nieve que no tardó en derretirse.

–Una tienda –dijo–. Han de montar otra tienda aquí. No quiero que se destruyan las huellas.

Cerró los ojos y pensó en un mar azul y una casa blanca encaramada sobre la cálida loma de una montaña. Después volvió a la casa de los accionistas y se sentó en la cocina con la lista de nombres.

«En algún lugar debe de haber algo que aún no he descubierto», pensó.

Muy despacio, empezó a buscar nombre a nombre. Se sentía como si estuviese avanzando por un campo de minas.

4

Vivi Sundberg se imaginó que estaba contemplando el epitafio de los fallecidos en una gran catástrofe. Si se hubiese estrellado un avión o se hubiese hundido un barco, habrían descubierto una placa conmemorativa con los nombres de los fallecidos grabados encima. Sin embargo, ¿quién iba a descubrir una placa en memoria de los asesinados en Hesjövallen una noche de enero de 2006?

Dejó el papel con la lista de nombres y se miró las manos. No conseguía que se quedasen quietas. Le temblaban sin parar. Si hubiese habido alguna persona a la que pasarle el caso, lo habría hecho sin dudar. Deseaba hacer un buen trabajo y quizás, incluso, que la felicitasen por ello, pero no aspiraba en modo alguno a que la ascendiesen a jefe de policía. Siempre se había considerado una mujer ambiciosa, pero en absoluto hambrienta de poder. Como quiera que fuese, en aquellos momentos no había ninguna otra persona que pudiese asumir la responsabilidad de la investigación mejor que ella. Le resultaba fácil trabajar con el fiscal Robertsson. Quien no podía asumir la responsabilidad de una investigación de asesinato era Tobias Ludwig, que pronto se dejaría caer del cielo, probablemente de un helicóptero. Era un burócrata que contaba dinero, negaba horas extraordinarias a sus subordinados y los enviaba a seminarios absurdos sobre cómo podía uno evitar sentirse molesto cuando la gente se burlaba de ellos por la calle.

Se estremeció y volvió a la lista.

Erik August Andersson
Vendela Andersson
Hans-Evert Andersson
Elsa Andersson
Gertrud Andersson
Viktoria Andersson
Hans Andrén
Lars Andrén

Klara Andrén
Sara Andrén
Elna Andrén
Brita Andrén
August Andrén
Herman Andrén
Hilda Andrén
Johannes Andrén
Tora Magnusson
Regina Magnusson

Dieciocho nombres, tres familias. Se levantó y entró en la habitación donde los Hansson aguardaban en el sofá hablando entre susurros. Al verla entrar, callaron enseguida.

–Dijisteis que no había niños en el pueblo. ¿Es eso cierto?

Ambos asintieron.

–¿Y tampoco habéis visto a ningún niño por aquí estos días?

–A veces, los hijos que vienen a visitar a sus padres traen a los nietos, pero no es frecuente.

Vivi Sundberg vaciló un instante antes de continuar.

–Por desgracia, hay un niño entre los asesinados –reveló por fin.

Señaló una de las casas del pueblo mientras la mujer la contemplaba con los ojos muy abiertos.

–¿Y también está muerto?

–Sí, está muerto. Si no me equivoco, por la lista que me habéis dado, deduzco que estaba en la casa de Hans-Evert y Elsa Andersson. ¿Estáis seguros de que no sabéis quién es?

De nuevo se miraron atónitos, antes de negar con la cabeza. Vivi Sundberg se levantó y volvió a la cocina. La décima novena persona no tenía nombre. «Él es distinto», se dijo. «Él, las dos personas que viven en esta casa y Julia, la demente, que es la única que se libra de enfrentarse a esta catástrofe. Las otras dieciocho personas que anoche se fueron a dormir están ahora muertas. Y el niño también. Sin embargo, en cierto sentido, a él no le tocaba.»

Dobló el papel, se lo guardó en el bolsillo y salió. Escasos copos de nieve caían sobre la tierra. A su alrededor, todo era silencio. Tan sólo una voz aquí o allá, una puerta que se cerraba, el resonar de una herramienta. Erik Huddén se le acercó, muy pálido, como todos.

–¿Dónde está el médico? –le preguntó Vivi.

–Donde la pierna.

–¿Qué tal lo lleva?

–Está conmocionada. Primero echó a correr en busca de un baño y luego rompió a llorar. Pero ya hay más médicos en camino. ¿Qué hacemos con los periodistas?

–Hablaré con ellos.

Sacó la lista del bolsillo.

–El niño no tiene nombre. Debemos averiguar quién es. Haz copias de la lista, pero no las distribuyas.

–Esto no hay quien lo entienda –se lamentó Erik Huddén–. Dieciocho personas.

–Diecinueve. El niño no está en la lista.

Sacó un bolígrafo del bolsillo y, al final de la relación de víctimas, añadió «niño desconocido».

Después reunió a los periodistas, helados y expectantes, en un semicírculo en la carretera.

–Os haré un breve resumen –comenzó–. Podéis hacer preguntas, pero por el momento no obtendréis ninguna respuesta. Sin embargo, se celebrará una conferencia de prensa esta misma tarde, en la ciudad. En principio, será a las seis. Lo único que puedo deciros es que en esta localidad se han cometido unos crímenes horribles. Y, por ahora, ésa es toda la información de que podéis disponer.

Una joven pecosa alzó la mano.

–Algo más podrás decirnos, ¿no? Eso ya lo hemos comprendido cuando habéis acordonado todo el pueblo.

Vivi Sundberg no la reconocía, pero llevaba en la cazadora el nombre de un importante periódico nacional.

–Por más que insistáis, debido a la investigación técnica no puedo decir nada más por ahora.

Uno de los periodistas de una cadena de televisión le plantó un micrófono en la cara. A él sí lo había visto antes en infinidad de ocasiones.

–¿Podrías repetir lo que acabas de decir?

Ella hizo lo que le pedía pero, cuando el periodista se disponía a formular la siguiente pregunta, Vivi se dio media vuelta y se marchó. No se detuvo hasta que llegó a la última tienda que habían montado. Sintió unas náuseas terribles. Se retiró unos metros, respiró hondo varias veces y, cuando se le pasaron, volvió.

En una ocasión, durante uno de los primeros años como policía, se desmayó cuando ella y un colega llegaron a una casa en la que encontraron a un hombre que se había ahorcado. Preferiría que no volviese a ocurrir.

La mujer que estaba acuclillada junto a los restos de la pierna alzó la vista cuando ella entró en la tienda. Allí dentro hacía mucho calor a causa del gran foco con que se iluminaban. Vivi Sundberg asintió a modo de saludo y se presentó. Valentina Miir hablaba sueco con un fuerte acento y tendría unos cuarenta años.

–¿Qué puedes adelantar?

–Que no he visto nunca algo parecido –repuso Valentina–. Uno puede encontrarse con miembros seccionados o incluso arrancados, pero esto...

–Dime, ¿ha roído alguien ese hueso?

–Lo más verosímil es, por supuesto, que haya sido un animal. Sin embargo, aquí hay unas marcas que me inquietan un poco.

–¿Por qué?

–Porque los animales roen los huesos de un modo muy especial. Casi puedes ver de qué animal se trata. Yo sospecho que en este caso ha sido un lobo. Además, hay otro detalle que deberías ver.

Estiró el brazo para alcanzar una bolsa de plástico transparente que contenía una bota de piel.

–Podemos suponer que la llevaba en el pie –explicó la forense–. Claro que un animal pudo habérsela arrancado para acceder al pie, pero lo que me preocupa es que los cordones no estaban anudados.

Vivi Sundberg recordó que en la otra bota que llevaba el hombre los cordones sí estaban atados.

Y repasó mentalmente la lista de nombres y dónde vivía cada uno. Si era correcta, aquélla podía ser la pierna arrancada o seccionada de Lars Andrén.

–¿Puedes adelantarme algo más?

–Es demasiado pronto.

–Quiero que vengas conmigo. Ni que decir tiene que no pienso inmiscuirme en cómo organizas tu trabajo, pero necesito tu ayuda.

Salieron de la tienda y se encaminaron a la casa donde yacía el cadáver del niño desconocido, junto con las otras dos personas que, probablemente, eran Hans-Evert y Elsa Andersson. Un penetrante silencio reinaba allí dentro.

El niño estaba tendido boca abajo en su cama. Era una habitación pequeña con el techo abuhardillado. Vivi Sundberg se mordió los labios para no echarse a llorar. La vida de aquel niño, que apenas había comenzado, terminó entre dos suspiros.

Ambas guardaban silencio.

–No me explico cómo alguien puede cometer una agresión tan atroz contra un niño –aseguró al fin Valentina.

–Precisamente porque no lo comprendemos tenemos que esforzarnos por aclarar todo este asunto, para entender qué ocurrió de verdad.

La forense no dijo nada. Al mismo tiempo, una idea aún imprecisa comenzó a forjarse en la conciencia de Vivi Sundberg. En un primer momento, ella misma no supo decir en qué consistía. «Una pauta», se dijo. «Algo roto.» De pronto, cayó en la cuenta de lo que había captado su atención.

–¿Puedes contar cuántas cuchilladas le dieron?

La forense se inclinó e iluminó el cadáver con la lámpara de la mesita. Le llevó varios minutos examinarlo, hasta que respondió.

–Parece que sólo le dieron una, pero fue mortal.

–¿Algo más?

–No creo que fuese consciente de nada. El corte le seccionó la columna.

–¿Has visto ya los demás cadáveres?

–Sí, bueno, lo que he hecho ha sido constatar que están muertos. No quisiera empezar en serio hasta que lleguen mis colegas.

–¿Podrías decirme si alguna de las otras víctimas murió también de una sola cuchillada?

Al principio Valentina Miir reaccionó como si no hubiese comprendido la pregunta. De todos modos, revisó mentalmente lo que había visto, antes de contestar:

–Pues, a decir verdad, no –dijo al fin–. Si no me equivoco, todos los demás cadáveres presentaban numerosas cuchilladas.

–¿Que no fueron necesariamente mortales?

–Es muy pronto para asegurarlo, pero probablemente tengas razón.

–Bien, gracias.

La forense se marchó. Cuando Vivi Sundberg se quedó sola, revisó el dormitorio y la ropa del niño para ver si encontraba algo que pudiese revelarle su nombre. No encontró nada, ni siquiera un bonobús. Bajó las escaleras y salió al jardín. Puesto que quería estar a solas, se dirigió a la parte posterior de la casa, que daba a la superficie congelada del lago. Intentaba aclararse a sí misma qué era lo que había descubierto en realidad. El niño había muerto de una sola cuchillada, los demás habían sufrido una violencia más sistemática. ¿Qué podía significar aquello? Sólo se le ocurría una explicación plausible, que, al mismo tiempo, era aterradora. Quien mató al niño no quería que el pequeño sufriera, mientras que los demás se vieron sometidos a un ensañamiento que más bien se asemejaba a una prolongada tortura.

Se quedó mirando las brumosas cimas de las montañas que se alzaban al otro lado del lago. «Quería torturarlos», constató para sí. «El que sostenía la espada o el cuchillo quería que fuesen conscientes de que iban a morir.

»¿Por qué?» Vivi Sundberg no hallaba respuesta. El atronador sonido de un motor que se acercaba la hizo volver a la parte delantera de la casa. El helicóptero descendía despacio sobre las lomas del bosque y fue a aterrizar en un cercado, entre una nube de nieve. Tobias Ludwig bajó del helicóptero, que volvió a despegar enseguida y a retomar el vuelo rumbo sur.

Vivi Sundberg salió a su encuentro. Tobias Ludwig llevaba zapatos de vestir y se le acercó caminando con dificultad, los pies hundidos en la nieve. Así, de lejos, pensó que parecía un insecto aturdido y atascado en la nieve, aleteando para liberarse.

Se encontraron en la carretera. Ludwig se sacudió la nieve de la ropa.

–Llevo un rato intentando comprender lo que me contabas –confesó.

–En esas casas hay un montón de muertos. Quería que los vieras con tus propios ojos. Sten Robertsson está aquí. He solicitado todos los recursos que he podido, pero ahora te toca a ti asumir la responsabilidad de que nos proporcionen la ayuda que necesitamos.

–Sigo sin entender nada. ¿Dices que hay muchos muertos? ¿Y sólo viejos?

–Bueno, también hay un niño que se sale de la pauta. Es joven. Pero también está muerto.

Vivi recorrió las casas una a una por cuarta vez aquella misma mañana. Tobias Ludwig iba a su lado, lanzando gemidos de horror. Terminaron el periplo en la tienda donde estaban los restos de la pierna. La forense había desaparecido. Tobias Ludwig meneaba la cabeza, se sentía impotente.

–Pero ¿qué se supone que es esto? Debe de ser obra de un loco.

–Aún no sabemos si es sólo uno. Puede tratarse de varios.

–¿Varios desquiciados?

–Quién sabe.

Ludwig la miró inquisitivo.

–¿Hay algo en este asunto que sepamos de verdad?

–En realidad, no.

–Esto tiene unas dimensiones demasiado grandes para nosotros. Necesitamos ayuda.

–En eso consiste tu misión. Además, les he comunicado a los periodistas que celebraremos una conferencia de prensa a las seis.

–¿Y qué vamos a decir?

–Eso depende de a cuántos familiares hayamos logrado localizar para entonces. Eso también es responsabilidad tuya.

–¿Localizar a los familiares?

–Erik tiene la lista. Deberás empezar por organizar el trabajo. Llamar al personal que esté librando y todo eso. Tú eres el jefe.

Robertsson se acercaba caminando hacia ellos por la carretera.

–Esto es horrendo, una atrocidad –opinó Tobias Ludwig–. Me pregunto si habrá algún precedente similar en toda Suecia.

Robertsson negó con un gesto. Vivi Sundberg observaba a los dos hombres. Sentía crecer la sensación de que debían darse prisa, de que, si no se apresuraban, sucedería algo mucho peor.

–Empieza con los nombres –le dijo a Tobias Ludwig–. Créeme, necesito contar con tu ayuda.

Después tomó a Robertsson del brazo y echó a andar con él por la carretera.

–¿Qué piensas?

–Que tengo miedo. ¿Tú no?

–A mí no me queda tiempo para eso.

Sten Robertsson la observó con los ojos entrecerrados.

–Pero tienes alguna idea, ¿verdad? Siempre la tienes.

–No, esta vez no. Pueden haber sido diez personas, pero por ahora no puedo decir ni que sí ni que no. Trabajamos sin ninguna hipótesis concreta. Además, tú has de estar en la conferencia de prensa.

–Detesto hablar con los periodistas.

–Lo siento, es lo que hay.

Robertsson se marchó y Vivi estaba a punto de meterse en el coche cuando vio que Erik Huddén le hacía señas. Caminaba hacia donde ella se encontraba y llevaba algo en la mano. «Ha encontrado el arma homicida», se dijo Vivi. «Eso sería lo mejor, nos vendría de maravilla. A menos que atrapáramos pronto al asesino.»

No obstante, lo que Erik Huddén llevaba en la mano no era un arma sino una bolsa de plástico, que le entregó a Vivi. Una bolsa que contenía una cinta de seda roja.

–La encontró el perro. En el bosque, a unos treinta metros de la pierna.

–¿Alguna huella?

–Están investigándolo ahora mismo. Pero el perro localizó la cinta y no dio muestras de querer seguir buscando hacia el interior del bosque.

Vivi sostuvo en alto la bolsa y entrecerró un ojo para distinguir bien el contenido.

–Es muy fina –observó–. Parece de seda. ¿Algún otro objeto?

–Sólo eso, porque se destacaba entre la nieve.

Vivi le devolvió la bolsa.

–Bien, pues algo es algo –se consoló Vivi–. En la conferencia de prensa podremos comunicarle al mundo que tenemos diecinueve víctimas de asesinato y una pista, una cinta de seda roja.

–Tal vez encontremos algo más.

–Sí, encontrad algo más. Y además atrapad al autor del crimen, haced el favor. O, más bien, al monstruo.

Cuando Erik Huddén se marchó, Vivi se sentó en el coche para poder pensar a solas. A través del parabrisas vio cómo unas asistentes sociales se llevaban a Julia. «Ella, felizmente, lo ignora todo», pensó. «Julia jamás comprenderá lo que sucedió en las casas vecinas a la suya esta noche de enero.»

Cerró los ojos e hizo desfilar los nombres de la lista por su cabeza. Aún le resultaba imposible emparejar los nombres con los rostros que había visto ya en cuatro ocasiones. ¿Dónde empezó todo?, se preguntó. Una de las casas sería la primera y otra tuvo que ser la última. El autor del crimen, actuase o no en solitario, debía saber lo que hacía. No fue de casa en casa al azar, no intentó entrar en la de los accionistas ni en la de la anciana senil. Sus casas se libraron de él.

Volvió a abrir los ojos y se quedó mirando por la ventanilla. «Fue premeditado», concluyó. «Tuvo que serlo, pero ¿acaso puede un ser perturbado prepararse para semejante matanza? ¿Encaja en su perfil?»

Ella opinaba que una persona mentalmente desquiciada bien podía actuar de forma por completo racional. De hecho, tenía cierta experiencia de ello. Recordaba a un tipo obsesionado por tener razón que, hacía ya muchos años, había sacado un arma en el juzgado de Söderhamn y matado a tiros al juez, entre otros. Cuando la policía llegó a su casa, que se hallaba en el bosque, descubrió que el hombre había colocado cargas explosivas por todas partes. Se trataba de un loco con un apasionado plan.

Se sirvió el último café que quedaba en el termo. «El móvil...», pensó. «Hasta un perturbado mental ha de tener un móvil. Tal vez una voz interior lo conmine a matar a la gente que se interpone en su camino, pero ¿cómo iban a conducirlo las voces precisamente a Hesjövallen? Y, en tal caso, ¿por qué? ¿Qué papel ha desempeñado la casualidad en este drama?» La idea la devolvió al punto de partida. No todos los habitantes del pueblo estaban muertos. El asesino había perdonado la vida a tres personas, pese a que habría podido matarlas a ellas también, de haber querido. En cambio, había acabado con la vida de un niño que, al parecer, se encontraba casualmente de visita en aquel pueblo maldito.

«El niño puede ser la clave», consideró. «El pueblo no es su sitio y, aun así, ha muerto, mientras que otras dos personas que llevan aquí veinte años siguen con vida.»

Comprendió que estaba formulándose una pregunta para la que necesitaba una respuesta inmediata. Era algo que le había dicho Erik Huddén. ¿Lo recordaba bien? ¿Cómo se llamaba Julia de apellido?

La puerta de la casa de Julia no tenía echada la llave. Entró y leyó el papel que Erik Huddén había encontrado en la mesa de la cocina. La respuesta a su pregunta le aceleró el corazón. Se sentó para intentar ordenar sus ideas.

Llegó a una conclusión inverosímil que, no obstante, bien podía ser cierta. Marcó el número de Erik Huddén, que contestó de inmediato.

–Estoy en casa de Julia, en la cocina, la mujer que vimos en albornoz en la carretera. Ven aquí cuanto antes.

–Voy ahora mismo.

Erik Huddén se sentó a la mesa frente a ella pero se levantó enseguida y olisqueó el asiento. Luego cambió de silla. Vivi lo miró inquisitiva.

–Huele a orina. La anciana debe de haberse hecho pis encima. Bueno, ¿qué querías decirme?

–Quiero que oigas una idea que se me ha ocurrido. Parece ilógica y, al mismo tiempo, razonable. Vamos a apagar los teléfonos para que no nos molesten.

Ambos dejaron los móviles sobre la mesa. «Como si dejáramos las armas reglamentarias», se dijo Vivi Sundberg.

–Intentaré hacer una síntesis de algo que, en realidad, no puede sintetizarse. Pese a todo, intuyo una especie de extraña lógica en lo que sucedió anoche en este pueblo. Quiero que me escuches y me digas si estoy totalmente equivocada o dónde me equivoco.

En ese momento oyeron la puerta de la casa y un técnico criminalista que acababa de llegar entró en la cocina.

–¿Dónde están los muertos?

–En esta casa no hay ninguno.

Así que el técnico se marchó.

–Se trata de los nombres –comenzó Vivi–. Aún ignoramos cómo se llama el niño, pero, si mi idea es correcta, será pariente de la familia Andersson que vivía y murió en la casa en la que lo encontramos. Una de las claves de lo ocurrido se halla precisamente en los apellidos, en las familias. En este pueblo, todo el mundo parecía llamarse Andersson, Andrén o Magnusson, mientras que Julia, que vive en esta casa, se llama Holmgren, según los documentos de los servicios sociales. Julia Holmgren. Y ella está viva. Además, tenemos a Tom y Ninni Hansson, que también están vivos y tienen otro apellido. De todo lo cual podríamos extraer una conclusión.

–Que quien haya hecho esto, de algún modo y por alguna razón, iba en busca de gente que se llamaba igual –dedujo Huddén.

–¡Ve un paso más allá! Este pueblo es muy pequeño. Y la movilidad ha sido mínima. Entre estas familias han debido de casarse unos con otros. Y no quiero decir que se trate de consanguinidad, pero hay razones para creer que no son tres, sino dos familias o incluso sólo una. Lo que nos llevaría a comprender por qué Julia y los Hansson siguen vivos.

Vivi Sundberg guardó silencio, mientras esperaba la reacción de Erik Huddén. Nunca lo había tenido por un hombre particularmente inteligente, pero respetaba su capacidad para encontrar buenas soluciones a base de una buena dosis de intuición.

–Si es así, significaría que el autor del crimen conocía bastante bien a estas personas. ¿Quién puede saber todo eso?

–¿Un pariente, tal vez? Aunque también un loco.

–¿Un pariente loco? ¿Por qué haría algo así?

–Eso no lo sabemos. Ahora estamos intentando comprender por qué no han muerto todos los habitantes del pueblo.

–¿Y cómo explicas la pierna cortada y destrozada a mordiscos?

–No puedo explicarlo, pero necesito una piedra sobre la que construir, por pequeña que sea. Mi difusa idea y una cinta de seda roja es cuanto tenemos.

–Supongo que sabrás qué va a suceder.

–Que la prensa se nos echará encima.

Erik Huddén asintió.

–De eso tendrá que hacerse cargo Tobias.

–Pues te pondrá a ti de parapeto.

–Entonces, yo te pondré a ti.

–¡Ni se te ocurra!

Ambos se pusieron de pie.

–Quiero que vayas a la ciudad –le dijo Vivi–. Tobias iba a designar agentes para localizar a los familiares. Quiero que tú te encargues de que se haga de verdad. Y también que busques la conexión entre estas tres familias, pero, por el momento, que quede entre nosotros.

Erik Huddén se marchó y Vivi Sundberg se acercó al fregadero y se sirvió un vaso de agua. «Me pregunto si mi idea valdrá para algo», se dijo. «Aunque, claro, tal y como está la situación, vale tanto como cualquier otra.»

Aquella misma tarde, poco antes de las seis, varios policías se reunieron en el despacho de Tobias Ludwig para decidir lo que dirían en la conferencia de prensa. No darían los nombres, pero sí el número de víctimas, y admitirían que por el momento carecían de pistas. Y que las observaciones y aportaciones de la gente eran extremadamente valiosas y más necesarias que nunca.

Tobias Ludwig se preparó para iniciar la conferencia y después sería el turno de Vivi Sundberg.

Antes de entrar en la sala, que estaba llena de periodistas, Vivi se encerró un momento en los servicios. Observó su rostro en el espejo. «Quisiera despertarme y que todo esto dejase de existir», se dijo.

Después salió, golpeó varias veces la pared del pasillo con el puño cerrado y entró en la sala, ya repleta de gente y demasiado caldeada. Subió a la tarima y se sentó junto a Tobias Ludwig.

Su jefe la miró y ella asintió, dándole a entender que ya podían empezar.

La jueza

5

Una mariposa emergió de las tinieblas y aleteó nerviosa alrededor del flexo. Birgitta Roslin dejó el bolígrafo y se acomodó en la silla mientras observaba los vanos intentos de la mariposa por atravesar la tulipa de porcelana. El sonido de las alas le recordó otro sonido, de su infancia, aunque no supo decir cuál.

Su memoria solía estar más receptiva cuando se sentía cansada, como en aquel momento. Del mismo modo en que durante el sueño un sinfín de recuerdos emergía a la superficie como venidos de ninguna parte.

Como la mariposa nocturna.

Cerró los ojos y se masajeó las sienes con la yema de los dedos. Pasaban unos minutos de la medianoche. En dos ocasiones había oído el eco de los pasos de los vigilantes al hacer su ronda por los locales vacíos de los juzgados. Se imaginó que la sala de juicios era un gran escenario. Quedaban indicios en las paredes, voces susurrantes que subsistían después de todo el drama que se había desarrollado en sesiones pasadas. Allí habían condenado a asesinos, violadores, ladrones. Y a muchos hombres que habían jurado ser inocentes en interminables y tristes procesos de reconocimiento de paternidad. Otros fueron absueltos y recuperaron su dignidad, que se había puesto en duda.

Cuando Birgitta Roslin solicitó el puesto en el juzgado de primera instancia y le ofrecieron el de secretaria de juzgado en Värnamo, tenía la intención de convertirse en fiscal. Sin embargo, mientras ejercía de secretaria empezó a decantarse por lo que finalmente sería su carrera. Aquel cambio dependió en gran medida del viejo juez Anker, que había dejado en ella una huella indeleble. Aquel hombre escuchaba con la misma paciencia a un joven que, con evidentes mentiras, pretendía liberarse de la responsabilidad de su paternidad, como a violentos delincuentes que no lamentaban ninguno de sus terribles delitos. Con esa actitud, el viejo juez supo infundirle un respeto por la justicia que hasta entonces había dado por supuesto. Sin embargo, con él lo había vivido de cerca no sólo en la teoría, sino también en la práctica. La justicia era acción. Cuando dejó la ciudad, lo hizo con el firme propósito de dedicarse a la judicatura.

Se levantó de la silla y se acercó a la ventana. En la calle, un hombre orinaba en la fachada de una casa. Durante el día había estado nevando en Helsingborg y una fina capa de nieve en polvo se arremolinaba transportada por la brisa a lo largo de la calle. Mientras observaba al hombre distraída, su cerebro trabajaba sin cesar en el texto que estaba redactando. Se había dado de plazo hasta el día siguiente, pero para entonces tenía que estar listo.

El hombre de la calle desapareció. Birgitta Roslin volvió a su escritorio y tomó el bolígrafo. En repetidas ocasiones había intentado redactar las sentencias en el ordenador, pero jamás lo consiguió. Era como si las teclas ahuyentasen sus ideas. Siempre volvía al bolígrafo. Una vez redactada y corregida, la plasmaba en la pantalla, que, con un sordo zumbido, aguardaba surcada de peces de colores.

Se inclinó sobre los folios llenos de tachones y añadidos. Era un caso sencillo, con pruebas irrefutables, y, pese a todo, la sentencia le había supuesto un problema.

Quería dictar una sentencia que incluyese sanción, pero no podía.

Un hombre y una mujer se habían conocido en uno de los restaurantes de Helsingborg. La mujer era joven, poco más de veinte años, y había bebido mucho. El hombre, que tenía unos cuarenta, le había prometido llevarla a su apartamento, y, una vez allí, ella le permitió que entrara a tomarse un vaso de agua. La joven se quedó dormida en el sofá y, allí mismo, el hombre la violó sin que ella se despertase. Luego se marchó. Por la mañana, la mujer recordaba sólo vagamente lo sucedido en el sofá durante la noche. Se puso en contacto con el hospital, la examinaron y le confirmaron que había sido violada. El hombre fue acusado tras una investigación policial ni más ni menos exhaustiva que tantas otras de casos similares. Un año después de la violación se celebró el juicio. Birgitta Roslin observaba a la joven desde su sillón. En la documentación de la investigación del caso había leído que la mujer se ganaba la vida como cajera suplente en diversos supermercados. Según su juicio personal, era evidente que bebía demasiado. Además, se la había acusado de hurto y había sido despedida por negligencia de uno de esos trabajos.

El acusado era, en muchos aspectos, su opuesto. Trabajaba como agente inmobiliario especializado en locales comerciales y su reputación era buena. Estaba soltero, tenía un buen salario y no aparecía en ningún registro policial. No obstante, Birgitta Roslin tenía la sensación de estar viéndolo tal como era, pese a su costoso e impecable traje. En efecto, a ella no le cabía la menor duda de que había violado a la joven mientras ésta dormía en el sofá. De hecho, mediante el análisis de ADN había comprobado que había mantenido relaciones sexuales con ella. Sin embargo, él negaba que hubiese recurrido a ningún tipo de violencia o agresión. Ella había consentido en todo momento, sostenían tanto él como su abogado de Malmö, del que Birgitta Roslin sabía de sobra que era capaz de defender a un cliente con todo tipo de cinismos imaginables. Aquello era como un callejón sin salida. La palabra de uno contra la del otro, un agente inmobiliario intachable contra una cajera ebria que, de hecho, le había permitido entrar en su apartamento a medianoche.

La indignaba no poder condenarlo. Por más que ella defendiese el principio básico de que, en caso de duda, era preferible declarar inocente que condenar, no podía por menos de pensar que, en ese caso en concreto, el culpable quedaría absuelto de una de las peores agresiones que un individuo podía cometer contra otra persona. Como no existía ningún espacio legal al que pudiese recurrir, ningún modo de interpretar la acusación y aportación de pruebas del fiscal, el hombre debía ser declarado inocente.

¿Qué habría podido hacer el razonable juez Anker? ¿Qué consejos habría podido ofrecerle? «Él habría estado de acuerdo conmigo», se dijo Birgitta Roslin. «Un culpable sale libre. El viejo Anker estaría tan indignado como yo. Y habría guardado silencio, igual que yo. Es la maldición de los jueces, hemos de obedecer la ley, aunque sepamos que un criminal queda libre sin castigo.» La mujer, que tal vez no fuese la más inocente criatura de Dios, tendría que vivir el resto de sus días con aquella humillante injusticia.

Se levantó de la silla y fue a sentarse en el sofá que tenía en su despacho. Lo había pagado de su bolsillo y lo había sustituido por el incómodo sillón que ofrecía la Dirección Nacional de Administración de Justicia. Del viejo juez había aprendido a reflexionar con un llavero en la mano y descabezar un sueñecito. Cuando se le caía el llavero, era hora de despertarse. Necesitaba descansar un rato, por poco que fuese. Después terminaría la sentencia, se iría a casa a dormir y la pasaría a limpio al día siguiente. Había revisado cuanto podía revisar y no cabía otra resolución que la declaración de inocencia.

Se durmió y soñó con su padre, del que no tenía prácticamente ningún recuerdo. Había sido maquinista de barcos. El vapor *Runskär* se hundió durante una terrible tormenta a mediados de enero de 1949, con toda la tripulación, en el golfo de Gävle. Jamás encontraron su cadáver. Birgitta Roslin no había nacido cuando sucedió la tragedia y la imagen que tenía de su padre procedía de las fotografías que había en su casa. Ante todo, de la instantánea en que se lo veía junto a la falca de un buque, con el cabello revuelto y la camisa arremangada. Está sonriéndole a alguien que se encuentra en el muelle, un segundo de a bordo que hace de fotógrafo, según le había contado su madre. Sin embargo, Birgitta Roslin siempre se había imaginado que era a ella a quien miraba, pese a que la fotografía había sido tomada antes de que ella hubiera nacido siquiera. En sus sueños solía evocar aquella imagen. Así, su padre le sonreía ahora exactamente igual que en la foto, pero desapareció enseguida, como si una nube de bruma se lo hubiese llevado envolviéndolo de tal manera que no se viera.

Se despertó sobresaltada y supo enseguida que había estado durmiendo demasiado tiempo. El truco del llavero no había funcionado. Se le había escapado de las manos, pero no se había percatado de ello. Birgitta Roslin se incorporó y miró el reloj. Ya eran más de las seis de la mañana. Llevaba durmiendo más de cinco horas. «Estoy agotada», constató. «No duermo lo suficiente, como la mayoría de la gente. Hay demasiadas cosas que me preocupan. Aunque en estos momentos se trata ante todo de esta sentencia injusta, que me tiene insatisfecha y abatida.»

Birgitta Roslin llamó a su marido, que estaría preguntándose qué había sido de ella. Cierto que no pocas veces, si habían discutido, se quedaba a dormir en el sofá del despacho, pero no había sido el caso.

Su marido respondió enseguida.

–¿Dónde estás?

–Me dormí en el sofá del despacho.

–¿Por qué has de quedarte trabajando hasta tan tarde?

–El juicio que ahora tengo entre manos es bastante complicado.

–¿No dijiste que debías declarar inocente al acusado?

–Precisamente por eso es tan complicado.

–Anda, vuelve a casa y acuéstate. Yo me voy ahora mismo, tengo prisa.

–¿Cuándo regresas?

–Si no hay retrasos, hacia las nueve. Han dicho que iba a nevar en Halland.

Birgitta colgó el teléfono y, de pronto, sintió un profundo cariño hacia su marido. Se habían conocido cuando ambos eran muy jóvenes y estudiaban derecho en Lund. Staffan Roslin era un año mayor que ella. La primera vez que se vieron fue en una fiesta, como invitados de amigos comunes. A partir de ahí, Birgitta no podía imaginarse la vida con otro hombre. La subyugaron sus ojos, su estatura, sus grandes manos y su modo de sonrojarse, tan indefenso...

Staffan estudió derecho para ejercer como abogado, pero un día llegó a casa y le dijo a Birgitta que no lo soportaba, que quería llevar otro tipo de vida. Ella no se lo esperaba y se quedó perpleja, pues su marido ni siquiera había insinuado que le costase cada día más acudir a su bufete de Malmö, ciudad en la que residían entonces. Al día siguiente y para sorpresa de Birgitta, Staffan empezó a estudiar para ser maquinista de tren, y una mañana se presentó en la sala de estar enfundado en un uniforme de color azul y rojo para comunicarle que aquel mismo día, a las 12:29, asumiría la responsabilidad del tren 212 que cubría el trayecto de Malmö a Alvesta, desde donde continuaba hacia Växjö y Kalmar.

Birgitta no tardó en comprobar que su marido se había convertido en una persona mucho más alegre. Para cuando Staffan decidió abandonar su existencia como letrado ya tenían cuatro hijos, el primero fue un niño, después una niña y, finalmente, un par de gemelas. Los niños se llevaban poco tiempo y Birgitta se admiraba al recordar la época en que los cuatro eran pequeños. ¿Cómo tuvieron fuerzas? Cuatro hijos en un plazo de seis años... Dejaron Malmö y se mudaron a Helsingborg cuando a ella la nombraron juez.

Ahora sus hijos eran adultos. El año anterior las gemelas se habían emancipado del hogar familiar y trasladado a Lund, donde compartían apartamento, aunque a Birgitta la tranquilizaba el hecho de que ninguna de las dos estudiase lo mismo que ella ni hubiese mostrado el menor interés por dedicarse a la abogacía. Siv, que era diecinueve minutos mayor que Louise, había decidido, después de mucho dudar, estudiar veterinaria. Louise, que era mucho más impetuosa que su hermana, había ido dando bandazos por la vida, y trabajó como dependienta de una tienda de ropa de caballero antes de empezar a estudiar ciencias políticas e historia de las religiones en la universidad. Birgitta Roslin había intentado en numerosas ocasiones orientar a su hija hacia lo que realmente quería dedicarse en la vida, pero Louise era la más introvertida de sus cuatro hijos y nunca hablaba demasiado de sí misma. Birgitta Roslin sospechaba que Louise era la que más se parecía a ella, precisamente. Su hijo David, que trabajaba en una gran empresa farmacéutica, era igual que su padre en casi todo. La tercera de sus hijos, Anna, había emprendido largos viajes por Asia sin que sus padres, presa de la mayor angustia, supiesen nunca a qué se dedicaba exactamente.

«Mi familia», pensó Birgitta Roslin. «Mi gran preocupación y mi gran alegría. Sin ella, la mayor parte de mi vida no habría tenido sentido.»

En el pasillo al que daba su despacho había un gran espejo. Observó en él su rostro y su cuerpo. Su corto y oscuro cabello había empezado a encanecer a la altura de las sienes y esa manía suya de apretar los labios le otorgaba a su rostro una expresión reticente. Lo que más le preocupaba, sin embargo, eran los kilos de más que había acumulado en los últimos años. Tres, cuatro kilos, poco más. Lo suficiente, no obstante, para que se le notase.

No le gustaba lo que veía. Sabía que, en realidad, era una mujer atractiva, pero ya empezaba a perder su buen aspecto y no oponía resistencia.

Dejó una nota sobre la mesa de su secretaria en la que le avisaba de que aquel día llegaría más tarde. El tiempo era algo más apacible y la nieve ya empezaba a derretirse. Se encaminó a su coche, que tenía estacionado en una calleja perpendicular.

De repente cambió de idea. En realidad, lo que más necesitaba no era dormir; era más importante que se despejase y pensara en otra cosa. Birgitta Roslin dio media vuelta y dirigió sus pasos hacia el puerto. La mar estaba en calma y la capa de nubes del día anterior empezaba a dispersarse. Bajó hasta el muelle desde el que partían los transbordadores hacia Helsingör. El trayecto no duraba más de veinte minutos, pero a ella le gustaba tomarse un café o una copa de vino sentada a bordo y observar cómo los demás pasajeros revisaban las bolsas con bebidas alcohólicas adquiridas en Dinamarca. Se sentó a una mesa pegajosa que había en un rincón. En un arrebato de irritación, llamó a una joven que recogía los restos de las mesas.

–Lo siento, pero tengo que protestar. Habéis quitado la mesa, pero no la habéis limpiado y está tremendamente sucia.

La muchacha se encogió de hombros y la limpió. Birgitta Roslin contempló con repugnancia la pringosa bayeta, pero no añadió nada más. La chica le recordaba en cierto modo a la joven violada, aunque no supo decir por qué. Tal vez a causa de su desinterés por hacer bien su trabajo, que era retirar los platos de las mesas. O quizá por ese aire suyo de indefensión que Birgitta Roslin no era capaz de describir.

El transbordador empezó a vibrar. El vaivén le produjo una sensación agradable, casi placentera. Recordó la primera vez que viajó al extranjero, cuando sólo tenía diecinueve años. Se fue a Inglaterra a hacer un curso de inglés con una amiga. Aquel viaje también empezó en un transbordador, el que cubría el trayecto entre Gotemburgo y Londres. Birgitta Roslin jamás olvidaría la sensación que experimentó cuando, desde la cubierta, tuvo la certeza de estar acercándose a algo desconocido y liberador.

Esa misma sensación de libertad la invadió en ese momento, mientras recorría el angosto estrecho que separaba Suecia de Dinamarca. El recuerdo de la desagradable sentencia se borró de su conciencia.

«Ya ni siquiera estoy en la mitad de mi vida», consideró para sí. «Ya he dejado atrás el punto en el que uno no es consciente de que ya ha pasado... Sobre todo, no me quedan muchas decisiones importantes que tomar en la vida. Seré jueza hasta que me jubile y lo más probable es que pueda disfrutar de mis nietos antes de que todo se haya acabado.»

Sin embargo, era consciente de que la sensación de malestar que más ocupada tenía por entonces su mente era el hecho de que su matrimonio con Staffan iba camino de agostarse y morir. Eran buenos amigos y capaces aún de darse seguridad, pero el amor y el placer sensual de estar cerca el uno del otro habían desaparecido por completo.

Dentro de cuatro días haría un año desde la última vez que se tocaron y que hicieron el amor antes de dormirse. Cuanto más se acercaba tan curioso aniversario, más impotente se sentía. Ya faltaba poco. Había hecho repetidos intentos por explicarle a Staffan hasta qué punto sentía esa soledad, pero él no estaba dispuesto a hablar, se escabullía, prefería posponer una conversación que, claro está, también a él le parecía importante. Staffan le juraba que no se sentía atraído por ninguna otra persona, sólo que le faltaban unas ganas que, sin duda, volvería a sentir. Era cuestión de tener paciencia.

Ella lamentaba haber perdido la antigua y estrecha relación con su marido, el apuesto conductor de tren con sus grandes manos y aquel rostro que con tanta facilidad se sonrojaba; pero no pensaba rendirse, aún no había llegado al punto de desear que sus antiguos lazos quedasen en pura amistad y nada más.

Birgitta Roslin fue a buscar otro café y se cambió a otra mesa menos sucia. Unos jóvenes bastante ebrios ya pese a que era muy temprano discutían sobre si fue Hamlet o Macbeth quien estuvo prisionero en el castillo de Kronborg, que se erguía majestuoso sobre el acantilado, cerca de Helsingör. Ella escuchaba divertida la conversación e incluso se sintió tentada de intervenir.

En la mesa del rincón había unos chicos, apenas mayores de catorce o quince años. Seguramente habrían faltado al colegio. ¿Por qué no iban a hacerlo cuando en realidad a nadie parecía importarle? Si algo no echaba de menos en su vida, era el autoritarismo de la escuela que a ella le tocó vivir. Al mismo tiempo, recordó un suceso del año anterior, algo que la desesperó ante la realidad del Estado de derecho sueco y que le recordó más que nunca a su consejero Anker, que ya llevaba treinta años muerto.

En una zona residencial, justo a las afueras de Helsingborg, una mujer de cerca de ochenta años sufrió un infarto masivo y cayó de espaldas en medio de una calle peatonal. Unos niños de trece y catorce años pasaron por allí, pero en lugar de ayudarle no se lo pensaron dos veces, le robaron el monedero que llevaba en el bolso y luego intentaron violarla. De no ser por un hombre que llegó en ese momento habrían consumado la violación. La policía pudo atrapar a los dos chicos, pero, puesto que eran menores de edad, los dejaron libres.

Birgitta Roslin supo del suceso por un fiscal que, a su vez, se lo había oído contar a un policía. Le pareció indignante e intentó averiguar por qué no se había denunciado el hecho a los servicios sociales. Birgitta no tardó en enterarse de que, cada año, unos cien niños cometían delitos sin ningún tipo de consecuencia para ellos. Nadie hablaba con los padres ni se informaba a los servicios sociales. Y no se trataba sólo de simples hurtos, sino también de robos y agresiones que sólo por azar no resultaban en muerte.

Aquello la hizo dudar del sistema judicial sueco. ¿A quién servía ella, en realidad? ¿A la justicia o a la indiferencia? ¿Y cuáles serían las consecuencias si seguían permitiendo que los niños cometiesen delitos ante los que nadie reaccionaba? ¿Cómo habían podido llegar al punto de que el fundamento de la democracia se viese amenazado por un sistema de justicia deficitario?

Apuró el café mientras pensaba que aún le quedaban otros diez años en activo. ¿Lo aguantaría? ¿Podría ser una buena jueza pese a haber empezado a dudar del buen funcionamiento del sistema?

Lo ignoraba. A fin de abandonar tan lúgubres pensamientos, de los que, además, tampoco sacaba nada en claro, cruzó el estrecho una vez más. Cuando bajó a tierra en Suecia, ya habían dado las nueve. Cruzó la ancha calle principal que atravesaba todo Helsingborg y, cuando giró por una perpendicular, vio por casualidad las primeras páginas con los titulares de los grandes diarios vespertinos, que un hombre estaba colocando en ese momento. Los escandalosos titulares la hicieron detenerse a leer: ASESINATO MÚLTIPLE EN HÄLSINGLAND; UN CRIMEN ESPELUZNANTE. LA POLICÍA NO TIENE NINGUNA PISTA; SE IGNORA EL NÚMERO DE VÍCTIMAS. ASESINATO MÚLTIPLE.

Continuó en dirección al coche. Ella no solía comprar los diarios de la tarde. Encontraba ofensivos y hasta insultantes los ataques que, con absoluta falta de rigor, dirigían de vez en cuando al sistema judicial sueco. Por más que ella estuviese de acuerdo con gran parte de lo que decían, no le gustaban los diarios vespertinos. Solían entorpecer la crítica verdadera, aunque la intención fuese buena.

Birgitta Roslin vivía en la zona residencial de Kjellstorp, cerca de la entrada norte de la ciudad. De camino a casa paró en una tienda propiedad de un emigrante paquistaní que siempre la recibía con una amplia sonrisa. Sabía que era jueza y la trataba con mucho respeto. Birgitta ignoraba si en Pakistán habría juezas, pero nunca se lo preguntó.

Cuando llegó a casa, se dio un baño y se fue a dormir. Se despertó a la una y, por fin, se sintió descansada. Después de tomarse un café y un par de bocadillos volvió al trabajo. Varias horas más tarde imprimió la sentencia que había escrito en el ordenador, la sentencia que absolvía al culpable, y la dejó sobre la mesa de su secretaria. Al parecer, impartían en los juzgados unos cursos de perfeccionamiento de los que ella o bien no había sido informada o, lo que era más probable, se había olvidado. Cuando llegó a casa, se calentó para cenar un guiso de pollo del día anterior y le dejó el resto a Staffan en el frigorífico.

Se sentó en el sofá con una taza de café y encendió el televisor para consultar el teletexto. Entonces recordó los titulares de los diarios que había visto hacía unas horas. La policía no tenía la menor pista y tampoco quería hacer público el número de víctimas ni sus nombres, puesto que aún no habían logrado ponerse en contacto con todos los familiares.

«Un perturbado», se dijo Birgitta Roslin. «Un loco que padecerá manía persecutoria o que quizá se considera maltratado por el mundo.»

Los años que llevaba en su profesión de jueza le habían enseñado que existían muchas y muy variadas formas de locura capaz de llevar a los seres humanos a cometer los crímenes más atroces. Sin embargo, también había aprendido que los psiquiatras judiciales no siempre conseguían descubrir a aquellos cuya intención era lograr que les impusiesen una pena menor por estar enfermos.

Apagó el televisor y bajó al sótano, donde había ido creando una pequeña bodega de vino tinto de distintas procedencias. Allí tenía, además, una serie de catálogos de distintos importadores. Hacía tan sólo unos años que comprendió que, al mudarse sus hijos, su economía y la de Staffan había cambiado. Ahora pensaba que podía permitirse el lujo de algún extra y decidió que compraría un par de botellas al mes. Se entretenía examinando las ofertas de las distintas compañías importadoras y le divertía ir probando. Pagar quinientas coronas por una botella suponía un placer casi prohibido para ella. En dos ocasiones había convencido a Staffan para que la acompañase a Italia y allí habían visitado distintos viñedos. Sin embargo, él apenas se mostraba interesado. A cambio, ella acudía con él a conciertos de jazz en Copenhague, pese a que se trataba de un estilo musical que no apreciaba especialmente.

En el sótano hacía frío. Comprobó que la temperatura se mantenía a catorce grados y se sentó en un taburete que había junto a los anaqueles. Allí, entre las botellas, sentía una paz inmensa. Si hubiese tenido la opción de sumergirse en una piscina de agua caliente, habría preferido bajar a su sótano, donde, aquel día, tenía exactamente ciento catorce botellas.

Pero ¿era real esa paz que sentía en la bodega? Si, cuando era joven, alguien le hubiese dicho que un día coleccionaría botellas de vino, se habría negado a creerlo. No sólo habría negado la posibilidad de que fuese cierto sino que además se habría indignado. Durante sus años de estudiante en Lund frecuentó círculos de la izquierda radical que, hacia finales de los años sesenta, cuestionaban tanto la enseñanza universitaria como la sociedad a cuyo servicio había de ponerse llegado el momento. Y lo de coleccionar vino se habría considerado por aquel entonces una pérdida de tiempo y de esfuerzo, un entretenimiento directamente burgués y, por tanto, execrable.

Seguía inmersa en sus reflexiones cuando oyó a Staffan en el piso de arriba. Apartó el catálogo y subió las escaleras. Su marido acababa de sacar del frigorífico los restos del guiso de pollo y, sobre la mesa, había varios diarios vespertinos que se había traído del tren.

–¿Lo has visto?

–Sí, ha ocurrido en Hälsingland, ¿no?

–Han muerto diecinueve personas.

–En el teletexto decían que no se conocía el número de víctimas.

–Ésta es la última edición. Han matado a casi todos los habitantes del pueblo. Es increíble. ¿Qué tal la sentencia que estabas escribiendo?

–Ya está lista. Lo declaro inocente. No hay otra alternativa.

–Pues los periódicos harán un escándalo de ello.

–Si lo hacen, mejor.

–Te criticarán.

–Seguro. Pero en ese caso les pediré a los periodistas que lean personalmente el código y luego les preguntaré si quieren que en este país pasemos al método del linchamiento.

–De todos modos, ese crimen colectivo le quitará protagonismo a tu caso.

–Por supuesto, se trata de una simple violación, comparada con un asesinato múltiple...

Aquella noche se acostaron pronto. Él tenía servicio por la mañana y ella no encontró en la tele nada de interés. Además, ya había decidido el vino que quería comprar, una caja de Barolo Arione 2002, que costaba doscientas cincuenta y dos coronas la botella.

A medianoche se despertó sobresaltada. Staffan dormía plácidamente a su lado. Le ocurría a veces: se despertaba con una repentina sensación de hambre, se ponía la bata, bajaba a la cocina y se preparaba un té y un bocadillo.

Los periódicos de la tarde seguían en la mesa y hojeó distraída uno de ellos. No resultaba fácil hacerse una idea clara de lo que había sucedido en el pueblo de Hälsingland, salvo que una gran cantidad de personas había sido asesinada, de eso no cabía ninguna duda.

Estaba a punto de dejar el diario cuando, de pronto, dio un respingo. Entre las víctimas había varias personas que se apellidaban Andrén. Leyó el texto con atención y empezó a hojear los demás periódicos. La misma información.

Birgitta Roslin se quedó mirando fijamente el artículo. ¿Sería verdad o la traicionaba la memoria? Fue a su despacho y, de uno de los cajones del escritorio, sacó una carpeta de documentos atada con una cinta roja. Puesto que no encontró las gafas, se puso las de Staffan. Veía peor con ellas pero le servían.

En aquella carpeta tenía todos los documentos de sus padres. También su madre había muerto, hacía más de quince años. Le detectaron un cáncer de páncreas y murió en menos de tres meses.

Por fin, en un sobre marrón, encontró la fotografía que estaba buscando. Sacó la lupa y observó la instantánea, un retrato de varias personas que, ataviadas con ropas de hacía mucho tiempo, posaban ante una casa.

Se la llevó a la cocina. En uno de los periódicos había una fotografía panorámica del pueblo donde había tenido lugar la tragedia. Volvió a observar la foto del periódico con la lupa. Se detuvo en la tercera casa y la comparó con la de la otra foto.

Al cabo de un rato hubo de admitir que no se había equivocado. No era un pueblo cualquiera el que había sufrido aquel repentino ataque de maldad, sino el pueblo en el que había crecido su madre. Todo concordaba. Cierto que su madre se llamaba Lööf de soltera, pero puesto que sus padres estaban enfermos y eran alcohólicos, las autoridades le buscaron una familia de acogida llamada Andrén. Su madre apenas le habló de aquella época. Siempre la trataron bien, pero, pese a todo, nunca dejó de sentir añoranza de sus verdaderos padres, que murieron antes de que ella cumpliese quince años, de modo que tuvo que quedarse en el pueblo hasta que se la consideró lo suficientemente mayor para buscar trabajo y cuidarse sola. Cuando conoció al padre de Birgitta, los nombres Lööf y Andrén habían desaparecido de la historia. Y ahora uno de ellos volvía con renovada fuerza.

La fotografía que tenía guardada entre los documentos de su madre había sido tomada ante una de las casas de aquel pueblo, escenario del asesinato múltiple. La fachada anterior, la decoración en carpintería de las ventanas, todo coincidía con la casa de la instantánea del periódico.

No cabía la menor duda. Hacía pocas noches que varias personas habían sido asesinadas en la casa donde vivió su madre de pequeña. ¿Serían las víctimas sus padres adoptivos? Según los diarios, la mayoría de los asesinados eran personas de edad avanzada.

Intentó calcular si cuadraba y llegó a la conclusión de que los padres adoptivos, si eran ellos los asesinados en aquella casa, deberían de tener más de noventa años. Es decir, que podría ser, aunque también podía tratarse de una generación más joven.

La sola idea la hizo estremecer. Ella no pensaba nunca en sus padres o, en todo caso, rara vez. Incluso le costaba evocar el rostro de su madre. Ahora, en cambio, el pasado se abalanzaba sobre ella de forma inesperada.

Staffan apareció en la cocina sin hacer el menor ruido, como de costumbre.

–Me has asustado –se quejó ella–. Nunca te oigo llegar.

–¿Qué haces levantada?

–Me entró hambre.

El hombre vio los documentos que había sobre la mesa. Birgitta le contó lo que había sospechado, cada vez más convencida de que tenía razón.

–Aun así, queda tan lejos –le dijo él cuando ella guardó silencio–. Es un hilo muy delgado el que te une con ese pueblo.

–Delgado pero extraño, ¿no me lo negarás?

–Necesitas dormir. Piensa que mañana has de estar descansada para poder enviar criminales a la cárcel.

Permaneció despierta en la cama largo rato, antes de poder conciliar el sueño. El delgado hilo fue estirándose hasta casi romperse. Entonces se despertó sobresaltada de su semivigilia y volvió a pensar en su madre. Llevaba muerta quince años. Aún le costaba verse en ella, reflejar su vida en el recuerdo de la mujer que había sido su madre.

Por fin logró dormirse y no se despertó hasta que sintió junto a la cama la presencia de Staffan, que, con el cabello mojado, empezaba a ponerse el uniforme. «Yo soy tu general», solía decirle. «Pero un general sin armas. Sólo llevo un bolígrafo con el que marcar los billetes.»

Birgitta fingió dormir y aguardó hasta que oyó cómo se cerraba la puerta de la calle. Después se levantó y se sentó al ordenador de su despacho. Buscó en Internet para recabar tanta información como fuese posible. La incertidumbre parecía seguir envolviendo los sucesos acontecidos en el pueblo de Hälsingland. Nada estaba claro, salvo que el arma había sido, probablemente, un gran cuchillo u otra arma blanca.

«Necesito saber más sobre este asunto», se dijo. «Como mínimo, quiero averiguar si los padres adoptivos de mi madre se hallaban entre los asesinados la otra noche.»

A las ocho de la mañana dejó de pensar en la tragedia del asesinato. Tenía que presidir un juicio sobre dos ciudadanos iraquíes culpables de tráfico de personas.

Eran las nueve cuando, con todos los documentos del caso y tras haber hojeado la investigación previa, ocupó su sitio en el estrado. «Ayúdame, viejo Anker, dame fuerzas para aguantar hoy también», rogó para sus adentros.

Acto seguido golpeó la mesa con el mazo y le pidió al fiscal que presentase la acusación.

Las ventanas que tenía a su espalda eran muy altas.

Justo antes de sentarse se dio cuenta de que el sol irrumpía por entre las pesadas nubes que se habían ido cerniendo sobre Suecia durante la noche.

6

Después de dos días de juicio, Birgitta Roslin sabía cuáles serían las sentencias. Al hombre de más edad, Abdul Ibn-Yamed, que era el cabecilla del grupo de traficantes, lo sentenciaría a tres años y dos meses. Al más joven, que era su compinche y ayudante, Yassir al-Habi, le caería un año. Ambos serían expulsados del país una vez cumplida la sentencia.

Comparó las sentencias con otras anteriores de juicios similares y no pudo por menos de considerar que se trataba de delitos graves, de modo que estaba justificada la aplicación de una pena dura. Muchas de las personas introducidas en el país de forma ilegal habían sufrido amenazas y malos tratos cuando resultó que no podían pagar las elevadas cantidades de dinero que les exigían por los largos viajes y por la documentación falsa que les permitía entrar en el país. A Birgitta le desagradó particularmente el hombre de más edad, que les suplicó tanto a ella como al fiscal aduciendo argumentos de carácter sentimental, asegurando que jamás se había quedado con el dinero de los refugiados, sino que siempre lo había destinado a fines benéficos en su país natal. En una de las pausas de la negociación, el fiscal entró en su despacho a tomarse una taza de café. Y, como de pasada, le contó que Abdul Ibn-Yamed conducía un Mercedes que costaba cerca de un millón de coronas.

El juicio fue bastante pesado, duró dos largos días en los que a Birgitta Roslin apenas le quedó tiempo para comer, dormir y estudiar sus notas antes de tener que volver al estrado. Las gemelas la llamaron para invitarla a Lund, pero les dijo que no tenía tiempo. Después de los traficantes de personas, la esperaba un complejo caso de una banda de estafadores rumanos que utilizaban tarjetas de crédito falsas.

Desde luego, fueron días en los que no pudo dedicar un solo minuto a lo sucedido en Hälsingland. Por la mañana hojeaba el periódico, pero generalmente por la noche no tenía fuerzas ni para ver las noticias.

La mañana que Birgitta Roslin iba a preparar el juicio contra los estafadores rumanos se dio cuenta de que tenía anotada en la agenda una cita con su médico para un chequeo rutinario. Sopesó la posibilidad de posponer la cita unas semanas. Aparte del cansancio que sentía, de la impresión de que su condición física había empeorado y de la ansiedad que experimentaba en ocasiones, no creía estar mal de salud. Era una persona sana que llevaba una vida normal y casi nunca sufría ni un resfriado. No obstante, optó por no cambiar la cita.

El médico tenía la consulta cerca del Stadsteatern. No utilizó el coche, sino que fue caminando desde los juzgados. Hacía frío pero estaba despejado y no soplaba el viento. La nieve que había caído días antes se había derretido ya por completo. Se detuvo ante un escaparate a mirar un traje, cuyo precio la alarmó. Con lo que valía aquel traje de color azul oscuro podría comprarse muchas botellas de excelente vino tinto.

En la sala de espera había un periódico cuya primera plana cubría la noticia del asesinato múltiple de Hälsingland. Apenas acababa de hacerse con el diario cuando la llamaron a consulta. El médico era un hombre mayor que le recordaba mucho al juez Anker. Birgitta Roslin llevaba diez años visitándolo. Se lo había recomendado un colega suyo. El hombre le preguntó si se encontraba bien, si tenía alguna molestia. Ella le respondió y el médico la mandó entonces con una enfermera, que le hizo una punción en la yema del dedo para extraerle sangre. La enfermera le dijo que aguardase en la sala de espera. Otro paciente que había llegado entretanto leía el periódico que ella había tenido que dejar. Birgitta Roslin cerró los ojos dispuesta a esperar. Pensó en su familia, en qué estaría haciendo cada uno o, al menos, dónde estarían en aquel momento. Staffan iba en un tren camino de Hallsberg. Y no llegaría a casa hasta bien tarde. David trabajaba en los laboratorios de AstraZeneca, a las afueras de Gotemburgo. Sobre el paradero de Anna no estaba segura, la última vez que supo de ella, hacía cosa de un mes, se encontraba en Nepal. Las gemelas estaban en Lund y querían que ella las visitara.

Mientras aguardaba, se quedó dormida y despertó al notar que la enfermera le rozaba suavemente el brazo.

–Ya puedes entrar.

«No puedo estar tan cansada como para dormirme en la sala de espera del médico», se recriminó mientras volvía a la consulta.

–Tus valores sanguíneos están un tanto bajos –comenzó el doctor–. Deberían andar por ciento cuarenta, pero aún te falta bastante para alcanzar esa cifra. Lo podemos corregir con un refuerzo de hierro.

–O sea, que no tengo nada, ¿no?

–Llevo bastantes años viéndote. Eres el vivo reflejo del cansancio del que hablas, si me permites decirlo claro.

–¿A qué te refieres?

–Tienes la tensión por las nubes y toda tú irradias cansancio. ¿Duermes bien?

–Supongo, pero me despierto a menudo.

–¿Mareos?

–No.

–¿Desasosiego?

–Sí.

–¿A menudo?

–A veces. Incluso algún que otro ataque de ansiedad. Entonces tengo que apoyarme en la pared, porque me da la sensación de que voy a caerme o de que el mundo se viene abajo.

–Pues voy a darte la baja. Debes descansar. Quiero que mejores tus valores sanguíneos y, sobre todo, quiero que te baje la tensión. Esto hay que seguir tratándolo.

–No puedes darme la baja. Tengo muchísimo trabajo.

–Precisamente.

Birgitta lo miró inquisitiva.

–¿Es grave?

–No tanto como para que no podamos arreglarte.

–¿Tengo que preocuparme?

–Si no haces lo que te digo, sí. De lo contrario, no.

Minutos después, ya en la calle, Birgitta Roslin pensaba con asombro que no iba a trabajar durante las dos próximas semanas. De forma repentina e inesperada, el médico había alterado su vida normal.

Volvió al juzgado para hablar con Hans Mattsson, que era letrado y superior suyo. Con su ayuda encontró una solución para los dos juicios que ella tenía pendientes. Después conversó con su secretaria, envió unas cartas, fue a la farmacia para comprar las medicinas que le había recetado el médico y se marchó a casa. La inactividad la superaba.

Preparó el almuerzo y se sentó en el sofá. Se levantó a buscar el periódico para leer un rato. Aún no habían publicado todos los nombres de las víctimas. Un policía del grupo de homicidios llamado Sundberg hacía unas declaraciones en las que pedía a los lectores que llamasen si podían aportar algo. Seguían sin tener pistas y, por mucho que costase creerlo, no había ningún indicio de que hubiese más de un solo autor.

En otra entrevista, un fiscal llamado Robertsson aseguraba que estaban llevando a cabo la investigación con amplitud de miras y sin hipótesis previas. La policía de Hudiksvall había recibido la ayuda que habían solicitado a las autoridades centrales.

Robertsson parecía seguro de la victoria: «Atraparemos al autor de esta masacre. No nos rendiremos».

En las siguientes páginas hablaban del temor que se había extendido en los bosques de Hälsinge, donde había muchos pueblos con pocos habitantes. La gente, decía el diario, se proveía de armas, perros y alarmas y atrancaba sus puertas como podía.

Birgitta Roslin dejó el periódico. La casa estaba vacía, en silencio. Aquellas vacaciones involuntarias se las habían impuesto de repente, surgidas de la nada. Bajó al sótano a buscar uno de los catálogos de vinos y, ya frente al ordenador, hizo el pedido de la caja de Barolo Arione por la que se había decidido. En realidad, era un vino demasiado caro, pero quería permitirse algún lujo. Después pensó en ponerse a limpiar, una tarea que siempre andaba posponiendo, pero, cuando se disponía a sacar la aspiradora, cambió de idea. Se sentó a la mesa de la cocina e intentó hacerse una idea clara de su situación. Estaba de baja sin estar enferma. Le habían recetado tres medicamentos distintos que le ayudarían a reducir la tensión y a mejorar sus valores sanguíneos. Al mismo tiempo, no podía por menos de admitir que el médico había visto claramente lo que ella no osaba admitir. Estaba agotando sus fuerzas. La falta de sueño, los ataques de ansiedad que estallaban en cualquier momento, y que tal vez un día se presentasen en la sala de vistas, le causaban mayores problemas de lo que había querido admitir hasta ahora.

Birgitta Roslin observó el periódico que había sobre la mesa y volvió a pensar en su madre y su infancia. De pronto, se le ocurrió una idea. Alcanzó el teléfono y llamó a la comisaría, donde pidió que la pusieran con el comisario Hugo Malmberg. Se conocían desde hacía muchos años y, en una ocasión, intentó enseñarles a ella y a Staffan a jugar al bridge, aunque no consiguió contagiarles su entusiasmo.

Birgitta Roslin oyó el dulce timbre de su voz en el auricular. «Uno se imagina que la voz de un policía debe sonar áspera, pero Hugo no cumple esas expectativas», se dijo. «Suena más bien como un amable jubilado que se dedica a dar de comer a las palomas en el banco de un parque.»

Birgitta le preguntó por su salud antes de indagar si tendría tiempo de recibirla.

–¿De qué caso se trata?

–De ninguno. Al menos, de ninguno que tengamos nosotros. Dime, ¿dispones de tiempo?

–El policía que se tome en serio su trabajo y diga que tiene tiempo miente; pero ¿cuándo habías pensado pasarte por aquí?

–Iré andando desde casa..., ¿te va bien dentro de una hora?

–De acuerdo, aquí estaré.

Cuando Birgitta Roslin entró en el despacho de Hugo Malmberg, cuya mesa de escritorio se veía perfectamente ordenada, su amigo estaba hablando por teléfono. Le hizo una seña de que tomase asiento. Hugo Malmberg hablaba de un caso de agresión que les había entrado el día anterior. «Un caso que algún día llegará a mi mesa, quizá», pensó Birgitta. «Cuando haya recuperado algo de hierro y mi presión sanguínea se haya normalizado y me permitan volver al trabajo.»

Hugo Malmberg concluyó la conversación y le dedicó una amable sonrisa.

–¿Quieres un café?

–Mejor no, gracias.

–¿Qué clase de respuesta es ésa?

–Dicen que el café de la comisaría es tan malo como el nuestro.

Hugo Malmberg se levantó.

–Bueno, vamos a la sala de reuniones –propuso–. Aquí no para de sonar el teléfono. Es una sensación que comparto con todos y cada uno de los policías suecos: me da la impresión de que soy el único que trabaja.

Se sentaron a una mesa ovalada llena de tazas de café y botellas de agua vacías. Malmberg movió la cabeza con aire displicente.

–La gente no recoge nada. Celebran una reunión y, cuando termina, lo dejan todo por medio. Bueno, ¿qué querías? ¿Has cambiado de idea sobre el bridge?

Birgitta Roslin le habló de su descubrimiento y le explicó que tal vez existiese un vínculo, por nimio que fuese, entre ella y la masacre.

–Siento curiosidad –admitió para terminar–. De lo que dicen los periódicos o en las noticias no se deduce mucho, salvo que las víctimas son numerosas y que la policía no tiene pistas.

–Te confieso que me alegra no estar de servicio en esa zona justo ahora. Debe de ser horrible para ellos. Jamás había oído hablar de algo parecido. En cierto modo, es una noticia tan sensacional como el asesinato de Palme.

–¿Tú sabes algo que no hayan dicho los periódicos?

–No hay un solo policía en todo el país que no pregunte y hable del asunto. Lo comentamos en los pasillos y cada uno tiene su teoría. Eso de que los policías sean gente racional y básicamente faltos de imaginación es un mito. Enseguida nos ponemos a especular sobre qué puede haber ocurrido.

–¿Y tú qué crees?

Hugo Malmberg se encogió de hombros y reflexionó un instante antes de responder.

–Yo no sé más que tú. Sólo que son muchas víctimas y que ha sido un crimen brutal. Sin embargo, no han robado nada, si no me equivoco. Lo más probable es que sea obra de un enfermo. Y con respecto a lo que haya detrás de esa locura, únicamente podemos especular. Supongo que la policía estará buscando entre conocidos agresores con trastornos psíquicos. Seguro que ya se han puesto en contacto con la Interpol y la Europol, por si encuentran alguna pista por esa vía. De todos modos, les llevará tiempo obtener resultados de esas fuentes. Por lo demás no sé nada.

–Pero tú conoces a policías de todo el país. ¿Tienes algún contacto allá arriba en Hälsingland? Quiero decir, alguien a quien yo pudiera llamar por teléfono para preguntarle...

–Conozco al jefe –confesó Malmberg–. Un tipo llamado Ludwig. Si he de serte sincero, no me causó muy buena impresión. Ya sabes que no confío en los policías que nunca han estado en contacto con la realidad. Pero podría llamarlo y preguntarle.

–Te prometo que no lo molestaré con tonterías. Sólo quiero saber si entre las víctimas se encuentran los padres adoptivos de mi madre o si eran sus hijos... O si estoy totalmente equivocada.

–Bueno, es un motivo más que justificado para llamarlo. Veré lo que puedo hacer. Ahora tendrás que disculparme. Me espera un interrogatorio de lo más desagradable con un agresor bastante antipático.

Aquella noche, Birgitta le contó a Staffan lo sucedido. Él le dijo, como de pasada, que el médico había hecho bien en darle la baja y le propuso que emprendiese un viaje al sur. Su falta de interés la irritó sobremanera, pero no hizo ningún comentario.

Al día siguiente, poco antes del almuerzo, cuando Birgitta Roslin estaba al ordenador navegando por distintas páginas de ofertas de viajes, sonó su móvil.

–Tengo un nombre –anunció Hugo Malmberg–. Hay una policía llamada Sundberg.

–Sí, es el apellido que he visto en los periódicos, pero ignoraba que fuese una mujer.

–Se llama Vivian, pero la llaman Vivi. Ludwig le habló de ti, así que cuando la llames sabrá por qué. Me han facilitado su teléfono.

–Apunto.

–Le pregunté cómo les iba. Siguen sin tener pistas. Aunque no les cabe ninguna duda de que se trata de un loco. Al menos eso me dijo.

Birgitta no pudo por menos de detectar cierta vacilación en su voz.

–Pero tú no lo crees, ¿verdad?

–Yo no creo nada. Es sólo que entré en Internet anoche y leí lo que encontré. Hay algo extraño en lo que ha ocurrido allí.

–¿Qué?

–Demasiado bien planeado.

–Pero un enfermo también puede planificar un crimen, ¿no?

–Ya, no me refiero a eso. Se trata más bien de una sensación: de que, en cierto modo, hay algo *demasiado* raro para que sea verdad. Si yo estuviese en el lugar de mis colegas, empezaría a plantearme si el autor del crimen no ha intentado camuflar lo sucedido para que parezcan los actos de un enfermo.

–¿Cómo lo habrían camuflado?

–Y yo qué sé. ¿Tú no ibas a llamar para presentarte como familiar?

–Sí, gracias por todo. Por cierto, tal vez haga un viaje al sur. ¿Tú has estado en Tenerife?

–Jamás. Suerte.

Birgitta Roslin marcó enseguida el número que acababa de anotar. Una voz grabada en un contestador la invitó a dejar un mensaje. Empezaba a sentirse inquieta. Volvió a echar mano de la aspiradora pero no fue capaz de ponerse a limpiar, sino que se plantó de nuevo ante el ordenador y, media hora después, ya se había decidido por un viaje a Tenerife desde Copenhague. Partiría dentro de dos días. Buscó la isla en el atlas y empezó a soñar con aguas cálidas y con vinos españoles.

«Puede que me venga bien», se dijo Birgitta Roslin. «Una semana sin Staffan, sin juicios, sin lo cotidiano. No es que esté muy ducha en el arte de procesar lo que siento o pienso acerca de mí misma y sobre mi vida pero, a mi edad, debería ser capaz de verme con la suficiente claridad como para detectar los achaques y cambiar el rumbo donde sea necesario. Hubo un tiempo, cuando era joven, en que soñé que sería la primera mujer en dar la vuelta al mundo en un barco de vela. Jamás lo hice, pero recuerdo parte de la terminología relacionada con la navegación y sé cómo avanzar por la angostura de ciertas vías marítimas. Puede que durante unos días necesite transitar sin fin por el estrecho, o preguntarme, tumbada en una playa de Tenerife, si lo que se avecina es ya la vejez o si se trata de una mala racha de la que podré salir. Pasé bien la crisis de la menopausia; pero ahora no sé qué me pasa exactamente. Y tengo que averiguarlo. Ante todo, debo averiguar si mi presión sanguínea y mi ansiedad guardan relación con Staffan. Si nunca seremos capaces de sentirnos bien a menos que logremos salir de este estado de apatía en que ahora nos encontramos.»

Comenzó a planear el viaje enseguida. Algo se bloqueó y no pudo completar la reserva por Internet, de modo que envió un mensaje con su nombre y su teléfono, así como con los datos del viaje que le interesaba. Enseguida recibió una respuesta: se pondrían en contacto con ella en el transcurso de una hora.

Casi habían pasado los sesenta minutos cuando sonó el teléfono, pero no era la agencia de viajes.

–Hola, soy Vivi Sundberg. Quería hablar con Birgitta Roslin.

–Soy yo.

–Me han informado de quién eres, pero no sé qué quieres exactamente. Comprenderás que en estos momentos estamos bajo una presión enorme. Si entendí bien lo que me dijeron, eres jueza, ¿verdad?

–Así es. No quisiera alargar mucho mi historia, pero mi madre, que falleció hace muchos años, fue adoptada por una familia llamada Andrén. Y he visto algunas fotografías de las que deduzco que vivió en una de las casas de ese pueblo.

–Yo no soy la encargada de informar a los familiares. Te sugiero que hables con Erik Huddén.

–Pero, entonces, hay entre las víctimas varias personas con el apellido Andrén, ¿no?

–Pues, ya que lo preguntas, al parecer la familia Andrén era la más numerosa del pueblo.

–¿Y están todos muertos?

–Preferiría no contestar a esa pregunta. ¿Tienes el nombre de pila de los padres adoptivos de tu madre?

La carpeta estaba a su lado, sobre la mesa. Birgitta desató la cinta y buscó entre los documentos.

–No puedo esperar –le advirtió Vivi Sundberg–. Llámame cuando los hayas encontrado.

–Ya los tengo. Brita y August Andrén. Deben de tener más de noventa años, puede que incluso noventa y cinco.

Vivi Sundberg tardó en contestar. Birgitta Roslin oía el crujir de las hojas que iba pasando, hasta que la voz de Sundberg volvió a sonar en el auricular.

–Sí, están entre las víctimas. Por desgracia, están muertos. El mayor de los dos tenía noventa y seis años. Te ruego que no difundas esta información entre la prensa.

–¿Y por qué habría de hacer algo así?

–Eres jueza. Seguro que sabes cuáles pueden ser las consecuencias y por qué te pido que no lo hagas.

Birgitta Roslin lo sabía perfectamente. De vez en cuando comentaba con sus colegas lo raro que resultaba que los periodistas los acosasen, pues ya contaban con que ningún juez estaría dispuesto a revelar información que hubiese de mantenerse en secreto.

–Comprenderás que me interesa saber cómo evoluciona la investigación.

–Pues ni yo ni ninguno de mis colegas disponemos de tiempo para ir dando información a particulares. Estamos sitiados por los medios de comunicación. Muchos de ellos ni siquiera respetan los cordones policiales. Ayer encontramos a uno con la cámara en el interior de una de las casas. Llama a Hudiksvall y habla con Huddén.

Vivi Sundberg parecía impaciente e irritada. Birgitta Roslin la comprendía muy bien y recordó las palabras de Hugo Malmberg y el alivio que sentía por no encontrarse en el centro de aquella investigación.

–Gracias por llamar. No te molestaré más.

Una vez terminada la conversación, Birgitta Roslin reflexionó sobre lo que Sundberg acababa de decirle. Ahora, al menos, tenía la certeza de que los padres adoptivos de su madre se encontraban entre las víctimas. Ella y todos los demás familiares tendrían que armarse de paciencia mientras se desarrollaba la investigación policial.

Sopesó la posibilidad de llamar a la comisaría de Hudiksvall para hablar con el agente llamado Huddén, pero, en realidad, ¿qué podría añadir él? Al final decidió dejarlo. En cambio, sí que se sentó a leer con más detenimiento los documentos que había en la carpeta de sus padres. Hacía muchos años que no la abría siquiera. Algunos de los papeles no los había leído nunca.

Clasificó todo lo que contenía la carpeta en tres montones. El primero constituía la historia de su padre, cuyos restos descansaban en el fondo del golfo de Gävle. En las semidulces aguas del Báltico, los esqueletos no se descomponían rápidamente. Así que en algún lugar del fondo estarían sus huesos y su cráneo. El segundo puñado de documentos correspondía a la vida que llevó junto con su madre, antes y después de nacer su hija. Finalmente, la tercera pila era la que trataba de Gerda Lööf, antes de convertirse en Andrén. Leyó despacio todos aquellos documentos y, cuando llegó a los procedentes de la época en que su madre fue hija adoptiva de la familia Andrén, empezó a leer con más atención. Muchos de los documentos estaban desgastados y resultaban difíciles de leer, pese a que había recurrido a la lupa.

Tomó un bloc en el que fue anotando nombres y edades. Ella había nacido en la primavera de 1949. Entonces su madre, que nació en 1931, tenía dieciocho años. Asimismo, halló las fechas de nacimiento de August y de Brita. Ella, en agosto de 1909; él, en diciembre de 1910. Es decir, que tenían veintidós y veintiún años cuando nació Gerda y menos de treinta cuando llegaron a Hesjövallen.

No descubrió nada que le confirmase que hubiesen vivido en Hesjövallen. Sin embargo, la fotografía que comparó, una vez más, con la del periódico terminó por convencerla. No podía tratarse de un error.

Se puso a escrutar los rostros de las personas que, alineadas y rígidas, aparecían retratadas en la antigua instantánea.

Había dos personas más jóvenes, un hombre y una mujer que estaban algo apartados, junto a una pareja de edad que posaba en el centro de la foto. ¿Serían Brita y August? No se veía ninguna fecha ni ningún dato escrito en el reverso. Intentó determinar cuándo la habrían tomado. ¿Qué se podía deducir de la ropa? Todos los retratados se habían vestido para la ocasión, pero vivían en el campo, donde un traje podía durar toda una vida.

Apartó las fotos y continuó revisando cartas y documentos. En 1942, Brita enfermó del estómago y estuvo ingresada en el hospital de Hudiksvall. Gerda le escribió una carta en la que le deseaba una pronta recuperación. Gerda tenía entonces once años y escribía con una letra picuda, a veces con faltas de ortografía, y una flor de hojas desiguales adornaba una de las esquinas del papel.

Birgitta Roslin se conmovió cuando encontró la carta y le sorprendió no haberla visto antes. Claro que estaba dentro de otra carta, pero ¿por qué no la había abierto nunca? ¿Sería el dolor por la muerte de Gerda lo que le impidió tocar siquiera cualquier cosa que se la recordase?

Se retrepó en la silla y cerró los ojos. A su madre se lo debía todo. Gerda, que ni siquiera había cursado los estudios primarios, siempre la había animado a seguir estudiando. «Ahora nos toca a nosotras», le decía. «Ahora son las hijas de la clase trabajadora las que tendrán estudios.» Y eso fue lo que hizo Birgitta Roslin. En los años sesenta, cuando ya no sólo los hijos de la burguesía iban a la universidad. En aquella época era una obviedad lo de adherirse a grupos radicales de izquierda. La vida no era sólo cuestión de entender cosas, sino también de cambiarlas.

Volvió a abrir los ojos. «Sin embargo, no resultó como yo pensaba», constató para sí. «Estudié y me convertí en abogada. Pero en realidad abandoné mis ideas radicales sin saber por qué. Ni siquiera ahora, cuando me falta poco para cumplir los sesenta, me atrevo a aproximarme siquiera a esa gran cuestión, ¿qué fue de mi vida?»

Siguió revisando los documentos a conciencia y encontró otra carta. El sobre era de un tono azulado y tenía el matasellos de América. El delgado papel de carta estaba plagado de letras minúsculas. Enfocó el flexo hacia el texto e intentó descifrarlo, siempre sirviéndose de la lupa. Era una carta escrita en sueco, con muchas palabras inglesas. Alguien llamado Gustaf habla de su trabajo como porquerizo. Una niña llamada Emily acaba de morir, y en la casa reina una gran *sorrow*. Gustaf pregunta cómo les va en Hälsingland, cómo va todo con la familia, la cosecha y los animales. Estaba fechada el 19 de junio de 1896. En el sobre se leía la dirección del destinatario: «August Andrén, Hesjövallen, Sweden». «Pero, si mi abuelo no había nacido aún», se dijo. Lo más probable es que la carta fuese dirigida a su padre, puesto que la respondió la familia de Gerda. Pero ¿cómo había llegado a sus manos?

Al final, debajo de la firma, había una dirección: «Mr. Gustaf Andrén, Minneapolis Post Office, Minnesota, United States of America».

Volvió a abrir el atlas. Minnesota es una zona de agricultores. Y allí había ido a parar un miembro de la familia Andrén, emigrada de Hesjövallen, hacía más de cien años.

Pero también encontró una carta que testimoniaba que otro miembro de la familia Andrén había acabado en una parte diferente de Estados Unidos. Se llamaba Jan August y trabajó, al parecer, en la construcción del ferrocarril que une las costas este y oeste de ese gran país. En la carta preguntaba por los parientes, vivos y muertos. Sin embargo, grandes porciones del texto eran ilegibles, pues estaba borroso.

La dirección de Jan August era: «Reno Post Office, Nevada, United States of America».

Siguió leyendo, pero no encontró en el montón ningún otro documento relacionado con el nexo de su madre y la familia Andrén.

Apartó los montones de papeles, entró en Internet y, sin esperanza, empezó a buscar la dirección postal de Minneapolis que indicaba Gustaf Andrén en su carta. Tal y como esperaba, fue a parar a un callejón sin salida. Buscó entonces la dirección postal de Nevada y la remitieron a una publicación llamada *Reno Gazette Journal*. En ese momento sonó el teléfono; era la agencia de viajes. Un hombre joven bastante amable que hablaba con acento danés la orientó acerca de las condiciones para contratar el viaje y le describió el hotel. No se lo pensó dos veces. Dijo que sí, formalizó una prerreserva y prometió confirmarla al día siguiente, como muy tarde.

Una vez más, intentó buscar la publicación *Reno Gazette Journal*. A la derecha de la pantalla podía elegir entre una serie de materias y artículos. Estaba a punto de cerrar el menú cuando recordó que en su búsqueda había introducido el apellido Andrén, no sólo la dirección. En otras palabras, la referencia al nombre debió llevarla a esa publicación en concreto. Empezó a leer, página tras página, haciendo clic en todas las materias.

De repente apareció una página que le hizo dar un respingo en la silla. Al principio leyó sin entender del todo, después volvió a leer, más despacio; y pensó que, sencillamente, aquello no podía ser verdad. Se levantó de la silla y se colocó a unos metros del ordenador. Pero el texto y las fotografías seguían allí.

Las imprimió y se las llevó a la cocina. Muy despacio, volvió a leerlas.

El 4 de enero, se cometió un brutal asesinato en la pequeña ciudad de Ankersville, al nordeste de Reno. Una mañana, un vecino halló muerto, junto con toda su familia, al propietario de un taller de mecánica. El vecino se extrañó al no ver el taller abierto como de costumbre. La policía aún no tenía ninguna pista, pero estaba claro que toda la familia Andrén, Jack, su esposa Connie y sus dos hijos, Steven y Laura, habían sido asesinados con algún tipo de arma cortante. No había indicios de allanamiento ni de robo. No había móvil. Los Andrén eran gente apreciada por todos y no tenían enemigos. La policía buscaba a un enfermo mental, tal vez a un drogadicto desesperado, capaz de cometer un crimen tan horrendo.

Se quedó petrificada. Por la ventana se filtraba la luz del camión de la basura que pasaba por la calle.

«No se trata de un loco», concluyó para sí. «La policía de Hälsingland está tan equivocada como lo estaba la policía de Nevada. Se trata de uno o varios criminales que saben muy bien lo que hacen.»

Por primera vez, experimentó una creciente sensación de temor, como si la estuviesen observando sin que ella lo supiera.

Fue al vestíbulo y comprobó que la puerta estaba cerrada con llave. Después volvió a sentarse frente al ordenador y buscó antiguos artículos en la *Reno Gazette Journal.*

El camión de la basura ya había desaparecido. Empezaba a caer la noche.

7

Mucho después, cuando el recuerdo de todos los sucesos empezó a palidecer en su memoria, hubo ocasiones en que se preguntó qué habría ocurrido si, pese a todo, hubiese emprendido el viaje a Tenerife y hubiese vuelto a casa y a su trabajo recuperada de su anemia, con la tensión controlada y la energía renovada. Pero no fue así. Por la mañana, muy temprano, Birgitta Roslin llamó a la agencia de viajes para anular su reserva. Puesto que había tomado la precaución de contratar un seguro, apenas le costó cien coronas.

Staffan llegó tarde aquella noche, pues el tren en el que trabajaba se quedó en mitad del trayecto a causa de una avería en el motor. Durante dos horas se vio obligado a tratar con pasajeros protestones y, además, con una señora mayor que se puso enferma. Cuando llegó a casa, estaba cansado e irritado. Birgitta lo dejó cenar tranquilo, pero después le contó lo que había descubierto de lo acontecido en el remoto estado de Nevada y su sospecha de que podría guardar relación con la masacre de Hälsingland. Se dio cuenta de que él parecía no creérselo del todo, pero no supo si atribuirlo a que realmente dudaba de la veracidad de lo que ella le contó o si se debía a su cansancio. Cuando Staffan se acostó, ella volvió a sentarse al ordenador y estuvo navegando en Internet tanto por páginas de Hälsingland como de Nevada. Hacia la medianoche tomó unas notas en un bloc, como hacía cuando se disponía a redactar una sentencia. Por ilógico que pareciera, no podía por menos de pensar que los dos sucesos guardaban relación. Pensó, además, que ella era, en cierto modo, una Andrén, aunque ahora se llamase Roslin.

¿Correría su vida algún peligro por ese motivo? Permaneció largo rato sentada, concentrada en el bloc de notas, sin hallar respuestas. Después salió afuera a contemplar el cielo estrellado de la clara noche invernal. Su madre le había contado que su padre era un apasionado observador de los astros. Muy de vez en cuando, Gerda recibía cartas de su padre, escritas desde el barco en el que trabajaba, en las que le hablaba de las noches que pasaba en latitudes remotas estudiando las estrellas y las distintas constelaciones. Tenía un convencimiento casi religioso de que los muertos se transformaban en materia que, a su vez, originaba nuevas estrellas, en ocasiones tan lejanas que no eran visibles para los ojos de los vivos. Birgitta Roslin se preguntaba qué pensaría cuando el *Runskär* se hundió en el estrecho de Gävle. El barco, que llevaba una pesada carga, se estrelló de costado en medio de la fuerte tormenta y se hundió en menos de un minuto. Tan sólo pudieron lanzar una llamada de socorro; después, la radio enmudeció. ¿Alcanzaría a comprender que iba a morir o le sobrevino la muerte en las frías aguas sin darle tiempo de tomar conciencia de ello? Tan sólo un repentino terror, después el frío y la muerte.

El cielo parecía más próximo aquella noche; la luz de las estrellas, más intensa. «Veo la superficie», se dijo. «Existe una conexión, unos delgados hilos que se enredan entre sí. Pero ¿qué hay debajo? ¿Qué motivo había para asesinar a diecinueve personas en un pueblecito de Norrland y para aniquilar a una familia en el desierto de Nevada? Seguro que no era un móvil muy distinto de los habituales: venganza, avaricia, celos. Mas ¿qué agravio exigiría tan tremenda venganza? ¿Quién obtendría beneficios económicos matando a una serie de jubilados de un pueblo de Norrland que ya estaba moribundo? ¿Y quién sentiría celos de ellos?»

Volvió adentro, pues empezaba a tener frío. En condiciones normales, se acostaba temprano, ya que por las noches solía estar cansada y detestaba ir al trabajo, en especial cuando tenía juicio, sin haber descansado lo suficiente. Se tumbó en el sofá y puso algo de música, aunque muy baja, para no despertar a Staffan. Estaban dando un verdadero repertorio de antiguas baladas suecas. Birgitta Roslin guardaba un secreto que no había compartido con nadie, soñaba con escribir algún día una canción que fuese número uno, tan buena que ganase el concurso para el festival de Eurovisión. A veces se avergonzaba de abrigar semejante deseo, pero al mismo tiempo lo alentaba. Hacía ya muchos años que se había comprado un diccionario de rimas y tenía una colección de borradores de canciones guardados bajo llave en un cajón del escritorio. Tal vez no fuese muy apropiado que una jueza en activo se dedicase a escribir canciones de moda, pero, que ella supiera, tampoco había ninguna norma que se lo prohibiese.

Más que nada, le gustaría escribir sobre una alondra. Una canción sobre un pájaro, sobre el amor, con un estribillo que nadie olvidase jamás. Si su padre había sido un apasionado de las estrellas, ella se tenía por una entusiasta cazadora de estribillos. Ambos eran apasionados, aunque sólo uno de los dos mirase al cielo.

Se fue a la cama a las tres y tuvo que zarandear a Staffan, que estaba roncando. Cuando se dio la vuelta y se calló, también ella cayó vencida por el sueño.

A la mañana siguiente, Birgitta Roslin recordó lo que había soñado durante la noche. Había visto a su madre, que le hablaba sin que ella pudiera comprender sus palabras. Como si se encontrase tras un cristal. La situación parecía prolongarse hasta la eternidad. Su madre no cesaba de hablar, cada vez más indignada al comprobar que su hija no la entendía, mientras ella se preguntaba qué las separaba.

«La memoria es como el vidrio», se dijo. «Aquellos que se han ido siguen siendo visibles, cercanos; pero ya no hay posibilidad de contacto. La muerte es muda, prohíbe el diálogo, sólo permite el silencio.»

Birgitta Roslin se levantó con una idea que empezaba a cobrar forma en su mente. Ignoraba de dónde había surgido. En cualquier caso allí estaba, de pronto, clara como el día. En realidad, no se explicaba cómo no se le había ocurrido antes. Claro que también su madre había dejado atrás su propio pasado. Jamás le pidió a Birgitta, su única hija, que se interesase por su pasado.

Birgitta Roslin fue a buscar un mapa de carreteras de Suecia. En verano, cuando los niños eran pequeños, alquilaban una casa en algún sitio, generalmente por un mes, y viajaban en coche. Alguna vez lo hicieron en avión, como las dos ocasiones en que fueron a Gotland, pero nunca tomaron el tren; y a Staffan jamás se le ocurrió pensar que un día cambiaría su profesión de abogado por la de conductor de trenes.

Abrió un mapa general. Hälsingland estaba mucho más al norte de lo que ella creía. Y no encontraba Hesjövallen, era un pueblo tan insignificante que ni siquiera aparecía.

Cuando dejó el mapa, ya lo tenía decidido. Iría en coche hasta Hudiksvall. Y no porque quisiera visitar el lugar del crimen, sino porque deseaba ver el pueblo en el que había crecido su madre.

Cuando era joven, pensó muchas veces en emprender un gran viaje por toda Suecia. «El viaje al hogar», solía llamarlo ella, llegaría hasta Treriksröset, el punto más al norte, y luego volvería a la costa de Escania, donde estaría cerca del continente y tendría todo el país a su espalda. De camino al norte pensaba seguir la costa, mientras que el viaje de regreso lo haría por el interior. Sin embargo, nunca lo hizo y cuando, en alguna ocasión, se lo mencionó a Staffan, él no mostró el menor entusiasmo. Luego, durante los años en que los niños estaban creciendo, resultaba imposible planteárselo.

Ahora por fin tenía la posibilidad de hacer al menos una parte de dicho viaje.

Cuando Staffan terminó de desayunar y se preparó para acudir a su tren de aquel día, con destino a Alvesta, que sería el último antes de tomarse unos días libres, Birgitta le contó su plan. Él no solía oponerse a sus ocurrencias, y tampoco lo hizo en esta ocasión. Tan sólo le preguntó cuánto tiempo estaría fuera y si su médico no tenía nada que objetar al esfuerzo que, después de todo, supondría para ella conducir un trecho tan largo.

Cuando lo vio en el vestíbulo, con la mano en la manija de la puerta, dispuesto a salir, Birgitta dio rienda suelta a su indignación. Ya se habían despedido en la cocina, pero después fue tras él y le arrojó a la cara el periódico de la mañana.

–Pero ¿qué haces?

–¿Te interesa lo más mínimo saber por qué he decidido emprender ese viaje?

–Ya me lo has explicado.

–¿No comprendes que tal vez sea también porque necesito tiempo para pensar en nuestra relación?

–No podemos empezar a hablar de ese tema ahora. Llegaré tarde a mi tren.

–¡No, claro, nunca te viene bien! Por la noche, no es buen momento; por la mañana, no es buen momento. ¿No sientes nunca la necesidad de hablar conmigo de la vida que llevamos?

–Ya sabes que no siento la misma urgencia que tú.

–¿Urgencia? ¿Llamas urgencia al hecho de que yo reaccione porque llevemos un año sin hacer el amor?

–No podemos hablar de eso ahora. No tengo tiempo.

–Pues deberías empezar a tenerlo.

–¿Qué quieres decir?

–Puede que se me agote la paciencia.

–¿Es una amenaza?

–Lo único que sé es que así no podemos seguir. Y ahora, vete a tu maldito tren.

Mientras volvía a la cocina oyó el golpe de la puerta al cerrarse. Se sentía aliviada al haber podido decir por fin lo que pensaba, pero al mismo tiempo la inquietaba su reacción.

Aquella noche, Staffan la llamó. Ninguno de los dos mencionó la discusión de la mañana en el vestíbulo. Sin embargo, le notó en la voz que estaba afectado. Tal vez podrían hablar por fin de lo que ya no tenía sentido seguir ocultando...

A la mañana siguiente, muy temprano, se sentó en el coche dispuesta a partir hacia el norte desde Helsingborg. Había vuelto a hablar con sus hijos y pensó que estaban tan ocupados con sus vidas que no les quedaban fuerzas para involucrarse en las cosas de su madre. Aún no les había dicho nada de lo que la vinculaba con lo sucedido en Hesjövallen.

Staffan, que había llegado el día anterior a casa ya de noche, le llevó la maleta al coche y la dejó en el asiento trasero.

–¿Dónde te alojarás?

–Hay un pequeño hotel en Lindesberg. Allí pasaré la noche. Llamaré desde allí, te lo prometo. Y luego supongo que me instalaré en Hudiksvall.

Staffan le acarició fugazmente la mejilla y la despidió con la mano mientras se alejaba. Birgitta se lo tomó con calma, fue parando a menudo y llegó a Lindesberg ya entrada la tarde. Hacia el final del trayecto empezó a encontrar nieve en las carreteras. Reservó habitación en un hotel, cenó en un pequeño y desierto restaurante y se fue temprano a la cama. En un diario vespertino, aún plagado de noticias sobre la gran tragedia, vio que el frío se recrudecería al día siguiente, pero que seguiría sin haber precipitaciones.

Birgitta Roslin durmió profundamente; cuando despertó no recordaba sus sueños y reanudó su viaje rumbo a la costa y hacia Hälsingland. No puso la radio, sino que fue disfrutando del silencio, de los bosques en apariencia infinitos, mientras se preguntaba cómo habría sido su vida si hubiese crecido allí. Ella no tenía más experiencia que los ondulantes campos y un paisaje abierto. «En el fondo de mi corazón, soy una nómada», se dijo. «Y un nómada no busca el bosque, sino las amplias llanuras.»

Mentalmente empezó a buscar palabras que rimasen con nómada. La segunda sílaba le daba muchas alternativas. «Tal vez una canción sobre mí misma», se sugirió. «Una jueza que busca a la nómada que lleva dentro.»

Hacia las diez se detuvo a tomarse un café en un restaurante de carretera, justo al sur de Njutånger. Estaba sola en el local. Sobre una de las mesas había un ejemplar del *Hudiksvalls Tidning.* La masacre seguía dominando las noticias, pero no encontró nada que no supiese ya. El jefe de policía Tobias Ludwig comunicaba que harían públicos los nombres del resto de las víctimas al día siguiente. En la borrosa fotografía del diario parecía demasiado joven para asumir la gran responsabilidad a la que tenía que enfrentarse con aquel caso.

Una mujer mayor iba de aquí para allá regando las plantas que adornaban las ventanas. Birgitta Roslin le hizo una seña.

–No hay mucha gente por aquí –comentó–. Creía que esto estaría a rebosar de periodistas y policías, después de lo ocurrido.

–Están en Hudik –respondió la mujer con un marcado dialecto–. Dicen que no se podrá conseguir una sola habitación de hotel por la zona.

–¿Qué comenta la gente?

La mujer se quedó pensativa junto a su mesa, observándola con suspicacia.

–¿Tú también eres periodista?

–En absoluto. Estoy de paso.

–No sé lo que pensarán otros, pero para mí que ya ni siquiera el campo se libra de la brutalidad de las grandes ciudades.

A juicio de Birgitta, aquello sonaba a la cantinela de siempre. «Lo habrá leído en algún sitio o lo habrá dicho alguien en la televisión y la mujer habrá hecho suyas esas palabras.»

Pagó la cuenta, se montó en el coche y desplegó el mapa. Aunque sólo quedaban unos kilómetros hasta Hudiksvall. Si se desviaba ligeramente al norte y hacia el interior, dejaría atrás Hesjövallen. Vaciló un instante, se sentía como una hiena, pero desechó la idea. En realidad, tenía una buena razón para ir allí.

Ya en Iggesund giró a la izquierda, y luego una vez más, cuando llegó a la encrucijada de Ölsund. Se cruzó con un coche de policía, poco después con otro. De repente, el bosque se abrió y descubrió un lago. Junto a la carretera había unas casas dispersas, algunas rodeadas de largas cintas rojiblancas. La carretera estaba llena de policías a pie.

Junto al lindero del bosque vio una tienda de campaña y, en el jardín más cercano, otra. Se había llevado unos prismáticos. ¿Qué escondería aquella tienda? De eso no decían nada los periódicos. ¿Sería el lugar en que hallaron a una o varias de las víctimas, o habría localizado allí la policía alguna pista?

Observó todo el pueblo con los prismáticos y vio entre las casas a gente con monos de trabajo o de uniforme, fumando junto a las verjas, solos o en grupos. En ocasiones, ella misma acudía al escenario de un crimen y seguía durante unas horas el trabajo de la policía. Sabía que los fiscales y otros representantes de la justicia no solían ser muy bienvenidos en esos casos. La policía siempre estaba en guardia ante las posibles críticas. Pese a todo, Birgitta había aprendido a distinguir entre las investigaciones que se llevaban de forma metódica y las que se trataban con negligencia. Y lo que allí veía le sugería que la actividad se llevaba de forma tranquila y, por tanto, seguramente bien organizada.

Al mismo tiempo sabía que, en el fondo, todos tenían prisa. El tiempo era su principal enemigo. Querían llegar a la verdad lo antes posible y antes de que, en el peor de los casos, volviese a ocurrir lo peor.

Un policía uniformado se acercó y la interrumpió, mientras cavilaba, con unos golpecitos en la ventanilla.

–¿Qué haces aquí?

–No me había dado cuenta de que estaba dentro del cordón policial.

–No, no estás dentro, pero intentamos controlar a todo aquel que anda por aquí. Sobre todo, si viene provisto de prismáticos. Daremos una conferencia de prensa en la ciudad, por si no lo sabías.

–No soy periodista.

El joven policía la observó incrédulo.

–Y entonces, ¿qué eres? ¿Turista de escenarios del crimen?

–Pues no. De hecho, soy familiar de algunas de las víctimas.

El policía sacó un bloc de notas.

–¿De quién?

–De Brita y August Andrén. Voy camino de Hudiksvall, pero no recuerdo con quién tenía que hablar.

–Será con Erik Huddén. Él es el encargado de comunicarse con los familiares. Mi más sentido pésame, por cierto.

–Gracias.

El policía le hizo el saludo militar, aunque se sintió como un idiota, y se marchó de allí a toda prisa. Cuando Birgitta llegó a Hudiksvall, comprendió que no sólo sería la avalancha de periodistas la que le impediría encontrar habitación. La amable recepcionista del First Hotel Statt le informó de que, además, se estaban celebrando unas jornadas para «discutir el tema del bosque», con participantes de todo el país. Aparcó el coche y se fue a pasear sin rumbo por la pequeña ciudad. Lo intentó en otros dos hoteles y en una pensión, pero todo estaba completo.

Anduvo un rato buscando dónde almorzar hasta que finalmente entró en un restaurante chino. En el establecimiento había muchos clientes, pero encontró una mesa junto a una ventana. Era como todos los restaurantes chinos en los que había estado. Los mismos jarrones, leones de porcelana y lamparillas con cintas rojas y azules. Se sintió tentada a creer que todos los restaurantes chinos del mundo, quizá millones, formaban parte de una misma cadena y que incluso pertenecían al mismo propietario.

Una china se le acercó con la carta. Mientras pedía la comida, Birgitta Roslin se dio cuenta de que la mujer apenas si hablaba sueco.

Tras el rápido almuerzo empezó a llamar a distintos hoteles, hasta que le dieron una respuesta afirmativa. El hotel Andbacken, en Delsbo, tenía una habitación disponible. También allí celebraban unas jornadas, pero en ese caso de personal del sector publicitario. Pensó que Suecia se había convertido en un país en que la gente pasaba cada vez más tiempo acudiendo a hoteles y centros de conferencias para hablar unos con otros. Ella, en cambio, rara vez participaba en los cursos de perfeccionamiento que organizaba el Ministerio de Justicia.

Andbacken resultó ser un gran edificio blanco que se alzaba junto a un lago cubierto de nieve. Mientras aguardaba su turno ante la recepción leyó que, aquella tarde, los publicistas estaban enfrascados en distintos trabajos de grupo. Por la noche celebrarían una cena en la que se otorgarían una serie de premios. «Con tal de que no sea una noche de portazos y de borrachos corriendo por los pasillos...», deseó en silencio. «Aunque, en realidad, no sé nada de los que se dedican a la publicidad. ¿Por qué iban a ser escandalosos en sus fiestas?»

Le entregaron las llaves de su habitación, que daba al lago congelado y a las laderas del bosque. Se tumbó en la cama y cerró los ojos. De no haberse marchado, hoy habría tenido un juicio, recordó, y se habría pasado horas escuchando el monótono discurso de un fiscal. En cambio, allí estaba, tumbada en la cama de un hotel rodeado de nieve, muy lejos de Helsingborg.

Se levantó de la cama, se puso el chaquetón y se fue derecha a Hudiksvall. La recepción de la comisaría era un hervidero de gente, y Birgitta adivinó que muchos de los que iban y venían eran periodistas. Incluso reconoció a un hombre que solía aparecer en televisión, en especial con motivo de la presentación de sucesos dramáticos como atracos a bancos o secuestros. Con una especie de obvia arrogancia se adelantó a todos aquellos que guardaban cola, pero nadie pareció atreverse a protestar. Finalmente le tocó el turno a Birgitta, que le comunicó el motivo de su visita a una recepcionista agotada.

–Vivi Sundberg no dispone de tiempo para recibir a nadie.

Una respuesta tan tajante la sorprendió.

–Pero ¿no piensas preguntarme siquiera para qué quiero verla?

–Quieres hacerle unas preguntas, como todos los demás, ¿verdad? Tendrás que esperar la próxima conferencia de prensa.

–Yo no soy periodista. Soy pariente de una de las familias de Hesjövallen.

La mujer cambió enseguida de actitud.

–Vaya, lo siento. En ese caso, es con Erik Huddén con quien puedes hablar.

La mujer marcó el número y le dijo al policía que tenía visita. Al parecer, no era necesaria ninguna otra aclaración. «Visita» era un sinónimo de «pariente».

–Vendrá a buscarte ahora mismo. Espera allí, junto a las puertas de cristal.

De repente, un joven apareció a su lado.

–Me han dicho que eras pariente de alguna de las víctimas. ¿Podría hacerte unas preguntas?

Birgitta Roslin tenía, por lo general, las garras bien guardadas, pero en ese momento las sacó rápidamente.

–¿Y por qué iba yo a permitir tal cosa? Ni siquiera sé quién eres.

–Escribo.

–¿Para quién?

–Para aquel que tenga interés.

Ella negó con un gesto.

–No tengo nada de que hablar contigo.

–Bueno, en cualquier caso, lamento la pérdida.

–No –respondió Birgitta–. Tú no lamentas nada. Y hablas así de bajito para que ninguno de los demás periodistas se dé cuenta de que has encontrado una presa que los demás no han olfateado siquiera.

En ese momento se abrieron las puertas, que dejaron ver a un hombre con una placa en la que se leía ERIK HUDDÉN. Birgitta y él se estrecharon la mano. Cuando las puertas volvieron a cerrarse, las alcanzó el reflejo de un flash.

En el pasillo había mucha gente. El ritmo allí era muy distinto al observado en el pueblo de Hesjövallen. Entraron en una sala de reuniones. La mesa estaba llena de archivadores y de listas. Cada archivador tenía escrito un nombre en el lomo. «Ahí es donde reúnen a los muertos», pensó Birgitta Roslin. Erik Huddén le pidió que tomase asiento frente a él. Ella le refirió su historia desde el principio, le habló de su madre, de los dos cambios de nombre y de cómo había descubierto su parentesco. Notó que Huddén estaba un tanto decepcionado al comprobar que su presencia no sería de gran ayuda para el trabajo policial.

–Comprendo que son otros datos los que necesitas –comentó Birgitta Roslin–. Soy jueza y conozco un poco los procesos que se ponen en marcha a la hora de buscar al autor de un crimen complicado como éste.

–Desde luego, te agradezco que te hayas puesto en contacto con nosotros.

Dejó el bolígrafo y la miró con los ojos entrecerrados.

–Pero, dime, ¿de verdad que has venido desde Escania sólo para contarnos esto? Podías haber llamado por teléfono.

–Bueno, tengo algo que decir en relación con la investigación en sí. Pero quiero hablar con Vivi Sundberg.

–¿Y no podrías hablar conmigo? Ella está muy ocupada.

–Ya empecé una conversación con ella y quiero continuarla.

El policía salió al pasillo y cerró la puerta. Birgitta Roslin tomó el archivador en el que ponía BRITA Y AUGUST ANDRÉN. Lo primero que vio la dejó horrorizada. Eran fotografías tomadas en el interior de la casa. Al verlas comprendió la magnitud de aquel baño de sangre. Se quedó mirando las fotos de los cuerpos acuchillados y abiertos en canal. La mujer resultaba casi imposible de identificar, puesto que le habían cortado la cara en dos mitades. Uno de los brazos del hombre colgaba de algunos tendones.

Cerró el archivador y lo dejó a un lado. Sin embargo, las fotografías seguían allí, nunca se libraría de ellas. Pese a que durante los años que llevaba ejerciendo como jueza se había visto obligada en numerosas ocasiones a enfrentarse a imágenes de violencia sádica, jamás había visto algo comparable a lo que Erik Huddén tenía en aquellos archivadores.

Al cabo de un rato, el policía volvió y le indicó que lo acompañara.

Vivi Sundberg estaba sentada tras un escritorio atestado de papeles. Su arma reglamentaria y su teléfono móvil se hallaban sobre un archivador a rebosar. Sundberg le señaló una silla.

–Querías hablar conmigo –comenzó Vivi Sundberg–. Si no te he entendido mal, has venido desde Helsingborg. Debe de ser porque crees que lo que tienes que contar es importante, puesto que has hecho un viaje muy largo.

En ese momento sonó el teléfono. Vivi Sundberg lo apagó y le dedicó a su visita una mirada desafiante.

Birgitta Roslin le contó lo que sabía sin detenerse en los detalles. En muchas ocasiones, desde su sillón de juez, había considerado para sí cómo debería haberse expresado un fiscal o un abogado defensor, un acusado o un testigo. Ella, en cambio, dominaba ese arte.

–Claro que quizás ya sabíais lo de Nevada –concluyó.

–Nadie lo ha mencionado en ninguna de nuestras reuniones rutinarias, y solemos celebrar dos al día.

–¿Qué opinas de lo que acabo de contarte?

–No opino nada.

–Podría significar que quien ha hecho esto no es un loco.

–Valoraré la información que me has proporcionado igual que todo lo demás. Literalmente, nos llueve la información. Y es posible que, en todas las llamadas telefónicas, cartas y mensajes de correo electrónico que nos llegan haya un pequeño detalle que resulte fundamental para la investigación. Pero no lo sabemos.

Vivi Sundberg tomó un bloc de notas y le pidió a Birgitta Roslin que se lo contase todo una vez más. Cuando terminó de anotar, se levantó para acompañar a Birgitta a la salida.

De pronto, justo delante de las puertas de cristal, se detuvo.

–¿Quieres ver la casa en la que tu madre pasó su infancia? Tal vez sea ésa la razón por la que estás aquí...

–¿Es posible?

–Los cuerpos ya no están, así que puedo dejar que la veas, si quieres. Yo tengo que volver allí dentro de media hora. Pero debes prometerme que no te llevarás nada. Hay gente a la que le encantaría arrancar el suelo de corcho sabiendo que sobre él se ha encontrado el cadáver de una persona acuchillada.

–Ése no es mi estilo.

–Si esperas en el coche, puedes seguirme luego.

Vivi Sundberg pulsó un botón y las puertas se abrieron. Birgitta Roslin salió a la calle antes de que ninguno de los periodistas que seguían abarrotando la recepción le diese alcance.

Ya con la mano en la llave de contacto, pensó que había fracasado. Vivi Sundberg no la había creído. Quizá, más adelante, alguno de los agentes se encargaría de la información sobre Nevada, pero sin entusiasmo.

Tampoco podía reprochárselo a Vivi Sundberg. La distancia entre Hesjövallen y una ciudad de Nevada era excesiva.

Un coche negro sin distintivos de la policía pasó a su lado. Vivi Sundberg le hizo una seña.

Cuando llegaron al pueblo, Vivi Sundberg la guió hasta la casa y le advirtió:

–Quédate aquí, te dejaré sola un rato.

Birgitta Roslin respiró hondo y entró en la casa. Todas las lámparas estaban encendidas.

Fue como si saliese de entre bastidores para entrar en un escenario iluminado. Y en el drama que había que representar, ella estaba totalmente sola.

8

Birgitta Roslin se esforzaba por olvidar a los muertos que la rodeaban. Y, en cambio, trató de evocar la borrosa imagen de su madre en aquella casa. Una mujer joven con un deseo inmenso de marcharse de allí, un deseo que no podía compartir con nadie, apenas reconocérselo a sí misma, sin sentir remordimientos por unos padres tan amorosos y tan llenos de buena voluntad religiosa.

Estaba en el vestíbulo y aguzó el oído. El silencio de las casas vacías no se parecía, se dijo, a ningún otro. Era como si alguien se hubiese ido de allí llevándose consigo todos los sonidos. Ni siquiera se oía el tictac de un reloj.

Entró en la sala de estar y la recibió un ejército de aromas antiguos, de muebles, de tapices y de jarrones de desgastada porcelana que competían por un lugar en las estanterías o entre las plantas. Tocó la tierra de una de las plantas, fue a la cocina a buscar una jarra de agua y regó todas las que vio. Era como un servicio a los muertos. Después se sentó en una silla y miró a su alrededor. ¿Cuántos de los objetos que había en la habitación existían cuando su madre vivía allí? La mayoría, pensó. Todo lo que hay aquí es viejo, los muebles envejecen con aquellos que los utilizan.

La porción de suelo en la que habían yacido los cadáveres aún estaba cubierto de plástico. Subió la escalera hasta el primer piso. En el dormitorio principal, la cama estaba deshecha. Una zapatilla medio oculta bajo la cama. La otra no se veía. En el piso de arriba había otras dos habitaciones. En la que daba al oeste, el papel de la pared tenía unos animales pintados por algún niño. Creía recordar que su madre le había hablado de ese papel en alguna ocasión. Se veía una cama, un escritorio, una silla y un montón de alfombras apiladas contra una pared. Abrió el armario, que estaba revestido por dentro con papeles de periódico. Leyó el año: 1969. Para entonces, su madre llevaba ya más de veinte años lejos de allí.

Se sentó en la silla que había ante la ventana. Ya había oscurecido y no se veían las lomas del bosque junto al lago. En el lindero andaba un policía con un colega que le sostenía la linterna. De vez en cuando se detenía y se agachaba, como si estuviese buscando algo en el suelo.

Birgitta Roslin se sintió extrañamente muy próxima a su madre. Allí mismo se habría pasado sentada algún rato, mucho antes de haber pensado siquiera en tener una hija. Allí mismo, aunque en un espacio y un tiempo distintos. Alguien había rayado el alféizar de madera de la ventana, pintada de blanco. Tal vez su propia madre, tal vez cada muesca era una expresión de su anhelo de marcharse lejos, una expresión de cada nuevo día.

Se levantó y volvió a bajar. Junto a la cocina había una habitación con una cama, unas muletas apoyadas contra la pared y una vieja silla de ruedas. En el suelo, junto a la mesita de noche, se veía un orinal esmaltado; pero todo daba la impresión de no haber sido utilizado en mucho tiempo.

Regresó a la sala de estar caminando muy despacio y en silencio, como si temiese molestar. Vio los cajones medio abiertos de un aparador. Uno de ellos estaba lleno de manteles y servilletas, otro de ovillos de lana de colores oscuros. En el tercero, el último, encontró unos fajos de cartas y varios diarios guardados en carpetas de color marrón. Sacó uno de los diarios y lo abrió. No vio ningún nombre. Estaba escrito de principio a fin, con una letra minúscula. Sacó las gafas e intentó descifrar la diminuta caligrafía. Era un diario antiguo, con la ortografía de antaño. Alguien había ido escribiéndolo... Las notas trataban sobre locomotoras, vagones y vías de ferrocarril.

De repente, detectó una palabra que la sorprendió: Nevada. Contuvo la respiración... Súbitamente, parecía que algo iba a cambiar, aquella casa muda y vacía le había dejado un mensaje. Se esforzó por seguir leyendo cuando llamaron a la puerta. Dejó el libro en el cajón y lo cerró. Vivi Sundberg apareció en la sala de estar.

–Como es lógico, habrás visto dónde estaban los cadáveres, supongo que no tengo que enseñártelo.

Birgitta Roslin asintió.

–Por la noche, cerramos las casas con llave. Será mejor que salgas ya.

–¿Habéis localizado a más familiares de las personas que vivían aquí?

–De eso precisamente quería hablar contigo. Parece que Brita y August no tenían hijos ni otros parientes que los que vivían en el pueblo, que también están muertos. Mañana pondremos sus nombres en la lista de víctimas que haremos pública.

–¿Qué pasará con todos ellos después?

–Quizá tú deberías pensar algo, puesto que, en cierto modo, eres pariente suyo.

–Yo no soy pariente, pero me preocupa saberlo.

Salieron de la casa y Vivi Sundberg cerró con una llave que después dejó colgada de un clavo.

–No abrigamos ningún temor de que alguien entre a robar. Este pueblo está tan vigilado y protegido como los reyes de Suecia.

Se despidieron en la carretera. Algunas de las casas se distinguían iluminadas por potentes focos. Birgitta Roslin volvió a tener la sensación de hallarse en un escenario teatral.

–¿Volverás a casa mañana? –quiso saber Vivi Sundberg.

–Probablemente. ¿Has tenido tiempo de pensar en lo que te dije?

–Informaré de ello mañana, en la reunión matinal, y luego lo iremos comprobando igual que el resto de la información que hemos recabado hasta ahora.

–En cualquier caso, convendrás conmigo en que parece probable e incluso verosímil que exista alguna conexión entre los dos sucesos, ¿verdad?

–Es demasiado pronto para asegurarlo; pero creo que lo mejor que puedes hacer por ahora es dejar el tema.

Birgitta Roslin vio cómo Vivi Sundberg se sentaba al volante y se alejaba en el coche. «No me cree», concluyó hablando en voz alta consigo misma, en medio de la noche. «No me cree, pero lo comprendo, claro.»

Sin embargo, al mismo tiempo, se sentía indignada. Si ella fuese policía, le habría dado prioridad a una información que indicase que existía relación con un suceso similar, aunque se hubiese producido en otro continente.

Decidió hablar con el fiscal que dirigía la investigación previa. Él debería comprender la importancia de su aportación.

Condujo a demasiada velocidad en dirección a Delsbo y, cuando llegó al hotel, aún seguía enojada. Los publicistas celebraban su fiesta en el comedor, así que tuvo que cenar en el bar, que estaba desierto. Pidió una copa de vino con la comida. Un Shiraz australiano, con mucho cuerpo, aunque no pudo determinar si tenía matices de chocolate o de regaliz, o de ambos.

Después de cenar subió a su habitación. Ya se le había pasado el enfado. Se tomó una de sus pastillas de hierro y recordó el diario que había estado hojeando. Debería haberle hablado de él a Vivi Sundberg, pero, por alguna razón, optó por callar. Ni que decir tiene que el diario corría el riesgo de convertirse en una ínfima parte del ingente material de la investigación.

Como jueza, había aprendido a valorar a los policías que daban muestras de un talento especial para descubrir los eslabones importantes en un material que, para otros, podía resultar enredado y caótico. ¿Qué tipo de policía sería Vivi Sundberg? Una mujer de mediana edad con sobrepeso que no parecía muy ágil mentalmente.

Birgitta Roslin se arrepintió enseguida de su juicio, era injusto, pues no la conocía en absoluto.

Se tumbó en la cama, encendió el televisor. Oía las vibraciones de los bajos de la fiesta que se celebraba en el comedor.

La despertó el teléfono. Miró el reloj y comprobó que llevaba durmiendo más de una hora. Era Staffan.

–¿En qué parte del mundo te encuentras? ¿Adónde estoy llamando?

–A Delsbo.

–Pues no sé ni dónde está.

–Al oeste de Hudiksvall. Si no recuerdo mal, antes se hablaba mucho de las violentas peleas con cuchillos entre los labradores de Delsbo.

Le habló de su encuentro con Hesjövallen. Oyó que Staffan estaba escuchando jazz. «Está encantado de estar solo», concluyó. «Ahora puede escuchar tranquilamente todo el jazz que quiera y que tan poco me gusta.»

–¿Y qué vas a hacer ahora? –le preguntó Staffan.

–Mañana lo pensaré. Aún no me acostumbro a disponer de tanto tiempo libre. Venga, ya puedes volver a tu música.

–Es Charlie Mingus.

–¿Quién?

–No irás a decirme que has olvidado quién es Charlie Mingus, ¿verdad?

–A veces me da la sensación de que todos tus músicos de jazz se llaman igual.

–Eso me ha dolido.

–No era mi intención.

–¿Seguro?

–¿A qué te refieres?

–A que, en el fondo, sientes un desprecio enorme por la música que a mí tanto me gusta.

–¿Por qué iba a hacer tal cosa?

–Eso sólo lo sabes tú.

La conversación terminó de forma brusca cuando él colgó el auricular. Birgitta se enfureció. Lo llamó enseguida, pero él no contestó. Al final, dejó de intentarlo. Recordó el día en que cruzó el estrecho en el transbordador. «No es sólo que esté cansada», se dijo. «Seguramente, él me ve a mí tan fría y ausente como yo lo veo a él. Ninguno de los dos sabemos cómo vamos a salir de esto, pero, por otro lado, ¿cómo podríamos encontrar una salida cuando no somos capaces de mantener una conversación sin caer en disputas y en exagerados reproches.»

«Podría escribir sobre esto», pensó. «Sobre cómo herirnos el uno al otro.»

Mentalmente, hizo una lista de palabras que rimaban con herida: adivina, salida, cansina, dolida, neblina, salina, huida, enloquecida, amanecida, suicida. «La canción de una jueza sobre el dolor, pero ¿cómo lograr que no resulte banal?»

Birgitta Roslin se dispuso a dormir, pero tardó en conciliar el sueño. Por la mañana, muy temprano, cuando aún era de noche, la despertó un portazo en algún lugar del pasillo. Se quedó tumbada en la oscuridad recordando lo que había soñado. Estaba en la casa de August y Brita, que hablaban con ella, sentados en el sofá de color rojo oscuro, mientras ella permanecía de pie. De repente, se dio cuenta de que estaba desnuda. Intentó cubrirse de algún modo y salir de allí, sin éxito. No podía mover las piernas. Miró al suelo y vio que tenía los pies hundidos en los listones del suelo.

En ese momento se despertó. Birgitta Roslin aguzó el oído. Voces muy ruidosas de gente ebria se acercaban y se alejaban por el pasillo. Miró el reloj. Eran las cinco menos cuarto. Aún faltaba mucho para el amanecer. Se acomodó en la cama con la intención de volver a dormirse, cuando se le ocurrió una idea.

La llave estaba colgada de un clavo, en la fachada. Se sentó en la cama. Por supuesto que no sólo estaba prohibido sino que, además, era inapropiado ir a buscar lo que había encontrado en el cajón en lugar de esperar a que algún policía se interesase por ello.

Se levantó y se situó junto a la ventana. Todo desierto, todo en silencio. «Podría hacerlo», se dijo resuelta. «En el mejor de los casos colaboraré para que esta investigación no vaya a parar a la misma ciénaga que la peor de cuantas conozco, la del primer ministro. Claro que cometo una especie de abuso de poder; quizás un fiscal con exceso de celo sería capaz de convencer a un juez de escaso talento de que, además, entorpecí el desarrollo de una investigación criminal.»

Y lo peor era el vino que había bebido; que, siendo jueza, te pillaran conduciendo bajo los efectos del alcohol podía ser devastador. Contó las horas que hacía que cenó. Ya no debería quedar rastro del vino, pero no estaba segura.

«No, no puedo hacerlo», decidió. «Aunque los policías que montan guardia en la zona estén durmiendo. Simplemente, no puedo hacerlo.»

Poco después se vistió y salió de la habitación. El pasillo estaba desierto y, desde varias habitaciones, se oía el ruido de los que habían celebrado la fiesta. Incluso creyó percibir los sonidos de una pareja que hacía el amor.

La recepción también estaba vacía. Entrevió la espalda de una mujer de cabello rubio sentada en la habitación que quedaba detrás del mostrador.

Sintió el azote del frío al salir. No soplaba el viento y el cielo estaba despejado, pero hacía mucho más frío que el día anterior.

Ya en el coche, volvió a vacilar. Sin embargo, la tentación era demasiado poderosa. Quería seguir leyendo el diario.

No se cruzó con ningún coche. En una ocasión tuvo que frenar, pues creyó haber visto un alce en la montaña de nieve apilada en el arcén. Sin embargo, no se trataba de un animal, sino de un engañoso árbol arrancado de raíz.

Cuando llegó a la última pendiente, antes del descenso al pueblo, se detuvo y apagó los faros del coche. Tenía una linterna en la guantera. Con suma precaución emprendió el camino a pie por la carretera. De vez en cuando, se detenía a escuchar. Una leve brisa murmuró al soplar contra las invisibles copas de los árboles. Ya al final de la pendiente vio que aún había dos focos encendidos y un coche de policía aparcado junto a la casa más próxima al bosque. Podría acercarse a la de Brita y August sin ser vista. Cubrió con la mano el haz de luz de la linterna, cruzó la verja y se acercó al porche desde la parte posterior. En el coche de policía seguían sin reaccionar. Tanteó con la mano hasta dar con la llave.

Cuando Birgitta Roslin entró en el vestíbulo, sintió un escalofrío por todo su cuerpo. Sacó una bolsa de plástico y abrió el cajón muy despacio.

De repente se le apagó la linterna, no lograba hacerla funcionar, pero empezó a guardar las cartas y los diarios. Uno de los fajos de cartas se le escapó de las manos y estuvo un buen rato buscándolo a tientas por el frío suelo, hasta que lo encontró.

Después se apresuró a marcharse de allí y a volver al coche. La recepcionista la miró sorprendida al verla entrar en el hotel a aquellas horas.

Estuvo tentada de empezar a leer de inmediato, pero al final decidió dormir unas cuantas horas. A las nueve de la mañana fue a recepción a pedir prestada una lupa y se sentó a la mesa, que había arrastrado hasta la ventana. Los publicistas estaban despidiéndose y fueron desapareciendo en sus coches y en microbuses. Colgó el cartel de no molestar y empezó a leer el diario. Avanzaba despacio y había palabras, incluso frases enteras, que no lograba descifrar.

El primer descubrimiento que hizo fue que tras las iniciales J.A. se ocultaba un hombre. Por alguna razón, no decía «yo» cuando hablaba de sí mismo, sino que usaba un par de iniciales. Al principio no entendió quién podía ser, hasta que recordó la otra carta, la que había encontrado entre los documentos de su madre. Jan August Andrén, debía de tratarse de la misma persona. Era capataz de las obras de construcción del ferrocarril que se prolongaba poco a poco hacia el este, a través del desierto de Nevada, y describía con todo lujo de detalles en qué consistían sus responsabilidades. J.A. hablaba de zapatas y raíles y de cómo se inclinaba de buen grado ante aquellos que estaban por encima de él en la jerarquía y que no dejaban de impresionarlo por el gran poder que tenían. Describía las enfermedades que había sufrido, entre otras, una fiebre pertinaz que lo tuvo mucho tiempo inhabilitado para el trabajo.

Se notaba en lo irregular de la caligrafía. J.A. escribía que tenía una «fiebre muy alta y que los vómitos, frecuentes y terribles, eran con sangre». Birgitta Roslin casi podía sentir físicamente la angustia ante la muerte que rezumaba cada página. Puesto que J.A. no siempre fechaba sus notas, no pudo saber cuánto tiempo estuvo enfermo. En una de las páginas siguientes aparece, de pronto, su testamento: «A mi amigo Herbert, mis botas buenas y demás ropa, así como a Mister Harrison, mi escopeta y mi pistola, y le pido además que les comunique a mis parientes de Suecia que he abandonado este mundo. Le dejo asignado un dinero al sacerdote de las obras del ferrocarril para que me dé un entierro decente con dos salmos, como mínimo. La verdad, no esperaba que la vida fuese a terminar ya. Que Dios me ayude».

Pero J.A. no murió. De repente, sin solución de continuidad en el diario, aparece totalmente recuperado.

Por lo visto, J.A. ocupa algún tipo de cargo en Central Pacific, la empresa donde trabaja, que está construyendo el ferrocarril desde el Pacífico hasta el punto en que se ha de encontrar con la línea que, al mismo tiempo, está construyendo desde la Costa Este una de las compañías ferroviarias de la competencia. A veces se queja de que «los trabajadores son *very lazy*» y de que tiene que estar vigilándolos constantemente. Sobre todo se siente insatisfecho con los irlandeses, pues beben mucho y no siempre acuden en buen estado por la mañana. Luego hace un cálculo, debe despedir a uno de cada cuatro irlandeses, lo cual genera graves problemas. A los indios no se los puede contratar, porque se niegan a trabajar todas las horas necesarias. Con los negros es más sencillo, aunque los esclavos fugitivos o liberados se muestran reacios a recibir órdenes. J.A. escribe que «necesitarían muchos labriegos suecos, fuertes y trabajadores, en lugar de los astutos culis chinos o los borrachos de los irlandeses».

Birgitta Roslin tenía que forzar la vista para poder descifrar las letras. De vez en cuando se tumbaba en la cama a descansar con los ojos cerrados. Pasó a estudiar uno de los tres fajos de cartas. Una vez más, es J.A. quien escribe con la misma caligrafía apenas legible. Dirige la carta a sus padres y les cuenta cómo le va. Existe una clara contradicción entre lo que anota en el diario y lo que dicen las cartas. «Si», según suponía, «en los diarios describe la realidad, en las cartas debe de estar mintiendo.» En el diario decía que tiene un salario de once dólares, mientras que en la primera de las cartas que leyó Birgitta aseguraba que «los jefes están tan satisfechos que ya gano veinticinco dólares al mes, un sueldo que se puede comparar con lo que percibe en Suecia un secretario del gobierno regional». «Está fanfarroneando», se dijo Birgitta. «Sabe que está tan lejos que nadie puede comprobar si dice la verdad.»

Siguió leyendo las cartas y descubrió más mentiras, a cual más sorprendente. De repente tiene una novia, una cocinera llamada Laura procedente de una «buena familia» de Nueva York. A juzgar por la fecha de la carta, es justo cuando está moribundo a causa de la fiebre y angustiado y escribe su testamento. Es posible que Laura apareciese en uno de sus delirios febriles.

El hombre que Birgitta Roslin intentaba conocer era escurridizo, un ser que se escabullía constantemente. Empezó a hojear impaciente entre las cartas y los diarios.

Llevaba varias horas enfrascada en aquellos escritos tan trabajosos de leer cuando, de pronto, se detuvo: en uno de los diarios había un documento que, según entendió, era una nómina. A Jan August Andrén le habían pagado once dólares por el mes de abril de 1864. En cualquier caso, a aquellas alturas estaba segura de que se trataba del mismo hombre que había escrito la carta que halló entre los documentos que dejó su madre.

Se levantó de la silla y se acercó a la ventana. Un hombre, solo, quitaba nieve allá fuera. «Es decir, que un día, un hombre llamado Jan August Andrén emigró de Hesjövallen», pensó. «Fue a parar a Nevada como trabajador del ferrocarril, se convierte en jefe de obras y no le gustan ni los irlandeses ni los chinos que tiene a sus órdenes. La novia inventada tal vez no fuese otra que alguna de las "lascivas mujeres que merodean por las obras del ferrocarril", sobre las que escribe en los diarios, las mismas que contagian enfermedades venéreas a los peones ferroviarios. Las putas que siguen las vías del tren y que crean situaciones desagradables y problemas. No es sólo que haya que despedir a los trabajadores sifilíticos, sino que además surgen entre los hombres constantes y violentas disputas por las mujeres.»

En el diario, del que ya había leído cerca de la mitad, J.A. describe que un irlandés llamado O'Connor había sido condenado a muerte por asesinar a un trabajador escocés. Los dos estaban ebrios y se enzarzaron en una disputa por una mujer. Iban a colgarlo y el juez designado aceptó que no fuese en la ciudad, sino en una colina que se alzaba junto al lugar hasta el que llegaba el ferrocarril. Jan August Andrén escribe que «me parece bien que todos vean en qué terminan el alcohol y las navajas».

Es muy prolijo a la hora de describir la muerte del trabajador irlandés. El hombre al que van a colgar es un joven, «lampiño», escribe.

Es muy temprano, por la mañana. La ejecución se producirá justo antes de que se incorpore el turno de la mañana. Ni siquiera un linchamiento debe impedir que haya retrasos en la colocación de una sola zapata, de un solo tramo de vía. Todos los capataces tienen órdenes de acudir a presenciar la ejecución. Sopla un fuerte viento. Jan August Andrén lleva un pañuelo anudado alrededor de la boca y la nariz mientras va comprobando que sus hombres han salido de las tiendas y se preparan para dirigirse a la colina donde tendrá lugar el linchamiento. La horca está sobre una plataforma de listones recién embreados. En cuanto el joven O'Connor haya muerto, la desarmarán y devolverán los listones al terraplén de las obras. El condenado llega rodeado de alguaciles armados. También hay un sacerdote. Jan August Andrén describe la situación diciendo que «se oía un murmullo entre los congregados. Por un instante, pareció que aquel susurro iba dirigido al verdugo. Después, uno comprendía que los que iban a presenciar el espectáculo se sentían aliviados y contentos de no ser ellos los que estaban a punto de ser ahorcados. Pensé que muchos de los que detestaban el duro trabajo diario experimentaban una gratitud angelical ante la idea de, un día más, poder dedicarse a llevar tramos de raíl, quitar grava y poner zapatas».

Jan August Andrén es muy exhaustivo en la descripción del linchamiento. «Se comporta como un reportero que llega el primero a dar cuenta de un crimen», pensó Birgitta Roslin. «Sólo que escribe para sí mismo o tal vez para una posteridad desconocida. De lo contrario, no utilizaría expresiones como "una gratitud angelical".»

La ejecución desemboca en un drama tremendo e inmenso. O'Connor arrastra sus cadenas como sumido en un profundo sopor, pero despierta de pronto, cuando se encuentra al pie del patíbulo y empieza a gritar y a luchar por su vida. El murmullo de los congregados aumenta y Jan August Andrén describe como una «cruel experiencia ver a este hombre tan joven luchar por una vida que sabe no tardará en perder. El reo es conducido entre pataleos hasta la cuerda y sigue aullando sin cesar, hasta que se abre la trampilla y se le quiebra el cuello». Entonces cesa todo sonido, también los murmullos, y según escribe Jan August Andrén, «se hace un silencio tal que cualquiera diría que todos los presentes se han quedado mudos, como si fuesen ellos los ahorcados».

Se expresa muy bien, se dice Birgitta. Un hombre al que le gusta escribir y que lo hace con sensibilidad.

Desmontan el patíbulo y se llevan el cuerpo por un lado y los listones por otro. Estalla una pelea entre varios chinos que quieren quedarse con la cuerda de la que han colgado a O'Connor. Andrén anota que «los chinos no son como nosotros, son sucios, se mantienen apartados del resto, lanzan extrañas maldiciones y practican artes mágicas que no se dan entre nosotros. Seguro que pondrán a cocer la cuerda del ahorcado para preparar alguna medicina con el agua».

«Es la primera vez que se retrata», observó Birgitta Roslin. «Se trata de una opinión absolutamente personal, que sale de su pluma: "Los chinos no son como nosotros, son sucios".»

De pronto, sonó el teléfono. Era Vivi Sundberg.

–¿Te he despertado?

–No.

–¿Podrías bajar? Estoy en la recepción.

–¿Qué pasa?

–Baja y te lo cuento.

Vivi Sundberg la aguardaba junto a la chimenea.

–Sentémonos –propuso al tiempo que señalaba un pequeño tresillo que había en un rincón.

–¿Cómo sabías que me alojaba aquí?

–Lo averigüé.

Birgitta Roslin empezó a maliciarse algo. Vivi Sundberg se mostraba reservada, un tanto fría, pero fue derecha al grano.

–No estamos totalmente sordos o ciegos –comenzó–. Aunque seamos policías de pueblo. Estoy segura de que me comprendes.

–No.

–Pues echamos de menos el contenido de un cajón del escritorio que hay en la casa donde fui tan amable de dejarte un rato a solas. Te pedí que no tocaras nada, pero lo hiciste. Supongo que irías allí durante la noche. En el cajón que limpiaste había diarios y cartas. Esperaré aquí mientras vas a buscarlos. ¿Eran cinco o seis diarios? ¿Cuántos fajos de cartas? En fin, tráelos todos. Y tendré la amabilidad de olvidar el incidente. Además, puedes darme las gracias por haberme tomado la molestia de venir aquí.

Birgitta Roslin notó cómo se sonrojaba. La habían sorprendido *in fraganti*, con las manos en la masa. No había nada que hacer. La jueza había sido sentenciada.

Se levantó y fue a su habitación. Por un instante, sintió la tentación de quedarse con el diario que estaba leyendo, pero no tenía ni idea de cuánto sabía Vivi Sundberg, y que hubiese dado a entender que no conocía el número exacto de diarios no tenía por qué significar nada. También podía pretender poner a prueba su honradez. Birgitta Roslin bajó a recepción con todos los documentos que se había llevado. Vivi Sundberg tenía una bolsa de papel en la que lo guardó todo.

–¿Por qué lo hiciste?

–Tenía curiosidad. Lo siento.

–¿Hay algo que no me hayas contado?

–No existe ningún móvil oculto.

Vivi Sundberg la observó con interés. Birgitta Roslin notó que volvía a ruborizarse. La policía se levantó. Pese a ser una mujer corpulenta y con algo de sobrepeso, se movía con agilidad.

–Deja que nosotros nos encarguemos de esto –le sugirió–. No tomaré medidas respecto de tu intromisión nocturna en la casa. Lo olvidaremos. Tú te irás a casa y yo seguiré con mi trabajo.

–Lo siento.

–Ya te has disculpado antes.

Vivi Sundberg desapareció por la puerta en dirección al coche de policía que la aguardaba. Birgitta Roslin lo vio partir entre una nube de polvo de nieve. Subió a su habitación, se puso el chaquetón y se fue a dar un paseo por el lago congelado. El viento soplaba frío y racheado y se protegió la barbilla en el cuello del chaquetón. Un juez no salía por la noche a robar diarios y cartas de una casa en la que acababan de masacrar a dos ancianos, pensó. Caminaba preguntándose si Vivi Sundberg les referiría el asunto a sus colegas o si optaría por mantenerlo en secreto.

Birgitta Roslin fue bordeando el lago y regresó al hotel sudorosa y acalorada. Después de darse una ducha y de cambiarse de ropa, revisó mentalmente lo sucedido.

Hizo un intento de poner por escrito sus ideas, pero arrugaba las notas una tras otra antes de arrojarlas a la papelera. Ya había visitado la casa en la que había crecido su madre. Había visto su habitación y sabía que las víctimas eran sus padres adoptivos. «Ya es hora de volver a casa», se dijo.

Bajó a recepción y avisó de que se quedaría una noche más. Después, se dirigió a Hudiksvall, buscó una librería y se compró un libro sobre vinos. Dudó unos minutos si comer en el restaurante chino del día anterior, pero finalmente optó por uno italiano. Permaneció allí un buen rato, hojeando unos periódicos, aunque sin fijarse en lo que decían de Hesjövallen.

De pronto sonó su móvil y vio en la pantalla que era el número de Siv, una de las gemelas.

–¿Dónde estás?

–En Hälsingland, ya te lo dije.

–Pero ¿qué has ido a hacer allí?

–No lo sé, la verdad.

–¿Estás enferma?

–En cierto modo... Estoy de baja, pero más que enferma estoy cansada.

–Dime, ¿qué haces en Hälsingland?

–Vine por viajar un poco. Por variar. Vuelvo mañana.

Birgitta Roslin oía la respiración de su hija.

–¿Habéis vuelto a discutir papá y tú?

–¿Por qué íbamos a haber discutido?

–Cada vez estáis peor. Lo noto cuando voy a veros.

–¿El qué?

–Que no estáis bien. Además, él me lo ha dicho.

–¿Quieres decir que papá te ha hablado de nosotros?

–Él tiene una ventaja: si le preguntas, contesta. Tú, en cambio, no lo haces. Creo que deberías reflexionar sobre ello cuando vuelvas. Ahora tengo que dejarte, se me acaba el saldo de la tarjeta.

Se oyó un clic. La conversación había terminado. Se quedó pensando en lo que le había dicho su hija. Le dolía, pero al mismo tiempo hubo de admitir que era cierto. Ella acusaba a Staffan de escabullirse con ella, pero ella hacía lo mismo con sus hijos.

Regresó al hotel, leyó un poco del libro que acababa de comprar, tomó una cena ligera y se fue a dormir muy temprano.

El teléfono la despertó en la oscuridad de la noche. Cuando descolgó, no había nadie. La pantalla no mostraba ningún número.

De repente, sintió cierto malestar, ¿quién habría llamado?

Antes de volver a conciliar el sueño fue a comprobar que la puerta estaba cerrada con llave. Después miró por la ventana. El camino hasta el hotel estaba desierto. Se acostó una vez más y pensó que, por la mañana, haría lo único sensato que podía hacer.

Volvería a casa.

9

A las siete de la mañana ya estaba desayunando en el comedor. A través de las ventanas que daban al lago vio que empezaba a soplar el viento. Un hombre se acercaba tirando de un trineo en el que llevaba a dos niños bien abrigados. Recordó sus penurias cuando tenía que tirar de trineos cargados de niños. Había sido una de las experiencias más curiosas de su vida, verse jugando con sus hijos en la nieve al mismo tiempo que cavilaba sobre cómo debería pronunciarse en el juicio de algún caso complicado. Los gritos y las risas de los niños suponían un fuerte contraste frente a los aterradores entresijos de los crímenes cometidos.

En una ocasión se puso a calcular y llegó a la conclusión de que, durante los años que llevaba ejerciendo de jueza, había mandado a la cárcel a tres asesinos y a siete homicidas. A ello había que añadir una serie de violadores y de hombres acusados de agresiones graves que no terminaron en homicidio por casualidad.

La idea la llenaba de inquietud, eso de medir su vida y sus penalidades por la cantidad de asesinos que había enviado a la cárcel. ¿Era ésa, en verdad, la suma de todos sus esfuerzos?

Llegó a recibir amenazas en dos ocasiones. En una de ellas, la policía de Helsingborg consideró justificado ponerle vigilancia. Se trataba de un narcotraficante vinculado a una panda de moteros. Los niños eran entonces muy pequeños y fue una época muy desagradable que destrozó su vida con Staffan, uno de esos periodos en que se gritaban prácticamente a diario.

Mientras comía, evitó los periódicos que abundaban sobre los sucesos de Hesjövallen. En cambio, tomó un diario de economía y hojeó distraída las páginas con los índices bursátiles y los artículos sobre la representación femenina en los consejos de administración de las compañías suecas. Había pocos comensales en el restaurante. Fue a buscar otro café y empezó a pensar si debía elegir otro camino de vuelta. Tal vez algo más al oeste, a través de los bosques de Värmland.

De repente, alguien le dirigió la palabra, un hombre solitario que estaba sentado unas mesas más allá.

–¿Es a mí?

–Sí, sólo te preguntaba qué quería Vivi Sundberg.

No reconocía a aquel hombre y apenas si entendía lo que le decía. Sin embargo, antes de que ella contestase, él ya se había levantado y se acercó a su mesa, agarró una silla y, sin pedir permiso siquiera, se sentó.

El hombre tenía el rostro rubicundo, unos sesenta años, con algo de sobrepeso y mal aliento.

Birgitta se enfadó y empezó a defender su territorio enseguida.

–Quisiera desayunar en paz.

–Ya has desayunado. Sólo quería hacerte un par de preguntas.

–Ni siquiera sé quién eres.

–Lars Emanuelsson. Reportero. No periodista. Soy mejor que ellos. Yo no me dedico a escribir como esos foliculares. Tengo un estilo elaborado.

–Pues eso no te autoriza a violar mi derecho a desayunar en paz.

Lars Emanuelsson se levantó y fue a sentarse en una silla de la mesa contigua.

–¿Mejor así?

–Mejor. ¿Para quién escribes?

–Aún no lo he decidido. Primero termino la historia y luego decido a quién se la doy. Yo no me vendo a cualquiera.

Birgitta estaba cada vez más irritada ante la soberbia del periodista. Además, olía fatal, como si llevara mucho tiempo sin ducharse. Parecía la caricatura de un periodista entrometido.

–Te vi ayer hablando con Vivi Sundberg. No fue una conversación demasiado amistosa, dos gallos femeninos midiéndose el uno al otro, ¿me equivoco?

–Te equivocas. No tengo nada que decirte.

–Pero no me negarás que estuviste hablando con ella, ¿verdad?

–Por supuesto que no lo niego.

–Me pregunto qué hace aquí una jueza de Helsingborg. Algo tendrás que ver con esa investigación. Ocurren cosas horribles en un pueblecillo de Norrland y la jueza Birgitta Roslin emprende un viaje desde Helsingborg.

Birgitta estaba cada vez más alerta.

–¿Qué quieres exactamente? ¿Y cómo sabes quién soy?

–Se trata de métodos. La vida entera es una búsqueda constante del mejor camino para alcanzar un resultado. Supongo que eso también es aplicable a un juez. Dispone de reglas y directrices, leyes y normativas; pero los métodos son propios. Ni sé sobre cuántas investigaciones de asesinato he escrito. Durante todo un año, más exactamente, trescientos sesenta y seis días, seguí la investigación del asesinato de Palme. Comprendí enseguida que jamás atraparían al asesino, puesto que la investigación había fracasado antes de empezar realmente. Era evidente que el magnicida nunca se sometería a la ley, puesto que la policía y los fiscales no buscaban la solución al asesinato, sino el favor de las cámaras de televisión. En opinión de muchos, el asesino debía ser Christer Pettersson. Salvo un grupo de investigadores inteligentes que comprendieron que él era el hombre equivocado; equivocado en todos los sentidos. Sin embargo, nadie quiso escucharlos. En cualquier caso, yo soy de los que se mantienen en la periferia, dando vueltas. Así se ven cosas que los demás pasan por alto, como, por ejemplo, que una jueza reciba la visita de una policía que, seguramente, no tiene tiempo para nada que no sea la investigación en la que ahora trabaja las veinticuatro horas. ¿Qué fue lo que le diste?

–No pienso contestar a esa pregunta.

–En ese caso, he de interpretar que tienes algo que ver con lo que ha sucedido. Y así lo escribiré: «Jueza de Escania involucrada en el drama de Hesjövallen».

Birgitta apuró el café y se levantó. Él la siguió hasta la recepción.

–Si me das algo, puedo devolverte el favor.

–No tengo absolutamente nada que decirte. Y no porque guarde un secreto sino porque, de verdad, no tengo nada que pueda ser de interés para un periodista.

Lars Emanuelsson pareció súbitamente desolado.

–Reportero. No periodista. Yo no me dirijo a ti llamándote jueza de pacotilla.

De pronto, a Birgitta le cruzó la mente una idea.

–¿Fuiste tú quien me llamó por teléfono a medianoche?

–No...

–Bien, pues ya lo sé.

–Pero entonces, ¿sonó el teléfono? ¿A medianoche, mientras dormías? ¿Es algo por lo que debería interesarme?

Ella no contestó, sino que llamó el ascensor.

–Bueno, te daré algo –le dijo Lars Emanuelsson–. La policía oculta un detalle importante. Si es que se puede llamar detalle a una persona.

Las puertas del ascensor se abrieron y Birgitta entró.

–No sólo murieron personas mayores. También había un niño en una de las casas.

Las puertas se cerraron. Una vez arriba, Birgitta volvió a bajar. El reportero estaba esperándola. No se había movido ni un centímetro. Se sentaron y Lars Emanuelsson encendió un cigarrillo.

–Aquí está prohibido fumar.

–Dime alguna otra cosa que no me importe lo más mínimo.

Sobre la mesa había una maceta que utilizó como cenicero.

–Uno debe buscar siempre lo que la policía no cuenta. En lo que ocultan podemos averiguar cómo piensan, en qué dirección creen que deben avanzar para dar con un criminal. Entre todas las víctimas había un niño de doce años. Saben quiénes eran sus familiares y qué hacía en el pueblo, pero se lo ocultan a la gente.

–¿Y tú cómo lo sabes?

–Es un secreto. En una investigación criminal siempre hay una grieta por la que se fuga la información. Uno debe buscarla y aplicar el oído a ella.

–¿Quién es ese niño?

–Hasta el momento, un factor desconocido. Yo sé su nombre, pero no te lo diré. Estaba de visita en casa de unos familiares. En realidad, tendría que haber estado en el colegio, pero había venido a recuperarse de una operación de los ojos. El pobre era bizco. Por fin le habían colocado los ojos en su sitio, podríamos decir que le habían ajustado el intermitente. Y entonces van y lo matan. Del mismo modo que a los ancianos con los que vivía. Aunque no del todo.

–¿Cuál es la diferencia?

Lars Emanuelsson se retrepó en la silla. Su estómago se expandió sobresaliendo por encima del cinturón. Para Birgitta Roslin era un hombre completamente repugnante. Él lo sabía, pero no le importaba lo más mínimo.

–Ahora te toca a ti. Vivi Sundberg, libros y cartas.

–Soy pariente lejana de algunas de las víctimas. Le di a Sundberg un material que me había pedido.

El reportero la observó con los ojos entrecerrados.

–¿Me lo creo?

–Puedes creer lo que quieras.

–¿Qué tipo de libros? ¿Qué cartas?

–Se trataba de esclarecer las relaciones de parentesco entre la familia.

–¿Qué familia?

–Brita y August Andrén.

El reportero asintió reflexivo y apagó el cigarro con inesperada energía.

–Casa número dos o número siete. La policía le ha dado un código a cada casa. La casa número dos se llama 2/3. Lo que significa, claro está, que en ella se encontraron tres cadáveres. –Siguió observándola mientras sacaba un cigarrillo a medio fumar de un paquete arrugado–. Pero eso no explica el porqué de la frialdad en la conversación que mantuviste con Vivi Sundberg.

–Ella tenía prisa. ¿Cuál era la diferencia en el caso del niño?

–No he conseguido adivinarlo del todo. He de admitir que los policías de Hudiksvall y los refuerzos del grupo de homicidios de Estocolmo saben mantener la boca cerrada. Sin embargo, creo saber que el niño no fue víctima de una violencia innecesaria.

–¿A qué te refieres?

–¿A qué otra cosa me puedo referir? A que lo mataron sin que le infligiesen antes un sufrimiento, un martirio y una angustia innecesarios. Claro que de ahí pueden extraerse un sinfín de conclusiones distintas a cuál más atractiva y, probablemente por ello, más errónea. Aunque en eso puedes entretenerte tú misma, si te interesa.

Se levantó después de apagar una vez más el cigarrillo en la maceta.

–Y ahora voy a seguir dando vueltas –aseguró–. Puede que volvamos a vernos. ¿Quién sabe?

Birgitta Roslin lo vio salir a la calle. Un recepcionista que pasaba por allí se detuvo al ver que intentaba despejar el humo con las manos.

–No he sido yo –declaró Birgitta Roslin–. Yo me fumé mi último cigarrillo a la edad de treinta y dos años, o sea, más o menos cuando tú naciste.

Subió a su habitación con la intención de hacer la maleta, pero se quedó mirando por la ventana, observando al esforzado padre que seguía allí con los niños en el trineo. ¿Qué era, en realidad, lo que le había dicho aquel hombre tan desagradable? Y, en el fondo, ¿era tan desagradable como ella pretendía? Él sólo hacía su trabajo. Y ella no había sido muy servicial. De haberse comportado de otra manera, tal vez él le habría proporcionado más información.

De modo que se sentó ante el pequeño escritorio de la habitación y empezó a tomar notas. Como de costumbre, pensaba mejor bolígrafo en mano. En efecto, no había leído en ningún periódico que hubiesen matado a un niño. Era la única víctima joven, a menos que hubiese más muertos de los que la gente no supiese aún. Lo que Lars Emanuelsson le había dicho significaba en definitiva que los demás habían sido maltratados, tal vez torturados, antes de ser asesinados. ¿Por qué el niño se había librado de ello? ¿Sería simplemente porque era pequeño y el asesino tuvo cierta consideración con él por ese motivo? ¿O habría otra razón?

Las respuestas no eran fáciles. Y tampoco era su problema. Aún se sentía avergonzada por lo que había sucedido el día anterior. Se comportó de un modo inadmisible. No osaba pensar siquiera en lo que habría sucedido si la hubiese sorprendido algún periodista. En tal caso, se habría visto obligada a emprender un humillante regreso a Escania.

Terminó de hacer la maleta y se preparó para dejar la habitación. Sin embargo, decidió encender el televisor primero para ver el pronóstico del tiempo y así elegir el camino de regreso justo cuando estaban televisando una conferencia de prensa en la comisaría de Hudiksvall. Sobre una pequeña tarima se veía a tres personas sentadas; Vivi Sundberg era la única mujer. De pronto sintió una picazón. ¿Y si aparecía en televisión para contar que una jueza de Helsingborg había sido sorprendida actuando como una vulgar ladrona? Birgitta Roslin se dejó caer sobre el borde de la cama y subió el volumen del aparato. En ese momento estaba hablando Tobias Ludwig, que se hallaba sentado en el centro.

Comprendió que se trataba de una retransmisión en directo. Cuando Tobias Ludwig terminó, el fiscal Robertsson, que era la tercera persona de la tribuna, tomó el micrófono y dijo que la policía agradecería cualquier tipo de información por parte de la población en general. Podía ser un coche, algún extraño que anduviera por la zona, cualquier cosa que les hubiera llamado la atención.

Cuando el fiscal concluyó su intervención, le tocó el turno a Vivi Sundberg. La policía alzó una bolsa de plástico y la sostuvo para que todos pudieran verla. La cámara la enfocó de cerca. En la bolsa había una cinta de seda roja y Vivi Sundberg dijo que a la policía le gustaría saber si alguien la reconocía.

Birgitta Roslin se acercó a la pantalla del televisor. ¿Dónde había visto ella una cinta roja parecida a la de la bolsa? Se puso de rodillas ante el aparato, para ver mejor. No le cabía la menor duda, la cinta le recordaba algo. Rebuscó en su memoria, pero sin éxito.

Llegó el turno de preguntas de los periodistas. Desapareció la imagen. Y el mapa del tiempo pasó a ocupar en la pantalla el lugar que antes había ocupado la sala de la comisaría. Habría precipitaciones en forma de nieve en la costa este del golfo de Finlandia.

Birgitta Roslin decidió tomar una carretera del interior. Pagó y dio las gracias en recepción. Mientras se dirigía al coche, el gélido viento le cortaba la cara. Puso la maleta en el asiento trasero, estudió el mapa y optó por atravesar los bosques en dirección a Järvsö y luego seguir rumbo al sur.

Ya en la carretera, se detuvo de pronto en una zona de aparcamiento. No podía dejar de pensar en la cinta roja que había visto por televisión. Tenía un vago recuerdo de algo que su memoria no lograba asir. Entre ella y la imagen apenas se interponía una fina membrana. Pero no lo lograba. «Ya que he venido hasta aquí, debería quedarme hasta averiguar qué es lo que no consigo recordar», se dijo al tiempo que marcaba el número de la comisaría. Por allí transitaban camiones que transportaban vigas de madera y, de vez en cuando, alguno pasaba y levantaba pesadas nubes de nieve en polvo que, por unos segundos, entorpecían la visibilidad. En la comisaría tardaron en responder. La recepcionista que finalmente atendió su llamada sonaba estresada. Birgitta le pidió que la pasara con Erik Huddén.

–Tiene que ver con la investigación –le aclaró–. La de Hesjövallen.

–Creo que está ocupado. Voy a ver.

Cuando por fin lo oyó al teléfono, Birgitta ya había empezado a desesperar. También él sonaba estresado e impaciente.

–Aquí Huddén.

–No sé si te acuerdas de mí –comenzó Birgitta Roslin–. Soy la jueza que se presentó en el pueblo y se empeñó en hablar con Vivi Sundberg.

–Sí, te recuerdo.

Se preguntó si Vivi Sundberg le habría contado algo de lo sucedido durante la noche, pero le dio la impresión de que Erik Huddén no sabía nada al respecto. Tal vez se lo hubiese guardado, tal y como le había prometido. «Tal vez porque tampoco ella se atuvo del todo a las normas al dejarme entrar en la casa.»

–Se trata de la cinta roja que apareció en la tele –prosiguió.

–Por desgracia, creo que fue un error mostrarla –se lamentó Erik Huddén.

–¿Por qué?

–Tenemos la centralita colapsada por personas que aseguran haberla visto..., sobre todo en los paquetes de los regalos de Navidad...

–A mí la memoria me dice algo muy distinto. Creo que la he visto.

–¿Dónde?

–No lo sé, pero desde luego, no en los regalos de Navidad.

El hombre resopló al teléfono, como si le costase decidirse.

–Puedo enseñarte la cinta si vienes ahora mismo.

–¿Dentro de media hora?

–Dentro de dos minutos, ni uno más.

La recibió en la recepción, tosiendo y estornudando. La bolsa de plástico que contenía la cinta roja se hallaba sobre la mesa de su despacho. La sacó y la extendió sobre un papel blanco.

–Mide diecinueve centímetros exactamente. En uno de los bordes hay un agujero que indica que ha estado prendida a algo. Es de algodón y poliéster, pero parece de seda. La encontramos en la nieve. La olfateó uno de los perros.

Birgitta se esforzaba al máximo, estaba segura de reconocer la cinta, pero no conseguía ubicarla.

–La he visto –afirmó–. Puedo jurarlo. Puede que no sea ésta en concreto, pero una parecida.

–¿Dónde?

–No lo recuerdo.

–Si la viste en Escania, difícilmente nos será de ayuda.

–No –respondió ella con gravedad–. La he visto aquí.

Siguió mirando la cinta mientras Erik Huddén aguardaba apoyado contra la pared.

–¿Lo recuerdas?

–No. Lo siento.

El policía guardó la cinta en la bolsa y la acompañó a la recepción.

–Si lo recuerdas, llámame –le dijo–. Aunque, si al final resulta que era una cinta de envolver regalos, no te molestes.

Fuera, en la calle, la esperaba Lars Emanuelsson. Llevaba un gorro de piel muy desgastado y calado hasta los ojos. Birgitta se irritó al verlo.

–¿Por qué me persigues?

–No te estoy persiguiendo. Doy vueltas, ya te lo dije. Y ahora he visto por casualidad que entrabas en la comisaría, así que pensé que podía esperarte. En estos momentos estaba reflexionando sobre a qué podía deberse una visita tan breve.

–A algo que no sabrás nunca. Y, ahora, déjame en paz antes de que me enfade.

Se marchó mientras oía la voz del reportero a su espalda.

–No olvides que sé escribir.

Birgitta se dio la vuelta airada.

–¿Estás amenazándome?

–En absoluto.

–Ya te he dicho por qué estoy aquí. No hay razón alguna para mezclarme en lo que está sucediendo.

–El gran público lee lo que se escribe en los diarios, sea o no cierto.

En esta ocasión, fue Lars Emanuelsson quien se dio media vuelta y se alejó. Birgitta lo vio marcharse llena de desprecio y con la esperanza de no volver a verlo nunca más.

Volvió al coche. Acababa de sentarse al volante cuando cayó en la cuenta de dónde había visto la cinta roja. De repente, su memoria le reveló lo que ocultaba sin más. ¿Estaría confundida? No, veía la imagen con toda claridad.

Aguardó un par de horas, puesto que el lugar al que quería acudir estaba cerrado. Entretanto, deambuló llena de desasosiego por la pequeña ciudad, impaciente por no poder comprobar de inmediato lo que creía haber descubierto.

A las once abrió el restaurante chino. Birgitta Roslin entró y se sentó a la misma mesa que la vez anterior. Observó las lámparas que colgaban sobre las mesas. Eran de un material transparente, un plástico muy fino, como si quisieran imitar los farolillos de papel. Eran alargados, como cilindros, y de la base colgaban cuatro cintas rojas.

A raíz de su visita a la comisaría sabía que debían medir diecinueve centímetros de largo. Iban prendidas a la lamparilla por un pequeño gancho que se introducía por el agujero de uno de los extremos de la cinta.

La joven que hablaba mal el sueco se acercó a su mesa con el menú. Le sonrió a Birgitta, pues la había reconocido. La jueza eligió el bufé, aunque no tenía hambre. Los platos que había para elegir en el expositor le daban la posibilidad de dar una vuelta por el local. Encontró lo que buscaba en una mesa para dos, situada en un rincón del fondo. A la lamparilla que colgaba sobre la mesa le faltaba una de las cintas rojas.

Se quedó petrificada y contuvo la respiración.

«A esta mesa se sentó alguien», se dijo. «En el rincón más oscuro del restaurante. De aquí se levantó, dejó el establecimiento y se dirigió a Hesjövallen.»

Miró a su alrededor. La joven seguía sonriendo. Desde la cocina se oían voces de gente que hablaba en chino.

Pensó que ni ella ni la policía podrían comprender nada de lo que había sucedido. Aquello tenía mucha más envergadura, era más profundo y misterioso de lo que habían imaginado.

En realidad, no sabían nada en absoluto.

Segunda parte
Niggers and chinks (1863)

Sopla helado el viento del oeste.
Se oyen en el aire los graznidos de las ocas,
luna escarchada del amanecer.

Luna escarchada del amanecer,
retumban los cascos de los caballos,
sordo es el resonar de la trompeta.

Mao Zedong,
«El paso de Lushan» (fragmento), 1935

El camino a Cantón

10

Sucedió durante la estación más calurosa del año 1863. Y el segundo día del largo periplo de San y sus hermanos hacia la costa y la ciudad de Cantón. Aquella mañana, muy temprano, llegaron a una encrucijada donde hallaron tres cabezas clavadas en sendas varas de bambú incrustadas en la tierra. Resultaba imposible deducir cuánto tiempo llevaban allí expuestas. Wu, que era el más joven de los hermanos, creía que como mínimo una semana, pues los ojos y grandes porciones de las mejillas se veían ya picoteadas por los cuervos. Guo Si, el mayor, decía que parecían cortadas hacía tan sólo unos días, pues creía ver un resto del horror ante la muerte en la quejumbrosa expresión de sus bocas.

San no opinó. En todo caso, no dejó traslucir lo que pensaba. Aquellas cabezas cortadas eran una especie de señal de lo que podía ocurrirles a él y a sus hermanos. Habían huido de un pueblo remoto de la provincia de Guangxi para salvar sus vidas. Y lo primero que encontraban les parecía un recordatorio de que seguirían en peligro también en lo sucesivo.

Abandonaron el lugar, y San lo bautizó mentalmente con el nombre de «La encrucijada de las tres cabezas». Mientras Guo Si y Wu discutían sobre si los dueños de las mismas serían bandidos que habían sido ejecutados o unos campesinos que hubiesen disgustado a un poderoso latifundista, San reflexionaba sobre todo aquello que los había movido a emprender el camino. En lo más hondo de su ser confiaba en que, un día, sus hermanos pudiesen volver a Wi Hei, el pueblo donde habían crecido. Él no sabía muy bien qué pensar. Tal vez los campesinos pobres y sus hijos no pudiesen salir jamás de la miseria en la que vivían. ¿Qué los aguardaba en Cantón, el lugar al que se dirigían? La gente decía que allí uno podía subirse de polizón a un barco que atravesaba el mar rumbo al este y arribaba a un país donde corrían ríos que relucían por las pepitas de oro grandes como huevos de gallina que arrastraban. Incluso al pueblo de Wi Hei habían llegado historias de aquel país habitado por diablos blancos, un país tan rico donde incluso las gentes sencillas de China podían salir de la miseria y alcanzar poder y riqueza.

San no sabía a qué atenerse. La gente pobre siempre soñaba con una vida en la que ningún latifundista pudiese maltratarlos. También él había abrigado esos pensamientos cuando, de niño, inclinaba la cabeza al cruzarse con algún gran señor que pasaba en su carro bajo palio. Siempre se preguntó cómo era posible que la gente llevase vidas tan diferentes.

En una ocasión le preguntó a su padre, Pei, y éste le propinó una bofetada por respuesta. No había que formular preguntas innecesarias. Los dioses que estaban en los árboles y los arroyos y las montañas habían creado el mundo en que vivían los hombres; para que aquel universo enigmático conservase el equilibrio divino tenía que haber ricos y pobres, campesinos que empujaban el arado detrás de los bueyes y grandes hombres que apenas ponían el pie en una tierra que también los alimentaba a ellos.

Él jamás les había preguntado a sus padres cuáles eran los sueños que abrigaban cuando rezaban ante las imágenes de los dioses. Ellos vivían sus vidas inmersos en una servidumbre sin fin. ¿Habría alguien que trabajase más duro y que sacase más provecho de su esfuerzo? Jamás tuvo a quien preguntar, pues todos los habitantes del pueblo eran igual de pobres y sentían el mismo temor por el invisible latifundista, cuyo administrador sometía a los campesinos obligándolos con el látigo a ejecutar sus tareas diarias. Él había visto a muchas personas pasar de la cuna a la tumba arrastrando a lo largo de su existencia unos trabajos cuya carga crecía a medida que pasaba el tiempo. Se diría que incluso a los niños se les vencía la espalda antes de que hubiesen aprendido a caminar siquiera. La gente del pueblo dormía sobre alfombras que, por la noche, extendían sobre los fríos suelos de tierra. Apoyaban la cabeza sobre duros almohadones confeccionados con cañas de bambú. Durante el día seguían el monótono ritmo que imponían las estaciones del año. Araban tras los perezosos bueyes de agua, plantaban arroz con la esperanza de que al año siguiente, la próxima cosecha, fuese suficiente para alimentarlos a todos. En años de mala cosecha apenas si tenían de qué vivir. Cuando se acababa el arroz, se alimentaban de hojas.

O se tumbaban a esperar la muerte. No les quedaba otra opción.

Empezaba a caer el ocaso, y esto sacó a San de sus cavilaciones. Miró a su alrededor en busca de un lugar donde pudiesen dormir. Junto al camino crecía una pequeña arboleda colindante con unas rocas que parecían arrancadas de la cadena montañosa que se erguía al oeste recortándose contra el horizonte. Extendieron sus alfombras de hierba seca, compartieron el arroz que les quedaba y que debía durarles hasta Cantón. San miró de soslayo a sus hermanos. ¿Tendrían fuerzas para llegar al final? ¿Qué harían si alguno de ellos enfermaba? Él aún se sentía fuerte, pero no sería capaz de llevar a cuestas a uno de sus hermanos en caso necesario.

No hablaban mucho entre sí. San les había dicho que no debían malgastar las pocas energías que les quedaban discutiendo y peleando.

–Cada palabra que os arrojéis a la cara os robará un paso. En estos momentos lo importante no son las palabras, sino los pasos que tenéis que dar para llegar a Cantón.

Ninguno de los hermanos lo contradijo. San sabía que ellos confiaban en él. Ahora que sus padres ya no estaban vivos y que habían decidido emigrar, creían que San era el que tomaban las mejores decisiones.

Se acurrucaron sobre las alfombras, se colocaron bien las coletas a la espalda y cerraron los ojos. San oyó cómo caían vencidos por el sueño, en primer lugar Guo Si; después, Wu. «Aún son como niños», pensó San. «Pese a que ambos tienen más de veinte años. Ahora sólo me tienen a mí. Yo soy la persona mayor, el que sabe lo que les conviene. Sin embargo, también soy muy joven aún.»

Empezó a pensar en lo distintos que eran sus hermanos. Wu era díscolo y siempre le había costado obedecer lo que se le mandaba. Sus padres estaban muy preocupados por su futuro y le advirtieron repetidas veces que en la vida le iría mal si siempre andaba contradiciendo a los demás. En cambio Guo Si era más pausado y jamás les había ocasionado ningún problema a sus padres. Era el hermano obediente que siempre le ponían de ejemplo a Wu.

«Y yo tengo un poco de cada uno», constató San. «Pero ¿quién soy en el fondo? ¿El hermano mediano, el que debe estar siempre dispuesto a asumir la responsabilidad ahora que no hay nadie más?»

Olía a barro y a humedad a su alrededor. Estaba tumbado boca arriba, contemplando las estrellas.

A menudo, su madre lo había llevado fuera por las noches para admirar el cielo. En aquellas ocasiones, su rostro ajado por el cansancio estallaba en una sonrisa. Las estrellas eran un consuelo para la dura vida que ella llevaba. En condiciones normales vivía con el rostro vuelto hacia la tierra, que engullía sus semillas de arroz como si esperase que, algún día, también la engullese a ella. Cuando alzaba la vista a las estrellas, dejaba de ver la oscura tierra por un instante.

Buscó en el cielo estrellado. Su madre les había puesto nombre a alguno de los astros. Y llamaba San a una estrella que lucía intensamente en una constelación que parecía un dragón.

–Ése eres tú –le dijo–. De allí vienes y allí regresarás algún día.

La idea de proceder de una estrella lo asustó, pero no dijo nada, puesto que su madre parecía alegrarse mucho de ello.

San pensó en los violentos sucesos que los habían obligado a él y a sus hermanos a huir precipitadamente. Uno de los nuevos capataces del latifundista, un hombre llamado Fang, que tenía las paletas muy separadas, llegó con la queja de que sus padres habían descuidado sus tareas diarias. San sabía que su padre sufría terribles dolores de espalda y que no había terminado a tiempo el pesado trabajo que tenía asignado. Su madre le había ayudado, pero aun así iba con retraso. Así que allí estaba Fang, ante la choza de adobe de su familia y con la lengua asomando entre sus paletas como si de una peligrosa y amenazadora serpiente se tratase. Fang era joven, casi de la misma edad que San, pero procedían de mundos distintos. Fang miraba a los padres de San como si fueran insectos que pudiese aplastar en cualquier momento, mientras que ellos se inclinaban ante él con los sombreros de paja en la mano y las cabezas gachas. Si no cumplían con sus obligaciones diarias, los expulsarían de la choza y se verían obligados a vivir como mendigos.

Por la noche, San los oyó murmurar. Era frecuente que tardaran en dormirse y San los escuchaba a hurtadillas. Sin embargo, no entendió lo que se decían.

Por la mañana, halló vacía la alfombra trenzada en la que dormían sus padres. Él se asustó enseguida. En su reducida vivienda, todos solían levantarse al mismo tiempo, es decir, que sus padres debían de haber salido sin hacer ruido para no despertar a sus hijos. Se levantó despacio y se puso los harapientos pantalones y la única camisa que poseía.

Cuando salió de la choza, aún no había amanecido. El horizonte ardía en tonos color de rosa. En algún lugar se oyó cantar a un gallo. La gente del pueblo empezaba a despertar. Todos, menos sus padres, que se habían colgado del árbol que les daba sombra en la época más calurosa del año. Sus cuerpos se mecían lentos al compás de la brisa matinal.

Lo que sucedió después no podía recordarlo más que de forma vaga e imprecisa. Él no quería que sus hermanos viesen a sus padres colgados de las cuerdas, con las bocas abiertas, de modo que las cortó con la guadaña que su padre utilizaba en el campo. Sus cuerpos cayeron pesadamente sobre él, como si quisieran llevárselo consigo a la muerte.

Los vecinos llamaron al anciano del pueblo, el viejo Bao, que tenía la vista nublada y temblaba de tal modo que no podía mantenerse derecho. Él se llevó a San a un lado y le dijo que lo mejor que los tres hermanos podían hacer era marcharse. Fang se vengaría sin duda, los encerraría en los calabozos de su hacienda. O quizá los ejecutaría. No había juez en el pueblo y sólo imperaba la ley del latifundista; en cuyo nombre hablaba y actuaba el propio Fang.

Se marcharon antes de que los féretros de sus padres hubiesen terminado de arder siquiera. Y allí estaba ahora, bajo las estrellas, en compañía de sus hermanos que dormían a su lado. Ignoraba qué les depararía el futuro más inmediato. El viejo Bao le dijo que huyesen hacia la costa, a la ciudad de Cantón, para buscar trabajo. San intentó averiguar qué clase de trabajo había allí, pero el viejo Bao no supo contestarle; simplemente señalaba hacia la costa con su mano trémula.

Caminaron hasta que los pies se les llenaron de ampollas y se les secó la boca debido a la sed. Los hermanos lloraron por la muerte de sus padres y por el miedo que les inspiraba el futuro incierto. San intentaba consolarlos al tiempo que los animaba a apresurarse. Fang era peligroso. Y tenía caballos sobre los que cabalgar, hombres con lanzas y afiladas espadas que aún podían darles alcance.

Siguió admirando las estrellas. Pensaba en el latifundista, el cual vivía en un mundo totalmente distinto donde los pobres jamás podrían poner un pie. Jamás aparecía por el pueblo, sino que se mantenía como una sombra amenazante, inseparable de las tinieblas.

Finalmente, también San cayó vencido por el sueño. Las tres cabezas cortadas poblaron sus ensoñaciones. Sentía la fría punta de la espada contra su garganta. Sus hermanos ya estaban muertos, sus cabezas rodaban por la arena mientras que la sangre manaba a borbotones de sus gargantas abiertas. Una y otra vez se despertaba, como para liberarse del sueño, que retornaba en cuanto volvía a dormirse.

Reemprendieron la marcha por la mañana temprano, tras beberse los últimos sorbos del cántaro que Guo Si llevaba de una correa atada al cuello. Tendrían que encontrar agua durante el día. Caminaban deprisa por el pedregoso camino. De vez en cuando se cruzaban con gente que venía de los campos o que llevaba pesadas cargas sobre los hombros y la cabeza. San empezó a preguntarse si no sería aquél un camino infinito. Tal vez no existiese el mar. Ni una ciudad llamada Cantón. Sin embargo, no les dijo nada a Guo Si ni a Wu, pues eso entorpecería el ritmo de sus pasos.

Un perro pequeño y negruzco con una mancha blanca bajo el hocico se unió a los caminantes. San no se dio cuenta de dónde había salido el animal. De repente estaba allí, con ellos. Intentó espantarlo, pero siempre volvía a su lado. Entonces empezó a lanzarle piedras para que fuese a buscarlas, pero el perro no tardaba en alcanzarlos otra vez.

–Se llamará *Duong Fui,* «La gran ciudad al otro lado del mar» –decidió San.

A mediodía, cuando el calor resultaba más insoportable, se tumbaron a descansar bajo un árbol en un pueblecito del camino. Los habitantes del lugar les dieron agua con la que llenar su cántaro. El perro jadeaba tumbado a los pies de San.

San observó atentamente. Aquel perro tenía algo extraño. ¿Lo habría enviado su madre como mensajero desde el reino de la muerte? ¿Un mensajero capaz de moverse entre los vivos y los muertos? No lo sabía, siempre le había costado creer en todos aquellos dioses que los habitantes del pueblo y sus padres adoraban. ¿Cómo podían rezarle a un árbol, incapaz de contestar, que no tenía oídos ni boca? ¿O a un perro sin dueño? Si los dioses existían, era ahora cuando él y sus hermanos necesitaban su ayuda.

Prosiguieron su peregrinar después del mediodía. El camino seguía serpenteando sin fin ante sus ojos.

A los tres días de camino empezaron a unírseles cada vez más personas. Los adelantaban carretas con altas cargas de caña y sacos de grano, mientras que otras rodaban vacías en la dirección contraria. San se armó de valor y le preguntó a un hombre que estaba sentado en uno de los carros vacíos.

–¿Cuánto falta para el mar?

–Dos días. No más. Mañana empezaréis a sentir el olor de Cantón, es inconfundible.

El hombre se echó a reír mientras reemprendía la marcha. San se quedó mirándolo, ¿qué habría querido decir con «el olor de Cantón»?

Aquella misma tarde atravesaron un denso enjambre de mariposas. Eran transparentes y amarillentas y su aleteo recordaba al crujido del papel. San se detuvo admirado en medio de la nube de mariposas. Era como si hubiese accedido a una casa cuyas paredes estuviesen construidas de alas. Se dijo que le gustaría quedarse allí. «Me gustaría que esta casa tuviese una puerta, claro. Me quedaría aquí escuchando el aleteo de las mariposas hasta que llegase el día en que cayese muerto a tierra.»

Sin embargo, allí estaban sus hermanos. No podía dejarlos. Se abrió paso con las manos entre la cortina de mariposas y les sonrió: no pensaba abandonarlos.

Una noche más se tumbaron a descansar bajo un árbol, después de haber comido algo de arroz. Cuando se echaron a dormir, los tres continuaban hambrientos.

Al día siguiente llegaron a Cantón. El perro seguía con ellos. San se reafirmaba en su convicción de que era un enviado de su madre, un emisario del más allá con la misión de protegerlos. Él nunca había creído en esas cosas, pero ahora que se hallaba a las puertas de la ciudad, empezó a considerar si no serían reales, a pesar de todo.

Entraron en el bullicio urbano, que, en efecto, los recibió con su desagradable pestilencia. A San lo asustó la idea de perder a sus hermanos entre todos aquellos extraños que abarrotaban las calles, de modo que se ató una larga correa a la cintura y luego anudó con ella a sus hermanos. Ahora ya no podían extraviarse, a menos que se rompiese la correa. Muy despacio, fueron abriéndose paso a través del gentío, asombrados ante los grandes edificios, los templos, las mercancías que había a la venta.

De repente, la correa se estiró. Wu se había parado y señalaba algo con la mano. San vio de qué se trataba.

Un hombre sentado en un palanquín. Las cortinas que, en condiciones normales, ocultaban al pasajero, estaban descorridas. No cabía duda de que aquel hombre estaba moribundo. Era un hombre blanco, se diría que le hubiesen empolvado las mejillas. O tal vez fuese una mala persona. El diablo solía enviar a la tierra demonios de color blanco. Además, no llevaba coleta y tenía un rostro alargado y feo con una gran nariz aguileña en el centro.

Wu y Guo Si se acercaron a San para preguntarle si se trataba de un ser humano o de un demonio, pero San no lo sabía. Jamás había visto nada semejante, ni siquiera en sus peores pesadillas.

De repente, echaron las cortinas y el palanquín empezó a moverse. El hombre que había al lado de San escupió a su paso.

–¿Quién era? –preguntó San.

El hombre lo miró con desprecio y le pidió que repitiese la pregunta. San se dio cuenta de que hablaban dialectos muy distintos.

–El hombre del palanquín, ¿quién es?

–Un blanco, propietario de muchas de las embarcaciones que arriban a nuestro puerto.

–¿Está enfermo?

El hombre se echó a reír.

–No, son así. Pálidos como cadáveres que deberían haber sido incinerados hace mucho.

Los hermanos continuaron su deambular a través de la polvorienta y maloliente ciudad. San observaba a la gente. Muchas personas iban bien vestidas y no llevaban andrajos como él, y cuanto más veía, más se inclinaba a pensar que el mundo no era exactamente como él se lo había imaginado.

Tras vagar muchas horas por el centro, vislumbraron por fin el agua entre los callejones. Wu se liberó de la correa y echó a correr hasta el agua, se zambulló y se puso a beber, pero paró y empezó a escupir en cuanto notó que estaba salada. El cadáver hinchado de un gato se deslizó flotando a su lado. San vio la suciedad que había, no sólo el cadáver, sino también excrementos de personas y de animales. Sintió náuseas. En el pueblo usaban los excrementos para abonar las pequeñas huertas donde cultivaban sus verduras. Aquí, en cambio, la gente descargaba su basura en el agua, sin abonar nada.

Miró la masa de agua, pero no pudo ver la otra orilla. «Lo que la gente llama el mar debe de ser un río muy ancho», se dijo.

Se sentaron en un muelle de madera que se balanceaba al ritmo del agua y que estaba rodeado de barcos tan apiñados que resultaba imposible contarlos. Desde todas partes se oía a gente gritando y chillando. Otra diferencia entre la vida de la ciudad y la del campo. Aquí todos gritaban sin parar, parecía que siempre tenían algo que decir o de lo que quejarse. San no encontraba el silencio al que tan acostumbrado estaba.

Comieron el último arroz que les quedaba y compartieron el agua del cántaro. Wu y Guo Si observaban a su hermano temerosos. Ya era hora de que les mostrase que merecía su confianza. Sin embargo, ¿cómo encontrar trabajo para ellos en aquel caos de gente vociferante? ¿De dónde sacarían comida? ¿Dónde dormirían? Observó al perro, tumbado con una pata sobre el hocico. «¿Qué hago ahora?», se preguntó San.

Sintió que necesitaba estar solo para poder valorar bien su situación. Se levantó y les pidió a sus hermanos que aguardasen allí con el perro. Con el fin de apaciguar su temor de que los abandonase, de que desapareciese entre la masa de gente para no regresar nunca más, les dijo:

–Imaginad que estamos unidos por una correa invisible. No tardaré en volver. Si alguien se dirige a vosotros, responded educadamente, pero no os mováis de aquí. Si lo hacéis, nunca os encontraré.

Se adentró en los callejones, pero mirando hacia atrás constantemente, para recordar el camino. De repente, una de las estrechas callejas se abrió a una plaza donde se alzaba un gran templo. La gente rezaba arrodillada o se inclinaba una y otra vez ante el altar lleno de ofrendas entre el humeante incienso.

«Mi madre habría acudido corriendo a rezar», se dijo. «Mi padre también, aunque con paso más vacilante. No recuerdo que diese un paso en su vida sin dudar.»

Ahora, en cambio, era él quien no sabía qué hacer.

En el suelo había unas piedras caídas del muro del templo. Se sentó, pues el calor, la multitud y el hambre, a la que se esforzaba por ignorar al máximo, lo mareaban.

Después de descansar unos minutos regresó al río Perla y paseó por los muelles que se alineaban a lo largo de la orilla. Gentes vencidas bajo sus bultos iban y venían por las inestables pasarelas. Más arriba se veían grandes buques con los mástiles abatidos, que navegaban por el río bajo los puentes.

Se detuvo y observó largo rato a todos los porteadores que soportaban cargas a cual mayor. Junto a las pasarelas también había gente que llevaba la cuenta de lo que entraba o salía de los cargueros. Antes de que los porteadores se perdieran en alguno de los callejones, les daban unas monedas.

De repente lo vio clarísimo. Para sobrevivir tenían que hacerse porteadores. «Eso sabemos hacerlo», se dijo. «Mis hermanos y yo sabemos llevar una carga, somos fuertes.»

Regresó a donde estaban Wu y Guo Si, que seguían sentados en el muelle. Se quedó un rato mirando cómo se acuclillaban el uno junto al otro.

«Somos como perros», sentenció para sí. «Como perros a los que todos dan patadas y que viven de lo que otros desdeñan.»

El perro lo vio y echó a correr hacia él.

Pero San no le dio una patada.

11

Pasaron la noche en el muelle, porque a San no se le ocurrió ningún lugar mejor donde dormir. El perro vigilaba el lugar, gruñía cuando unos pies sigilosos se acercaban demasiado. Pese a todo, cuando despertaron por la mañana comprobaron que alguien se las había ingeniado para robarles el cántaro. San miró enfurecido a su alrededor. «El pobre le roba al pobre», concluyó. «Incluso un viejo cántaro vacío puede resultarle atractivo a quien nada posee.»

–El perro es bueno, pero no como vigilante –les dijo a sus hermanos.

–¿Qué hacemos ahora? –quiso saber Wu.

–Intentaremos encontrar trabajo –declaró San.

–Tengo hambre –terció Guo Si.

San meneó la cabeza. Guo Si sabía tan bien como él que no tenían nada que comer.

–No podemos robar –observó San–. Si lo hacemos, nos irá como a aquellos cuyas cabezas vimos empaladas en la encrucijada. Tenemos que trabajar y, después, buscaremos algo que comer.

Se llevó a sus hermanos al lugar donde los hombres corrían de un lado a otro con sus cargas. El perro los seguía. San se quedó un buen rato observando a los que daban órdenes junto a las pasarelas de los cargueros. Finalmente decidió acercarse a un hombre grueso y de baja estatura que no azotaba a los porteadores aunque se moviesen despacio.

–Somos tres hermanos –le dijo San–. Podemos ser porteadores.

El hombre le lanzó una mirada iracunda al tiempo que siguió controlando a los trabajadores que salían de la bodega del barco con nuevos bultos sobre los hombros.

–¿Qué hace tanto campesino aquí en Cantón? –preguntó a gritos–. ¿Qué os trae aquí? Hay miles de mendigos campesinos que quieren trabajar y ya tengo más que suficientes. Ya podéis iros. No me molestéis.

Siguieron deambulando entre los muelles de carga, pero siempre obtenían la misma respuesta. Nadie quería saber nada de ellos. En Cantón no valían nada.

Aquel día no comieron, salvo los restos de verduras sucias que yacían pisoteadas en la calle del mercado. Bebieron agua de un surtidor rodeado de personas hambrientas. Una noche más, durmieron enroscados en el muelle. San no podía conciliar el sueño. Se clavaba los puños en el estómago para aplacar la sensación de hambre que lo corroía. Pensó en el enjambre de mariposas que le envolvieron. Era como si todas las mariposas hubiesen entrado en su cuerpo y le arañasen los intestinos con sus afiladas alas.

Transcurrieron otros dos días sin que lograsen encontrar a quien, junto a algún muelle de carga, les hiciese una señal y les dijese que necesitaba sus espaldas. Hacia el final del segundo día, San sabía que no aguantarían mucho más. No habían comido nada desde que encontraron las verduras pisoteadas y ya sólo se mantenían a base de agua. Wu tenía fiebre y yacía en el suelo temblando a la sombra de una pila de bidones.

San tomó la decisión al empezar el ocaso. Tenían que comer algo, pues de lo contrario sucumbirían. Se llevó a sus hermanos y al perro a un lugar despejado en el que los pobres se acurrucaban alrededor de hogueras para comer cualquier cosa que hubiesen logrado encontrar.

Ya sabía por qué su madre les había enviado al perro. Cogió una piedra y le aplastó la cabeza al animal. Las personas que había en torno a uno de los fuegos se acercaron. Un hombre le prestó a San un cuchillo, con el que éste despiezó al perro antes de poner los trozos en una marmita. Tenían tanta hambre que no pudieron esperar a que la carne estuviese bien cocida. San repartió los trozos de modo que cuantos había alrededor del fuego recibiesen la misma cantidad.

Después de comer, se tumbaron en el suelo y cerraron los ojos. Tan sólo San se quedó sentado contemplando las llamas. Al día siguiente ya no tendrían ni siquiera un perro que comer.

Vio ante sí a sus padres, colgados del árbol. ¿Estaba tan lejos la soga de su propio cuello? No lo sabía.

De repente tuvo la sensación de que alguien lo observaba. Aguzó la vista para ver si lo distinguía en la oscuridad. En efecto, allí había alguien, sus ojos relucían en la noche. El hombre avanzó hacia la hoguera. Era mayor que San, pero no muy mayor. Sonreía. San pensó que debía de ser uno de los afortunados que no andaban siempre hambrientos.

–Me llamo Zi. He visto cómo os comíais al perro.

San no respondió. Aguardaba, un tanto a la defensiva. Había algo en aquel desconocido que le infundía inseguridad.

–Me llamo Zi Quian Zhao. ¿Y tú?

San miró nervioso a su alrededor.

–¿Acaso he invadido tus tierras?

Zi rompió a reír.

–En absoluto. Sólo quiero saber quién eres. La curiosidad es una virtud humana. A aquellos que no tienen ambición de saber, rara vez los espera una buena vida.

–Soy Wang San.

–¿De dónde eres?

San no estaba acostumbrado a que le hiciesen preguntas y empezó a desconfiar. ¿Y si el hombre llamado Zi pertenecía a los elegidos que gozaban del derecho a interrogar y castigar? Tal vez él y sus hermanos hubiesen contravenido alguna de las muchas leyes y reglas tácitas que rodean a un pobre.

San señaló vacilante hacia la oscuridad.

–De por allí. Mis hermanos y yo hemos caminado durante muchos días. Hemos cruzado dos grandes ríos.

–Es excelente tener hermanos. ¿Qué hacéis aquí?

–Buscamos trabajo. Pero no encontramos nada.

–Es difícil. Muy difícil. Son muchos los que acuden a la ciudad como las moscas a la miel. No resulta fácil ganarse el sustento.

San tenía una pregunta en la punta de la lengua, pero optó por tragársela. Zi pareció leerle el pensamiento.

–¿Te preguntas de qué vivo yo, puesto que no visto harapos?

–No quiero parecer curioso ante personas que son superiores a mí.

–A mí no me importa –respondió Zi al tiempo que se sentaba–. Mi padre tenía sampanes y trajinaba por el río con su pequeña flota mercante. Cuando murió, uno de mis hermanos y yo nos quedamos con el negocio. El tercero y el cuarto de mis hermanos emigraron al país que hay al otro lado del mar, América. Allí han hecho fortuna lavando la ropa sucia de los hombres blancos. América es un país muy extraño. ¿En qué otro lugar podría uno hacerse rico con la suciedad ajena?

–Yo había pensado en eso –confesó San–. En viajar a ese país.

Zi lo observó con interés.

–Para eso hace falta dinero. Nadie atraviesa gratis un gran océano. Bueno, buenas noches. Espero que logréis encontrar trabajo.

Zi se levantó e hizo una leve inclinación antes de perderse en la noche. Y pronto desapareció. San se tumbó preguntándose si aquella breve conversación no habrían sido figuraciones suyas. ¿Habría estado hablando con su sombra? ¿El sueño de ser alguien totalmente diferente?

Los tres hermanos persistieron en su inútil búsqueda de trabajo y comida dando largos paseos por la bulliciosa ciudad. San había dejado de atarse a sus hermanos y pensó que era como un animal con dos crías que caminaban siempre pegadas a él entre la gran muchedumbre.

Buscaron trabajo en los muelles y en los populosos callejones. San les advertía a sus hermanos que se irguiesen ante cualquier persona con autoridad que pudiese darles trabajo.

–Hemos de parecer fuertes –les decía–. Nadie le da trabajo a una persona que no tiene fuerza en los brazos y las piernas. Aunque estéis cansados y hambrientos, debéis dar la impresión de gran fortaleza.

La única comida que ingerían era la que otros desechaban. Cuando peleaban con los perros por un hueso, San pensaba que estaban transformándose en animales. Su madre le había contado un cuento sobre un hombre que se convirtió en un animal de cuatro patas, sin brazos, pues era perezoso y no quería trabajar. Sin embargo, en su caso, no era por culpa de la pereza.

Continuaron durmiendo en el muelle, expuestos al húmedo calor de la ciudad. A veces, por las noches, el mar arrastraba sobre la ciudad nubes cargadas de lluvia. Entonces buscaban refugio bajo el muelle, entraban gateando por entre los troncos mojados, pero se empapaban de todos modos. San notó que Guo Si y Wu empezaban a desesperar. Sus ganas de vivir menguaban con el paso de los días, de cada día de hambre, de lluvia, de la sensación de que nadie los veía y nadie los necesitaba.

Una noche, San vio que Wu, encogido, murmuraba oraciones desesperadas a los dioses de sus padres. Por un instante se sintió indignado. Los dioses de sus padres jamás les habían ayudado. Sin embargo, no dijo nada. Si Wu hallaba consuelo en sus plegarias, no tenía derecho a arrebatárselo.

San empezaba a ver Cantón como una ciudad horrible. Cada mañana, cuando comenzaban sus interminables periplos por la ciudad en busca de trabajo, encontraban personas muertas en el arroyo. A veces, las ratas habían roído los rostros de los muertos. Todas las mañanas temía acabar su vida en alguno de los numerosos callejones de Cantón.

Tras un día más de calurosa humedad, también San empezó a perder la esperanza. Tenía tanta hambre que sentía vértigo y le costaba pensar con claridad. Mientras yacía en el muelle junto con sus hermanos, que dormían, pensó por primera vez que tal vez fuese mejor dejarse vencer por el sueño y no despertar jamás.

No había nada a lo que despertar.

Durante la noche soñó nuevamente con las tres cabezas. De repente se pusieron a hablarle, aunque él no las entendía.

Al alba, cuando abrió los ojos, vio a Zi fumando en pipa sentado en un bolardo. Al ver que San despertaba, le sonrió.

–Tienes un sueño inquieto –observó–. He visto que soñabas con algo de lo que querías liberarte.

–Soñaba con cabezas cortadas –aclaró San–. Puede que una fuese la mía.

Zi lo observó reflexivo antes de contestar.

–Quienes pueden elegir, lo hacen. Ni tú ni tus hermanos parecéis especialmente fuertes. Está claro que pasáis hambre. Nadie que necesite a una persona para cargar, o para arrastrar o tirar de un carro elegirá a otra que esté hambrienta. Al menos, no mientras haya recién llegados que aún conserven las fuerzas y algo que comer en la bolsa.

Zi vació la pipa antes de proseguir.

–Todas las mañanas se ven cadáveres flotando en el río. Son los que no aguantaron. Los que no le ven sentido a seguir viviendo. Se llenan las camisas de piedras o se atan un contrapeso a las piernas. Cantón se ha convertido en una ciudad repleta de espíritus inquietos, los de aquellos que se han quitado la vida.

–¿Por qué me cuentas todo esto? Bastante suplicio tengo ya.

Zi alzó la mano tranquilizándolo.

–No, no te lo digo para angustiarte. No te habría dicho nada si no tuviese algo más que añadir. Mi primo tiene una fábrica y muchos de sus trabajadores están enfermos en estos momentos. Quizá pueda ayudaros a ti y a tus hermanos.

San no daba crédito a sus oídos, pero Zi repitió sus palabras. No les prometía nada, pero tal vez pudiese procurarles un trabajo.

–¿Por qué quieres ayudarnos?

Zi se encogió de hombros.

–¿Qué hay detrás de lo que hacemos? ¿Y de lo que dejamos de hacer? Puede que, simplemente, piense que te mereces un poco de ayuda.

Zi se levantó.

–Volveré cuando sepa algo –aseguró–. No soy de los que van sembrando por ahí promesas a medias. Una promesa que no se cumple puede destruir a una persona.

Dejó unas piezas de fruta ante San y se marchó. San lo vio caminar por el muelle y perderse en el barullo de gente.

Wu seguía con fiebre cuando despertó. San le tocó la frente, que le ardía.

Se sentó entre Wu y Guo Si y les habló de Zi.

–Me ha dado estas frutas –les dijo, mostrándoselas–. Es la primera persona de Cantón que nos da algo. Puede que Zi sea un dios, alguien a quien nuestra madre nos ha enviado desde el otro mundo. Si no vuelve, sabremos que no era más que un falso. Hasta entonces, aguardaremos aquí.

–Nos moriremos de hambre antes de que vuelva –auguró Guo Si.

San se enojó.

–No soporto escuchar tus absurdas quejas.

Guo Si no dijo una palabra más. San confiaba en que la espera no fuese demasiado larga.

Aquel día el calor era sofocante. San y Guo Si se turnaban para ir al surtidor a buscar agua para Wu, y San encontró unas raíces que comieron crudas.

Cuando cayó la tarde y la oscuridad empezó a inundar todos los rincones, Zi aún no había vuelto. Incluso San empezaba a sentirse abatido. ¿No sería Zi, pese a todo, una de esas personas que mataban con falsas promesas?

San no tardó en ser el único despierto. Estaba sentado junto al fuego escuchando los ruidos que le llegaban en la oscuridad, pero no se percató de la llegada de Zi. De repente, lo tenía a su espalda. San se sobresaltó al percibir su presencia.

–Despierta a tus hermanos –le dijo–. Hay que irse. Tengo un trabajo para vosotros.

–Wu está enfermo. ¿No puede esperar a mañana?

–Para entonces otros habrán aceptado el trabajo. O es ahora o nunca.

San se apresuró a despertar a Guo Si y a Wu.

–Debemos irnos –explicó–. Mañana tendremos por fin un trabajo.

Zi los guió por los oscuros callejones. San notó que iba pisando a la gente que dormía en las calles. Él llevaba de la mano a Guo Si, el cual, a su vez, agarraba fuertemente a Wu.

San no tardó en percibir por el olor que se encontraban cerca del mar; de pronto todo le parecía más llevadero.

Después, se precipitaron los acontecimientos. De la oscuridad salieron unos hombres extraños que los agarraron por los brazos y les arrojaron sacos a la cabeza. San recibió un golpe y cayó al suelo, pero siguió peleando. Cuando volvieron a abatirlo, mordió el brazo que lo maltrataba de tal modo que consiguió liberarse, pero enseguida lo agarraron de nuevo.

Oía a su lado los gritos de angustia de Wu. A la vacilante luz de una farola, vio a su hermano tendido boca arriba. Un hombre extrajo un cuchillo de su pecho antes de arrojar el cuerpo al agua. Poco a poco, Wu fue desapareciendo en la corriente.

En un instante de vértigo, comprendió que Wu estaba muerto. San no había logrado protegerlo.

Entonces, alguien lo golpeó con fuerza en la nuca. Estaba inconsciente cuando, junto con Guo Si, lo subieron a un bote que se aproximó a una embarcación que aguardaba en el fondeadero.

Esto ocurría durante el verano de 1863. Un año en que miles de campesinos chinos pobres fueron secuestrados y conducidos a América, que los engulló en su insaciable caverna. Los aguardaban los mismos y duros trabajos de los que habían soñado librarse un día.

Atravesaron un mar inmenso, pero la pobreza viajó con ellos.

12

Cuando San despertó, todo estaba oscuro. No podía moverse. Tanteó con una mano las cañas de bambú que formaban una reja alrededor de su cuerpo encogido. Tal vez Fang les hubiese dado alcance y los hubiese apresado al fin, después de todo; y ahora lo llevaban en una jaula de vuelta al pueblo del que había huido.

Sin embargo, algo no encajaba. La jaula se balanceaba, pero no como colgada de fuertes barras. Aguzó el oído en las sombras y creyó oír el rumor del mar. Comprendió que se encontraba a bordo de un barco, pero ¿dónde estaba Guo Si? No distinguía nada en la oscuridad. Intentó gritar pero no logró emitir más que un débil gruñido. Sus labios estaban sellados por una fuerte mordaza. El pánico era inminente. Se hallaba acuclillado en aquella jaula minúscula sin poder mover brazos ni piernas. Entonces empezó a golpear las cañas de bambú con la espalda, en un intento de liberarse.

De repente, se hizo la luz. Alguien había retirado el trozo de paño que cubría la jaula en la que lo habían encerrado. Alzó la vista y descubrió una trampilla abierta sobre su cabeza, el cielo azul y alguna que otra nube aislada. El hombre que se inclinaba sobre la jaula tenía una larga cicatriz en el rostro. Llevaba el grasiento cabello recogido en la nuca. Escupió, metió la mano por entre las cañas de bambú y retiró la mordaza que cubría la boca de San.

–Ahora ya puedes gritar –se burló el hombre–. Nadie te oirá aquí, en medio del mar.

El marinero hablaba en un dialecto que San apenas si entendía.

–¿Dónde estoy? –le preguntó–. ¿Dónde está Guo Si?

El marinero se encogió de hombros.

–Pronto nos encontraremos a suficiente distancia de la costa como para poder soltarte. Entonces tendrás ocasión de saludar a tus afortunados compañeros de travesía. Y no importa cuál haya sido vuestro nombre hasta ahora; en el lugar al que vais, os darán otros nuevos.

–¿Adónde vamos?

–Al paraíso.

El marinero soltó una carcajada y desapareció trepando por la trampilla. San miró a uno y otro lado. Todo estaba lleno de jaulas cubiertas de basto paño. Lo invadió una devastadora sensación de soledad. Wu y Guo Si no estaban y él no era más que un animal enjaulado camino de un objetivo en el que a nadie le importaba su nombre siquiera.

Tiempo después, recordaría aquellas horas como si hubiese estado haciendo equilibrio al borde del abismo que constituía la delgada línea divisoria entre la vida y la muerte. Ya no le quedaba nada por lo que vivir, pero ni siquiera tenía la posibilidad de quitarse la vida.

No supo decir cuánto tiempo permaneció en aquel estado. Finalmente, unos marineros se dejaron caer por el vano de la trampilla colgados de cuerdas. Retiraron los paños y empezaron a abrir las jaulas mientras les gritaban a los enjaulados que se pusieran de pie. San tenía las articulaciones entumecidas, pero logró levantarse al fin.

Vio que uno de los marineros sacaba a golpes a Guo Si de su jaula. San echó a andar cojeando con las piernas anquilosadas, pero recibió más de un latigazo antes de poder explicar siquiera que sólo iba en ayuda de su hermano.

Los obligaron a salir a cubierta, donde los encadenaron. Los marineros, que hablaban diversos dialectos irreconocibles para San, los vigilaban amenazándolos con cuchillos y espadas. Guo Si apenas lograba mantenerse derecho bajo el peso de las gruesas cadenas. San vio que tenía en la frente una herida profunda. Uno de los marineros se le acercó y empezó a pincharle con la punta de su espada.

–A mi hermano le duele la cabeza –observó San–. Pero no tardará en encontrarse bien.

–Más os vale. Mantenlo con vida. De lo contrario, os arrojaremos al mar a los dos, aunque tú estés vivo.

San hizo una profunda inclinación antes de ayudar a su hermano a sentarse a la sombra de un gran rollo de cuerda.

–Estoy aquí –lo tranquilizó San–. Yo te ayudaré.

Guo Si lo miró con los ojos enrojecidos.

–¿Dónde está Wu?

–Está durmiendo. Todo irá bien.

Guo Si volvió a caer en su sopor. San miró cauto a su alrededor. El barco tenía muchas velas izadas sobre tres grandes mástiles y no se avistaba tierra por ninguna parte. Por la posición del sol en el cielo, comprendió que llevaban rumbo este.

Los demás hombres, sujetos por la larga cadena, estaban medio desnudos y tan escuálidos como él mismo. En vano buscó a Wu con la mirada y terminó por aceptar que estaba muerto y que se había quedado en Cantón. Cada ola hendida por el estrave del buque lo alejaba un poco más.

San miró al hombre que se encontraba sentado a su lado. Tenía un ojo hinchado y una gran raja en la cabeza, de un hachazo o un golpe de espada. San no sabía si les permitían hablar entre sí o si lo castigarían por ello, pero varios de los hombres encadenados conversaban entre murmullos.

–Soy San –le dijo al otro quedamente–. Mis hermanos y yo fuimos atacados anoche. A partir de ahí, no recuerdo nada de lo que pasó hasta que nos despertamos aquí.

–Yo soy Liu.

–¿Qué te pasó a ti, Liu?

–Perdí mi tierra, mis ropas y mis herramientas en el juego. Soy tallador de madera. Como no podía pagar mis deudas, vinieron y me llevaron. Intenté zafarme de ellos, pero entonces me golpearon. Cuando abrí los ojos, ya estaba a bordo de este barco.

–¿Adónde nos dirigimos?

Liu escupió y se tanteó con cuidado la herida del ojo con la mano encadenada.

–Miro alrededor y sé la respuesta. Vamos rumbo a América, o, más bien, rumbo a la muerte. Si logro liberarme de las cadenas, pienso saltar por la borda.

–¿Podrías volver a nado?

–Eres tonto. Me ahogaré.

–Nadie encontrará tus huesos para enterrarlos.

–Me cortaré un dedo y le pediré a alguien que se lo lleve a China y lo entierre allí. Aún me queda algo de dinero, y lo pagaré para evitar que todo mi cuerpo se descomponga en el mar.

La conversación se vio interrumpida cuando uno de los marineros empezó a tocar el gong. Les ordenaron que se sentaran y les dieron un cuenco de arroz a cada uno. San despertó a Guo Si y le dio de comer antes de empezar él mismo con su cuenco. Era un arroz viejo que olía a podrido.

–Aunque el arroz esté malo, nos mantiene vivos –comentó Liu–. Si morimos, no valdremos nada. Somos como cerdos a los que alimentan antes de morir.

San lo miró horrorizado.

–¿Van a sacrificarnos? ¿Cómo sabes todo esto?

–Llevo escuchando estas historias desde que nací y sé lo que nos espera. En el muelle nos aguardará la persona que nos ha comprado. Iremos a parar a las minas o a lo más profundo del desierto, donde nos harán colocar hierros en el suelo para unas máquinas que llevan agua hirviendo en sus vientres y que arrastran vagones que se deslizan sobre ruedas. No me preguntes más; de todos modos, eres demasiado tonto para comprender.

Liu se puso de lado y se tumbó a dormir. San se sentía humillado. Si él hubiese sido Liu, jamás se habría atrevido a hablarle así.

Por la noche amainó el viento. Las velas colgaban flojas en los mástiles. Les dieron otra ración de arroz mohoso, una jarra de agua y un trozo de pan tan duro que apenas si podían roerlo. Después se turnaron para evacuar sentados sobre la falca del barco. San se vio obligado a sostener a Guo Si para que no cayese por la borda junto con las pesadas cadenas y arrastrase a otros consigo.

Uno de los marineros que vestía un uniforme oscuro y era tan blanco como el hombre que habían visto en la silla en Cantón decidió que Guo Si dormiría con San en cubierta. Los encadenaron a uno de los mástiles mientras que a los demás los recluyeron en la bodega antes de cerrar y amarrar la trampilla.

San estaba sentado con la espalda apoyada en el mástil observando a los marineros que fumaban en pipa acuclillados en torno a pequeñas hogueras que llameaban en marmitas de hierro. El barco se deslizaba golpeteando las despaciosas olas. De vez en cuando, uno de los marineros pasaba ante ellos y se detenía a comprobar que San y Guo Si no estaban intentando deshacerse de las cadenas.

–¿Cuánto tiempo estaremos de viaje? –preguntó San.

El hombre se sentó en cuclillas y dio una calada de su pipa, que despedía un aroma dulzón.

–Eso nunca se sabe –respondió el hombre–. En el mejor de los casos, siete semanas, en el peor, tres meses. Si los vientos no nos son favorables. Si tenemos malos espíritus a bordo.

San no estaba seguro de lo que implicaba una semana. ¿Y un mes? Él nunca había aprendido a contar así. En el pueblo seguían las horas del día y el transcurso de las estaciones; pero le dio la impresión de que el marinero quería decir que el viaje sería largo.

Con las velas mustias, el barco no se movió durante varios días. Los marineros estaban irritables y golpeaban a los encadenados sin motivo. Guo Si iba recuperándose poco a poco, y de vez en cuando incluso tenía fuerzas para preguntar qué sucedía.

San oteaba el horizonte deseando ver tierra todas las mañanas y todas las noches, pero lo único que se veía era el mar infinito y algún que otro pájaro solitario que revoloteaba en círculos sobre la nave antes de desaparecer para siempre.

Cada día que pasaba grababa una muesca en el mástil al que él y su hermano estaban encadenados. Cuando llevaba diecinueve muescas, cambió el viento y el barco se vio envuelto en una terrible tormenta. Los dejaron atados al mástil durante todo el temporal, azotados por grandes olas. Las fuerzas del mar actuaban con tal violencia que creyó que el barco se haría pedazos. Durante los días que duró la tormenta no les dieron de comer nada más que algunos mendrugos que un marinero consiguió entregarles tras llegar hasta ellos con una cuerda atada a la cintura. Desde allí arriba oían los gritos y lamentos de los encadenados en la bodega.

Tres días duró el temporal, hasta que el viento empezó a ceder para, finalmente, amainar y morir del todo. Y un día entero estuvieron parados en alta mar. Al día siguiente se puso a soplar un viento que infundió ánimos en los marineros. Se hincharon las velas y los hombres de la bodega pudieron volver a subir a cubierta a través de la trampilla.

San comprendió que tenían más posibilidades de sobrevivir si permanecían en cubierta. Le dijo a Guo Si que fingiese tener algo de fiebre cuando alguno de los marineros o el capitán blanco pasasen por allí para ver cómo se encontraba. Él veía que la herida que su hermano tenía en la cabeza iba curándose, pero aún no estaba del todo bien.

Pocos días después de la tormenta, los marineros descubrieron a un polizón. Entre gritos coléricos, lo sacaron a rastras del rincón donde se había ocultado bajo la cubierta. Ya arriba, la ira se tornó en entusiasmo cuando se dieron cuenta de que era una mujer vestida de hombre. De no haber intervenido el capitán, que les apuntó con su pistola, todos los marineros se habrían abalanzado sobre ella. Ordenó que la amarrasen al mástil de los dos hermanos. El marinero que se le acercase sería azotado todos los días que quedaban de viaje.

La mujer era muy joven, tendría sólo dieciocho o diecinueve años. Ya por la noche, cuando reinaba el silencio en el barco y tan sólo los remeros, el vigía y algunos vigilantes se movían por cubierta, San se atrevió a preguntarle su nombre entre susurros. La mujer bajó la vista y respondió con voz apenas audible. Su nombre era Sun Na. Guo Si se había tapado con una vieja manta durante los días de fiebre. Sin decir una palabra, San se la dio a la joven. Ella se tumbó y se cubrió entera, hasta la cabeza.

Al día siguiente, el capitán fue a verla con un intérprete para hacerle unas preguntas. Hablaba un dialecto muy similar al de los dos hermanos, pero lo hacía con voz tan queda que resultaba difícil entenderla. Pese a todo, San se enteró de que sus padres habían muerto y de que un pariente la había amenazado con entregarla a un terrateniente muy temido por todos, que solía maltratar a sus jóvenes esposas. Y entonces, Sun Na huyó a Cantón. Allí subió a bordo del barco con la idea de llegar a América, donde tenía una hermana. Y había logrado mantenerse oculta hasta ahora.

–Te mantendremos con vida –le dijo el capitán–. A mí tanto me da si tienes o no una hermana, pero en América hay escasez de mujeres chinas.

Sacó una moneda de plata que llevaba en el bolsillo, la lanzó al aire y volvió a recogerla.

–Para mí vas a suponer un mérito extra en este viaje. Seguramente no comprendes por qué, pero mejor así.

Aquella noche, San continuó haciéndole preguntas a la joven. De vez en cuando, uno de los marineros pasaba por allí y lanzaba una mirada ávida al cuerpo de la muchacha, que se esforzaba por ocultarlo, sentada con la cabeza bajo la sucia manta y sin decir apenas nada. Era de un pueblo cuyo nombre San nunca había oído. Sin embargo, cuando le describió el paisaje y el color tan especial de las aguas del río que discurría cerca de su casa, San comprendió que no podía quedar muy lejos de Wi Hei.

Sus conversaciones eran breves, como si Sun Na únicamente tuviese fuerzas para pronunciar unas pocas palabras cada vez. Además, sólo se susurraban las preguntas y respuestas durante la noche. De día, ella vivía bajo la manta e intentaba esconderse de las miradas de todos.

El barco siguió navegando hacia el este. San marcaba a diario su muesca en el mástil. Se dio cuenta de que los hombres que pasaban las noches bajo cubierta se encontraban cada vez peor a causa del aire viciado y de la falta de espacio. Ya habían subido a dos y los habían arrojado por la borda envueltos en viejos sacos de paño, sin que nadie pronunciase una palabra ni hiciese siquiera una reverencia al mar que acogía al muerto. En realidad era la muerte quien tenía el mando a bordo. Nadie más decidía sobre los vientos, las corrientes, las olas o quiénes serían llevados a cubierta desde la apestosa bodega.

San, por su parte, tenía una misión, proteger a la tímida Sun Na y, por las noches, susurrarle al oído palabras de consuelo.

Pocos días después subieron a otro hombre muerto de la bodega. Ni San ni Guo Si pudieron ver de quién era el cadáver que arrojaban por la borda; pero uno de los marineros se acercó al mástil después de lanzarlo. Llevaba en la mano un trozo de tela enrollado.

–Quería que te diera esto.

–¿Quién?

–Y yo qué sé cómo se llamaba.

San tomó el bulto de tela y, al desenrollarlo, vio que contenía un pulgar. Y supo que era Liu quien había muerto. Al ver que llegaba su hora, se cortó el pulgar y pagó al marinero para que se lo diese a San.

Se sintió honrado. Acababan de confiarle una de las misiones más importantes que una persona podía encomendarle a otra. Liu creía que San regresaría un día a China.

San observó el pulgar y empezó a raspar la piel y la carne rozándolo contra la cadena que tenía alrededor de los pies, pero procuró que Guo Si no viese lo que estaba haciendo.

Le llevó varios días limpiar el hueso. Cuando lo consiguió, lo lavó con agua de lluvia y se lo guardó en el dobladillo de la camisa. Él no lo defraudaría, aunque los marineros se hubiesen llevado el dinero que le correspondía.

Dos días más tarde, otro hombre murió en el barco; sólo que en aquella ocasión no fueron a buscar el cuerpo a la bodega. El hombre que murió fue nada menos que el capitán. San había pensado mucho en que el país al que se dirigía estaba poblado de esos extraños hombres blancos. De repente, vio que el hombre se encogía, como si hubiese recibido el golpe de un puño invisible. Cayó de bruces y no volvió a moverse. Los marineros acudieron presurosos de todas partes, gritando y maldiciendo, pero de nada sirvió. Al día siguiente, también el capitán desapareció en el mar. Aunque su cuerpo iba envuelto en una bandera con rayas y estrellas.

Cuando se produjo aquella muerte, reinaba de nuevo la calma chicha más absoluta. Parecía que la impaciencia de la tripulación se transformaba en miedo y desasosiego. Algunos de los marineros aseguraban que el que había matado al capitán era un espíritu maligno, el mismo que se había llevado los vientos. Existía el riesgo de que se acabasen tanto el agua como la comida. A veces estallaban disputas y peleas, sucesos que habrían sido castigados de inmediato en vida del capitán. El segundo de a bordo que lo sustituía parecía carecer de su autoritaria resolución. Y a San lo invadió un creciente malestar ante la tensión del ambiente a bordo. Continuó grabando sus muescas en el mástil. ¿Cuánto tiempo había pasado ya? ¿Cuáles eran, en realidad, las dimensiones del mar que estaban atravesando?

Una noche de calma en que San dormitaba junto al mástil, aparecieron unos marineros y empezaron a desatar las cuerdas que sujetaban a Sun Na. Con el fin de que la joven no pudiese gritar ni ofrecer resistencia, uno de los marineros le tapó la boca con una mordaza. San vio con horror cómo la arrastraban hasta la falca, le quitaban la ropa y la violaban. Cada vez aparecían más marineros, todos aguardaban su turno en la oscuridad. San se vio obligado a presenciarlo todo sin poder hacer nada.

De repente se dio cuenta de que Guo Si se había despertado y de que estaba viendo lo que sucedía. Su hermano lanzó un grito desesperado.

–Será mejor que cierres los ojos –le aconsejó San–. No quiero que vuelvas a caer enfermo. Lo que está ocurriendo puede causarle una fiebre mortal a cualquiera.

Cuando los marineros acabaron con Sun Na, la joven ya no se movía. Pese a todo, uno de los hombres le puso una soga al cuello e izó el cuerpo desnudo por un madero que sobresalía de uno de los mástiles. Las piernas de Sun Na patalearon nerviosas, la joven intentó trepar por la cuerda con las manos, pero no tenía fuerzas. Al final, se quedó allí colgada e inmóvil. Entonces la arrojaron por la borda. Ni siquiera la envolvieron en un paño, simplemente lanzaron al agua su cuerpo desnudo. San no pudo evitarlo y dejó escapar un lamento desesperado. Uno de los marineros lo oyó.

–¿Echas de menos a tu novia? –le preguntó.

San tuvo miedo de que lo tiraran por la borda también a él.

–Yo no tengo novia –respondió.

–Ella fue la culpable de que viniese la calma chicha. Y seguramente también embrujó al capitán para que muriese. Ya no está y el viento empezará a soplar otra vez.

–Habéis hecho lo correcto arrojándola por la borda.

El marinero se le acercó a apenas unos centímetros de la cara.

–Tienes miedo –le dijo–. Tienes miedo y estás mintiendo. Pero no te preocupes, que a ti no vamos a tirarte por la borda. No sé lo que estás pensando, pero supongo que si pudieras, me castrarías. No sólo a mí, sino a toda la tripulación. Un hombre que está encadenado a un mástil no puede tener los mismos pensamientos que yo.

Con una sonrisa irónica se marchó de allí y le arrojó a San los restos de tela blanca de lo que había sido el vestido de Sun Na.

–Seguro que el olor permanece –le gritó–. El olor a mujer y el olor a muerte.

San dobló la tela y se la guardó en la camisa. Ahora tenía el hueso del pulgar de un hombre muerto y un trozo de tela sucia de una joven a la que conoció en su desgraciado final. Jamás había llevado una carga tan pesada.

Guo Si no habló de lo ocurrido. San iba haciéndose a la idea de que jamás llegarían al punto donde terminaba el mar y empezaba otra cosa, algo desconocido. A veces soñaba que un ser sin rostro le quitaba la piel y la carne de los huesos y arrojaba los jirones a una bandada de grandes pájaros. Cuando despertaba, seguía encadenado al mástil. Después de aquel sueño, su estado le parecía una maravillosa liberación.

Pasaron muchos días navegando con viento favorable. Una mañana, poco después del alba, oyó los gritos del vigía desde su puesto en la proa. Guo Si se despertó al oír las voces.

–¿Por qué grita? –quiso saber Guo Si.

–Creo que ha ocurrido lo imposible –respondió San agarrándole la mano–. Creo que han avistado tierra.

Era como una estela oscura que oscilaba por encima de las crestas de las olas. Luego vieron cómo iba creciendo, un territorio que emergía de entre las aguas.

Dos días más tarde entraron en una anchísima bocana donde se apiñaban barcos de vapor de humeantes chimeneas y veleros como aquel en el que ellos viajaban, varados en los fondeaderos en largas hileras. Los llevaron a todos a cubierta. Subieron grandes cubas con agua, les dieron jabón para que se lavasen mientras los marineros vigilaban. Ya no los golpeaban. Si alguno no era concienzudo al lavarse, los propios marineros le ayudaban a hacerlo. Los afeitaron y les dieron una porción de comida mucho mayor que durante el viaje. Una vez listos todos los preparativos, les quitaron las cadenas de los pies y las sustituyeron por esposas.

El barco seguía varado en el fondeadero. Colocaron a San y Guo Sin en fila con los demás. Todos contemplaban el inmenso puerto. Pero la ciudad levantada sobre las colinas no era grande. San pensó en Cantón. Aquella ciudad no era nada comparada con la que habían dejado. ¿Sería verdad que el lecho de los ríos de aquel país estaba lleno de pepitas de oro?

Por la noche, dos embarcaciones de menor tamaño atracaron al socaire del barco. Desenrollaron una escala. San y Guo Si fueron de los últimos en bajar. Los marineros que los recibieron eran todos de raza blanca. Tenían barba y olían a sudor; además, algunos estaban ebrios. Se mostraban impacientes y empujaban a Guo Si, que se movía despacio. Los barcos tenían chimeneas que despedían un humo negro. San vio que el buque, con el mástil marcado por sus muescas, desaparecía en la oscuridad. En ese momento se rompió el último lazo con su vieja patria.

Miró al firmamento. El cielo que tenían sobre sus cabezas no se asemejaba al de antes. Las estrellas formaban las mismas constelaciones, pero no estaban en el mismo lugar.

Ahora comprendía lo que significaba la palabra soledad, verse abandonado incluso por las estrellas que le brillaban a uno sobre la cabeza.

–¿Adónde vamos? –le preguntó Guo Si en un susurro.

–No lo sé.

Cuando bajaron a tierra, se vieron obligados a apoyarse el uno en el otro para no caer. Habían pasado tanto tiempo en el barco que, al verse sobre tierra firme, perdieron el equilibrio.

Los empujaron hacia una oscura habitación que olía a miedo y a orines de gato. Un hombre chino vestido como los blancos entró en la habitación. A su lado había otros dos chinos que sujetaban sendos quinqués muy potentes.

–Esta noche la pasaréis aquí –les dijo el chino blanco–. Mañana reemprenderéis el viaje. No intentéis escapar. Si armáis escándalo, os amordazaremos. Y si aun así no os calláis, os cortaré la lengua.

Al decir esto, sacó un cuchillo cuya hoja relucía a la luz de los quinqués.

–Si hacéis lo que digo, todo irá bien. De lo contrario, os irá muy mal. Tengo perros a los que les gusta mucho comer lengua de hombre. –El chino blanco se guardó el cuchillo en el cinturón–. Mañana os darán de comer –prosiguió–. Todo irá bien. Pronto empezaréis a trabajar. Quienes cumplan con su obligación podrán volver a cruzar el mar con una gran fortuna.

Dejó la sala junto con los hombres que llevaban los quinqués. Ninguno de los que se apiñaban en la oscuridad se atrevió a decir una sola palabra. San le susurró a Guo Si que lo mejor sería intentar dormir. Pasara lo que pasara, al día siguiente necesitarían todas sus fuerzas.

San permaneció despierto largo rato junto a su hermano, que se durmió enseguida. A su alrededor, en las tinieblas, se oían los ruidos inquietos de los que dormían y los que velaban. Aplicó el oído a la fría pared e intentó captar algún sonido del exterior; pero era una pared gruesa y muda que no dejaba pasar ningún ruido.

–Tienes que venir a buscarnos –le dijo a Wu hablándole a la oscuridad–. Aunque estés muerto, tú eres el único que queda en China.

Al día siguiente los llevaron en carromatos cubiertos de lona y tirados por caballos. Abandonaron la ciudad sin haberla visto siquiera.

Cuando llegaron a una región árida y pedregosa, en la que sólo crecían arbustos, unos jinetes con rifles apartaron la lona de los carromatos.

Brillaba el sol, pero hacía frío. San vio que los carromatos avanzaban en una larga y serpenteante caravana. A lo lejos se veía una infinita cadena montañosa.

–¿Adónde vamos? –preguntó Guo Si.

–No lo sé. Ya te he dicho que no preguntes tanto. Te lo diré cuando lo sepa.

Continuaron durante varios días en dirección a las montañas. Por la noche, dormían bajo los carros dispuestos en círculo.

La temperatura iba bajando según pasaban los días. San se preguntaba a menudo si él y su hermano no morirían congelados.

El hielo ya se le había metido dentro. Un frío y aterrado corazón gélido.

13

El 9 de marzo de 1864, Guo Si y San empezaron a excavar la montaña que entorpecía el paso del ferrocarril, un artilugio que estaban construyendo a lo largo de todo el continente norteamericano.

Fue uno de los inviernos más crudos que se recordaban en Nevada; los días eran tan fríos que parecía que, en lugar de aire, respirasen cristales de hielo.

San y Guo Si habían trabajado hasta entonces más al oeste, donde resultaba más fácil preparar el terreno y colocar los raíles. Llegaron allí a finales de octubre, directamente del barco. Junto con muchos de los encadenados secuestrados en Cantón, fueron recibidos por chinos que no llevaban coleta, vestían la misma ropa que los hombres blancos y llevaban los mismos relojes de bolsillo, cuyas cadenas les cruzaban el pecho. Los hermanos fueron recibidos por un hombre que se apellidaba Wang, como ellos. San contempló con horror cómo su hermano Guo Si, que por lo general nunca decía una palabra, empezaba a protestar.

–Nos atacaron, nos amarraron y nos llevaron a bordo por la fuerza. No queríamos venir aquí.

San pensó que ahí terminaba su largo viaje. El hombre que tenían ante sí no toleraría que le hablasen con tal impertinencia. Sacaría el arma que colgaba del cinturón que le rodeaba las caderas y les dispararía.

Pero San se equivocó. Wang rompió a reír, como si Guo Si hubiese contado un chiste.

–Sólo sois perros –declaró Wang–. Zi me ha enviado unos perros parlantes. Yo soy vuestro dueño hasta que me hayáis pagado el viaje, la comida y el transporte desde San Francisco hasta aquí. Me pagaréis con vuestro trabajo. Dentro de tres años podréis hacer lo que queráis, pero hasta entonces sois míos. Aquí, en el desierto, no podéis escapar. Hay lobos y osos y hasta indios que os cortarán el pescuezo, aplastarán vuestras cabezas y os sorberán el cerebro como si fuese un huevo. Si, pese a todo, intentáis fugaros, haré que os sigan verdaderos perros que darán con vuestro rastro. Entonces entrará en acción el látigo y deberéis trabajar para mí un año más. Ahora ya sabéis lo que os espera.

San observó a los hombres que había detrás de Wang. Llevaban perros sujetos con correas e iban armados. A San le sorprendió que aquellos hombres blancos de pobladas barbas estuviesen dispuestos a obedecer órdenes de un chino. Habían llegado a un país que no se parecía a China lo más mínimo.

Los enviaron a un campamento de tiendas de campaña montadas en lo hondo de un barranco por el que discurría un arroyo. A un lado del río estaban los trabajadores chinos; al otro se habían instalado los irlandeses, alemanes y demás europeos. Entre los dos campamentos reinaba una gran tensión. El lecho del arroyo constituía una frontera que ninguno de los chinos traspasaba a menos que fuese necesario. Los irlandeses, que se emborrachaban a menudo, gritaban improperios y lanzaban piedras contra el campamento chino. San y Guo Si no comprendían lo que gritaban, pero las piedras que atravesando el aire llegaban hasta su lado eran duras. No había razón alguna para no sospechar que otro tanto podría decirse de sus palabras.

Tuvieron que compartir tienda con otros doce chinos, ninguno de los cuales había ido en el mismo barco que ellos. San supuso que Wang prefería mezclar a los recién llegados con quienes ya llevaban mucho tiempo en la construcción del ferrocarril, para que les fuesen indicando las reglas y rutinas. La tienda era muy pequeña. Cuando todos se habían acostado, estaban como sardinas enlatadas. Les servía para mantener el calor, pero al mismo tiempo tenían la paralizante sensación de no poder moverse, de estar atados.

En la tienda mandaba un hombre llamado Xu. Era escuálido y tenía los dientes picados, pero gozaba de un gran respeto. Xu fue quien les asignó a San y a Guo Si las plazas para dormir. Les preguntó de dónde eran y en qué barco habían viajado, pero no dijo nada de sí mismo. Junto a San descansaba un hombre llamado Hao, que les contó que Xu llevaba en la construcción del ferrocarril desde sus inicios, hacía ya varios años. Llegó a América a principios de la década de 1850 y empezó a trabajar en las minas de oro. Decían que no tuvo suerte a la hora de encontrar pepitas de oro en los ríos. En cambio, se compró una vieja barraca de madera donde vivían varios buscadores de oro. Nadie comprendió cómo Xu podía ser tan necio para pagar veinticinco dólares por una casa en la que nadie querría vivir. Sin embargo, él limpió todo el polvo, retiró los tableros del suelo, que estaban desportillados, barrió la tierra que había bajo la casa y, finalmente, consiguió reunir tal cantidad de polvo de oro caído bajo el suelo que pudo regresar a San Francisco con una pequeña fortuna. Decidió volver a Cantón e incluso compró un pasaje en un barco de vapor. No obstante, mientras llegaba la hora de partir, acudió a uno de los salones de juego donde los chinos pasaban el tiempo. Jugó y lo perdió todo. Finalmente perdió también el pasaje. Fue entonces cuando entró en contacto con la compañía Central Pacific y se convirtió en uno de los primeros chinos que contrataron.

San nunca logró averiguar cómo Hao se habría enterado de todo aquello sin que Xu se lo hubiese contado. De todos modos, Hao insistía en que todo era cierto.

Xu hablaba inglés. Gracias a él, los hermanos tuvieron oportunidad de saber lo que les gritaban desde la otra orilla del arroyo que separaba los dos campamentos. Xu hablaba con desprecio de los hombres del otro lado.

–Nos llaman *chinks* –explicó–. Un apelativo muy despectivo. Cuando los irlandeses se emborrachan, a veces nos llaman *pigs,* que significa que somos Don Fin-Yao.

–¿Por qué no les gustamos?

–Porque trabajamos mejor –aclaró Xu–. Trabajamos más duro, no bebemos, no nos fugamos. Además, tenemos las mejillas amarillas y los ojos oblicuos. Y la gente que no es como ellos no les gusta.

Todas las mañanas, San y Guo Si ascendían, provistos de candiles, por el resbaladizo sendero que les permitía salir del barranco. A veces, alguno de ellos se escurría por el suelo helado y caía rodando al fondo del barranco. Dos hombres que tenían las piernas inútiles ayudaban a preparar la comida que aguardaba a los hermanos cuando éstos regresaban después de sus largas jornadas de trabajo. Los chinos y los que vivían al otro lado del arroyo trabajaban lejos unos de otros y llegaban a sus puestos por senderos distintos. Los capataces vigilaban constantemente para que no se acercasen demasiado. A veces, en medio del agua, surgían peleas entre un grupo de chinos armados con garrotes y otro de irlandeses provistos de cuchillos. Entonces los barbudos vigilantes se presentaban a caballo para separarlos. Y había ocasiones en que alguno de los camorristas salía tan mal parado que moría a causa de las heridas. A un chino que le rompió la cabeza a un irlandés lo mataron de un disparo; a un irlandés que mató a un chino a navajazos se lo llevaron encadenado. Xu les recomendaba a cuantos vivían en la tienda que se mantuviesen apartados de las disputas y las pedradas y les recordaba a diario que aún eran simples huéspedes en aquel país.

–Hemos de esperar –les aconsejaba Xu–. Llegará el día en que comprenderán que no tendrán ferrocarril si no lo terminamos nosotros, los chinos. Un día, todo cambiará.

Por la noche, ya acostados en la tienda, Guo Si le preguntó a San qué quería decir Xu exactamente, pero a San no se le ocurrió una buena respuesta a esa pregunta.

Habían viajado desde la costa hacia aquella zona árida donde el sol calentaba cada vez menos. Cuando los despertaban los gritos de Xu, tenían que apresurarse cuanto podían con el fin de que los poderosos capataces no los obligaran a trabajar más de las doce horas habituales. Hacía un frío penetrante y nevaba casi a diario.

De vez en cuando atisbaban la presencia del temido Wang, que les había dicho que él era su dueño. De repente aparecía así, sin más, para desaparecer igual de rápido.

Los hermanos preparaban el terreno donde luego se instalarían los raíles y los maderos. Encendían hogueras por todas partes para ver mejor mientras trabajaban, pero también con la idea de calentar el suelo congelado. Los vigilaban continuamente capataces a caballo, hombres blancos con rifles, que se abrigaban con pieles de lobo y ataban pañuelos en torno a los sombreros para mantener a raya el frío. Xu les había enseñado a responderles *«Yes, boss»*, siempre que los capataces se dirigiesen a ellos, aunque no entendieran lo que les decían.

El resplandor de las hogueras alumbraba varios kilómetros y permitía ver a los irlandeses colocar los raíles y los maderos. A veces oían el silbato de una locomotora que despedía nubes de vapor. San y Guo Si observaban aquellos gigantescos animales de tiro como si fuesen dragones. Aunque los monstruos de los que les había hablado su madre, que echaban fuego por la boca, solían ser de muchos colores, ella debía de referirse sin duda a aquellos otros, negros y brillantes.

Sus penurias no tenían fin. Cuando terminaban la larga jornada, apenas si les quedaban fuerzas para volver a bajar al barranco, comer y caer desplomados en la tienda. San intentaba por todos los medios obligar a Guo Si a lavarse en la fría agua. A San le daba asco su propio cuerpo cuando lo sentía sucio. Ante su asombro, casi siempre era el único que iba a lavarse medio desnudo y tiritando. Los únicos que se le unían eran los recién llegados. A medida que se incorporaban a los pesados trabajos y que iban pasando los días, abandonaban el interés por mantenerse limpios. Finalmente, llegó el día en que el propio San cayó rendido en la tienda sin haberse lavado. Allí tumbado, percibía el hedor de sus propios cuerpos. Era como si también fuese transformándose poco a poco en un ser sin dignidad, sin sueños ni añoranzas. En momentos de semivigilia veía a su madre y a su padre y pensaba que lo único que había hecho era cambiar un infierno conocido por otro lejano e ignoto. Ahora se veían obligados a trabajar como esclavos, en condiciones mucho peores de las que sus padres vivieron jamás. ¿Era aquello lo que esperaban alcanzar cuando huyeron a Cantón? ¿Acaso no había otras salidas para un pobre?

Aquella noche, justo antes de dormirse, decidió que su única posibilidad de sobrevivir era huir. A diario veía cómo retiraban el cadáver de alguno de los mal alimentados trabajadores.

Al día siguiente, le habló de sus planes a Hao, que dormía a su lado, y éste lo escuchó pensativo.

–América es un país muy extenso –observó Hao–. Aunque no tanto como para que un chino como tú o tu hermano pueda desaparecer sin más. Si lo piensas en serio, deberías huir para volver a China; de lo contrario os atraparán tarde o temprano. Y no tengo que explicarte lo que os ocurriría de ser así.

San reflexionó largo rato después de hablar con Hao. Aún no era el momento apropiado para huir, ni siquiera para comentar con Guo Si el plan que estaba madurando.

A finales de febrero, una violenta tormenta de nieve arrasó el desierto de Nevada. Durante doce horas no paró de nevar, hasta que la blanca capa superó el metro de profundidad. Cuando pasó el temporal, bajaron las temperaturas. La mañana del 1 de marzo de 1864 se vieron obligados a excavar la nieve para salir. Los irlandeses de la otra orilla del helado arroyo lo sufrieron en menor medida, puesto que sus tiendas se hallaban al socaire. Y ahora se reían de los chinos, que se afanaban con las palas para retirar la nieve de las tiendas y los senderos que conducían a la parte superior del barranco.

«Para nosotros nada es gratis», se dijo San. «Ni siquiera la nieve cae de forma justa.»

Vio que Guo Si estaba muy cansado y que a veces no tenía fuerzas ni para levantar la pala; pero San lo tenía decidido. Hasta que el hombre blanco volviese a celebrar su Año Nuevo se mantendrían con vida.

En el mes de marzo llegaron los primeros hombres negros al asentamiento del ferrocarril establecido en el barranco. Levantaron sus tiendas en la misma orilla que los chinos. Ninguno de los hermanos había visto nunca a un hombre negro. Vestían harapos y San tampoco había visto a nadie pasar tanto frío como ellos. Muchos murieron durante las primeras semanas en el barranco y junto a las vías. Estaban tan débiles que se desplomaban de pronto en la oscuridad y volvían a encontrarlos mucho después, cuando la nieve empezaba a derretirse en primavera. Los negros recibían un trato aún peor que los chinos y cuando los llamaban *niggers*, sonaba mucho más despectivo que cuando decían *chinks*. Incluso Xu, que por lo general siempre andaba predicando la mesura a la hora de referirse a los demás trabajadores del ferrocarril, mostraba abiertamente su desprecio por los negros.

–Los blancos los llaman ángeles caídos –explicaba Xu–. Los *niggers* son animales sin alma a los que nadie echa de menos cuando mueren. En lugar de cerebro tienen muñones de carne putrefacta.

Guo Si empezó a escupirles cuando coincidían dos equipos de trabajo. A San le afectaba muchísimo ver que había gente a la que trataban aún peor que a él mismo. Y reprendió duramente a su hermano para que dejase de hacerlo.

La inusual intensidad del frío se posó como una plancha de hierro sobre el barranco y el terraplén. Una noche en que, sentados muy cerca de una de las hogueras que a duras penas mitigaban el frío, comían de sus cuencos, Xu les comunicó que al día siguiente los trasladarían a otro campamento y a un nuevo lugar de trabajo situado junto a una nueva montaña que tendrían que empezar a dinamitar y excavar hasta perforarla. Por la mañana, todos deberían recoger sus mantas y sus cuencos, así como sus palillos, antes de abandonar la tienda.

Partieron muy temprano. San no recordaba haber sufrido un frío más acerado en toda su vida. Le dijo a Guo Si que caminase delante de él, pues quería asegurarse de que su hermano no caía a tierra sin poder levantarse. Siguieron la línea del terraplén, llegaron hasta donde acababan los raíles y después, varias centenas de metros más allá, hasta el fin del terraplén mismo. Xu los espoleaba. La vacilante luz de los candiles zarandeaba la oscuridad. San sabía que se encontraban muy cerca de la montaña que los blancos llamaban Sierra Nevada. Allí empezarían a cavar agujeros y túneles para que el ferrocarril pudiese continuar su curso.

Xu se detuvo ante la cresta más alta de la montaña. Allí se veían tiendas ya montadas y hogueras. Los hombres, que habían caminado sin parar desde el barranco, se desplomaron en el suelo junto a las cálidas llamas. San cayó de rodillas y acercó al fuego sus manos heladas envueltas en jirones de tela. En ese instante oyó una voz a su espalda. Se dio la vuelta y vio a un hombre blanco con el cabello por los hombros y una bufanda enrollada alrededor de la cara, de modo que parecía un bandido enmascarado. Llevaba un rifle en la mano. Iba cubierto con unas pieles y de su sombrero, que estaba forrado de pelo, colgaba la cola de un zorro. Su mirada le recordó a San la que Zi le dirigió a él en su día.

De repente, el hombre blanco alzó el rifle y lanzó un disparo al aire de la noche. Cuantos se calentaban cerca de las hogueras se encogieron de miedo.

–¡En pie! –gritó Xu–. Descubríos la cabeza.

San lo miró inquisitivo. ¿Debían quitarse los gorros que habían rellenado de hierba y de jirones de tela?

–¡Fuera! –volvió a gritar Xu, que parecía temer al hombre del rifle–. ¡Fuera gorros!

San se quitó el suyo y le hizo a Guo Si una señal para que lo imitase. El hombre del rifle se deshizo de la bufanda. Lucía bajo la nariz un espeso bigote, y pese a que se encontraba a varios metros de distancia, San percibió el olor a alcohol y se puso en guardia enseguida. Los blancos que olían a alcohol eran siempre más imprevisibles que cuando estaban sobrios.

El hombre empezó a hablar con voz chillona. Sonaba casi como una mujer iracunda. Xu se esforzaba por traducir lo que decía el hombre.

–Os habéis quitado los gorros para escuchar mejor –dijo Xu.

Hablaba casi con la misma voz estentórea con la que se dirigía a ellos el hombre del rifle.

–Vuestros oídos están tan llenos de mugre que, de lo contrario, no oiríais nada –prosiguió Xu–. Mi nombre es J.A., pero vosotros sólo me llamaréis *boss*. Cuando me dirija a vosotros, os quitaréis el gorro. Responderéis a mis preguntas, pero jamás formularéis ninguna. ¿Entendido?

San murmuraba asustado como los demás. Era evidente que al hombre que tenían delante no le gustaban los chinos.

Aquel hombre llamado J.A. siguió gritando.

–Tenéis ante vosotros una pared de piedra. Deberéis dividir la montaña en dos mitades, practicar una abertura de una anchura suficiente como para que pase por ella el ferrocarril. Habéis sido elegidos porque habéis demostrado vuestra capacidad para trabajar duro. Aquí no valen ni los malditos negros ni los borrachos de los irlandeses. Esta montaña es adecuada para los chinos. Por eso os encontráis aquí. Y yo, por mi parte, estoy aquí para asegurarme de que cumplís con vuestro deber. Aquel que no emplee todas sus fuerzas, el que demuestre ser un vago, tendrá ocasión de maldecir el día en que nació. ¿Lo habéis entendido? Quiero que respondáis, todos y cada uno de vosotros. Después podréis volver a poneros los gorros. Brown os dará los picos. La luna llena lo vuelve loco y entonces come chinos crudos; pero por lo general es manso como un cordero.

Todos respondieron, todos con el mismo susurro.

Había empezado a amanecer cuando, con los picos en las manos, se hallaban ya ante la montaña que se alzaba ante ellos casi en vertical. Sus bocas exhalaban nubes de vaho. J.A. le dejó su rifle a Brown un momento, tomó un pico y marcó dos señales en la parte inferior de la montaña. San calculó que la anchura de la abertura que tenían que practicar era de cerca de ocho metros.

No se veían por ninguna parte bloques de piedra ni montones de gravilla arrancados de la roca. La montaña opondría una gran resistencia. Cada lasca de roca que arrancasen les costaría un esfuerzo enorme que no podría compararse a nada de lo que habían vivido hasta el momento.

Debían de haber provocado a los dioses de algún modo, pues éstos les habían enviado la prueba a la que ahora se enfrentaban. Tendrían que abrirse paso a través de aquella pared de roca si querían convertirse en hombres libres y dejar de ser *chinks,* despreciados en el desierto americano.

Una profunda e irremediable desesperación invadió a San. Lo único que lo mantenía con ánimo era la idea de que, un día, él y Guo Si huirían de allí.

Intentó imaginarse que la montaña era, en realidad, una pared que los separaba de China. Si se adentraban unos metros, desaparecería el frío y verían los cerezos en flor.

Aquella mañana empezaron a trabajar la dura roca. Su nuevo capataz los vigilaba como ave de rapiña. Incluso cuando estaba de espaldas, parecía capaz de ver a quien, aunque fuese un segundo, dejaba descansar el pico. Llevaba los puños envueltos en correas que le arrancaban la piel al desgraciado que cometiese tal crimen. Aquel hombre que nunca abandonaba su arma y que jamás tenía una palabra amable se ganó en pocos días el odio de todos. Empezaron a soñar con matarlo. San se preguntaba qué relación habría entre J.A. y Wang. ¿Sería Wang el propietario de J.A., o sería al contrario?

J.A. parecía confabulado con la montaña, pues ésta se resistía al máximo antes de dejar escapar una esquirla, como una lágrima o un cabello de granito. Cerca de un mes les llevó cavar una abertura de la anchura marcada. Para entonces, uno de ellos ya había muerto. Una noche se levantó sin hacer ruido y salió arrastrándose por la abertura de la tienda. Estaba desnudo y se tumbó en la nieve dispuesto a morir. J.A. se enfureció al descubrir al chino muerto.

–No quiero que lloréis la muerte de un suicida –gritó con su voz siempre chillona–. Lo que debéis lamentar es que, ahora, vosotros tendréis que cavar la porción de roca que le habría correspondido a él.

Cuando, por la noche, regresaban de la montaña, el cuerpo ya no les respondía.

Pocos días más tarde empezaron a volar la pared de roca con nitroglicerina. Habían pasado los peores fríos. En su grupo había dos hombres, Jian y Bing, que ya habían utilizado antes aquella enigmática y peligrosa sustancia. Con ayuda de unos aparejos de cuerdas, los elevaban en cestas para que fuesen introduciendo con mucho cuidado la nitroglicerina en las grietas. Después le prendían fuego, bajaban rápidamente las cestas y todos se alejaban de allí corriendo para protegerse. En varias ocasiones, Jian y Bing estuvieron a punto de no retirarse a tiempo. Una mañana, una de las cestas se atascó mientras descendía. Bing saltó y se lesionó un pie al caer sobre el duro suelo. Al día siguiente volvió a subir en la cesta.

Corría el rumor de que a Jian y a Bing les pagaban más. No porque alguien les diese dinero, y menos J.A.; pero el tiempo que debían trabajar para poder pagarse los pasajes se reducía. Sin embargo, ninguno de los demás estaba dispuesto a cambiarse por uno de ellos en las cestas.

Una mañana a mediados de mayo ocurrió lo que todos temían. No se produjo ninguna explosión después de que Jian preparase la carga. Por lo general, esperaban una hora, por si la explosión se producía con retraso. Transcurrido ese tiempo, adaptaban una nueva mecha a la carga y volvían a intentarlo. Sin embargo, aquel día, J.A. se presentó a caballo y declaró que no tenía la menor intención de esperar. Les ordenó a Bing y a Jian que se metiesen inmediatamente en las cestas para que los elevaran y volviesen a encender la carga explosiva. Jian intentó explicarle que debían esperar un poco más. J.A. no lo escuchó, sino que desmontó del caballo y golpeó en el rostro a Jian y a Bing. San oyó cómo les crujieron las mandíbulas y la nariz. Después, el propio J.A. los metió en las cestas y le gritó a Xu que empezase a subirlos, a menos que quisieran verse obligados a morir todos en la nieve. En un momento dado, a J.A. le pareció que ascendían demasiado lento y lanzó un disparo al aire.

Nadie sabía qué había pasado; pero la nitroglicerina explosionó y las dos cestas, con los dos hombres, saltaron en pedazos hasta quedar irreconocibles. Después de la explosión ningún miembro de sus cuerpos pudo recuperarse entero. En cualquier caso, J.A. ordenó que trajesen nuevas cestas y cuerdas. San fue uno de los elegidos. Xu le había enseñado a manejar la nitroglicerina, pero jamás había preparado una carga.

Temblando de miedo, lo elevaron por la pared de la montaña. Estaba convencido de que iba a morir, pero cuando la cesta volvió a tocar el suelo, consiguió ponerse a salvo corriendo y la explosión se produjo con normalidad.

Aquella noche, San le reveló su plan a Guo Si. Fuese lo que fuese lo que los aguardaba en aquel territorio salvaje, no podía ser peor que lo que ya estaban viviendo entonces. Se marcharían y no se detendrían hasta que hubiesen llegado a China.

Huyeron cuatro semanas más tarde. Por la noche salieron en silencio de la tienda, siguieron el terraplén, robaron dos caballos en unas vías para transporte de raíles y continuaron hacia el oeste. Cuando consideraron que la distancia que los separaba de las montañas de Sierra Nevada era más que suficiente, se permitieron unas horas de reposo junto a una hoguera antes de proseguir con su camino. Llegaron a un arroyo y decidieron cabalgar por él para ocultar sus huellas.

A menudo se detenían a mirar atrás, pero aquello estaba desierto. Nadie los perseguía.

Poco a poco, San empezó a tener fe en que quizá lograsen volver a casa, aunque su fe era frágil: aún no osaba confiar del todo.

14

San soñó que cada uno de los maderos que había en el terraplén, bajo los negros raíles, era una costilla de un ser humano, tal vez incluso una costilla suya. Sentía que las costillas se le hundían y que no lograba llenar de aire los pulmones. Intentó liberarse de aquel peso que machacaba su cuerpo dando patadas al aire, pero no lo consiguió.

De pronto, abrió los ojos. Guo Si se había echado sobre él para mantener el calor. San lo apartó con cuidado y lo tapó con la manta. Se sentó y se frotó los miembros entumecidos antes de echar más leña al fuego, que ardía entre unas piedras que habían recogido.

Acercó las manos a las llamas. Era la tercera noche desde que emprendieron la huida de aquella montaña y seguían temiendo a los capataces Wang y J.A. San no había olvidado las palabras de Wang sobre lo que les sucedía a quienes tenían la osadía de huir. Serían condenados a la montaña por tanto tiempo que jamás lograrían sobrevivir.

Aún no habían detectado a nadie que estuviese persiguiéndolos. San sospechaba que los capataces considerarían a los dos hermanos demasiado necios para servirse de los caballos para huir. De vez en cuando ocurría que los bandidos que merodeaban por allí robaban caballos del campamento; y, con un poco de suerte, a ellos dos seguirían buscándolos en las proximidades de la montaña.

Sin embargo, toparon con un gran problema. Uno de los caballos, el que montaba San, se había caído el día anterior. Se trataba de un pequeño poni indio que parecía tan resistente como el rosillo al que se encaramaba Guo Si. De pronto, el caballo trastabilló y cayó al suelo. Cuando se desplomó, ya estaba muerto. San no sabía nada de caballos y pensó que su corazón habría dejado de latir inesperadamente, igual que podía suceder con el de las personas.

Abandonaron al animal después de haberle cortado un buen trozo de carne del lomo. Con el fin de despistar a sus posibles perseguidores, cambiaron de rumbo y se encaminaron más hacia el sur. A lo largo de un tramo de varios cientos de metros, San fue caminando detrás de Guo Si arrastrando tras de sí unas ramas de árbol para borrar sus huellas.

Acamparon al atardecer, asaron parte de la carne y comieron hasta hartarse. San calculaba que tenían carne suficiente para tres días más.

No sabía dónde se encontraban, ni cuánto les quedaba para llegar al mar y a la ciudad donde tantas embarcaciones habían visto. Mientras fueron a caballo pudieron ir aumentando la distancia que los separaba de la montaña; pero con un caballo que no podría llevarlos a los dos, los tramos que cubriesen serían mucho más cortos.

San se pegaba al cuerpo de Guo Si para mantenerse caliente. Por la noche, se oían ladridos solitarios, quizá de zorros o de perros salvajes.

Lo despertó un latigazo que estuvo a punto de hacerle estallar la cabeza. Cuando abrió los ojos, con el oído izquierdo estallándole de dolor, se encontró con aquel rostro cuya visión no había dejado de temer desde que emprendieron la huida. Aún era de noche, aunque por las lejanas montañas de Sierra Nevada ya se atisbaba la alborada. J.A. se hallaba ante él con el humeante rifle entre las manos. Había disparado junto al oído de San.

J.A. no estaba solo. Con él iban Brown y algunos indios acompañados de sabuesos a los que sujetaban con correas. J.A. le dejó el rifle a Brown y sacó un revólver que apuntó a la cabeza de San. Después desplazó el cañón hacia la oreja derecha de San y volvió a disparar. Cuando se levantó, vio que J.A. estaba gritando, pero él no podía oírlo. Un estruendo terrible llenó su cabeza. J.A. apuntó entonces con el revólver a la cabeza de Guo Si, cuyo rostro reflejaba el pánico más intenso, pero San no podía hacer nada. El capataz dio dos disparos, uno en cada oreja. San vio que su hermano lloraba de dolor.

La huida había terminado. Brown maniató a los hermanos y les puso una soga al cuello. Después comenzaron el regreso al este. San sabía que, a partir de ese momento, él y su hermano se verían obligados a ejecutar las tareas más peligrosas, a menos que Wang decidiera que los colgasen. Nadie mostraría con ellos la menor compasión. Aquellos que, tras intentar la huida, eran atrapados, pasaban a pertenecer a lo más bajo de los trabajadores del ferrocarril. Habían perdido el último resto de su valor como personas; para ellos ya no quedaba más salida que trabajar hasta morir.

Cuando acamparon la primera noche, ni San ni Guo Si habían recuperado aún el oído. En el interior de sus cabezas seguía tronando. San buscaba la mirada de Guo Si para intentar animarlo, pero sus ojos estaban muertos y comprendió que necesitaría hacer acopio de todas sus fuerzas para mantenerlo con vida. Si dejaba morir a su hermano, jamás se lo perdonaría. De hecho, aún se sentía culpable de la muerte de Wu.

Al día siguiente de su regreso al campamento, J.A. colocó a los fugitivos capturados ante los demás trabajadores. Seguían con las manos atadas a la espalda y aún llevaban la soga al cuello. San buscaba a Wang con la mirada, pero no lo veía por ninguna parte. Puesto que ninguno de los dos había recuperado el oído, sólo podían intuir lo que J.A. estaría diciendo desde su caballo. Cuando terminó de hablar, desmontó de un salto ante los congregados y le propinó un puñetazo en la cara a cada uno de los hermanos. San no consiguió mantener el equilibrio y cayó al suelo. Por un instante, tuvo la sensación de que no volvería a levantarse.

Finalmente lo logró. Una vez más.

Tras la malograda huida, sucedió lo que San se temía. No los colgaron, pero cada vez que había que usar nitroglicerina para volar la obstinada montaña, él y Guo Si eran quienes subían a las Cestas de la Muerte, como las llamaban los trabajadores chinos. Un mes más tarde seguían sin recuperar el oído y San empezó a pensar que se verían obligados a vivir el resto de sus días con aquel sordo ronroneo en la cabeza. Quienes querían hablar con él debían hacerlo en voz muy alta.

El verano, que resultó ser largo, seco y caluroso, llegó a la montaña. Cada mañana tomaban sus picos o preparaban las cestas que debían llevar a las alturas la mortal sustancia explosiva. Con indecible esfuerzo iban penetrando en la roca, descoyuntando aquel cuerpo de piedra que nunca cedía un solo milímetro sin exigirles un gran esfuerzo. Todas las mañanas asaltaba a San el mismo pensamiento: ignoraba cómo sobreviviría un día más.

San odiaba a J.A. Y su odio hacia él crecía sin cesar. Lo peor no era la brutalidad física, ni siquiera que tuviesen que viajar siempre en aquellas mortíferas cestas. Su odio nació el día en que los obligó a aparecer ante los demás trabajadores con las sogas al cuello y amarrados como animales.

–Mataré a ese hombre –solía decirle a Guo Si–. No dejaré esta montaña sin antes haber acabado con él. Lo mataré a él y a cuantos son como él.

–Eso significará nuestra propia muerte –respondía Guo Si–. Nos colgarán. Matar a un blanco es lo mismo que ponerse la soga al cuello.

San era tozudo.

–Mataré a ese hombre cuando llegue el momento oportuno. No antes. Sólo entonces.

El calor estival parecía aumentar de forma constante. Por entonces trabajaban bajo el ardiente sol desde por la mañana hasta el lejano atardecer. Cuando los días empezaron a ser más largos, también prolongaron su jornada de trabajo. Varios de los trabajadores sufrieron insolación, otros morían de agotamiento. Sin embargo, siempre parecía haber otros chinos para sustituir a los muertos.

Llegaban en interminables hileras de carros. Cada vez que aparecían recién llegados ante sus tiendas, los acribillaban a preguntas. ¿De dónde eran? ¿En qué barco habían cruzado el mar?..., siempre hambrientos de noticias de China. En una ocasión, San despertó de pronto al oír un grito y, acto seguido, un febril parloteo. Salió de la tienda y vio a un hombre que le daba palmaditas a otro en los brazos, en la cabeza, en el pecho... Era su primo, que había aparecido de pronto en la tienda, él era la causa de tanta alegría.

«O sea, que es posible», se dijo San. «Las familias pueden volver a unirse.»

San pensó con tristeza en Wu, pues éste jamás podría salir de uno de los carros para abrazarlos a él y a su hermano.

Finalmente, habían empezado a recuperar el oído. San y Guo Si hablaban por las noches, como si les quedara poco tiempo antes de que alguno de los dos muriese.

Durante aquellos meses de estío, J.A. cayó víctima de unas fiebres y no aparecía por el campamento. Una mañana, Brown se presentó ante ellos y les comunicó que, mientras el capataz estuviese enfermo, los dos hermanos no serían los únicos en subir a las Cestas de la Muerte. En ningún momento les explicó por qué los liberaba de ser los únicos en ejecutar tan peligrosa tarea. Tal vez porque el capataz solía tratar a Brown con el mismo desprecio que a cualquiera de los chinos. Con suma cautela, San empezó a relacionarse con Brown, aunque procurando no dar la impresión de estar buscando alguna ventaja, pues eso indignaría a los demás trabajadores. San había aprendido que la generosidad no tenía morada entre los pobres y los maltratados. Cada uno debía mirar por sí mismo. En la montaña no existía la justicia, tan sólo la tortura que cada uno de ellos se veía obligado a mitigar como podía.

A San, los hombres rojos de largos cabellos negros adornados con plumas lo llenaban de admiración, pues los rasgos de sus semblantes se asemejaban a los suyos. Pese a que los separaba un ancho mar, podrían haber sido hermanos. Sus rostros tenían la misma forma, los mismos ojos oblicuos. Sin embargo, ignoraba cómo pensaban.

Una noche, San le preguntó a Brown, que sabía un poco de chino.

–Los indios nos odian –le respondió Brown–. Tanto como vosotros. Ésa es la única similitud que yo veo.

–Aun así, son ellos los que nos vigilan.

–Porque les damos de comer. Les damos armas. Les permitimos que gocen de un grado superior al vuestro. Y también al de los negros. Así creen que tienen algún poder. En realidad, son tan esclavos como todos los demás.

–¿Todos?

Brown meneó la cabeza con vehemencia. Y no respondió a la última pregunta de San.

Estaban sentados en medio de la noche. De vez en cuando se entreveían las ascuas de sus pipas, que iluminaban sus rostros. Brown le había dado a San una de sus viejas pipas y le había regalado algo de tabaco. San estaba siempre alerta, pues aún ignoraba qué querría Brown a cambio. Tal vez sólo deseaba compañía, quebrantar de algún modo la gran soledad del desierto, ahora que no tenía al capataz para conversar.

Finalmente, San se atrevió un día a preguntarle por J.A.

¿Quién era aquel hombre que no cejó en el empeño de dar con ellos cuando huyeron y que les reventó los oídos? ¿Quién era aquel hombre que tanto placer hallaba haciendo sufrir a los demás?

–Yo he oído lo que he oído –declaró Brown mordiendo la pipa–. Si es cierto o no, no sabría decirte. El caso es que un día se presentó ante los hombres ricos de San Francisco que habían invertido dinero en el ferrocarril, y éstos lo contrataron como vigilante. Perseguía a los fugitivos y tuvo la suficiente inteligencia como para servirse de perros y de indios en sus batidas. Por eso lo hicieron capataz. Sin embargo a veces, como sucedió con vosotros, vuelve a salir de caza en pos de los fugitivos. Dicen que nadie ha logrado escapar de él, salvo los que han muerto en el desierto. A ésos les cortaba las manos y las cabelleras, como hacen los indios, para demostrar que había dado con ellos. Muchos creen que tiene un don sobrenatural. Los indios aseguran que ve en la oscuridad, por eso lo llaman «Barba larga que ve en la noche».

San reflexionó un buen rato sobre lo que le había dicho Brown.

–Él no habla como tú, su lengua suena diferente. ¿De dónde es?

–No estoy seguro. De algún lugar de Europa, de un país muy al norte, me dijeron. Puede que Suecia, pero no estoy seguro.

–¿Y él no cuenta nunca nada?

–Jamás. Eso de que venga del norte puede ser un cuento.

–¿Será inglés?

Brown negó con un gesto.

–Ese hombre viene del mismísimo infierno. Y allí volverá un día, seguramente.

A San le habría gustado seguir haciendo preguntas, pero Brown empezó a gruñir.

–No se hable más de este asunto. Pronto estará de vuelta. Ya le está bajando la fiebre y han cesado las diarreas. Cuando se incorpore al trabajo, no podré hacer nada por evitar que dancéis con la muerte en las cestas.

Pocos días después, J.A. volvió al campamento. Estaba más pálido y delgado, pero también más violento. Ya el primer día, a dos de los chinos que trabajaban en el equipo de San y Guo Si los golpeó hasta dejarlos inconscientes, sin más motivo que su impresión de que no lo habían saludado con la suficiente solemnidad y veneración al verlo llegar a caballo. No estaba satisfecho con los progresos del trabajo durante su enfermedad. Reprendió duramente a Brown y le ordenó a gritos que, a partir de ese momento, les exigiese más esfuerzo a cuantos trabajaban en la montaña. Aquellos que no siguiesen sus reglas serían abandonados en el desierto sin comida y sin agua.

Al día siguiente de su regreso, J.A. volvió a mandar a los hermanos a las cestas. Ya no podían contar con la ayuda de Brown. Desde que el capataz había vuelto se encogía como un perro apaleado.

Siguieron doblegando la montaña, volando sus paredes, picándolas y arrastrando piedras, y empezaron a extender la apisonada arena sobre la que debían colocar los raíles. Con todo su afán fueron venciendo a la montaña metro a metro. A lo lejos veían el humo de la locomotora que transportaba raíles, maderos y trabajadores. No tardaría en llegar hasta allí. San le dijo a Guo Si que era como si una manada de alimañas les pisasen los talones. Sin embargo, ninguno de los hermanos habló nunca de cuánto tiempo resistirían trabajando en las cestas. Hablar de la muerte llamaba a la muerte y procuraban mantenerla aparte rodeándola de silencio.

Llegó el otoño. La locomotora estaba cada vez más cerca. J.A. se emborrachaba más a menudo. Entonces golpeaba a cuantos se cruzaban en su camino. En ocasiones se quedaba dormido a lomos de su caballo, agarrado a la crin, pero todos le temían igualmente, aunque estuviese dormido.

Por las noches, San soñaba esporádicamente que la montaña volvía a crecer. Cuando por la mañana se despertara junto con los demás, descubrirían que volvían a enfrentarse a una mole de piedra incólume, que estaban como al principio. Sin embargo, iban venciéndola poco a poco. Picaban y volaban sus lomos hacia el este, con la crueldad del capataz a sus espaldas.

Una mañana, los dos hermanos vieron cómo un chino anciano trepó despacio por uno de los sillares de la montaña, se arrojó al vacío y se estrelló contra el suelo. San jamás olvidaría la dignidad con la que aquel hombre acabó sus días.

La muerte estaba siempre cerca, siempre presente. Un hombre se destrozó la cabeza con el pico, otro se adentró en el desierto y desapareció. El capataz envió a sus indios y sabuesos en su busca, pero jamás lo encontraron. Sólo daban con los fugitivos, no con aquellos que se refugiaban en el desierto ansiando la muerte.

Un día, Brown convocó a todos los trabajadores en la sección que llamaban la Puerta del Infierno y les hizo formar en filas. Cuando J.A. apareció a caballo, estaba sobrio y se había cambiado de ropa. Por lo general apestaba a sudor y a orina, pero aquel día iba limpio. Se quedó sentado en su montura y, cuando se dirigió a ellos, lo hizo sin gritar.

–Hoy tendremos visita –comenzó–. Algunos de los caballeros que financian este ferrocarril vendrán para comprobar que el trabajo avanza como es debido. Doy por sentado que trabajaréis más deprisa que nunca. Será estupendo que os mováis al son de alegres gritos o canciones. Si alguien os pregunta, responderéis educadamente que todo es bueno y va bien. El trabajo, la comida, las tiendas, incluso yo. Aquel que no haga lo que digo sufrirá un infierno en cuanto los señores se hayan marchado, os lo juro.

Pocas horas después llegaron los visitantes, aparecieron en un carro cubierto y escoltado por jinetes armados y uniformados. Eran tres, vestidos de negro y con sombreros de copa, y bajaron con cuidado al suelo pedregoso. Detrás de cada uno de ellos iba un negro que sostenía un parasol para protegerlos de los fuertes rayos. También los sirvientes negros vestían uniforme. Cuando los caballeros llegaron, San y Guo Si estaban instalando una carga explosiva desde sus cestas. Al verlos, se echaron atrás antes de que encendiesen las mechas y gritasen que hiciesen bajar las cestas.

Después de que estallase la carga, uno de los hombres vestidos de negro se acercó a San para hablar con él. A su lado había un intérprete chino. San tenía ante sí un par de ojos azules y un rostro amable. Las preguntas se sucedieron sin que el hombre alzase la voz en ningún momento.

–¿Cómo se llama? ¿Cuánto tiempo lleva trabajando aquí?

–San. Un año.

–Su trabajo es muy peligroso.

–Hago lo que me ordenan.

El hombre asintió. Después sacó unas monedas del bolsillo y se las dio a San.

–Compártelas con el otro hombre que trabaja en las cestas.

–Es mi hermano, Guo Si.

Por un segundo, una sombra de extrañeza empañó el semblante del caballero.

–¿Su hermano?

–Sí.

–¿En el mismo trabajo, tan peligroso?

–Sí.

El hombre asintió pensativo y le entregó a San otro puñado de monedas. Después dio media vuelta y se marchó. Durante unos segundos, pensó San, había sido un ser totalmente real, mientras aquel hombre vestido de negro lo estuvo interrogando. Ahora volvía a ser un chino sin nombre con un pico en la mano.

Cuando el carro de los tres caballeros se marchó de allí, J.A. desmontó del caballo y le reclamó a San las monedas que le habían dado.

–Dólares de oro, ¿para qué los quieres tú?

Se guardó el dinero en el bolsillo y volvió a montar.

–A la montaña –dijo señalando las cestas–. Si no hubieras huido, tal vez te hubiese permitido que te quedases el dinero.

El odio estalló en el interior de San con una fuerza incontrolable. ¿Sería necesario al fin volarse a sí mismo por los aires junto con el odiado capataz?

Siguieron trabajando en la montaña. El otoño avanzaba y las noches se volvieron más frías. Entonces sucedió aquello que San tanto había temido. Guo Si cayó enfermo. Una mañana despertó con fuertes dolores de estómago. Echó a correr fuera de la tienda y llegó justo a tiempo de bajarse los pantalones antes de que saliese un chorro disparado.

Puesto que sus compañeros temían que se les contagiase la gastroenteritis, lo dejaron solo en la tienda. San iba a llevarle agua y un anciano negro llamado Hoss le humedecía la frente y le limpiaba la mezcla acuosa que salía de su cuerpo. Hoss llevaba tanto tiempo cuidando enfermos que ya nada parecía afectarle. Sólo tenía un brazo, después de que una roca casi lo aplastase entero. Con la única mano que le quedaba refrescaba la frente de Guo Si, mientras esperaba a que muriese.

De improviso, el temido capataz se presentó en la puerta de la tienda. Miró con desprecio al hombre que yacía hundido en sus propios excrementos.

–¿Piensas morirte o qué? –le preguntó.

Guo Si intentó incorporarse, pero no tuvo fuerzas.

–Necesito la tienda –prosiguió J.A.–. ¿Por qué los chinos tienen que tardar tanto en morirse?

Aquella misma noche, Hoss le contó a San lo que había dicho el capataz. Hablaban a la puerta de la tienda en la que deliraba Guo Si. El pobre gritaba angustiado que alguien se acercaba caminando desde el desierto. Hoss intentaba tranquilizarlo. Había cuidado a muchos moribundos y sabía que era una visión habitual en quienes estaban a punto de fallecer. Un caminante en el desierto que venía para llevárselos. Podía tratarse del padre o de un dios, de un amigo o de una esposa.

Hoss cuidaba a un chino cuyo nombre desconocía, y tampoco le importaba mucho. Aquel que iba a morir no necesitaba un nombre.

Guo Si estaba yéndose. San aguardaba desesperado el desenlace.

Los días se acortaron. El otoño se esfumaba. Pronto llegaría otra vez el invierno.

Sin embargo, Guo Si sanó como por milagro, muy despacio, y ni Hoss ni San osaban confiar en que se recuperaría, pero una mañana, Guo Si se levantó. La muerte había salido de su cuerpo sin llevárselo consigo.

En ese instante, San tomó la decisión de que un día volverían a China. Después de todo, aquél era su hogar, no el desierto en que se encontraban.

Aguardarían a que terminase su plazo de espera en la montaña, hasta el día en que hubiesen cumplido su contrato de esclavos y fuesen libres de ir a donde quisieran. Soportarían todos los suplicios a los que los sometieran J.A. y los demás capataces. Ni siquiera Wang, que afirmaba ser su dueño, lograría aniquilar aquella determinación.

Nada podía hacer contra la enfermedad o contra un accidente en el trabajo, pero aun así cuidó a Guo Si durante los años que pasaron allí. Si la muerte ya lo había dejado ir una vez, estaba seguro de que no volvería a hacerlo.

Continuaron trabajando en la montaña, picando roca y volando barrancos y abriendo túneles. Vieron a compañeros suyos quedar destrozados por la nitroglicerina, aquella misteriosa sustancia; otros se suicidaban o sucumbían a las enfermedades que venían con las vías del tren. La sombra de J.A. se cernía siempre sobre ellos como una gran mano que amenazaba su existencia. En una ocasión mató de un tiro a un trabajador con el que no estaba satisfecho; otras veces, obligaba a los más débiles y enfermos a realizar los trabajos más peligrosos, sólo para que sucumbieran.

San se mantenía al margen cuando J.A. andaba por allí. El odio que le inspiraba aquel hombre le daba fuerzas para resistir. Jamás le perdonaría el desprecio que había mostrado por Guo Si cuando éste se debatía con la muerte.

Aquello fue peor que si lo hubiese azotado, peor que cualquier otra cosa que pudiese imaginar.

Después de transcurridos unos dos años, Wang dejó de ir a verlos. Un día, San oyó que, durante una partida de cartas, un hombre lo acusó de hacer trampas y le pegó un tiro. San nunca logró averiguar qué había sucedido exactamente, pero lo cierto es que Wang dejó de ir al campamento. Después de otros seis meses sin presentarse, San empezó a creer que era cierto.

Wang estaba muerto.

Finalmente, también llegó el día en que pudieron dejar el ferrocarril como hombres libres. San se había dedicado durante todo el tiempo que no empleaba en trabajar o en dormir a averiguar cómo regresar a Cantón. Lo lógico sería dirigirse hacia el oeste, hasta la ciudad de los muelles en la que bajaron a tierra. Sin embargo, unos meses antes de que los declarasen libres, San se enteró de que un hombre llamado Samuel Acheson conduciría una caravana hacia el este. Al parecer, necesitaba a alguien que le hiciese la comida y le lavase la ropa y estaba dispuesto a pagar por ese trabajo. Había amasado una fortuna sacando oro del río Yukon. Y ahora pensaba atravesar el continente para visitar a su hermana, que era su único pariente y vivía en Nueva York.

Acheson aceptó llevarse a San y a Guo Si. Ninguno de los dos lamentaría haber decidido seguirlo. Samuel Acheson trataba bien a todo el mundo, con independencia del color de su piel.

Cruzar el continente, sus interminables llanuras, sus montañas, les llevó mucho más tiempo de lo que San creía. En dos ocasiones, Acheson enfermó y tuvieron que detenerse durante varios meses. No parecía sufrir ninguna enfermedad física, era su alma, que se ensombrecía de tal modo que lo obligaba a encerrarse en su tienda y a no reaparecer hasta verse libre de tan hondo abatimiento. San le llevaba la comida dos veces al día y lo veía allí tendido en el catre, de espaldas al mundo.

Sin embargo, se recobró en ambas ocasiones, la melancolía abandonaba su alma y podían reanudar el largo viaje. Pese a que tenían la posibilidad de tomar el ferrocarril, Acheson prefería la lentitud de los bueyes y las incómodas carretas.

Cuando atravesaban las infinitas praderas, San solía tumbarse al aire libre por la noche y contemplar el no menos infinito firmamento. Buscaba a su padre y a su madre y también a su hermano Wu, pero no conseguía encontrarlos.

Por fin llegaron a Nueva York, presenciaron el reencuentro de Acheson con su hermana, recibieron su salario y empezaron a buscar un barco que los llevase a Inglaterra. San sabía que era el único modo de regresar, puesto que no había barcos que cubriesen directamente la travesía desde Nueva York hasta Cantón o Shanghai. Al final consiguieron dos pasajes en un buque que iba a Liverpool.

Corría el mes de marzo de 1867. La mañana que zarparon de Nueva York, el puerto estaba envuelto en una densa niebla. Las sirenas aullaban solitarias en la espesura. San y Guo Si miraban por la borda.

–Regresamos a casa –dijo Guo Si.

–Así es –respondió San–. Regresamos a casa.

En el hatillo donde conservaba sus escasas pertenencias, llevaba también el pulgar de Liu envuelto en un retazo de algodón. De las misiones contraídas en América sólo le quedaba una por cumplir. Y pensaba hacerlo.

San soñaba a menudo con J.A. Pese a que él y Guo Si habían dejado atrás la montaña, J.A. se había quedado en sus vidas.

San sabía que, pasara lo que pasara, J.A. jamás los abandonaría. Nunca.

La pluma y la piedra

15

El 5 de julio de 1867, los dos hermanos salieron de Liverpool en un barco llamado *Nellie*.

San no tardó en descubrir que él y Guo Si eran los únicos chinos a bordo. Les habían asignado las literas en el extremo de proa de la vieja embarcación, que olía a podrido. En el *Nellie* existían los mismos asentamientos colindantes que en Cantón: no había murallas, pero todos sabían cuál era su espacio. Navegaban hacia el mismo destino, pero no invadían el territorio ajeno.

Antes de zarpar, en el puerto mismo, San se fijó en dos pacíficos pasajeros con el cabello rubio que solían rezar arrodillados junto a la borda. Parecían ajenos por completo a cuanto sucedía a su alrededor: a los marineros que iban y venían ajetreados, a los contramaestres que los acuciaban y les gritaban órdenes... Los dos hombres seguían sumidos en sus oraciones hasta que terminaban y volvían a levantarse.

De pronto, se volvieron hacia San y se inclinaron levemente. San se sobresaltó, como si lo hubiesen amenazado. Jamás un hombre blanco se había inclinado ante él. Los blancos no les hacían reverencias a los chinos. Les daban patadas. Se retiró a toda prisa a donde dormía con su hermano y se puso a reflexionar sobre quiénes serían aquellos dos hombres.

No tenía la más remota idea. Su comportamiento le resultaba incomprensible.

Un día, bastante avanzada la tarde, soltaron amarras, el barco salió del puerto y levaron las velas. Soplaba una fresca brisa del norte y, a buena marcha, el barco zarpó rumbo al este.

San se aferraba a la falca del barco para que el viento le refrescase la cara. Los dos hermanos iban, por fin, camino de casa en su viaje alrededor del mundo. Ahora se trataba de no ponerse enfermos durante el viaje. San ignoraba qué sucedería en cuanto llegasen a China, sólo sabía que no quería volver a verse hundido en la miseria otra vez.

Mientras estaba allí en la proa, con la cara al viento, le vino a la memoria el recuerdo de Sun Na. Pese a que sabía que estaba muerta, consiguió imaginarse que la tenía al lado; pero cuando extendió la mano para tocarla, comprobó que no había nadie, sólo el viento que soplaba por entre sus dedos.

Pocos días después de zarpar y ya en alta mar, los dos hombres rubios se acercaron a San acompañados de un hombre mayor que formaba parte de la tripulación y que hablaba chino. San temió que él y Guo Si hubiesen cometido algún error, pero el tripulante, Mister Mott, les explicó que aquellos dos hombres eran misioneros suecos que iban a China y se los presentó como Mister Elgstrand y Mister Lodin.

La pronunciación china del señor Mott resultaba difícil de entender, pero San y Guo Si alcanzaron a comprender que los dos jóvenes eran sacerdotes que habían decidido dedicar sus vidas a trabajar en la misión cristiana en China. Iban camino de Fuzhou para fundar una parroquia en la que empezarían a convertir a los chinos a la fe verdadera. Combatirían la herejía y les mostrarían el camino al Reino de Dios, que era el verdadero objetivo del ser humano.

¿Querrían San y Guo Si ayudarles a los señores a mejorar sus escasos conocimientos de la lengua china? Algo sabían, pero estaban dispuestos a trabajar con tesón durante la travesía a fin de estar bien preparados cuando bajasen a tierra en la costa china.

San reflexionó un instante. No veía razón alguna para renunciar al pago que los dos hombres rubios estaban dispuestos a hacerle por el servicio, pues eso les facilitaría el regreso a su país.

Antes de responder hizo una reverencia.

–Será un placer para Guo Si y para mí ayudar a estos señores a penetrar los secretos de la lengua china.

Empezaron a trabajar al día siguiente. Elgstrand y Lodin querían invitar a San y a Guo Si a su sección del barco, pero San rechazó la oferta. Prefería quedarse en la proa.

San se convirtió en el maestro de los misioneros, mientras que Guo Si se dedicaba más bien a escucharlos.

Los dos misioneros suecos trataban a los hermanos como si fuesen sus iguales. A San le llevó mucho tiempo vencer la suspicacia que le inspiraba su amabilidad, pero al final se disiparon sus dudas. Lo llenaba de asombro el hecho de que no hubiesen emprendido aquel viaje para encontrar un trabajo ni porque los hubiesen obligado a huir. Lo hacían movidos por un sentimiento auténtico y por su voluntad de salvar almas de la perdición eterna. Elgstrand y Lodin estaban dispuestos a sacrificar sus vidas por su fe. Elgstrand procedía de una sencilla familia de agricultores, en tanto que el padre de Lodin era sacerdote en una zona despoblada. Ambos le mostraron en un mapa cuál era su lugar de nacimiento; hablaban sin tapujos, sin ocultar su modesto origen.

Cuando San vio el mapa del mundo, comprendió que el viaje que habían hecho él y Guo Si era el más largo que un ser humano podía realizar sin volver sobre sus propios pasos.

Elgstrand y Lodin eran aplicados. Estudiaban mucho y aprendieron rápido. Cuando llegaron al golfo de Vizcaya, ya habían establecido un horario según el cual tenían clase por la mañana y a última hora de la tarde. San empezó a hacerles preguntas sobre su fe y su dios. Quería entender lo que no había logrado explicarle su madre. Ella sabía algo del dios cristiano, pero les rezaba a otras fuerzas invisibles y sobrenaturales. ¿Cómo podía alguien estar dispuesto a sacrificar su vida para que otras personas creyesen en su dios?

Por lo general, era Elgstrand el que respondía. Lo más importante de su mensaje consistía en que todos los hombres eran pecadores, pero que podían salvarse y, después de la muerte, llegar al paraíso.

San pensaba en el odio que alimentaba contra Zi, contra Wang –que por suerte estaba muerto– y contra J.A., al que odiaba más que a ninguno. Elgstrand aseguraba que, según el dios cristiano, el peor delito que podía cometerse era matar a un semejante.

San se indignó. El sentido común le decía que Elgstrand y Lodin estaban equivocados. Hablaban sin cesar de lo que aguardaba después de la muerte, nunca de cómo podía cambiar un ser humano mientras se estaba vivo.

Elgstrand volvía a menudo sobre la idea de que todos los seres humanos eran iguales ante Dios, todos eran pobres pecadores; pero San no alcanzaba a comprender que él, Zi y J.A. fuesen recibidos con las mismas condiciones el día del juicio.

Sus dudas eran muchas, pero al mismo tiempo lo llenaban de admiración la amabilidad y la paciencia al parecer infinita que los dos jóvenes suecos mostraban con él y con Guo Si. Asimismo, se dio cuenta de que su hermano charlaba a menudo a solas con Lodin y que parecía aceptar gozoso lo que le decía. De ahí que San nunca entrase a discutir con Guo Si sobre lo que pensaba del dios blanco.

Elgstrand y Lodin compartían sus alimentos con San y Guo Si. San ignoraba qué había de cierto en lo que contaban de su dios, pero no cabía duda de que aquellos dos hombres vivían conforme a lo que predicaban.

Después de treinta y dos días de travesía, el *Nellie* atracó para repostar en el puerto de Ciudad del Cabo, al pie del monte Tafel, antes de proseguir rumbo al sur. El día que iban a bordear el cabo de Godahopp los sorprendió una terrible tormenta con viento del sur. Durante cuatro días, el *Nellie* se enfrentó a las olas con las velas desgarradas. San estaba aterrado ante la idea de que se hundiesen y, según pudo comprobar, también la tripulación tenía miedo. Los únicos a bordo que mostraban una calma absoluta eran Elgstrand y Lodin. O, al menos, ocultaban bien su temor.

Si San estaba asustado, Guo Si era presa del pánico. Lodin se quedó con él mientras las grandes masas de agua se estrellaban contra el barco amenazando con partir el casco en mil pedazos. Permaneció junto a Guo Si durante toda la tempestad. Cuando pasó, Guo Si se arrodilló y dijo que quería declarar su fe en el dios que los hombres blancos iban a revelar entre sus hermanos chinos.

La admiración de San por los misioneros crecía sin cesar, pues habían soportado la tormenta con una calma inexplicable. Sin embargo, él no era capaz, como Guo Si, de arrodillarse y rogarle a un dios que aún le resultaba demasiado misterioso y evasivo.

Bordearon la costa del cabo de Godahopp y navegaron con viento favorable por el océano Índico. El tiempo empezaba a ser más cálido, más fácil de soportar. San seguía ejerciendo de maestro mientras Guo Si se retiraba a diario con Lodin a mantener sus conversaciones y confidencias.

No obstante, San ignoraba qué les depararía el mañana. Un día, Guo Si enfermó de pronto. Despertó a San por la noche y le dijo en un susurro que había empezado a vomitar sangre. Guo Si estaba lívido y temblaba de frío. San le pidió a uno de los vigilantes que estaba de guardia que fuese a buscar a los misioneros. El hombre, que era americano, hijo de madre negra y padre blanco, observó a Guo Si.

–¿Estás diciéndome que vaya a despertar a uno de los señores porque un siervo chino está sangrando?

El marinero frunció el ceño. ¿Cómo podía un culi chino permitirse el lujo de dirigirse a un tripulante de ese modo? Pese a todo, sabía que los misioneros pasaban mucho tiempo con San y con Guo Si.

De modo que fue a buscar a Elgstrand y a Lodin. Se llevaron a Guo Si a su camarote y lo tumbaron en una de las camas. Lodin parecía poseer más conocimientos de medicina. Trató a Guo Si con distintos medicamentos. San observaba acuclillado contra una de las paredes del estrecho camarote. La luz vacilante del farol proyectaba juegos de sombras en las paredes. El barco cabalgaba despacio sobre las olas.

El fin se precipitó de súbito. Guo Si murió al amanecer. Antes de que exhalara el último suspiro, Elgstrand y Lodin le prometieron que iría con Dios si confesaba sus pecados y su fe. Ambos le tomaron las manos y rezaron con él. San estaba solo en un rincón del camarote. No había nada que él pudiese hacer. Su otro hermano lo abandonaba. En cualquier caso, no pudo por menos de admitir que los misioneros le transmitían a Guo Si una paz y una confianza que nunca había experimentado antes.

A San le costó comprender las últimas palabras que le dijo Guo Si, pero intuyó que lo que quería transmitirle era que no tenía miedo a morir.

–Ya me voy –le dijo Guo Si–. Marcharé sobre las aguas, como el hombre llamado Jesús. Voy camino de un mundo mejor, donde me espera Wu. Y tú también llegarás allí un día.

Cuando Guo Si murió, San se quedó con la cabeza entre las rodillas y se tapó los oídos con las manos. Elgstrand intentó hablar con él, pero San negó con la cabeza, sin decir nada. Nadie podía ayudarle a superar la desolación y la impotencia que sentía.

Regresó a su sitio en la proa del barco. Dos tripulantes cosieron un retal de una lona vieja e hicieron un saco para Guo Si en el que metieron varios eslabones de hierro oxidado como contrapeso.

Elgstrand le dijo a San que el capitán iba a oficiar el entierro dos horas más tarde.

–Quiero estar a solas con mi hermano –declaró San–. No me gustaría que estuviera aquí, sin nadie, hasta que lo arrojen al mar.

Elgstrand y Lodin llevaron el saco con el cadáver a su camarote y dejaron solo a San. Éste tomó un cuchillo que había sobre la mesita y descosió el saco con cuidado. Luego le cortó a Guo Si el pie izquierdo. Puso mucho cuidado en evitar que salpicase sangre sobre la mesa, envolvió con un trozo de tela el miembro seccionado y se lo guardó dentro de la camisa. Después volvió a coser el saco. Nadie notaría que lo habían abierto.

«Yo tenía dos hermanos», pensó. «Y debía cuidarlos. Ahora, lo único que tengo es un pie.»

El capitán y la tripulación se reunieron junto a la barandilla. El saco que contenía el cadáver de Guo Si estaba sobre una plancha de madera, apoyada en unos caballetes. El capitán se quitó la gorra, leyó un pasaje de la Biblia y entonó un salmo. Elgstrand y Lodin cantaron con sus voces cristalinas. Justo en el momento en que el capitán iba a dar la señal de que levantasen el madero por la borda, Elgstrand alzó la mano para que se detuvieran.

–Este hombre sencillo, un chino llamado Wang Guo Si, halló la salvación antes de morir. Aunque su cuerpo vaya ahora camino del fondo del mar, su alma está libre y se encuentra ya en las alturas. Roguemos a Dios, que ve a los muertos y libera sus almas. Amén.

Cuando el capitán dio por fin la señal, San cerró los ojos. Le sonó lejano el chasquido del cuerpo al caer al agua.

San regresó a donde él y su hermano habían pasado todo el tiempo durante el viaje. Aún le costaba hacerse a la idea de que Guo Si estuviese muerto. Precisamente cuando empezaba a pensar que a su hermano le habían vuelto las ganas de vivir, en especial después del encuentro con los dos misioneros, resulta que se murió de una enfermedad desconocida.

«Dolor», se dijo San. «Dolor y espanto ante lo que la vida le daba fue lo que lo mató al final. Ni la tos, ni la fiebre, ni los escalofríos.»

Elgstrand y Lodin querían consolarlo, pero San les explicó que en aquellos momentos necesitaba estar solo.

La noche posterior al entierro, San comenzó el cruento trabajo de retirar la piel, los nervios y los músculos del pie de Guo Si. No tenía más herramientas que un perno de hierro oxidado que había encontrado en cubierta. A aquella tarea sólo se dedicaba de noche, cuando nadie lo veía, e iba arrojando los restos de carne por la borda. Una vez que tuvo limpios los huesos, los secó con un retazo de tela y los ocultó en su hatillo.

La semana siguiente la pasó sumido en la soledad. Hubo momentos en los que pensó que lo mejor sería avanzar a hurtadillas hasta la borda, protegido por la oscuridad de la noche, y hundirse en las aguas del mar; pero debía llevar a casa los huesos de su hermano muerto.

Cuando retomó las clases de chino con los misioneros, tenía siempre presente lo que ambos habían significado para Guo Si. No alcanzó la muerte entre gritos, sino en paz. Elgstrand y Lodin le habían proporcionado lo más difícil de conseguir, el valor de morir.

Durante el resto del viaje, primero a Java, donde el navío volvió a repostar, y luego a lo largo del último tramo hasta Cantón, San les hizo muchas preguntas sobre aquel dios capaz de consolar a los moribundos y de prometer un paraíso para todos, ricos o pobres.

Sin embargo, la cuestión decisiva era, pese a todo, por qué ese dios había permitido que la muerte le arrebatase a Guo Si cuando por fin iban camino de casa después de todas las penurias que habían tenido que pasar. Ni Elgstrand ni Lodin supieron ofrecerle una respuesta satisfactoria. Los caminos del dios cristiano eran inescrutables, decía Elgstrand. ¿Qué significaba eso? ¿Que, en realidad, la vida no valía nada salvo la pena de esperar lo que vendría después? ¿Que la fe era, en el fondo, un misterio?

San se aproximaba a Cantón como un hombre cada vez más reflexivo. Jamás olvidaría aquello por lo que había pasado. Ahora intentaría aprender a escribir para dejar constancia de cuanto había vivido con sus dos hermanos ya difuntos, desde la mañana en que halló a sus padres colgados de un árbol.

Unos días antes de que estuviese previsto que avistasen la costa china, Elgstrand y Lodin se sentaron a su lado en cubierta.

–Nos preguntamos qué vas a hacer cuando llegues a Cantón –le dijo Lodin.

San negó con la cabeza, no tenía respuesta.

–No querríamos perder tu amistad –confesó Elgstrand–. A lo largo del viaje hemos intimado; sin ti, nuestros conocimientos de la lengua china habrían sido mucho más escasos de lo que ya son. Te ofrecemos que te vengas con nosotros. Te pagaremos un salario y nos ayudarás a construir la gran comunidad cristiana con la que soñamos.

San guardó silencio durante un buen rato antes de contestar. Cuando hubo tomado una decisión, se puso de pie y se inclinó por dos veces ante ellos.

Los seguiría. Quizás un día él también tuviese la certidumbre que alivió los últimos días de Guo Si.

El 12 de septiembre de 1867, San volvió a pisar tierra en Cantón. Llevaba en el hatillo los huesos del pie de su hermano y el pulgar de un hombre llamado Liu. Era cuanto le quedaba después de tan largo viaje.

Ya en el muelle, miró a su alrededor. ¿A quién buscaba? ¿A Zi o a Wu? No supo qué responder.

Dos días después acompañó a los dos misioneros suecos en una barcaza rumbo a la ciudad de Fuzhou. San contemplaba el paisaje que iba pasando lento ante su vista. Buscaba un lugar donde enterrar los restos de Guo Si.

Quería hacerlo a solas, era algo entre él, sus padres y los espíritus de sus antepasados. Probablemente Elgstrand y Lodin no apreciarían que siguiese observando las antiguas tradiciones.

La barcaza se deslizaba despacio hacia el norte. Las ranas croaban en la orilla.

San se hallaba en casa.

16

Una noche durante el otoño de 1868, San se sentó a una pequeña mesa sobre la que ardía una vela solitaria. Empezó a plasmar con gran esfuerzo los signos escritos que terminarían por componer el relato sobre su vida y la de sus dos hermanos muertos. Habían pasado cinco años desde que Zi los secuestró y uno desde que regresó a Cantón con el pie de Guo Si en un hatillo. Aquel último año lo había pasado con Elgstrand y Lodin en Fuzhou, sirviéndolos con su eterna presencia, y gracias al maestro que le había buscado Lodin logró aprender a escribir.

Según pudo ver San desde la casa en la que tenía su habitación, la noche en que empezó a redactar su historia soplaba un fuerte viento. Escuchaba el ruido con el pincel en la mano mientras pensaba que era como si lo hubiesen transportado de nuevo a alguno de los barcos en los que había viajado.

Entonces fue cuando, además, creyó empezar a comprender con exactitud la magnitud de lo que había sucedido. Decidió que debía recordar con todo detalle sin obviar un solo acontecimiento. Si le faltaban ideogramas o palabras, podía preguntarle a Pei, su maestro, que había prometido ayudarle. No obstante, éste le había advertido a San que no debía esperar demasiado, pues empezaba a sentir la llamada de la tierra y no viviría mucho más tiempo.

Durante los años transcurridos desde que llegaron a Fuzhou y se instaló en la casa que Elgstrand y Lodin habían comprado, San se había hecho muchas veces la misma pregunta. ¿A quién le contaría aquella historia? Jamás volvería a su pueblo, y, salvo allí, no había nadie en ningún otro lugar que lo conociera.

No tenía para quién escribir. No obstante, deseaba hacerlo. Si era cierto que existía un creador que gobernaba sobre vivos y muertos, seguro que se encargaba de que su relato fuese a parar a manos de alguien que quisiera leerlo.

Así pues, San empezó a escribir. Muy despacio y con gran esfuerzo, mientras el viento castigaba las paredes. Iba meciéndose lentamente adelante y atrás sentado en el taburete mientras pensaba. La habitación no tardó en transformarse en un navío cuya cubierta vacilaba bajo sus pies.

Sobre la mesa tenía varios montones de papel. Igual que el cangrejo en el fondo del río, también él pensaba moverse hacia atrás, hacia el punto en que vio a sus padres colgados de la soga balanceándose al viento. Sin embargo, quiso empezar por el viaje que lo llevó al lugar donde se encontraba en ese momento, pues era el más próximo en el tiempo y el que más claro conservaba en la memoria.

Elgstrand y Lodin sintieron tanto alegría como temor mientras bajaban a tierra en Cantón. El caos del gentío, los aromas tan extraños y su incapacidad para comprender el dialecto tan especial que se hablaba en la ciudad los llenó de inseguridad. No obstante, los esperaba alguien, pues vivía en la ciudad un misionero sueco llamado Tomas Hamberg, que trabajaba para una sociedad alemana de publicaciones religiosas que se dedicaba a difundir traducciones de la Biblia al chino. Hamberg les dio una cálida acogida y los alojó en el edificio del barrio alemán donde tenía su casa y su despacho. San los acompañaba como el siervo silencioso en que había decidido convertirse. Él dirigía a las personas contratadas para llevar el equipaje, lavaba la ropa de los misioneros, los atendía a cualquier hora del día. Al mismo tiempo que guardaba silencio, siempre algo apartado de ellos, escuchaba cuanto se decía. Hamberg hablaba chino mejor que Elgstrand y Lodin, y, con el fin de que mejorasen su pronunciación, el hombre solía hablar con ellos en esa lengua extranjera, extranjera para los tres. Detrás de una puerta entreabierta, San escuchó cómo Hamberg le preguntaba a Lodin por las circunstancias en que lo habían conocido. Lo que más lo sorprendió y lo llenó de amargura fue oír que Hamberg prevenía a Lodin de que no se fiase demasiado de un sirviente chino.

Era la primera vez que San oía a un misionero decir algo negativo de un chino. En cualquier caso, resolvió que ni Elgstrand ni Lodin llegarían a adoptar el punto de vista de Hamberg. Ellos eran diferentes.

Después de varias semanas de intensos preparativos abandonaron Cantón y prosiguieron por la costa, y, finalmente por el río Min Jiang, hacia Fuzhou, la ciudad de la Pagoda Blanca. Gracias a la intervención de Hamberg recibieron una carta de presentación para el mandarín de la ciudad, que se había mostrado benévolo con los misioneros cristianos. San vio con asombro cómo Elgstrand y Lodin se arrojaban al suelo sin dudar y daban con la frente en el suelo para saludar al mandarín. Éste les había permitido difundir su fe en la ciudad; y, tras varias pesquisas, encontraron un inmueble que se adaptaba a sus fines, una explanada rodeada de gran número de casas.

El día que se mudaron, Elgstrand y Lodin se arrodillaron y bendijeron el lugar sobre el que construirían su futuro. San también se arrodilló, pero no pronunció la bendición, sino que pensó que aún no había encontrado un lugar adecuado para enterrar el pie de Guo Si.

Le llevó varios meses, hasta que dio con un sitio junto al río en el que el sol de la tarde ardía sobre los árboles y, muy despacio, iba transformando la tierra en una sombra. San visitó el lugar varias veces y, allí sentado con la espalda apoyada contra una roca, sentía una paz inmensa. El río fluía dulcemente pendiente abajo, e incluso en aquella época otoñal crecían flores en las hundidas orillas.

Allí podría sentarse a conversar con sus hermanos. Allí ellos podrían sentir cercana su presencia. Allí podrían estar juntos. En aquel lugar se desdibujaría la frontera entre los vivos y los muertos.

Un día, muy temprano por la mañana, cuando nadie lo veía, se encaminó al río, cavó un hoyo bien profundo en la tierra y enterró en él el pie de su hermano y el pulgar de Liu. Volvió a cubrirlo de tierra y puso mucho cuidado en borrar cualquier rastro. Finalmente, sacó una piedra que se había traído de su largo viaje a través de los desiertos americanos y la colocó encima de donde había enterrado los huesos.

San pensó que debería rezar alguna de las oraciones que le habían enseñado los misioneros, pero puesto que Wu, que en cierto modo también estaba allí, no había conocido al dios al que iban dirigidas las oraciones, no dijo más que sus nombres. Les puso alas a sus espíritus y los dejó partir volando.

Elgstrand y Lodin desplegaron una energía sorprendente. San sentía cada vez más respeto por su capacidad inquebrantable de suprimir todos los obstáculos y de convencer a la gente de que les ayudase a construir la ciudad misionera. Claro que tenían dinero. Era una condición indispensable para realizar el trabajo. Elgstrand había acordado con una naviera inglesa, cuyos barcos solían atracar en Fuzhou, que se encargase de los envíos de dinero desde Suecia. A San le sorprendía que en ningún momento les preocupase que pudieran entrar ladrones que no dudarían en acabar con sus vidas por quedarse con lo que poseían. Elgstrand guardaba el dinero y las cosas de valor bajo la almohada de la cama cuando dormía. Si él o Lodin no se encontraban allí, San era el responsable.

En una ocasión, San contó en secreto el dinero que guardaban en un pequeño maletín de piel. Se quedó perplejo al comprobar la enorme suma. Por un instante tuvo la tentación de llevarse el dinero y marcharse de allí. Podría llegar a Pekín y vivir de las rentas como un hombre rico.

La tentación desapareció tan pronto como pensó en Guo Si y en los cuidados que los misioneros le habían dispensado durante sus últimos días.

Él, por su parte, llevaba una vida con la que ni había soñado. Tenía una habitación con una cama, ropa limpia y no le faltaba comida. Del peldaño más ínfimo había pasado a ser responsable de los distintos sirvientes que había en la casa. Era estricto y enérgico, pero nunca les imponía un castigo físico si alguno se equivocaba.

Pocas semanas después de llegar, Elgstrand y Lodin abrieron las puertas de su casa e invitaron a entrar a cuantos sintieran curiosidad por oír lo que los extranjeros blancos tuviesen que revelarles. La explanada central se llenó hasta el punto de que no quedó un hueco libre. San, que se mantenía apartado, escuchaba cómo Elgstrand, con sus limitados recursos lingüísticos, les hablaba de aquel dios extraordinario que había enviado a su hijo para que lo crucificasen. Mientras tanto, Lodin iba pasando entre los asistentes estampas en color.

Cuando Elgstrand guardó silencio, todos se apresuraron a abandonar el lugar; pero al día siguiente ocurrió lo mismo y la gente volvió o acudió acompañando a quien repetía. Toda la ciudad empezó a hablar de los extraños hombres blancos que se habían instalado a vivir entre ellos. Lo más difícil de entender para los chinos era que Elgstrand y Lodin no se dedicasen a los negocios. No vendían mercancías ni querían comprar nada. Simplemente hablaban en su limitado chino sobre un dios que trataba a todos los seres humanos como si fuesen iguales.

Durante aquella primera época, los esfuerzos de los misioneros no conocieron límites. Sobre la puerta de acceso al patio habían colgado ya un tablero que, en chino, decía TEMPLO DEL DIOS VERDADERO. Parecía que los dos hombres no dormían nunca, siempre estaban trabajando. A veces, San los oía decir en chino la expresión «humillante idolatría», algo que había que combatir. Se preguntaba cómo se atrevían a creer que conseguirían que los chinos abandonasen ideas y creencias que habían pervivido a lo largo de muchas generaciones. ¿Cómo podría un dios que permitía que crucificasen a su hijo ofrecer a un chino consuelo espiritual o fuerza para vivir?

San tuvo mucho trabajo desde el día en que llegaron a la ciudad. Cuando Elgstrand y Lodin encontraron la casa que se adaptaba a sus objetivos y le pagaron al propietario lo que pedía, San recibió el encargo de buscar personal de servicio. Puesto que eran muchos los que acudían allí a buscar trabajo, lo único que tenía que hacer San era valorar al aspirante, preguntarle cuáles eran sus méritos y utilizar su sentido común para juzgar quién era el más adecuado.

Una mañana, semanas después de que se hubiesen instalado, cuando San realizaba la primera de sus tareas, que consistía en retirar la tranca y abrir el pesado portón de madera, apareció ante él una joven. Con la vista clavada en el suelo, le dijo que se llamaba Luo Qi. Procedía de un pequeño pueblo más arriba del río Mi, en las proximidades de Shuikou. Sus padres eran pobres y ella dejó el pueblo el día que su padre decidió venderla como concubina a un hombre de Nanchang que tenía setenta años. Le rogó a su padre que no lo hiciera, puesto que corría el rumor de que varias de las anteriores concubinas de aquel hombre habían muerto apaleadas una vez que él se había cansado de ellas. Su padre se negó a cambiar de idea y ella huyó del pueblo. Un misionero alemán que había llegado navegando por el río hasta Gou Sihan le contó que había una misión en Fuzhou donde ofrecían compasión cristiana a quien la necesitaba.

Cuando la mujer guardó silencio, San se quedó mirándola un buen rato. Le hizo algunas preguntas sobre lo que sabía hacer y la dejó entrar. Se quedaría unos días de prueba, ayudando a las mujeres y al cocinero responsables de preparar la comida de la misión. Si todo iba bien, tal vez le ofrecería trabajo.

La alegría con que la joven acogió sus palabras lo conmovió. Jamás había soñado con ejercer un poder tan grande, tener la posibilidad de proporcionar alegría a otra persona ofreciéndole un trabajo y una salida por la que escapar a una miseria sin fin.

Qi cumplió bien sus tareas y San le permitió quedarse. Vivía con las demás sirvientas y pronto se hizo querer por todos, pues era una persona tranquila que nunca intentaba zafarse de las tareas. San solía quedarse mirándola mientras trabajaba en la cocina o cuando cruzaba el patio con paso presuroso para hacer algún recado. Sin embargo, nunca se dirigía a ella en un tono distinto al que usaba con los demás sirvientes.

Poco antes de Navidad, Elgstrand le pidió un día que contratase a unos remeros y que alquilase una barcaza. Navegarían río abajo para visitar un buque inglés que acababa de llegar de Londres. El cónsul británico de Fuzhou le había comunicado a Elgstrand que en el barco había un paquete para la misión.

–Será mejor que vengas conmigo –le dijo Elgstrand con una sonrisa–. Para recoger una bolsa llena de dinero necesito a mi hombre de confianza.

San encontró en el puerto un grupo de remeros que aceptaron el encargo. Al día siguiente, Elgstrand y San subían a bordo. Un segundo antes, San le había susurrado al oído que tal vez fuese mejor no decir una palabra de lo que iban a recoger de la embarcación inglesa.

Elgstrand sonrió.

–Soy bastante confiado –admitió–, pero no tanto como crees.

Tres horas les llevó a los remeros alcanzar el barco inglés y varar a su lado. Elgstrand bajó por la escala junto con San. Un capitán calvo llamado John Dunn salió a recibirlos. Observó a los remeros con suma desconfianza antes de dedicarle una mirada displicente también a San, e hizo un comentario que éste no comprendió. Elgstrand negó con un gesto y le explicó a San que el capitán Dunn no tenía a los chinos en mucha consideración.

–Considera que todos sois ladrones y estafadores –dijo Elgstrand entre risas–. Un día entenderá lo equivocado que está.

El capitán Dunn y Elgstrand entraron en el camarote del primero. Minutos después, Elgstrand regresó con un maletín de piel en la mano que, con un gesto ostentoso, le pasó a San.

–El capitán Dunn piensa que estoy loco al confiar en ti. Es triste tener que admitir que el capitán Dunn es una persona extremadamente mezquina, que sabrá mucho de barcos, vientos y océanos, pero nada sobre el ser humano.

Volvieron a la barcaza con los remeros y, cuando llegaron a la misión, ya había oscurecido. San le pagó al jefe del grupo de remeros. Empezó a sentir miedo cuando se adentraron en los oscuros callejones. No podía acallar el recuerdo de aquella noche, en Cantón, cuando Zi lo engañó a él y a sus hermanos y los hizo caer en la trampa. Pero nada sucedió. Elgstrand entró en su despacho con el maletín, San trancó la puerta y despertó al vigilante nocturno que se había dormido apoyado en la fachada.

–Te pagan para que vigiles, no para que duermas –le recordó.

Sin embargo, se lo dijo con amabilidad, pese a que sabía que el vigilante era perezoso y no tardaría en volver a dormirse; pero éste tenía muchos hijos a los que mantener y una esposa que se había quemado con agua hirviendo y que yacía en cama desde hacía muchos años gritando de dolor.

«Soy un capataz con los pies en la tierra», se dijo. «No voy sobre un caballo como J.A. Además, duermo como un perro guardián, con un ojo abierto.»

Se alejó del portón y fue a su habitación. Por el camino se dio cuenta de que la luz del dormitorio de las sirvientas estaba encendida. Frunció el ceño. Estaba prohibido tener velas encendidas por la noche, pues podía provocarse un incendio. Se acercó a la ventana y miró por el claro que quedaba entre las dos cortinas. En la habitación había tres mujeres. Una de ellas, la más anciana de las sirvientas de la casa, dormía ya, en tanto que Qi y la otra muchacha, que se llamaba Na, estaban charlando sentadas en la cama que compartían. Tenían un candil en la mesa. Puesto que era una noche calurosa, Qi se había desabotonado la blusa hasta el pecho. San miraba su cuerpo como embrujado. No podía oír sus voces y supuso que hablarían en susurros para no despertar a la otra mujer de más edad.

De repente, Qi volvió el rostro hacia la ventana. San retrocedió enseguida. ¿Lo habría visto? Se agazapó en la oscuridad y aguardó; pero Qi no cerró bien las cortinas. Él volvió a la ventana y allí permaneció hasta que Na sopló la luz del candil y dejó la habitación a oscuras.

San no se movió. Uno de los perros que corrían sueltos por el patio durante la noche para disuadir a posibles ladrones se le acercó a olisquearle las manos.

–No soy un ladrón –le susurró al animal–. Soy un hombre normal que desea a una mujer que tal vez un día sea suya.

A partir de ese instante, San empezó a acercarse a Qi. Lo hizo con miramiento, para no asustarla. Y tampoco quería que su interés por ella fuese demasiado evidente para los demás sirvientes. La envidia prendía fácilmente y con rapidez entre los criados.

Qi tardó bastante tiempo en comprender las discretas señales que San le enviaba. Empezaron a verse en la oscuridad ante el dormitorio de las mujeres, después de haberle arrancado a Na la promesa de que no los delataría. A cambio le dieron un par de zapatos. Finalmente, al cabo de unos seis meses, Qi empezó a pasar la mitad de la noche en la habitación de San. Cuando estaban juntos, San sentía una felicidad capaz de disipar todas las sombras tortuosas y los recuerdos que, por lo general, siempre lo acechaban.

Para San y Qi no cabía la menor duda de que querían pasar la vida juntos.

San decidió hablar con Elgstrand y Lodin y pedirles permiso para casarse. Una mañana fue a buscar a los misioneros después del desayuno y antes de que comenzasen sus tareas diarias. Les explicó el asunto. Lodin guardó silencio y Elgstrand tomó la palabra.

–¿Por qué quieres casarte con ella?

–Porque es buena y considerada. Y sabe trabajar duro.

–Es una mujer de clase muy sencilla que no sabe nada de lo que tú has aprendido. Y no muestra el menor interés por el mensaje cristiano.

–Aún es muy joven.

–Hay quien dice que roba.

–Nadie se libra de los chismorreos que circulan entre los criados.

Todos acusan a todos de cualquier cosa. Yo sé lo que es verdad y lo que no lo es. Qi no roba.

Elgstrand se volvió hacia Lodin. San no entendió una palabra de lo que se decían en aquella lengua extranjera.

–Creemos que debes esperar –declaró Elgstrand–. Y si os casáis, queremos que lo hagáis en una ceremonia cristiana. Será la primera que celebremos aquí. Pero ninguno de los dos está maduro aún. Queremos que aguardéis.

San hizo una reverencia y se marchó. Estaba profundamente decepcionado; sin embargo, Elgstrand no había dado un no rotundo, de modo que un día él y Qi se casarían.

Meses más tarde, Qi le contó a San que iba a tener un hijo. San sintió un inmenso gozo en su interior y decidió que, si era un niño, se llamaría Guo Si. Al mismo tiempo, comprendió que la nueva situación podía representar un grave problema. En sus prédicas diarias a la gente que acudía a la explanada de la misión, Elgstrand y Lodin repetían unos mensajes con más frecuencia que otros. Entre otras cosas, San había comprendido que la religión cristiana exigía que las parejas estuviesen casadas antes de tener hijos. Mantener relaciones sexuales antes del matrimonio se consideraba un pecado grave. San pensó durante mucho tiempo qué hacer, pero no halló una solución. Podrían ocultar el vientre de Qi unos meses aún, aunque San se vería obligado a tratar el tema antes de que la verdad quedase de manifiesto.

Un día le dijeron que Lodin necesitaba un equipo de remeros para hacer una visita a una misión fundada por misioneros alemanes situada río arriba. Y como de costumbre en las travesías con remeros, San debía acompañarlo. Calculaban que el viaje y la visita a la misión durarían unos cuatro días. San se despidió de Qi la noche anterior a su partida y le prometió que dedicaría el tiempo a pensar una solución al grave problema que tenían.

Cuando, cuatro días después, volvió con Lodin, Elgstrand lo llamó, pues quería verlo enseguida y hablar con él. El misionero estaba sentado a la mesa de su despacho. En condiciones normales, siempre le pedía a San que tomase asiento, pero en esta ocasión no lo hizo. San barruntaba que algo había sucedido.

–¿Cómo ha ido el viaje?

–Todo ha ido según los planes.

Elgstrand asintió reflexivo y clavó en San una mirada inquisitiva.

–Estoy decepcionado –confesó–. Hasta el último momento quise creer que los rumores que había oído no eran ciertos. Finalmente, me vi obligado a intervenir. ¿Sabes de qué te hablo?

San lo sabía, pero lo negó.

–Eso no hace sino aumentar mi decepción –contestó Elgstrand–. Cuando una persona miente, el diablo ha entrado en su alma. Por supuesto te hablo de que la mujer con la que querías casarte está embarazada. Te daré otra oportunidad para que me digas la verdad.

San bajó la cabeza, pero no respondió. El corazón se le salía del cuerpo.

–Por primera vez desde que nos conocimos en el barco que nos trajo aquí has provocado que me sienta abatido contigo –prosiguió Elgstrand–. Tú nos diste a mi hermano y a mí la sensación de que los chinos también podían ascender a un nivel espiritual más elevado. Han sido días difíciles. He rogado por ti y he decidido que puedes quedarte. Ahora bien, debes esforzarte con más ahínco y tesón que nunca para que llegue el día en que abraces la fe en nuestro Señor.

San seguía con la cabeza baja, aguardando una continuación que no se produjo.

–Eso es todo –le dijo Elgstrand–. Vuelve a tus tareas.

Ya en la puerta, oyó la voz del misionero a su espalda.

–Comprenderás que Qi no podía quedarse aquí. Ya se ha marchado.

San estaba paralizado de terror cuando salió a la explanada, sentía algo similar a lo que se apoderó de él cuando murieron sus hermanos. Ahora se veía otra vez por tierra. Buscó a Na, la agarró del cabello y la sacó de la cocina. Era la primera vez que San recurría a la violencia con alguno de los criados. Na se tiró al suelo dando gritos. San comprendió enseguida que no fue ella quien delató a Qi, sino la criada de más edad, que había oído a la joven cuando ésta le confiaba a Na su secreto. San logró dominar el impulso de ir a buscarla a ella también; si lo hacía, se vería obligado a abandonar la misión. Se llevó a Na a su habitación y la sentó en un taburete.

–¿Dónde está Qi?

–Se fue hace dos días.

–¿Adónde?

–No lo sé. Estaba muy triste y se fue corriendo.

–Alguna pista debió de darte sobre adónde pensaba ir.

–Creo que ni ella lo sabía. Tal vez ha bajado a la orilla del río para aguardar allí tu regreso.

San se levantó resuelto y salió a la carrera de la habitación, cruzó el portón y bajó al puerto; pero no la encontró. Siguió buscándola casi todo el día, preguntándoles a unos y a otros, pero nadie la había visto. Habló con los remeros, que le prometieron que le avisarían si la veían.

De nuevo en la misión, cuando volvió a ver a Elgstrand, le dio la impresión de que éste ya había olvidado lo sucedido. El misionero estaba preparando el oficio del día siguiente.

–¿No crees que deberíamos barrer la explanada? –preguntó Elgstrand en tono amable.

–Me ocuparé de que se haga mañana temprano, antes de que lleguen los fieles.

Elgstrand asintió y San le hizo una reverencia. Era evidente que, a juicio del misionero, Qi había cometido un pecado tan grave que la joven no tenía salvación.

San no alcanzaba a comprender que hubiese personas que jamás podían gozar de la gran misericordia, aunque su pecado no hubiese consistido más que en amar a otra persona.

Observó a Elgstrand y a Lodin mientras conversaban ante la oficina de la misión.

Experimentó la sensación de estar viéndolos realmente por primera vez.

Dos días después, San recibió un recado de uno de sus amigos del puerto. Se apresuró a acudir y, una vez allí, se vio obligado a abrirse paso a través de la muchedumbre. Qi yacía sobre un madero. Pese a que llevaba una gruesa cadena de hierro alrededor de la cintura, su cuerpo había vuelto de las profundidades. La cadena se había enganchado en un remo que izó el cadáver hasta la superficie. Tenía la piel violácea, los ojos cerrados. Sólo San sabía que llevaba un niño en su vientre.

Una vez más, se había quedado solo.

Le dio unas monedas al hombre que había mandado el aviso, una cantidad de dinero suficiente para quemar el cadáver. Dos días después enterró sus cenizas en el mismo lugar donde descansaban los restos de Guo Si.

«Esto es lo único que he conseguido en mi vida», se lamentó. «Construyo y voy poblando mi propio cementerio. Aquí descansan los restos de cuatro personas, una de las cuales ni siquiera llegó a nacer.»

Se arrodilló y tocó el suelo con la frente varias veces. Oleadas de dolor arrasaban su alma sin que él pudiese hacerle frente. Como un animal, aulló de ira ante lo sucedido. Jamás se había sentido tan indefenso como en ese momento. Él, que un día se creyó capaz de proteger a sus hermanos, había quedado reducido a la sombra de un hombre destrozado.

Cuando, ya avanzada la tarde, volvió a la misión, el vigilante le dijo que Elgstrand había estado buscándolo. San llamó a la puerta del despacho, donde el misionero escribía a la luz de su candil.

–Te andaba buscando –le dijo Elgstrand–. Has estado fuera todo el día. Le pedí a Dios que no te hubiese ocurrido nada.

–No, no es nada –respondió San con una breve inclinación–. Me dolía una muela que ya me he curado con unas hierbas.

–Muy bien. Sin ti no salimos adelante. Ya puedes irte a dormir.

San no les contó nunca a Elgstrand y a Lodin que Qi se había quitado la vida. Contrataron a otra joven. San se guardó su inmenso dolor y, durante muchos meses, continuó siendo el criado indispensable de los misioneros. Nunca revelaba lo que pensaba ni que la atención con que ahora escuchaba sus prédicas había cambiado.

Fue por aquel entonces cuando se le ocurrió que ya dominaba suficientes signos como para empezar a dar forma a su historia y la de sus hermanos. Seguía sin saber a quién dirigirla. Tal vez sólo al viento, pero, de ser así, obligaría al viento mismo a prestarle oídos.

Escribía por las noches, cada vez dormía menos, sin descuidar por ello sus obligaciones. Siempre era amable, siempre estaba dispuesto a prestar ayuda, a tomar decisiones, a organizar a los criados y a facilitar los trabajos de evangelización de Elgstrand y Lodin.

Había pasado un año desde su llegada a Fuzhou. San constató que llevaría mucho tiempo crear el Reino de Dios con el que soñaban los misioneros. Después de doce meses, tan sólo diecinueve personas se habían convertido y gozaban de la misericordia cristiana.

San escribía sin cesar, retrotrayéndose a los orígenes de su huida del pueblo.

Entre sus cometidos se incluía el de limpiar el despacho de Elgstrand. Ninguna otra persona podía entrar allí para ejecutar esa tarea y mantener la habitación limpia de polvo y suciedad. Un día en que San, con sumo cuidado, pasaba un paño por la mesa, se cayeron unos documentos y vio por casualidad una carta que Elgstrand le había escrito en caracteres chinos a uno de sus amigos misioneros de Cantón con el que solía practicar el idioma.

Elgstrand le hablaba a su amigo con toda confianza y le decía que «los chinos son como ya sabes muy trabajadores y capaces de soportar las penurias como los burros y los mulos soportan los palos y los azotes. Sin embargo, tampoco hay que olvidar que son simples y astutos mentirosos y estafadores, son altivos y avariciosos y tienen un instinto animal que a veces me repugna. Son, por lo general, personas despreciables y sólo cabe esperar que el amor de Dios venza un día su terrible maldad y crueldad».

San volvió a leer la carta. Después terminó de limpiar y salió del despacho.

Continuó trabajando como si nada hubiese ocurrido, escribía por las noches y, durante el día, escuchaba los sermones de los misioneros.

Una noche de otoño de 1868 abandonó la misión sin ser visto. En una sencilla bolsa de tela llevaba sus pertenencias. Llovía y soplaba el viento cuando partió. El vigilante dormía junto al portón y no lo oyó trepar. Cuando llegó a la parte superior del portón se sentó sobre él a horcajadas y derribó los tablones en los que se leía que aquélla era la puerta del Templo del Dios Verdadero. Los arrojó al barro, fuera del recinto.

La calle estaba desierta. Llovía a mares.

Lo engulló la oscuridad y desapareció.

17

Elgstrand abrió los ojos. Por la celosía de madera que cubría los cristales de la ventana se filtraba en su dormitorio una tenue luz matinal. Oyó que fuera estaban barriendo la explanada. Era un sonido que había aprendido a apreciar, un momento imperturbable en aquel orden de cosas a menudo tan quebradizo. El sonido de la escoba, en cambio, pertenecía a lo inamovible.

Aquella mañana, como de costumbre, se quedó un rato en la cama dejando vagar el pensamiento hacia tiempos pretéritos. Un maremágnum de imágenes de sus sencillos orígenes en la pequeña ciudad de Småland llenó su conciencia. Jamás se había imaginado que llegaría a vivir la revelación de tener una vocación, la de partir como misionero para ayudar a la gente a experimentar la única fe verdadera.

Hacía ya mucho de eso, pero aun así, justo después de despertar, sentía aquel recuerdo muy cercano. En especial ese día, un día en que volvería a recorrer el río hasta el barco inglés que, como era habitual, esperaba que le trajese dinero y correspondencia para la misión. Aquél sería el cuarto viaje que emprendía con tal objetivo. Él y Lodin llevaban más de año y medio en Fuzhou. Pese a sus esfuerzos y su tesón, la misión aún topaba con muchos problemas. Su mayor fuente de decepción era el número todavía insignificante de personas que se habían convertido. Eran muchos los que se habían declarado cristianos, pero, a diferencia de Lodin, que era menos crítico, Elgstrand veía que la fe de muchas de las almas ganadas para la salvación era hueca, y que quizá sólo esperaban recibir algún presente de los misioneros, ropa o comida.

A lo largo de todo aquel tiempo hubo momentos en que Elgstrand se sintió flaquear. En esas ocasiones escribía en sus diarios sobre la falsedad de los chinos, sobre su despreciable politeísmo que nada parecía poder erradicar. Los chinos que acudían a sus prédicas le parecían animales, muy por debajo de los miserables campesinos que encontraba en Suecia. La sentencia bíblica de no arrojar perlas a los cerdos había adquirido allí una nueva dimensión inesperada. Sin embargo, los momentos de abatimiento solían pasar. Rezaba y hablaba con Lodin. En las cartas que enviaba a Suecia, a la sede de la misión que apoyaba su trabajo y recaudaba el dinero necesario, nunca ocultaba las dificultades a las que se enfrentaban; pero él repetía una y otra vez que era preciso tener paciencia. La Iglesia cristiana necesitó en sus orígenes de cientos de años para difundir su mensaje. La misma paciencia había que exigirles a los enviados a aquel país gigantesco y atrasado que era China.

Se levantó de la cama, se lavó y empezó a vestirse despacio. Invertiría la mañana en escribir una serie de cartas que debía entregar para que se las llevara el barco inglés. También sentía la necesidad de escribirle una carta a su madre, ya muy anciana y de memoria endeble. Una vez más, deseaba recordarle que tenía un hijo dedicado a llevar a cabo el trabajo cristiano más importante que pudiera imaginarse.

Alguien dio unos golpecitos en la puerta. Cuando abrió, comprobó que era una de las sirvientas con la bandeja del desayuno, la dejó sobre la mesa y volvió a salir por la puerta sin decir palabra. Mientras Elgstrand se ponía la chaqueta, se colocó junto a la puerta entreabierta y admiró la explanada recién limpia. Era un día húmedo, caluroso, con un cielo cubierto de nubes que anunciaban lluvia. El viaje por el río exigiría ropa apropiada y paraguas. Saludó con la mano a Lodin, que limpiaba sus gafas ante la puerta de su dormitorio.

«Sin él, habría sido muy difícil», se dijo Elgstrand. «Es ingenuo y no destaca por su inteligencia, pero es bueno y trabajador. En cierta medida, lleva consigo la sencilla felicidad de la que habla la Biblia.»

Elgstrand bendijo brevemente los alimentos y se sentó a desayunar. Al mismo tiempo, se preguntaba si ya estaría listo el grupo de remeros que había de llevarlos hasta el barco y traerlos de vuelta a la misión.

En ese instante echó de menos a San. Desde que llegaron a la misión, San se había ocupado de todos aquellos menesteres y todo estaba bien organizado. Desde la noche en que, de repente, desapareció, Elgstrand no había logrado encontrar a nadie capaz de ocupar el lugar de San a su total satisfacción.

Se sirvió el té mientras, una vez más, se preguntaba qué lo habría movido a marcharse. La única explicación plausible era que la sirvienta Qi, de la que se había enamorado, se hubiese fugado con él. Elgstrand lamentaba profundamente haber tenido a San en tan alto concepto. El que los chinos normales siempre lo engañasen o lo decepcionasen era algo que podía soportar. Eran falsos por naturaleza; pero que San, del que tan buena opinión tenía, hubiese actuado del mismo modo fue el mayor desengaño que vivió desde que llegó a Fuzhou. Fue preguntando a todos sus conocidos, pero nadie sabía qué había podido suceder aquella noche de tormenta en que varios de los ideogramas del TEMPLO DEL DIOS VERDADERO cayeron derribados por el viento. Los ideogramas habían vuelto a su lugar, pero no San.

Elgstrand se dedicó durante las horas siguientes a escribir las cartas y terminar un informe para los miembros de la misión en Suecia. Siempre lo angustiaba tener que explicar cómo avanzaba el trabajo de la misión. Hacia la una de la tarde cerró el último sobre y echó otro vistazo al tiempo. Persistía el riesgo de lluvia.

Cuando Elgstrand subió en la barcaza creyó reconocer de otras veces a algunos de los remeros; pero no estaba seguro. Lodin y él ocuparon un lugar en el centro de la barcaza. Un hombre llamado Xin le hizo una reverencia y le dijo que ya podían zarpar. Los misioneros se dedicaron durante el viaje a conversar sobre los diversos problemas de la misión. Hablaron también de que necesitarían ser más. El sueño de Elgstrand era construir una red de misiones a lo largo de todo el río Min. Si mostraban que podían crecer, resultaría atractivo para todos aquellos que dudaban pero sentían curiosidad por ese dios tan extraño que había sacrificado a su hijo en la cruz.

Claro que, ¿de dónde sacarían el dinero? Ni Lodin ni Elgstrand tenían respuesta a esa pregunta.

Cuando llegaron a donde se encontraba el barco inglés, Elgstrand descubrió con asombro que lo reconocía. Los misioneros subieron por la escala y allí estaba el capitán Dunn, al que Elgstrand ya había visto en otras ocasiones. Le presentó a Lodin y los tres se dirigieron al camarote del capitán. Dunn sacó una botella de coñac y unas copas y no se rindió hasta que consiguió que los dos misioneros se tomasen un par de copas cada uno.

–Aún siguen aquí –comentó–. Me sorprende. ¿Cómo resisten?

–Gracias a nuestra vocación –respondió Elgstrand.

–¿Cómo van las cosas?

–¿A propósito de qué?

–Las conversiones. ¿Consiguen hacer que los chinos crean en Dios o siguen quemando incienso ante sus ídolos?

–Convertir a una persona lleva su tiempo.

–Y ¿cuánto se tarda en convertir a todo un pueblo?

–Nosotros no calculamos así. Podemos quedarnos toda la vida. Después de nosotros vendrán otros a tomar el relevo.

El capitán Dunn los observó inquisitivo. Elgstrand recordó que, en una visita anterior, el capitán le habló mucho y mal del pueblo chino.

–El tiempo es algo que se nos escapa entre los dedos, por más que intentemos retenerlo; pero ¿y las distancias? Antes de que lográsemos descubrir el instrumento con el que medir nuestros desplazamientos en millas marinas sólo teníamos una medida, lo que llamábamos la estimación, que alcanzaba hasta donde podía divisar un marinero con buena vista, hasta la porción de tierra avistada o hasta el barco más cercano. ¿Cómo mide usted las distancias, señor misionero? ¿Cómo mide usted la distancia entre Dios y las personas a las que quiere convertir?

–La paciencia y el tiempo también son distancias.

–Lo admiro –confesó Dunn–. Aunque me pese. Pues la fe nunca le ha servido a un capitán para orientarse entre escollos y arrecifes. Para nosotros sólo importa el conocimiento. Digamos que son distintos los vientos que hinchan nuestras velas.

–Hermosa imagen –intervino Lodin, que hasta el momento había guardado un atento silencio.

El capitán Dunn se agachó y abrió un cofre de madera que había junto a su hamaca. Sacó de debajo un montón de cartas, algunas bastante gruesas, y, finalmente, el paquete con el dinero y las letras de cambio con que los misioneros podrían pagar a los comerciantes ingleses de Fuzhou.

Le dio a Elgstrand un papel en el que figuraba la suma de dinero.

–Le ruego que lo cuente y apruebe la cantidad.

–¿Es necesario? No creo que a un capitán de navío se le ocurriese robar del dinero reunido por personas pobres para ayudar a los herejes a ganarse una vida mejor.

–Lo que usted crea o no, tanto da. Para mí lo único importante es que ustedes vean con sus propios ojos que han recibido la cantidad justa.

Elgstrand contó los billetes y, cuando hubo terminado, le firmó a Dunn un recibo que éste guardó en el cofre antes de volver a cerrarlo con llave.

–Es mucho el dinero que se gastan en sus chinos –observó–. Deben de ser muy importantes para ustedes.

–Sí, lo son.

Ya había empezado a anochecer cuando Elgstrand y Lodin pudieron dejar el barco. El capitán Dunn los vio desde la falca subir a la barcaza que los llevaría a casa.

–Adiós –les gritó–. Quién sabe si volveremos a vernos en el río una vez más.

La barcaza empezó a surcar las aguas. Los remeros levantaban y bajaban los remos rítmicamente. Elgstrand miró a Lodin y rompió a reír.

–El capitán Dunn es un hombre curioso. Yo creo que, en el fondo, tiene buen corazón, pese a que da la impresión de ser una persona impertinente y blasfema.

–No creo que sea el único en pensar así –respondió Lodin.

Siguieron en silencio. Por lo general, la barcaza solía navegar cerca de la orilla, pero en esa ocasión los remeros prefirieron avanzar por mitad del río. Lodin dormía. Elgstrand dormitaba. De repente se despertó: varios barcos surgieron de la oscuridad e hicieron chocar sus proas contra el casco. Todo sucedió tan rápido que Elgstrand apenas pudo darse cuenta de lo que estaba sucediendo. «Un accidente», se dijo. ¿Por qué los remeros no se mantenían cerca de la orilla como solían hacer?

Entonces vio que no era un accidente. Unos hombres enmascarados abordaban su barco. Lodin, que se acababa de despertar e intentaba levantarse, recibió un fuerte golpe en la cabeza y se desvaneció. Los remeros no intentaron defender a Elgstrand ni tampoco huir con la barcaza. Elgstrand comprendió que se trataba de un ataque bien planeado.

–¡En el nombre de Jesús! –gritó–. Somos misioneros, no queremos causar ningún mal.

De repente, uno de los enmascarados se le colocó delante. Llevaba en la mano un objeto que parecía un hacha o un martillo. Sus miradas se cruzaron.

–Perdonad nuestras vidas –suplicó Elgstrand.

El hombre se quitó la máscara. A pesar de la oscuridad, Elgstrand supo enseguida que era San. Éste alzó el hacha con rostro inexpresivo y la dejó caer sobre su cabeza, en el centro, entonces San arrojó el cuerpo del misionero por la borda y vio cómo se lo llevaba la corriente. Uno de sus hombres se disponía a degollar a Lodin cuando San alzó la mano para impedírselo.

–Déjalo vivir. Quiero que alguien quede vivo para contarlo.

San se llevó el maletín con el dinero y saltó a otro de los botes. Lo mismo hicieron los remeros que habían llevado a Elgstrand y a Lodin, que se quedó solo e inconsciente a bordo de la barcaza.

El río fluía despacio. No quedaba ni rastro de los bandidos.

Al día siguiente hallaron el bote con el cuerpo aún inconsciente de Lodin. El cónsul británico de Fuzhou se hizo cargo de él y lo alojó en su residencia mientras se recuperaba. Cuando Lodin superó lo peor del trance, el cónsul le preguntó si había reconocido a alguno de los atacantes. Lodin respondió que no. Todo había ocurrido tan rápido, los hombres iban enmascarados, no tenía ni idea de lo que habría sido de Elgstrand.

El cónsul se preguntaba por qué razón le habrían perdonado la vida a Lodin. Los piratas chinos de los ríos no solían perdonarle la vida a ninguna de sus víctimas, pero en esa ocasión habían hecho una misteriosa excepción.

El cónsul se puso enseguida en contacto con las autoridades de la ciudad y protestó por lo sucedido. El mandarín decidió intervenir. Sus pesquisas lo llevaron a un pueblo al noroeste del río. Puesto que los bandidos no estaban, el mandarín castigó a sus familiares: los colgó a todos sin juicio e incendió el pueblo entero.

Las consecuencias del suceso resultaron terribles para el trabajo de evangelización. Lodin cayó en una profunda depresión y no se atrevía a abandonar el consulado británico. Le llevó mucho tiempo recobrar la salud y poder regresar a Suecia, donde los responsables de la misión adoptaron la difícil decisión de, por el momento, no enviar más misioneros. Todos sabían que lo que le había sucedido al hermano Elgstrand formaba parte del martirio, que constituía una posibilidad y un riesgo para los misioneros que trabajaban en zonas peligrosas. Si Lodin se hubiese recuperado totalmente como para poder trabajar, las cosas habrían sido distintas; pero un hombre que no hacía más que llorar y que no se atrevía a salir a la calle no era, desde luego, una piedra sobre la que asentar la continuación de los trabajos misioneros.

Así pues, la misión se cerró. Y a los diecinueve chinos convertidos les recomendaron que se dirigiesen a la misión alemana o la americana, que también trabajaban cerca del río Min.

Y los informes de Elgstrand sobre la misión, que ya no interesaban a nadie, quedaron archivados.

Unos años después de que Lodin llegase a Suecia, un chino muy bien vestido llegó a Cantón en compañía de sus sirvientes. Era San, que regresaba a la ciudad tras haber llevado una vida discreta en Wuhan.

Por el camino, se detuvo en Fuzhou. Mientras sus criados esperaban en una fonda, San se dirigió al lugar junto al río en que estaban enterrados su hermano y Qi. Encendió incienso y estuvo largo rato sentado en la hermosa colina. Habló con los muertos en voz baja sobre la vida que por entonces llevaba. No obtuvo respuesta alguna, pero estaba seguro de que ellos lo habían escuchado.

En Cantón alquiló una pequeña casa a las afueras de la ciudad, lejos de los barrios extranjeros y de aquellos en que vivían los chinos normales y pobres. Llevaba una existencia sencilla y apartada. Cuando alguien preguntaba a sus sirvientes quién era su amo, éstos respondían que vivía de sus rentas y que dedicaba su tiempo al estudio. San saludaba siempre respetuosamente, pero se abstenía de mezclarse demasiado con los demás.

En su casa brillaba siempre la luz de los candiles hasta muy tarde. San seguía escribiendo sobre lo que le había sucedido desde el día en que sus padres se quitaron la vida. No omitía ningún detalle. No necesitaba invertir sus días en trabajar, puesto que lo que contenía el maletín de Elgstrand era más que suficiente para la vida que llevaba.

La idea de que se tratase del dinero de la misión le producía una satisfacción enorme. Era una venganza por haberse visto defraudado por los cristianos durante tanto tiempo, pues quisieron hacerle creer que existía un dios justo que trataba igual a todos los hombres.

Pasaron muchos años antes de que San encontrara a otra mujer. Un día, durante una de sus visitas regulares a la ciudad, vio a una joven que caminaba por la calle con su padre. Empezó a seguirlos y, cuando vio dónde vivían, le encargó a su sirviente de más confianza que se informase de quién era el padre. El criado averiguó que era uno de los servidores del mandarín de la ciudad, aunque de bajo rango. San comprendió que el hombre lo consideraría un pretendiente adecuado para su hija. Lo abordó poco a poco, se presentó y lo invitó a una de las casas de té más célebres de Cantón. Poco después, San fue invitado a la casa del funcionario y pudo finalmente conocer a la joven, que se llamaba Tie. La muchacha resultó de su agrado y, cuando empezó a mostrarse menos tímida, San comprobó que tampoco era necia.

Un año más tarde, en mayo de 1881, San y Tie se casaron. En marzo de 1882 tuvieron un hijo al que llamaron Guo Si. San no se cansaba de contemplar al bebé, y por primera vez en muchos años sintió la alegría de vivir.

Su ira, no obstante, no se había atenuado. Cada vez dedicaba más tiempo a colaborar con las sociedades secretas que trabajaban para ahuyentar del país a los blancos. La pobreza y el sufrimiento de su país jamás encontrarían alivio mientras los blancos controlasen los ingresos del comercio y obligasen a los chinos a consumir opio, aquel odioso medio para embriagarse.

Pasó el tiempo. San envejecía, su familia aumentaba. Por las noches solía retirarse a leer el ya extenso diario que había seguido escribiendo. Ahora sólo esperaba que sus hijos creciesen lo suficiente como para comprender y, tal vez, poder leer el libro en el que él llevaba tantos años trabajando.

Ante la puerta de su hogar veía el fantasma de la pobreza deambulando por las calles de Cantón. «Aún no es el momento», se decía. «Pero, un día, todo esto desaparecerá de repente, como si el río se lo llevara consigo al desbordarse.»

San continuó llevando una vida sencilla, dedicando la mayor parte de su tiempo a sus hijos.

Sin embargo, cuando salía a pasear por la ciudad, siempre lo hacía armado con un afilado cuchillo que llevaba oculto entre su ropa, buscaba a Zi.

18

A Ya Ru le gustaba estar solo en su despacho por la noche. El alto edificio del centro de Pekín, cuya planta superior le pertenecía y en la que había enormes ventanas panorámicas con vistas a la ciudad, se encontraba a aquellas horas prácticamente vacío. Sólo estaban los vigilantes de la planta baja y el personal de la limpieza. En una habitación contigua aguardaba su secretaria, la señora Shen, que se quedaba todo el tiempo que él quisiera, a veces incluso hasta la madrugada, si era necesario.

Justo aquel día de diciembre de 2005, Ya Ru cumplía treinta y ocho años. Estaba de acuerdo con aquel pensador occidental según el cual un hombre a esa edad se encontraba en la mitad de su vida. A muchos de sus amigos les preocupaba sentir la vejez como un frío soplo en la nuca a medida que se aproximaban a la cuarentena. Para Ya Ru, en cambio, no existía tal temor. Ya de joven, mientras estudiaba en una de las universidades de Shanghai, decidió no perder el tiempo y la energía preocupándose por aquello que, después de todo, no tenía remedio. El paso del tiempo constituía una fuerza mayor, inconmensurable y misteriosa, frente a la cual el ser humano perdía la batalla sin remisión. El único modo en que el hombre podía oponer resistencia era intentar estirar el tiempo, aprovecharlo, nunca pretender detener su avance.

Ya Ru rozó el frío cristal con la nariz. Siempre mantenía baja la temperatura en la gran suite donde se encontraba su despacho, amueblado en un elegante estilo y en colores rojo y negro. La temperatura debía mantenerse constante, en diecisiete grados, ya fuese en la estación más fría del año o cuando el calor y las tormentas de arena invadían Pekín. Para él era perfecto. Siempre había profesado la fría reflexión. Hacer negocios o adoptar decisiones políticas era una especie de estado de guerra en el que sólo importaban el cálculo frío y racional. Por algo lo llamaban Tie Qian Lian, el Hombre Frío.

También había quienes pensaban que era peligroso. Y era cierto que, en algunas ocasiones, hacía tiempo, había perdido los nervios y había maltratado físicamente a la gente; pero eso había terminado. No le afectaba lo más mínimo el hecho de infundir temor. Mucho más importante para él era haber dejado de perder el control sobre la ira que a veces lo inundaba.

De vez en cuando, por la mañana muy temprano, Ya Ru dejaba el apartamento por una puerta trasera para mezclarse con la gente del parque cercano, casi todos mayores que él, y se ejercitaba en el Tai Chi. Entonces se sentía como una parte insignificante de la gran masa anónima del pueblo chino. Nadie lo conocía ni sabía cómo se llamaba. Era como someterse a una catarsis, pensaba. Después, cuando regresaba a su casa y volvía a adoptar su identidad, siempre se sentía más fuerte.

Era cerca de medianoche, estaba esperando dos visitas. Le divertía convocar en su despacho a medianoche o al alba a la gente que quería pedirle algo o a aquellos con quienes, por alguna razón, debía reunirse. El hecho de administrar el tiempo correctamente le daba una suerte de ventaja. En una fría habitación y a primeras horas de la mañana le resultaba más fácil conseguir lo que pretendía.

Contempló la ciudad cuyas luces lanzaban destellos. Ya Ru nació en 1967, coincidiendo con el periodo más violento de la Revolución Cultural, en algún hospital de allá abajo. Su padre no estuvo presente, pues, por su condición de catedrático de universidad, había sido víctima de una de las terribles depuraciones de la guardia roja y había sido obligado a vivir en el campo como porquero. Ya Ru jamás lo conoció, pues desapareció para siempre. Después, con los años, Ya Ru envió a varios de sus colaboradores de confianza a donde se suponía que lo habían desterrado, aunque sin resultado. Ya nadie lo recordaba. Tampoco en los caóticos archivos de aquella época halló rastro de su padre, cuya memoria había quedado sepultada en el maremoto político ocasionado por Mao.

Fueron tiempos difíciles para su madre, que se vio sola con él y con Hong, su hermana mayor. El primer recuerdo que tenía era la imagen de su madre llorando. Se trataba de una evocación difusa, pero inolvidable. Más tarde, a principios de la década de 1980, cuando su situación mejoró y su madre recuperó su antiguo puesto como profesora de física teórica en una de las universidades de Pekín, empezó a comprender mejor el caos que imperaba en el momento de su nacimiento. Mao intentó crear un universo nuevo. Del mismo modo en que se formó el universo, una nueva China surgiría de la turbulenta revolución provocada por Mao.

Ya Ru supo desde muy pronto que sólo podía asegurarse el éxito si aprendía a discernir dónde se hallaba el poder en cada momento. Aquel que no captase las distintas tendencias que reinaban en la vida política y económica, jamás podría ascender al nivel en el que él se encontraba en ese momento.

«Y ahí es donde estoy ahora», se decía. «Cuando el mercado empezó a liberarse en China, yo estaba preparado. Era uno de los gatos de los que hablaba Deng, tanto daba si eran negros o grises, con tal de que fuesen capaces de cazar ratones. En la actualidad soy uno de los hombres más ricos de mi generación. Gracias a una serie de buenos contactos me he asegurado un lugar en la nueva Ciudad Prohibida dominada por el núcleo de poder del Partido Comunista. Yo soy quien paga sus viajes al extranjero y los viajes de los modistos de sus esposas. Soy yo quien procura que sus hijos tengan una plaza en las universidades norteamericanas y quien construye las casas que habitan sus padres. A cambio, obtengo libertad.»

Interrumpió sus cavilaciones y miró el reloj. Pronto sería medianoche. Su primera visita no tardaría en presentarse. Se acercó al escritorio y pulsó el botón de un altavoz. La señora Shen respondió enseguida.

–Espero visita dentro de unos diez minutos –le advirtió–. Hágala esperar media hora. Después, yo mismo le pediré que entre.

Ya Ru se sentó ante el escritorio. Cuando se marchaba por la noche, lo dejaba vacío. Cada nuevo día debía encontrarse con una mesa limpia sobre la que amontonar nuevos retos.

En aquel momento tenía ante sí un viejo libro desgastado cuya cubierta había sido reparada y pegada. En alguna ocasión se le ocurrió pensar que debería dejarlo en manos de un buen artesano que lo encuadernase; pero al final decidió conservarlo como estaba. Pese a que la cubierta estaba deshecha y las páginas eran muy porosas y delgadas, el contenido se había mantenido intacto durante todos los años transcurridos.

Apartó el libro con cuidado y pulsó un botón que había bajo el tablero del escritorio. Un monitor de ordenador surgió sobre la mesa emitiendo un sordo ronroneo. Luego tecleó varios signos hasta que su árbol genealógico apareció en la brillante pantalla. Le llevó mucho tiempo y le costó una gran cantidad de dinero confeccionar aquella reproducción de las distintas ramas de su familia, o al menos de la parte de la que podía estar seguro. En la cruenta y procelosa historia de China, no sólo se habían perdido tesoros culturales de valor incalculable; lo más terrible era la destrucción total de gran número de archivos. Así, las lagunas que existían en el árbol que ahora contemplaba no podrían llenarse jamás.

Aun así, contenía los nombres más importantes. Y, ante todo, el del hombre que había escrito el diario que tenía sobre la mesa.

Ya Ru quiso encontrar la casa en la que su antepasado había redactada el diario a la luz de una vela, pero nada quedaba ya de ella, pues en el lugar en que Wang San vivió se extendía ahora una inmensa red de carreteras.

San dejó dicho en el diario que escribía para el viento y para sus hijos. Ya Ru no alcanzaba a comprender lo que quería decir con que el viento fuese uno de los destinatarios de su diario. Probablemente, su antepasado San fue, en el fondo de su corazón, un romántico, pese a la brutalidad de la vida que se había visto obligado a llevar y a la necesidad de venganza que nunca lo abandonó. Sin embargo, allí estaban sus hijos. Ante todo, uno llamado Guo Si, nacido en 1882. Perteneció a la cúpula del Partido Comunista y había sido asesinado por los japoneses durante la primera guerra contra China.

Ya Ru pensaba a menudo que San había escrito aquel diario para él precisamente; pese a que había transcurrido más de un siglo desde su redacción hasta la noche en que empezó a leerlo, tenía la sensación de que San le hablaba a él y a nadie más. El odio que sintió entonces su antepasado seguía vivo en Ya Ru. En primer lugar San, después Guo Si y ahora él mismo.

Había una fotografía de Guo Si tomada a principios de la década de 1930. Se encuentra con un grupo de hombres que posan ante unas montañas. Ya Ru la había escaneado en el ordenador. Mientras la observaba, sentía un vínculo muy estrecho con Guo Si, que se encontraba justo detrás de un hombre que sonreía con una verruga en la mejilla. «Estuvo tan cerca del poder absoluto», pensó Ya Ru. «Igual que yo, su descendiente.»

Se oyó un leve carraspeo del altavoz que tenía sobre la mesa. La señora Shen le avisaba discretamente de la llegada de la primera visita; pero Ya Ru pensaba hacerla esperar. Hacía ya mucho tiempo leyó acerca de un líder político que tenía perfectamente ordenados a sus amigos o enemigos políticos según el tiempo que debían esperar antes de verse con él. Así, los visitantes podían comparar el tiempo de espera y concluir si estaban más o menos cerca del favor del mandatario.

Ya Ru apagó el ordenador, que desapareció del tablero con el mismo ronroneo. Se sirvió agua de la jarra en un vaso procedente de Italia, especialmente fabricado para él por una empresa de la que era copropietario gracias a sus muchas filiales.

«Agua y aceite», se dijo. «Estoy rodeado de fluidos. Hoy aceite, mañana quizá derechos sobre el suministro de aguas de ríos y lagos.»

Se acercó de nuevo a la ventana. Era la hora de la noche en que muchas luces empezaban a apagarse. Pronto sólo arrojaría sus destellos sobre la ciudad la iluminación de los edificios oficiales.

Dirigió la mirada a la zona donde se hallaba la Ciudad Prohibida. Le gustaba ir allí a visitar a sus amigos, aquellos cuyo dinero él administraba y hacía crecer. En la actualidad, el trono del emperador estaba desierto; pero el poder seguía alojándose entre los viejos muros de la ciudad imperial. En alguna ocasión, Deng le había dicho que las viejas dinastías imperiales habrían envidiado el poder del Partido Comunista Chino. No existía otro país en el mundo con una base de poder similar. Una de cada cinco personas dependían de las decisiones que tomaban esos líderes políticos poderosos como emperadores.

Ya Ru sabía que había tenido mucha suerte. Nunca lo olvidaba. En el momento en que lo diese por supuesto, perdería su influencia y su bienestar. Él formaba parte de esa elite de poder como una especie de eminencia gris. Era miembro del Partido Comunista, donde contaba con buenos contactos en los círculos donde se adoptaban las decisiones más importantes. Además, era su consejero y se esforzaba sin cesar por detectar con sus tentáculos dónde estaban las trampas y dónde las vías seguras.

Hoy cumplía treinta y ocho años y sabía que le tocaba vivir la época más subversiva de China desde la Revolución Cultural. De ser un país involucionista, pasaría a dirigir su atención al exterior. Pese a que en el seno del estamento político se libraba una dramática lucha por seleccionar la vía correcta para ello, Ya Ru estaba bastante seguro de cuál sería el resultado. China ya no podría cambiar el camino elegido. Cada día que pasaba, sus compatriotas vivían un poco mejor; aunque el abismo entre los habitantes de la ciudad y los campesinos era cada vez mayor, parte del bienestar redundaba incluso en los más pobres. Sería una insensatez intentar cambiar el curso de ese desarrollo en una dirección que recuperase el pasado. De ahí que aumentase sin cesar la búsqueda de nuevos mercados y materias primas.

Observó la sombra de su rostro reflejada en el gran ventanal. Quién sabía si Wang San no tendría exactamente su mismo aspecto.

«Hace más de ciento treinta y cinco años», se dijo Ya Ru. «San no habría podido imaginar jamás la vida que yo llevo hoy; en cambio yo sí puedo figurarme la que vivió él, así como la ira que lo dominó.» Escribió el diario para que sus descendientes no olvidasen jamás las injusticias sufridas por él, por sus padres y hermanos. La gran injusticia que se cernía sobre toda China.

Ya Ru volvió a mirar el reloj e interrumpió el hilo de sus pensamientos. Pese a que aún no había transcurrido la media hora, se acercó al escritorio y pulsó el botón que significaba que la visita podía entrar.

Una puerta invisible en la pared se abrió de pronto. Su hermana Hong Qui entró. Era una mujer muy hermosa. Ciertamente, su hermana derrochaba belleza.

De pie en medio del despacho se besaron en la mejilla.

–Hermanito –comenzó Hong Qui–, hoy eres un poco más viejo que ayer. Un día de estos me darás alcance.

–No –respondió Ya Ru–. No lo haré. Sin embargo, nadie sabe quién de los dos enterrará al otro.

–¿Por qué hablas de eso hoy, el día de tu cumpleaños?

–El que no es necio sabe que la muerte siempre anda rondando.

La condujo a un sofá que tenía al fondo de la gran sala. Puesto que ella no bebía alcohol le ofreció un té, que le sirvió de una tetera dorada. Él siguió bebiendo agua.

Hong Qui lo miraba con una sonrisa. De pronto, se puso muy seria.

–Tengo un regalo para ti, pero antes quiero saber si es cierto el rumor que he oído.

Ya Ru alzó los brazos con resignación.

–Siempre estoy rodeado de rumores. Igual que todos los hombres importantes y que todas las mujeres importantes; como tú misma, querida hermana.

–Sólo quiero saber si es cierto que has recurrido al soborno para conseguir los mejores contratos de obra. –Hong Qui dejó la taza sobre la mesa–. ¿Entiendes lo que significa? ¿Corrupción?

De repente, Ya Ru se sintió hastiado ante las preguntas de Hong Qui. Sus conversaciones solían entretenerlo, puesto que Hong Qui era tan inteligente como mordaz a la hora de expresarse. También le divertía tener ocasión de perfilar sus propios argumentos al discutirlos con ella. Su hermana defendía una concepción anticuada de unos ideales que ya carecían de significado. La solidaridad era una mercancía como cualquier otra. El comunismo clásico no había logrado sobrevivir a las presiones de una realidad que los viejos teóricos jamás habían entendido. El que Karl Marx tuviese gran parte de razón sobre la fundamental importancia de la economía en política o que Mao hubiese demostrado que incluso los campesinos pobres podían salir de su miseria no significaba que los grandes retos a los que China se enfrentaba se resolviesen aplicando indiscriminadamente los viejos métodos.

Hong Qui cabalgaba hacia atrás sobre su corcel en dirección al futuro. Y Ya Ru sabía que estaba abocada al fracaso.

–Nosotros nunca seremos enemigos –aseguró–. Nuestra familia fue una de las pioneras cuando nuestro pueblo comenzó su andadura para salir de la ruina. Simplemente, tenemos puntos de vista distintos sobre los métodos que es preciso aplicar. Por supuesto que yo no soborno a nadie, como tampoco me dejo sobornar.

–Tú sólo piensas en ti mismo. En nadie más. Me cuesta creer que digas la verdad.

Por una vez, Ya Ru perdió la compostura.

–¿Y en qué pensabas tú hace dieciséis años, cuando aplaudías que los viejos políticos de la cúpula del Partido mandasen aplastar con carros de combate a las personas congregadas en la plaza de Tiananmen? Dime, ¿en qué pensabas entonces? ¿No se te pasó por la cabeza que yo podía ser una de aquellas personas? Yo tenía entonces veintidós años.

–Fue necesario intervenir. La estabilidad del país estaba amenazada.

–¿Por unos miles de estudiantes? Mientes, Hong Qui. Eran otros los que os daban miedo.

Ya Ru se acercó a su hermana y le susurró.

–Los campesinos. Os aterraba que apoyasen a los estudiantes. Y en lugar de cambiar vuestro modo de pensar sobre el futuro de este país echasteis mano de las armas. En lugar de resolver el problema hicisteis lo posible por ocultarlo.

Hong Qui no respondió. Miró a su hermano sin apartar la vista. Ya Ru pensó que ambos procedían de una familia que, varias generaciones atrás, no se habría atrevido a mirar a los ojos a un mandarín.

–No puedes sonreírle a un lobo –sentenció al fin Hong Qui–. Si lo haces, creerá que quieres luchar.

Se levantó al tiempo que dejaba sobre la mesa un paquete anudado con una cinta roja.

–Me da miedo adónde te llevarán tus pasos, hermanito. Y haré cuanto esté en mi mano por que la gente como tú no convierta este país en algo de lo que tengamos que arrepentirnos y avergonzarnos. Volverán las grandes luchas entre las clases. ¿De qué lado estarás? Del tuyo, no del lado del pueblo.

–Me pregunto quién es ahora el lobo –dijo Ya Ru.

Intentó besar a su hermana en la mejilla, pero ella apartó el rostro, se dio media vuelta dispuesta a marcharse y se detuvo ante la pared. Ya Ru se acercó al escritorio y apretó el botón que abría la puerta.

Cuando ésta volvió a cerrarse, se inclinó hacia el altavoz.

–Aún espero otra visita.

–¿Quiere que anote su nombre? –preguntó la señora Shen.

–No, este visitante no tiene nombre –aseguró Ya Ru.

Volvió a la mesa y abrió el paquete que le había dejado Hong Qui. Contenía una cajita de jade en cuyo interior había una pluma y una piedra.

No era infrecuente que él y Hong Qui se intercambiasen regalos que contenían adivinanzas o mensajes ocultos para los demás. Él comprendió enseguida lo que quería decirle. Aludía a un poema de Mao. La pluma simbolizaba una vida despilfarrada; la piedra, una vida y una muerte que habían significado algo.

«Mi hermana me manda una advertencia», se dijo Ya Ru. «O tal vez me exhorta a que me pregunte: ¿qué camino pienso elegir en la vida?»

Sonrió ante el mensaje de su regalo y decidió que, para el próximo cumpleaños de ella, encargaría una hermosa figura de un lobo tallado en marfil.

Sentía respeto por su tozudez; en lo tocante a carácter y voluntad, podía decirse sin reservas que eran hermanos. Hong Qui seguiría combatiéndolo a él y a aquellos miembros del Gobierno que optaban por un camino para ella execrable. Sin embargo, estaba equivocada; tanto ella como quienes se negaban a que China se convirtiese de nuevo en el país más poderoso del mundo.

Ya Ru se sentó ante el escritorio y encendió el flexo. Con sumo cuidado se enfundó un par de finos guantes blancos de algodón. Después volvió a hojear el diario que Wang San había escrito y que había ido pasando de unos descendientes a otros de la familia. Hong Qui también lo había leído, pero no se conmovió como él con su contenido.

Ya Ru abrió la última página del diario. Wang San tenía ochenta y tres años. Estaba muy enfermo y a punto de morir. Sus últimas palabras aluden a su temor de morir sin haber logrado hacer cuanto había prometido a sus hermanos.

«Voy a morir demasiado pronto», escribió. «Aunque viviese mil años, moriría demasiado pronto, puesto que nunca logré reparar la honra de la familia. Hice lo que pude, pero no fue suficiente.»

Ya Ru cerró el diario y lo depositó en un cajón que cerró con llave. Se quitó los guantes y, de otro cajón del escritorio, sacó un grueso sobre. Después pulsó el botón del altavoz. La señora Shen respondió enseguida.

–¿Ha llegado la visita?

–Aquí esta.

–Dígale que pase.

Se abrió la puerta de la pared. El hombre que entró en el despacho era alto y delgado y caminaba por la gruesa alfombra con pasos suaves y ágiles. Se detuvo y se inclinó ante Ya Ru.

–Ha llegado el momento de que emprendas el viaje –le dijo–. Hallarás cuanto necesitas en este sobre. Te quiero de vuelta en febrero, para la celebración de nuestro Año Nuevo. El mejor momento para llevar a cabo tu misión es a principios del Año Nuevo occidental.

Ya Ru le tendió el sobre al hombre, que se hizo con él inclinándose levemente.

–Liu Xin –le dijo–. Esta tarea que ahora te encomiendo es la más importante de cuantas te he pedido que hagas hasta ahora, se trata de mi propia vida, de mi familia.

–Haré lo que me pides.

–Sé que lo harás, pero si fracasas, te ruego que no vuelvas nunca, pues tendré que matarte.

–No fracasaré.

Ya Ru asintió. La conversación había terminado. Liu Xin cruzó la puerta, que volvió a cerrarse silenciosa. Una vez más, la última de la noche, Ya Ru habló con la señora Shen.

–Acaba de salir un hombre de mi despacho –le dijo Ya Ru.

–Un caballero muy discreto y amable.

–Muy bien, pues nunca ha estado aquí.

–Por supuesto que no.

–La única que ha venido esta noche ha sido mi hermana Hong.

–Sí, no he dejado pasar a nadie más. Tampoco he anotado en el registro ningún otro nombre, salvo el de Hong Qui.

–Ya puede irse, señora Shen. Yo me quedaré aún un par de horas.

Terminó la conversación. Ya Ru sabía que la señora Shen aguardaría allí hasta que él se marchase. No tenía familia ni otra vida aparte del trabajo que hacía para él. Ella era el espíritu que vigilaba ante su puerta.

Ya Ru regresó de nuevo junto a la ventana para contemplar la ciudad durmiente. Ya era mucho más de medianoche. Se sentía feliz. Había sido un buen día de cumpleaños pese a que la conversación con su hermana Hong Qui no había discurrido por donde él habría querido. Ella ya no comprendía qué pasaba en el mundo. Se negaba a ver los nuevos tiempos. La idea de que fuesen apartándose cada vez más lo llenaba de pesar; pero era necesario. Por el bien del país. Ella tal vez llegaría a comprenderlo un día.

Lo más importante de aquella noche era, en cualquier caso, que todos los preparativos, la compleja búsqueda y la investigación habían terminado. Diez años le había llevado a Ya Ru esclarecer el pasado y elaborar un plan. No fueron pocas las ocasiones en que estuvo a punto de abandonar. Demasiada información había quedado oculta con el transcurso de los años. Mas, cuando leyó el diario de Wang San, recuperó la fuerza necesaria. Se contagió de la ira experimentada por San, que ahora ardía tan viva en su fuero interno como cuando todo ocurrió. Y él tenía poder suficiente para hacer lo que San nunca consiguió.

Al final del diario había unas páginas vacías. En ellas escribiría Ya Ru el último capítulo cuando todo hubiese concluido. Había elegido el día de su cumpleaños para enviar a Liu Xin a su viaje por el mundo y hacer lo que había que hacer. Ello le causaba una sensación de liviandad.

Ya Ru permaneció largo rato inmóvil ante la ventana. Después apagó la luz y salió por la puerta trasera que conducía a su ascensor privado.

Cuando se subió a su coche, que aguardaba en el garaje subterráneo, le pidió al chófer que se detuviese junto a Tiananmen. A través de los cristales ahumados pudo ver la plaza desierta, a excepción de la eterna presencia de los militares enfundados en sus verdes uniformes.

Allí proclamó Mao en su día el nacimiento de la nueva república popular. Él ni siquiera había nacido.

Pensó que los grandes sucesos por venir no se harían públicos en aquella plaza del Reino del Centro.

Ese mundo crecería bajo el más profundo de los silencios. Hasta que nadie pudiese evitar lo que iba a suceder.

Tercera parte
La cinta roja (2006)

Dondequiera que haya lucha, habrá víctimas
y la muerte es un suceso habitual.
Pero son los intereses del pueblo
lo que nos mueve,
y el sufrimiento de la mayoría,
y morir por el pueblo
es sufrir una muerte digna.
Lo que no significa que debamos hacer lo posible
por evitar víctimas innecesarias.

Mao Zedong, 1944

Los rebeldes

19

Birgitta Roslin encontró lo que buscaba en un recóndito rincón del restaurante chino. A la lamparilla que colgaba sobre la mesa le faltaba una de las cintas.

Se quedó petrificada y contuvo la respiración.

«A esta mesa se sentó alguien», se dijo. «En el rincón más oscuro del restaurante. De aquí se levantó, dejó el establecimiento y se dirigió a Hesjövallen.

»Debió de ser un hombre. No cabe duda de que fue un hombre.»

Miró a su alrededor. La joven camarera le sonrió mientras le llegaban de la cocina voces chillonas hablando en chino.

Pensó que ni ella ni la policía habían entendido nada de lo sucedido. Aquello tenía mucha más envergadura, era más profundo y misterioso de lo que habían imaginado.

En realidad, no sabían nada en absoluto.

Se sentó a la mesa y jugueteó indolente con la comida que había ido a buscar a la mesa del bufé. Seguía siendo la única clienta del restaurante. Llamó a la camarera y le señaló la lamparilla.

–Le falta una cinta –observó.

En un primer momento, la joven no pareció entender lo que quería decir y Birgitta Roslin volvió a señalar. La camarera asintió extrañada. Ella no sabía nada de la cinta que faltaba. Después se agachó y miró debajo de la mesa, por si se hubiese caído allí.

–No está –declaró al fin–. No la he visto.

–¿Desde cuándo no está la cinta? –quiso saber Birgitta Roslin.

La camarera la miró sin comprender y ella le repitió la pregunta, pues pensó que la joven no la había entendido. Pero la camarera negó impaciente con la cabeza.

–No sé. Si no le gusta esta mesa, puede elegir otra.

Antes de que Birgitta Roslin tuviese tiempo de contestar, la camarera se había marchado para atender a un grupo de clientes que acababa de entrar en el restaurante. Supuso que serían empleados de alguna empresa municipal, pero al oír su conversación comprendió que participaban en un seminario sobre el alto índice de desempleo existente en Hälsingland. Birgitta Roslin continuó picando distraída de su plato mientras el restaurante iba llenándose. La joven camarera estaba sola y tenía demasiado trabajo con tantos comensales. Finalmente, un hombre que salió de la cocina acudió en su ayuda para retirar los platos sucios y limpiar las mesas.

Dos horas después se aplacaron las prisas del almuerzo. Birgitta Roslin no había dejado de juguetear con su comida, pidió una taza de té verde y se dedicó a pensar en lo que había sucedido desde que llegó a Hälsingland. Por supuesto que no conseguía explicarse cómo habría ido a parar la cinta roja del restaurante al suelo nevado de Hesjövallen.

La camarera se acercó a su mesa a preguntarle si quería algo más. Birgitta negó con un gesto.

–Pero me gustaría hacerle varias preguntas.

Aún quedaban algunos clientes en el local. La camarera fue a hablar con el hombre que le había ayudado antes, y luego volvió a la mesa de Birgitta Roslin.

–Si quieres comprar la lámpara, puedo arreglarlo –le dijo con una sonrisa.

Birgitta Roslin le sonrió también.

–No, nada de lámparas –aseguró–. ¿Abristeis en Año Nuevo?

–Siempre tenemos abierto –respondió la camarera–. Una idea de negocio china. Tener siempre abierto, mientras los demás cierran.

Birgitta Roslin pensó que la pregunta que deseaba hacerle era, en realidad, imposible de responder. Pese a todo, la formuló.

–¿Tú sueles recordar a tus clientes?

–Tú has estado aquí antes –afirmó la camarera–. Sí, recuerdo a los clientes.

–¿Recuerdas si había alguien aquí sentado en Año Nuevo?

La camarera meneó la cabeza.

–Ésta es una buena mesa. Siempre hay alguien aquí sentado. Hoy estás tú, mañana será otro.

Birgitta Roslin comprendió lo absurdo de unas preguntas tan vagas e imprecisas. Tenía que concretar. Tras vacilar unos minutos, cayó en la cuenta de cómo podía formularla.

–En Año Nuevo –repitió–. Un cliente al que no habías visto nunca antes.

–¿Nunca?

–Nunca, ni antes ni tampoco después.

Vio que la camarera se esforzaba por hacer memoria.

Los últimos clientes ya salían del restaurante cuando el teléfono que había junto a la caja empezó a sonar. La camarera atendió la llamada y tomó nota de un pedido para llevar. Después, volvió a la mesa. Entretanto, alguien que trabajaba en la cocina había puesto un disco de música china.

–Bonita música –dijo la camarera sonriendo–. Música china. ¿Te gusta?

–Bonita, sí –convino Birgitta Roslin–. Muy bonita.

La camarera dudaba, hasta que al fin asintió, al principio algo insegura, después, cada vez más convencida.

–Un hombre chino –dijo.

–¿Que se sentó aquí?

–En la misma silla que tú. Vino a cenar.

–¿Cuándo?

La joven reflexionó un instante.

–En enero. Pero no en Año Nuevo, sino después.

–¿Cuánto después?

–Nueve o diez días, quizá.

Birgitta Roslin se mordió el labio. «Podría cuadrar», se dijo. «La trágica noche de Hesjövallen fue la del doce al trece de enero.»

–¿Pudo ser unos días después?

La camarera fue a buscar el libro de pedidos en que anotaban las reservas.

–El doce de enero –afirmó–. Se sentó ahí. No había reservado mesa, pero recuerdo a otros clientes que estuvieron la misma noche.

–¿Qué aspecto tenía?

–Chino. Delgado.

–¿Qué dijo?

La camarera respondió tan rápido que a Birgitta le sorprendió.

–Nada. Sólo señaló lo que quería.

–Pero ¿era chino?

–Intenté hablar con él en chino, pero me dijo «Calla», y siguió señalando. Pensé que querría estar en paz. Comió. Tomó sopa, rollitos de primavera, *nasi goreng* y postre. Tenía mucha hambre.

–¿Bebió algo?

–Agua y té.

–¿Y no dijo nada durante toda la cena?

–Quería estar tranquilo.

–¿Qué ocurrió después?

–Pagó. Con moneda sueca. Y se fue.

–¿Y no volvió por aquí?

–No.
–¿Fue él quien se llevó la cinta roja?
La camarera se echó a reír.
–¿Por qué iba a hacer algo así?
–¿Significan esas cintas algo especial?
–Son simples cintas rojas, ¿qué iban a significar?
–¿Sucedió algo más?
–¿Como qué?
–Me refiero a después de que se marchase.
–Haces unas preguntas muy raras. ¿Eres de Hacienda? Ese hombre no trabaja aquí. Y nosotros pagamos los impuestos. Todos los que trabajan aquí tienen sus papeles en regla.
–No, es sólo curiosidad. De modo que no volviste a verlo más, ¿no?
La camarera señaló la ventana del restaurante.
–Se fue hacia la derecha. Estaba nevando. Y desapareció para siempre. No lo he vuelto a ver más. ¿Para qué quieres saberlo?
–Puede que lo conozca –respondió Birgitta Roslin.
Pagó y salió a la calle. El hombre que había estado sentado a aquella mesa se dirigió a la derecha al salir. Ella hizo lo mismo. En el cruce, miró a su alrededor. Había unas tiendas y un aparcamiento a un lado. La perpendicular que iba en otra dirección desembocaba en un callejón sin salida. Había un pequeño hotel con el cartel luminoso resquebrajado. Volvió a mirar a su alrededor y posó nuevamente la mirada en el cartel luminoso del hotel. Una idea empezó a forjarse en su mente.
Regresó al restaurante chino. La camarera estaba sentada fumándose un cigarro y se sobresaltó cuando ella abrió la puerta. Apagó el cigarrillo de inmediato.
–Tengo otra pregunta que hacerte –dijo Birgitta Roslin–. El hombre que ocupó esa mesa, ¿llevaba ropa de abrigo?
La camarera reflexionó unos minutos.
–Pues no, lo cierto es que no –respondió–. ¿Cómo lo sabías?
–No lo sabía. Sigue fumándote el cigarro. Gracias por tu ayuda.
La puerta del hotel estaba estropeada. Alguien había intentado forzarla y la reparación era provisional. Subió media planta, hasta una recepción que no se componía más que de un mostrador abatible. Estaba vacía. Llamó, pero nadie acudió. Vio que había una campanilla, tiró y se sobresaltó cuando, de repente, descubrió que había alguien a su espalda. Un hombre casi esquelético, como un enfermo terminal. Llevaba unas gafas de lentes muy gruesas y olía a alcohol.
–¿Desea una habitación?

Birgitta Roslin detectó un leve residuo dialectal en su forma de hablar, como de Gotemburgo.

–No, sólo quería hacer un par de preguntas; sobre un amigo mío que estuvo aquí alojado.

El hombre fue arrastrando las zapatillas de casa hasta que apareció detrás del mostrador. Con mano temblorosa, logró sacar el libro de registro. Birgitta jamás se habría imaginado que aún existiesen hoteles como aquél. Tenía la sensación de haber viajado hacia atrás en el tiempo, como en una película de la década de 1940.

–¿Cómo se llama el huésped?

–Sólo sé que es chino.

El hombre apoyó lentamente el registro sobre el mostrador mientras la miraba sin dejar de mover la cabeza. Birgitta Roslin supuso que tendría Parkinson.

–Por lo general, uno sabe el nombre de sus amigos. Aunque sean chinos.

–Bueno, es amigo de un amigo. Un chino.

–Sí, de eso ya me he enterado. ¿Cuándo se supone que se alojó aquí?

«¿Cuántos huéspedes chinos has tenido?», pensó Birgitta. «Si se alojó aquí, debes recordarlo.»

–A principios de enero.

–Por entonces yo estaba ingresado en el hospital. Un sobrino mío se hizo cargo del hotel entretanto.

–¿Podrías llamarlo por teléfono?

–Pues no, porque está de crucero por el Ártico.

El hombre se puso a escrutar el registro con ojos miopes.

–Vaya, aquí tenemos a un huésped chino –dijo de pronto–. Un tal señor Wang Min Hao, de Pekín. Se alojó aquí una noche. Entre el doce y el trece de enero. ¿Es la persona que buscas?

–Sí –respondió Birgitta incapaz de ocultar su excitación–. Es él.

El hombre le dio la vuelta al registro para que ella pudiese leerlo. Birgitta Roslin sacó del bolso un trozo de papel y anotó los datos que figuraban en el libro. Nombre, número de pasaporte y algo que, supuso, sería una dirección de Pekín.

–Gracias –le dijo al hombre–. Has sido de gran ayuda. ¿Se dejó algo olvidado en el hotel?

–Me llamo Sture Hermansson. Mi mujer y yo hemos llevado este hotel desde 1946. Ahora está muerta. Y yo no tardaré en morir. Éste es el último año que tengo el hotel abierto. Van a derribar el edificio.

–Es una lástima.

Sture Hermansson lanzó un gruñido displicente.

–¿Qué es una lástima? La casa está hecha una ruina. Y yo también. Es normal que muera la gente mayor. En fin, lo cierto es que creo que el chino ese se dejó algo aquí.

Sture Hermansson entró en la habitación que había detrás del mostrador. Birgitta Roslin aguardaba impaciente.

Ya empezaba a preguntarse si no se habría muerto allí dentro, cuando por fin volvió a salir con una revista en la mano.

–Cuando volví del hospital, esto estaba en una papelera. Tengo una rusa que viene a limpiar. Como sólo dispongo de ocho habitaciones, se las arregla sola, pero no es muy concienzuda. Así que, cuando volví del hospital, lo repasé todo. Y hallé la revista en la habitación del chino.

Sture Hermansson le pasó la revista, llena de caracteres chinos y de fotografías con exteriores y personas chinas. Intuyó que se trataba de una publicación de presentación de alguna empresa, no una revista propiamente. En la contraportada habían garabateado con bolígrafo algo en caracteres chinos.

–Puedes llevártela si quieres –le dijo Sture Hermansson–. Yo no sé chino.

Birgitta se la guardó en el bolso, dispuesta a marcharse.

–Gracias por tu ayuda.

Sture Hermansson le sonrió.

–De nada. ¿Te ha servido?

–Bastante.

Ya se dirigía a la salida cuando oyó a su espalda la voz de Sture Hermansson.

–¡Ah! Quizá tenga algo más para ti. Aunque parece que tienes prisa y tal vez no puedas esperar.

Birgitta Roslin volvió al mostrador. Sture Hermansson sonrió y señaló un punto detrás de su cabeza. Birgitta Roslin no sabía qué quería mostrarle. Allí no había más que un reloj y un almanaque de un taller de coches que prometía un servicio rápido y eficaz en todos los modelos de Ford.

–No entiendo a qué te refieres.

–En ese caso, tienes peor vista que yo –aseguró Sture Hermansson.

Sacó una varilla que tenía debajo del mostrador.

–Este reloj se atrasa –le explicó–. Y utilizo la varilla para colocar bien las agujas. No es bueno subirse a una escalera con estos temblores.

Dicho esto señaló con la varilla hacia la pared, junto al reloj. Birgitta sólo veía una válvula, y seguía sin comprender lo que pretendía mostrarle. De pronto, cayó en la cuenta de que no era una válvula, sino una abertura en la pared, tras la que se ocultaba una cámara.

–Quizá podamos averiguar cómo es ese hombre –declaró Sture Hermansson claramente satisfecho.

–¿Es una cámara de vigilancia?

–Exacto. Que instalé yo mismo. Resulta carísimo contratar a una empresa para que instale su equipo en un hotel tan pequeño. ¿A quién se le ocurriría la absurda idea de venir a robarme a mí? Sería tan necio como robarle a alguno de los tristes sujetos que se dedican a emborracharse en los parques de la ciudad.

–En otras palabras, que tienes fotografiados a todos los que se alojan en el hotel, ¿no es eso?

–Los filmo. Ni siquiera sé si es legal, pero debajo del mostrador puse un botón para empezar a grabar, y así los filmo. –Hermansson la miró divertido–. Ahora, por ejemplo, acabo de filmarte a ti –explicó–. Además, te has colocado de modo que la película quedará estupenda.

Birgitta Roslin lo acompañó detrás del mostrador hasta una habitación donde, evidentemente, tenía tanto el despacho como el dormitorio. A través de una puerta entreabierta vio una antigua cocina en la que una mujer fregaba los platos.

–Es Natascha –explicó Sture Hermansson–. En realidad, se llama de otra manera, pero yo pienso que Natascha es el nombre más apropiado para una rusa.

De repente, miró a Birgitta visiblemente preocupado.

–No serás policía, ¿verdad?

–No, en absoluto.

–No creo que tenga los papeles en regla, pero supongo que lo mismo sucede con gran parte de la población inmigrante, si no me equivoco.

–No, no creo –objetó Birgitta Roslin–. Pero no te inquietes, no soy policía.

Sture Hermansson empezó a rebuscar entre las cintas de vídeo, marcadas con la fecha.

–Esperemos que mi sobrino no se olvidase de apretar el botón... No he comprobado las grabaciones de primeros de enero, pues entonces apenas teníamos huéspedes.

Tras un intenso trajín, que impacientó a Birgitta hasta el punto de desear arrancarle las cintas de las manos, el hombre encontró la que buscaba y encendió el televisor. La mujer a la que llamaba Natascha pasó por la habitación como una muda sombra.

Sture Hermansson pulsó el botón de reproducción. Birgitta Roslin se acercó a la pantalla con vivo interés. La claridad de la imagen era sorprendente. Al otro lado del mostrador se veía a un hombre con un gran gorro de piel.

–Lundgren, de Järvsö –explicó Sture Hermansson–. Viene aquí una vez al mes para estar en paz y beber tranquilamente en su habitación. Cuando se emborracha, entona salmos. Después, vuelve a casa. Un hombre amable, comerciante de chatarra. Se aloja en mi hotel desde hace casi treinta años. Le hago descuento.

La pantalla parpadeó, y cuando volvió a verse con claridad, mostró a dos mujeres de edad madura.

–Las amigas de Natascha –explicó Sture en tono sombrío–. Vienen de vez en cuando. Prefiero no imaginarme qué hacen en la ciudad, pero en el hotel no les permito recibir visitas. Sin embargo, sospecho que lo hacen de todos modos, mientras yo duermo.

–¿Ellas también tienen descuento?

–A todo el mundo le hago descuento. No tengo precios fijos. El hotel lleva con pérdidas desde finales de los años sesenta. En realidad, vivo de una pequeña cartera de acciones que tengo. Confío en la madera y en la industria pesada. Es el consejo que siempre les doy a mis amigos de confianza.

–¿Cuál?

–Acciones de fábricas suecas. Son insuperables.

En la pantalla volvió a verse a alguien y Birgitta Roslin dio un respingo. Se distinguía al hombre perfectamente. Un hombre chino que llevaba un abrigo oscuro. Por un instante, el sujeto alzó la vista hacia la cámara. Fue como si mirase a Birgitta a los ojos. «Joven», se dijo. «Poco más de treinta años, si la grabación no engaña. Toma la llave y desaparece del campo de visión.»

La pantalla quedó a oscuras.

–No veo muy bien –confesó Sture Hermansson–. ¿Es la persona que buscas?

–Sí, eso creo; pero ¿podría comprobar en el registro si se inscribió después de nuestras amigas las rusas?

El hombre se levantó y entró en la pequeña recepción. Entretanto, Birgitta Roslin volvió a pasar varias veces el fragmento de grabación del hombre chino. Detuvo la imagen en el instante en que él miraba a la cámara. «Adivinó que la cámara estaba ahí, filmándolo», se dijo Birgitta Roslin. «Luego bajó la vista y volvió la cara. Incluso cambió de posición para que no se le viese el rostro.» Todo fue muy rápido. Volvió a pasar la cinta para verla una vez más. Y le dio la impresión de que el hombre estaba alerta en todo momento, como buscando la cámara. Volvió a congelar la imagen. Un hombre con el cabello muy corto, mirada intensa y labios apretados. Movimientos rápidos, vigilante. Tal vez mayor de lo que pensó en un primer momento.

En ese instante volvió Sture Hermansson.

–Parece que tenías razón –confirmó–. Dos damas rusas se registraron con nombres falsos, como de costumbre. Y después vino el caballero chino, el señor Wang Min Hao, de Pekín.

–¿Se podría hacer una copia de esta grabación?

Sture Hermansson se encogió de hombros.

–Puedes llevártela. Total, ¿para qué la quiero? En realidad, yo sólo instalé la cámara de vídeo para entretenerme y suelo regrabar un par de veces al año. Quédatela.

Hermansson guardó la cinta en la funda y se la tendió a Birgitta. Salieron al rellano de la escalera cuando Natascha estaba limpiando las tulipas de las lámparas que iluminaban la entrada del hotel.

Sture Hermansson pellizcó el brazo de Birgitta con amabilidad.

–Tal vez ahora sí puedas contarme por qué te interesa tanto ese chino, ¿no? ¿Te debe dinero?

–No, ¿por qué iba a deberme dinero?

–Todos le debemos algo a alguien. Si preguntamos por alguien, suele ser por cuestiones de dinero.

–Yo creo que este hombre puede responder a algunas preguntas –aclaró Birgitta Roslin–. No puedo decir más, lo siento.

–¿Y dices que no eres policía?

–No.

–Pero tampoco eres de por aquí, ¿verdad?

–No, no lo soy. Me llamo Birgitta Roslin y soy de Helsingborg. Si volviera a aparecer, te agradecería que me avisaras.

Birgitta anotó su dirección y su número de teléfono y se lo tendió a Sture Hermansson.

Ya en la calle, notó que estaba sudorosa. Los ojos del chino aún la perseguían. Se guardó la cinta de vídeo en el bolso y miró indecisa a su alrededor. ¿Qué tenía que hacer ahora? En realidad, debería estar camino de Helsingborg, de vuelta a casa, pero ya era bastante tarde. Se dirigió a una iglesia que había cerca, entró en el fresco recinto y se sentó en uno de los primeros bancos. Había un hombre arrodillado reparando la junta de escayola de uno de los gruesos muros. Birgitta se esforzó por pensar con claridad. Habían encontrado una cinta roja en Hesjövallen. En la nieve. Por pura casualidad, ella logró localizar su procedencia, el restaurante chino. Un chino había comido allí la noche del

12 de enero. A lo largo de esa noche, o por la mañana temprano, una gran cantidad de personas aparecen muertas en Hesjövallen.

Pensó en las imágenes que había visto en la grabación de Sture Hermansson. ¿Era razonable pensar que aquella matanza fuese obra de un solo hombre? ¿Habría algún cómplice del que ella todavía no tenía noticia? Y la cinta roja, ¿habría ido a parar allí por una razón totalmente distinta, no relacionada con el asunto?

No hallaba respuesta a sus preguntas. Sacó el folleto que había en la papelera de la habitación del chino, que también la hacía dudar de que existiese conexión alguna entre Wang Min Hao y lo acontecido en Hesjövallen. Un asesino tan perverso, ¿dejaría huellas tan evidentes de su presencia?

Había poca luz en la iglesia, se puso las gafas y hojeó el folleto. En uno de los encartes que incluía se veía la imagen de un rascacielos de Pekín entre caracteres chinos. Otras páginas aparecían llenas de columnas de cifras y varias fotografías de chinos sonrientes.

Lo que más le interesaba eran los ideogramas escritos a bolígrafo en la contraportada del folleto, pues le ayudarían a acercarse a Wang Min Hao. Lo más verosímil era que fuesen de su puño y letra, ¿tal vez como recordatorio de algo? ¿Por alguna otra razón?

¿Quién podría ayudarle a descifrar el mensaje? En el preciso momento en que se planteó la pregunta supo la respuesta. En efecto, de improviso le vino a la mente su ya lejana y *roja* juventud. Salió de la iglesia y, móvil en mano, se dirigió al camposanto adyacente. Karin Wiman, una de sus amigas de Lund, era sinóloga y trabajaba en la Universidad de Copenhague. Karin no respondió, pero Birgitta dejó un mensaje en el contestador pidiéndole que se pusiese en contacto con ella. Después volvió al coche y buscó un hotel del centro de la ciudad, donde le dieron una habitación bastante amplia del último piso. Encendió el televisor y leyó en el teletexto que aquella noche nevaría.

Se tumbó en la cama a esperar que sonase el teléfono. De la habitación contigua se oía la risa de un hombre.

La despertó el timbre del teléfono. Era Karin Wiman, que, un tanto intrigada, le devolvía la llamada. Cuando Birgitta le explicó lo que pretendía, Karin le sugirió que buscase un aparato de fax y le enviase el texto en caracteres chinos.

Le ayudaron a enviarlo en recepción. Después volvió a su habitación. Ya había anochecido y pronto tendría que llamar a casa para avisar de que había cambiado de idea, que el tiempo había empeorado mucho y que se quedaría otra noche más.

Karin Wiman la llamó a las siete y media.

–La caligrafía es muy mala, pero creo que he podido interpretarlo.

Birgitta Roslin contuvo la respiración.

–Es el nombre de un hospital. Lo he buscado y he visto que se halla en Pekín. Se llama Longfu y está en el centro de la ciudad, en una calle llamada Mei Shuguan Houije. Cerca del hospital, en la misma calle, se encuentra también el gran museo de arte chino. Si quieres, puedo mandarte un mapa.

–Sí, gracias.

–Y, ahora, ¿por qué no me cuentas para qué querías saber lo que decía el texto? Me muero de curiosidad. ¿Acaso ha resucitado tu antiguo interés por China?

–Tal vez sea eso. Ya te lo contaré más adelante. ¿Podrías mandarme el mapa al mismo número de fax que utilicé antes?

–Lo recibirás en unos minutos, pero te comportas de forma más misteriosa de lo que yo quisiera.

–Ten paciencia, te lo contaré en su momento.

–Deberíamos vernos.

–Lo sé. No lo hacemos casi nunca.

Birgitta Roslin bajó a recepción a esperar el fax. Pocos minutos después recibió un mapa del centro de Pekín. Karin Wiman le había señalado el hospital con una flecha.

Cayó en la cuenta de que tenía hambre, pero en el hotel no había restaurante y fue a buscar su abrigo para salir. Cuando volviese, se aplicaría a examinar el mapa.

Era de noche, pocos vehículos circulaban por las calles y tan sólo se veía a algún que otro peatón. El hombre de la recepción le propuso un restaurante italiano que quedaba cerca. Allí se dirigió, pues, a cenar en el poco concurrido local.

Cuando terminó y salió a la calle, había empezado a nevar. Se puso en marcha camino del hotel.

De repente se detuvo y se dio la vuelta. Sin saber por qué, tuvo la sensación de que alguien la observaba. Sin embargo, cuando miró hacia atrás, no vio a nadie.

Apretó el paso para llegar al hotel y fue directamente a la habitación, cuya puerta cerró con la cadena. Después se situó junto a la ventana para observar la calle.

Como antes, no había nadie. Tan sólo la nieve que caía cada vez más espesa.

20

Birgitta Roslin no durmió tranquila. Se despertó varias veces y se asomó a la ventana. Seguía nevando y el viento levantaba la nieve por las calles vacías. Se despertó del todo hacia las siete, debido al traqueteo de las máquinas quitanieves que pasaban delante del hotel.

Antes de irse a dormir, llamó a casa para explicar en qué hotel se alojaba. Staffan la escuchó pero habló poco. «Lo más probable es que se esté preguntando qué pasa», se dijo. «Desde luego, no dudará de que no le soy infiel pero, en realidad, ¿cómo puede estar seguro de ello? ¿No debería sospechar, como mínimo, que tal vez haya conocido a alguien que se haga cargo de mi vida sexual? ¿O acaso está convencido de que no me cansaré nunca de esperar?»

A lo largo del año, ella se había preguntado en alguna que otra ocasión si sería capaz de tener una relación íntima con otro hombre. Seguía sin saberlo. Tal vez porque no se había cruzado con ninguno que la atrajese lo suficiente.

El hecho de que Staffan no manifestase la menor sorpresa al ver que ella tardaba en volver le causaba tanto enojo como decepción. «Hubo un momento en la vida en que aprendimos a no profundizar demasiado en la vida espiritual del otro. Todos necesitamos un espacio al que nadie más pueda acceder; pero eso no debe conducirnos a la indiferencia. ¿Acaso es eso lo que nos está pasando?», se preguntó. «¿Habremos llegado ya a ese extremo?»

No lo sabía, pero sentía que la necesidad de mantener con Staffan una conversación al respecto se hacía más inminente cada día.

En su habitación había un aparato para hervir agua y se preparó una taza de té antes de sentarse a estudiar el mapa que le había enviado Karin Wiman. La habitación estaba en semipenumbra, tan sólo iluminada por una lámpara que había junto a la silla, y por la luz que despedía la pantalla del televisor encendido con el volumen al mínimo. Aquel mapa no resultaba fácil de interpretar, pues la copia era bastante mala. Buscó la Ciudad Prohibida y la plaza de Tiananmen. Todo aquello le trajo a la memoria un sinfín de recuerdos.

Birgitta Roslin dejó el mapa y pensó en sus hijas, en la edad que tenían. La conversación con Karin Wiman le recordó quién había sido en otro tiempo. «Aún presente y, al mismo tiempo, tan lejana», se dijo. «Ciertos recuerdos se presentan nítidos; otros, más débiles, cada vez más borrosos. Hay personas que significaron mucho para mí en aquella época y cuyo rostro apenas puedo reconstruir mentalmente. Otras, menos significativas, las veo con total claridad. Los recuerdos se superponen, vienen y van, crecen y se encogen, pierden y recobran su importancia.

»Sin embargo, jamás podré negar que fue una época decisiva en mi vida. En medio de todo lo que entonces era un caos de ingenuidad, yo creía que el camino hacia un mundo mejor pasaba por la solidaridad y la liberación. Jamás podré olvidar la sensación de estar en el centro del mundo, justo en el momento en que era posible cambiar las cosas.

»Aun así, nunca llegué a ser consecuente con mis ideas de entonces. En mis peores momentos, pensé como una traidora. Incluso con mi madre, que me animaba a ser contestataria. Al mismo tiempo, si he de ser sincera, mi voluntad política sólo fue una especie de barniz con el que cubrir mi existencia. ¡Un barniz sin brillo cubría a Birgitta Roslin! Lo único que cobró fuerza en mí fue la lucha constante por ser una jueza honrada. Nadie puede quitarme esa satisfacción.»

Se tomó el té mientras planificaba lo que haría al día siguiente. Volvería a llamar a la puerta de la comisaría para comunicarles sus descubrimientos. En esta ocasión, no les quedaría más remedio que escucharla, en lugar de ignorar lo que tenía que contarles. En realidad no habían avanzado lo más mínimo en la investigación. Cuando se registró en el hotel, oyó que algunos de los alemanes que se alojaban allí comentaban los sucesos de Hesjövallen. La noticia había traspasado las fronteras del país. «Una vergüenza para la inocente Suecia», se dijo. «El asesinato masivo no es propio de este país. Esas cosas sólo suceden en Estados Unidos o, alguna que otra vez, en Rusia. Suelen ser locos, sádicos o terroristas. Pero esas cosas nunca sucedían aquí, en un remoto y pacífico bosque sueco.»

Intentó calibrar si le había bajado la tensión. Eso creía, al menos. Le sorprendería que el médico no le permitiese volver al trabajo.

Birgitta Roslin pensó en los juicios que la aguardaban al tiempo que se preguntaba cómo habrían ido aquellos que les habían derivado a sus colegas.

De repente, sintió prisa por volver. Debía regresar a casa, a su vida normal, aunque en muchos aspectos fuese una vida vacía e incluso aburrida. No podía pedir que alguien cambiase la situación si ella misma no se esforzaba de algún modo.

En la oscuridad parcial de la habitación del hotel decidió organizar una gran fiesta para el cumpleaños de Staffan. Por lo general, ninguno de los dos se esforzaba gran cosa por celebrar los aniversarios del otro. Tal vez hubiese llegado el momento de cambiar ese comportamiento...

Al día siguiente, cuando llegó a la comisaría, aún seguía nevando. La temperatura había descendido varios grados. Ante la puerta del hotel comprobó en el termómetro que estaban a siete grados bajo cero. Aún no habían retirado la nieve de las aceras y caminaba despacio para no resbalar.

En la recepción de la comisaría reinaba la calma. Un policía solitario leía el tablón de anuncios. La mujer de la centralita, inmóvil en su silla, tenía la mirada perdida.

Birgitta Roslin sintió como si Hesjövallen, con todos sus cadáveres, fuese un cuento malévolo que alguien se hubiese inventado. Aquel crimen múltiple no se había cometido, era un fantasma ficticio que ya empezaba a difuminarse y a desaparecer.

En ese momento sonó el teléfono. Birgitta se acercó a la ventanilla y aguardó hasta que la telefonista hubo pasado la llamada.

–Hola, buscaba a Vivi Sundberg.

–Está reunida.

–¿Y Erik Huddén?

–También.

–¿Están todos reunidos?

–Todos. Menos yo. Si es muy importante, puedo hacerles llegar el recado, pero tendrás que esperar un buen rato.

Birgitta Roslin reflexionó durante un instante. Claro que lo que tenía que decirles era importante, tal vez incluso decisivo.

–¿Cuánto durará la reunión?

–Eso nunca se sabe. Con todo lo que ha sucedido, las reuniones duran a veces todo el día.

La recepcionista le dio paso al policía que estaba leyendo el tablón de anuncios.

–Creo que se ha producido alguna novedad –dijo en voz muy baja–. Los investigadores llegaron esta mañana a las cinco. Y el fiscal también.

–¿Qué ha pasado?

–No lo sé, pero sospecho que tendrás que esperar un buen rato. Eso sí, recuerda que yo no te he dicho nada...

–No, claro.

Birgitta Roslin se sentó a hojear un periódico. De vez en cuando, un policía salía o entraba cruzando la puerta de cristal. Empezaron a aparecer periodistas y cámaras de televisión. Sólo faltaba que también llegase Lars Emanuelsson.

Dieron las nueve y cuarto y Birgitta Roslin cerró los ojos y apoyó la cabeza en la pared. Al oír una voz conocida dio un respingo. Era Vivi Sundberg. Parecía muy cansada y tenía los ojos marcados por profundas ojeras.

–Me han dicho que querías hablar conmigo.

–Si no es molestia.

–Lo es, pero doy por sentado que lo que te trae aquí es importante. A estas alturas, ya sabes cuáles son las condiciones para que nos prestemos a escuchar.

Birgitta Roslin cruzó con ella la puerta de cristal en dirección a un despacho vacío en ese momento.

–No es el mío –explicó Vivi Sundberg–, pero podemos hablar aquí.

Birgitta Roslin se sentó en la incómoda silla destinada a las visitas mientras que Vivi Sundberg permanecía de pie, con la espalda apoyada contra una estantería atestada de archivadores de color rojo.

Birgitta Roslin se armó de valor mientras pensaba que aquélla era una situación absurda. Vivi Sundberg ya había decidido que lo que ella tuviese que contarle carecería de toda relevancia para la investigación.

–Creo que he descubierto algo –comenzó–. Algo que quizá podríamos llamar una pista.

Vivi Sundberg la observó con rostro inexpresivo. Birgitta Roslin sintió que lo hacía para provocarla. Después de todo, ella era jueza y no ignoraba qué podía ser un dato pertinente e interesante para un policía inmerso en una investigación criminal.

–Es posible que lo que tengo que decir sea tan importante que quizá deberías llamar a algún colega más.

–¿Por qué?

–Estoy segura de ello.

Su tono fue tan convincente que surtió el efecto deseado. Vivi Sundberg salió al pasillo y, tras unos minutos, volvió con un hombre que no cesaba de toser y que se presentó como el fiscal Robertsson.

–Soy el jefe de la investigación previa. Según Vivi, tienes algo importante que contarnos. Si no lo he entendido mal, eres jueza en Helsingborg, ¿cierto?

–Así es.
–¿Sigue allí el fiscal Halmberg?
–Ya se ha jubilado.
–Pero ¿sigue viviendo en la ciudad?
–Creo que se ha ido a vivir a Francia, a Antibes.
–¡Qué suerte! Tenía una debilidad casi infantil por los buenos habanos. En las salas en las que pasaba los recesos de los juicios, los miembros de los jurados solían desmayarse. Salían ahumados. Cuando se prohibió fumar, empezó a perder sus causas. Decía que se debía a la tristeza y a la añoranza que sentía por sus cigarros.
–Sí, he oído esa historia.
El fiscal se sentó junto al escritorio. Vivi Sundberg volvió a apoyarse en la estantería. Y Birgitta Roslin empezó a dar detallada cuenta de sus descubrimientos. Sobre cómo reconoció la cinta roja y localizó su procedencia, y, más tarde, cómo averiguó que un chino había estado de visita en la ciudad. Dejó sobre la mesa la cinta de vídeo junto con el folleto chino y les dio la traducción del mensaje garabateado en caracteres chinos.
Cuando terminó, nadie dijo una palabra. Robertsson la observaba con interés, Vivi Sundberg se escrutaba las manos. Después, Robertsson tomó la cinta y se levantó.
–Echémosle un vistazo. Ahora mismo. Suena absurdo, pero quizás un asesinato absurdo exija una explicación absurda.
Se encaminaron a la sala de reuniones donde una mujer de piel oscura recogía las tazas de café y bolsas de papel. Birgitta Roslin reaccionó ante la rudeza con que Vivi Sundberg le dijo que se marchase. Con cierto esfuerzo y tras varias maldiciones, Robertsson logró poner en marcha el reproductor de vídeo y el televisor.
Alguien llamó a la puerta. Robertsson dijo en voz alta que los dejasen en paz. Se entrevió a las rusas, que no tardaron en desaparecer, la imagen parpadeó y Wang Min Hao apareció en escena, miró a la cámara y dejó de verse. Robertsson rebobinó y congeló la imagen en el instante en que Wang miraba a la cámara. También Vivi Sundberg se mostraba ahora interesada. Cerró las persianas de las ventanas más próximas para que la imagen se viese más nítida.
–Wang Min Hao –declaró Birgitta Roslin–. Si es que ése es su verdadero nombre. Aparece en Hudiksvall el doce de enero como salido de ninguna parte. Pasa la noche en un pequeño hotel después de llevarse una cinta del farolillo de papel de un restaurante. Más tarde, esa cinta es hallada en Hesjövallen. Ignoro de dónde vino o adónde fue.

Robertsson se había inclinado sobre la pantalla del televisor pero enseguida fue a sentarse. Vivi Sundberg abrió una botella de agua mineral.

–Curioso –declaró Robertsson–. Supongo que te habrás asegurado de que la cinta roja es, en efecto, del restaurante.

–Las he comparado.

–Pero ¿qué está pasando aquí? ¿Acaso llevas una investigación privada paralela a la nuestra? –preguntó airada Vivi Sundberg.

–No era mi intención molestar –confesó Birgitta Roslin–. Sé que tenéis mucho que hacer. Resulta casi una misión imposible. Peor que la de aquel desquiciado que mató a un montón de gente en Mälarångare a principios del siglo XX.

–John Filip Nordlund –dijo Robertsson ufano–. Un criminal de la época. Era como uno de nuestros jóvenes *hooligans* de cabeza rapada. El diecisiete de mayo de mil novecientos, mató a cinco personas en un barco que cubría la travesía entre Arboga y Estocolmo. Lo decapitaron. Algo que, desde luego, no les sucede a nuestros camorristas. Ni tampoco a la persona que ha cometido las atrocidades de Hesjövallen.

Vivi Sundberg no parecía impresionada por los conocimientos históricos de Robertsson y salió al pasillo.

–He pedido que traigan el farolillo del restaurante –dijo cuando regresó.

–No abren hasta las once –aclaró Birgitta Roslin.

–Éste es un pueblo pequeño –observó Vivi Sundberg–. Irán a buscar al propietario y tendrá que abrir.

–Pero procura que los sabuesos de la prensa no se enteren –le advirtió Robertsson–. ¿Te imaginas los titulares? UN CHINO RESPONSABLE DE LA MASACRE DE HESJÖVALLEN. SE BUSCA LOCO ORIENTAL.

–No lo creo, sobre todo después de la conferencia de prensa de esta tarde –objetó Vivi Sundberg.

«O sea, que la joven de la centralita tenía razón», constató Birgitta Roslin para sí. «Hay algo que piensan presentar hoy. De ahí que no muestren demasiado interés en mi historia.»

Robertsson sufrió un violento ataque de tos que le encendió el rostro.

–El tabaco –explicó–. He fumado tantos cigarrillos en mi vida que, si los pusiéramos en fila, cubriríamos el trayecto desde el centro de Estocolmo hasta el sur de Södertälje. A partir de Botkyrka, más o menos, eran con filtro, aunque eso no mejora mucho la situación.

–Bien, reflexionemos un poco –propuso Vivi Sundberg al tiempo que tomaba asiento–. Tú has provocado cierta inquietud e irritación en la comisaría.

«Eso es por lo de los diarios», se dijo Birgitta Roslin. «Robertsson acabará encontrando un motivo por el que acusarme. No creo que sea por prevaricación... Pero seguro que hay algún artículo que puede aducir...»

No obstante, Vivi Sundberg no dijo una palabra de los diarios y Birgitta Roslin intuyó de pronto cierta connivencia entre ellas pese a la actitud distante de la comisaria. Estaba claro que, para ella, lo sucedido no tenía por qué llegar a conocimiento de Robertsson.

–Ni que decir tiene que lo comprobaremos –aseguró Robertsson–. De hecho, trabajamos sin ideas preconcebidas, pero no disponemos de más pruebas de que un chino esté implicado en esto.

–El arma del crimen, ¿la habéis encontrado? –quiso saber Birgitta Roslin.

Ni Vivi Sundberg ni Robertsson respondieron a su pregunta. «La han encontrado», concluyó Birgitta Roslin. «Eso es lo que piensa revelar esta tarde. Claro que sí, eso es.»

–Es algo de lo que no podemos hablar, por ahora –respondió Robertsson–. Espera a que nos traigan el farolillo y podamos comparar las cintas. Si coinciden, esta información formará parte integrante de la investigación. La cinta de vídeo nos la quedamos, por supuesto.

Dicho esto, tomó un bloc de notas en el que empezó a escribir de inmediato.

–¿Quién ha visto al hombre chino?

–La camarera del restaurante.

–Yo suelo comer allí. ¿La joven o la vieja? ¿O tal vez el quisquilloso del padre, que suele estar en la cocina? El que tiene una verruga en la frente...

–La joven.

–Sí, la joven pasa de fingir que es tímida y modosa a flirtear directamente. Yo creo que se aburre. ¿Alguien más?

–¿Alguien más qué?

Robertsson lanzó un suspiro.

–Querida colega. Nos has dejado a todos perplejos con el chino este que te has sacado de la manga. ¿Quién lo ha visto? La pregunta no puede ser más sencilla.

–El sobrino del propietario del hotel. No sé cómo se llama, pero Sture Hermansson, el dueño, me dijo que en estos momentos se encuentra en el Ártico.

–En otras palabras, esta investigación está adquiriendo unas proporciones geográficas descomunales. En primer lugar, nos vienes con un chino. Y ahora uno de los testigos se encuentra en el Ártico. En *Time* y *Newsweek* han escrito sobre este asunto, me han llamado de *The Guar-*

dian y también *Los Angeles Times* ha mostrado interés. ¿Hay alguna otra persona que haya visto a ese chino? Preferentemente, alguien que no se encuentre en estos momentos en el infinito desierto australiano.

–Una limpiadora del hotel. Una rusa.

Robertsson respondió casi triunfal:

–¿No te lo decía yo? Ahora ya tenemos a Rusia. ¿Su nombre?

–La llaman Natascha, pero según Sture Hermansson su verdadero nombre es otro.

–Tal vez esté aquí ilegalmente –observó Vivi Sundberg–. A veces nos topamos en el pueblo con algún que otro ruso o polaco.

–Bueno, eso ahora no tiene el menor interés –objetó Robertsson–. ¿Alguien más que haya visto a ese chino?

–No sé de nadie más –confesó Birgitta Roslin–; pero debió de llegar y marcharse de aquí en algún medio de transporte. En autobús, quizás. O en taxi. Alguien debió de reparar en su presencia.

–Lo averiguaremos –afirmó Robertsson dejando a un lado el bolígrafo–. Si resulta que es un dato importante.

«Cosa que tú pones en duda», completó Birgitta Roslin para sí. «Cualquiera que sea la pista que tenéis, te parece más importante que ésta.»

Vivi Sundberg y Robertsson abandonaron la sala de reuniones. Birgitta Roslin se dio cuenta entonces de lo cansada que estaba. Desde luego, las probabilidades de que su descubrimiento guardase relación con el caso eran nimias. Según su propia experiencia, los datos insólitos que señalaban en una dirección concreta solían resultar pistas falsas.

Mientras esperaba presa de una impaciencia cada vez mayor, iba y venía por la sala. Su vida había estado siempre poblada de fiscales como Robertsson. Las mujeres policía solían ser testigos en sus juicios y, si bien no tenían el cabello tan rojo como Vivi Sundberg, todas hablaban despacio y acusaban cierto sobrepeso, como ella. El cinismo de la jerga existía en todos los ámbitos. Incluso entre los jueces, las conversaciones sobre los asesinos transcurrían a veces en los términos más groseros y peyorativos.

Finalmente volvió Vivi Sundberg y después Robertsson, seguido de Tobias Ludwig, que traía en la mano la bolsa con la cinta roja, en tanto que Vivi Sundberg sostenía uno de los farolillos del restaurante chino.

Extendieron las cintas sobre la mesa para compararlas. No cabía la menor duda de que coincidían.

Así pues, volvieron a sentarse a la mesa. Robertsson sintetizó rápidamente las aportaciones de Birgitta Roslin. La jueza comprendió enseguida que Robertsson debía de ser muy bueno a la hora de pronunciar un alegato.

Nadie tenía una sola pregunta sobre la información recibida y el único que se pronunció fue Tobias Ludwig.

–¿Supone esto algún cambio en relación con la conferencia de prensa de esta tarde?

–No –respondió Robertsson–. Trabajaremos con esta información, pero en su momento.

Dicho esto, Robertsson dio la reunión por concluida. Se despidió con un apretón de manos y se marchó. Cuando Birgitta Roslin se levantó, observó que Vivi Sundberg le dedicaba una mirada que ella interpretó como un ruego de que se quedase un momento.

Una vez solas, Vivi Sundberg cerró la puerta y fue derecha al grano.

–Me sorprende que sigas insistiendo en mezclarte en la investigación. Claro que es un descubrimiento interesante el tuyo, ahora ya sabemos de dónde procede la cinta roja. Y lo investigaremos; pero supongo que habrás comprendido que, en estos momentos, tenemos otras prioridades.

–¿Tenéis otra pista?

–Lo explicaremos en la conferencia de prensa de esta tarde.

–Ya, pero, a mí tal vez puedas adelantarme algo, ¿no?

Vivi Sundberg negó con un gesto.

–¿Nada de nada?

–Nada.

–¿Tenéis un sospechoso?

–Ya te digo, lo anunciaremos en la conferencia de prensa. Quería que aguardases por otra razón muy distinta.

Vivi Sundberg se levantó y salió de la sala. Al cabo de un rato, volvió con los diarios que Birgitta Roslin se había visto obligada a devolver hacía unos días.

–Los hemos revisado –aseguró Vivi Sundberg–. Y, a mi juicio, carecen de interés para la investigación. De ahí que haya decidido mostrarte mi buena voluntad y permitirte que te los lleves en préstamo. Con un recibo. La única condición es que los devuelvas en cuanto te los reclamemos.

Birgitta Roslin se preguntó por un instante si no sería una trampa. Lo que Vivi Sundberg le proponía no estaba permitido, aunque no fuese claramente delictivo. Ella no tenía nada que ver con la investigación previa, ¿qué podía ocurrir si aceptaba llevarse los diarios?

Vivi Sundberg comprendió su vacilación.

–Ya he hablado con Robertsson –la tranquilizó–. Su única objeción fue que nos dejases un recibo.

–Por lo que me dio tiempo de leer, vi que había información sobre los trabajadores chinos que colaboraron en la construcción del ferrocarril en Estados Unidos.

–¿En la década de 1860? De eso hace ya ciento cincuenta años.

Vivi Sundberg dejó sobre la mesa una bolsa con los diarios y sacó del bolsillo un recibo que Birgitta Roslin se avino a firmar.

Vivi Sundberg la acompañó a la recepción. Se despidieron ante la puerta de cristal. Birgitta Roslin le preguntó cuándo se celebraría la rueda de prensa.

–A las dos. Dentro de cuatro horas. Si tienes la credencial de periodista, podrás entrar. Son muchos los que quieren asistir y aquí no disponemos de locales lo suficientemente amplios para ello. Es un crimen descomunal para un pueblo tan pequeño.

–Espero que hayáis dado con una pista segura.

Vivi Sundberg reflexionó un instante antes de responder.

–Sí –dijo al fin–. Creo que estamos a punto de resolver esta terrible matanza. –Asintió despacio, como para confirmar sus propias palabras–. Además –añadió–, ahora sabemos que todos los habitantes del pueblo eran familia. Todos los asesinados. Existían entre ellos lazos de parentesco.

–¿Todos, salvo el niño?

–No, él también, pero sólo estaba de visita.

Birgitta Roslin se marchó de la comisaría cavilando sobre lo que declararían en la conferencia de prensa anunciada para dentro de unas horas.

Un hombre le dio alcance mientras caminaba por la acera aún llena de nieve.

Lars Emanuelsson le sonreía. Birgitta Roslin sintió deseos de golpearlo. Al mismo tiempo, no podía por menos de admirarlo ante tanta perseverancia.

–Vaya, coincidimos una vez más –observó el periodista–. Siempre andas de visita en la comisaría, ¿no? La jueza de Helsingborg se mueve infatigable en las inmediaciones de la investigación... Comprenderás que eso despierte mi curiosidad.

–Pregunta a la policía, no a mí.

Lars Emanuelsson adoptó una expresión grave.

–Puedes estar segura de que ya lo hago. Claro que aún no me han ofrecido respuesta alguna. He llegado a un punto que resulta bastante irritante, pues me veo obligado a especular. ¿Qué hace una jueza de

Helsingborg en Hudiksvall? ¿De qué modo está involucrada en la atrocidad acontecida?

–No tengo nada que decir.

–Bueno, explícame al menos por qué eres tan desagradable y reticente conmigo.

–Porque no me dejas en paz.

Lars Emanuelsson hizo un gesto al tiempo que miraba la bolsa de plástico.

–Te he visto entrar con las manos vacías. Y has salido con una bolsa llena. ¿Qué llevas dentro? ¿Documentos, un archivador, otra cosa?

–Eso es algo que no te incumbe.

–Nunca le respondas así a un periodista. A mí me incumbe todo: qué hay en la bolsa, qué no hay, por qué no quieres contestar...

Birgitta Roslin empezó a alejarse de allí, resbaló y cayó boca arriba en la nieve. Uno de los diarios se escurrió fuera de la bolsa. Lars Emanuelsson se acercó raudo, pero ella le apartó la mano y volvió a guardar el diario en la bolsa. Tenía el rostro encendido de ira cuando se marchó.

–Vaya, parecen libros antiguos –gritó Lars Emanuelsson a su espalda–. Tarde o temprano averiguaré qué son.

Ya junto al coche se sacudió la nieve del abrigo, puso el motor en marcha y encendió la calefacción. Cuando salió a la carretera principal, empezó a calmarse. Apartó de su pensamiento a Lars Emanuelsson y a Vivi Sundberg, fue tomando las carreteras del interior, dejó atrás Borlänge, donde se detuvo a comer algo, y, cerca de las dos de la tarde, estacionó en un aparcamiento a las afueras de Ludvika.

La emisión de la noticia por la radio fue bastante breve. La conferencia de prensa acababa de empezar. Según la información de que se disponía, la policía tenía ya un sospechoso responsable de la masacre de Hesjövallen. Prometían ofrecer información más detallada en la próxima emisión radiofónica.

Birgitta Roslin siguió conduciendo y volvió a parar una hora después. Aparcó en un camino del bosque, temiendo que la nieve estuviese apelmazada y se le atascasen las ruedas. Puso la radio. Lo primero que oyó fue la voz del fiscal Robertsson. Tenían un sospechoso, al que habían llevado a interrogatorio. Robertsson contaba con poder detenerlo aquella misma tarde o, como mucho, por la noche. No quiso desvelar ningún otro dato.

Cuando el fiscal guardó silencio, se dejó oír a través de la radio el airado murmullo de los periodistas. No obstante, Robertsson se mantuvo firme y no añadió más información.

Una vez concluida la emisión de las noticias, Birgitta apagó la radio. Unos pesados montones de nieve cayeron del abeto que se alzaba junto al coche. Se quitó el cinturón de seguridad y salió del vehículo. La temperatura había seguido descendiendo y se estremeció de frío. ¿Qué había dicho Robertsson en realidad? Tenían un sospechoso. Aparte de eso, nada. Sin embargo, parecía seguro del éxito, igual que Vivi Sundberg le había dado la impresión de estar bastante convencida de tener una pista fiable.

«No hay ningún chino de por medio», se dijo de pronto. «El que apareció entre las sombras y se llevó una cinta roja no tiene nada que ver con el asunto. Tarde o temprano encontrarán una explicación lógica.»

O quizá no. Sabía que los policías expertos en investigaciones criminales solían hablar de cabos sueltos, de casos complejos para algunos de cuyos aspectos nunca hallaban respuesta. Rara vez daban con una explicación racional para todo.

Decidió olvidar al chino. No era más que una sombra que la había tenido ocupada varios días.

Puso el motor en marcha, prosiguió su camino y olvidó la siguiente emisión radiofónica.

A última hora de la tarde llegó a Örebro, donde pasó la noche. Dejó la bolsa de los diarios en el coche.

Antes de dormirse experimentó, por un instante, una añoranza irrefrenable de sentir a su lado otro cuerpo. El cuerpo de Staffan. Pero Staffan no estaba allí. Apenas si era capaz de evocar el tacto de sus manos.

Al día siguiente, hacia las tres de la tarde, llegó a Helsingborg. Dejó la bolsa con los diarios en su despacho.

Para entonces ya sabía que el fiscal Robertsson había detenido a un hombre de unos cuarenta años, cuyo nombre aún no habían revelado. Las noticias eran, no obstante, mínimas, y los diarios y los medios en general se abalanzaban sobre la escasa información disponible.

Nadie sabía quién era el detenido. Todos esperaban impacientes.

21

Aquella noche, Birgitta Roslin vio las noticias de la televisión en compañía de su marido. El fiscal Robertsson explicaba el avance de la investigación. Al fondo, a su espalda, se atisbaba la figura de Vivi Sundberg. La conferencia de prensa resultó caótica. Tobias Ludwig no logró mantener a raya a los periodistas, que a punto estuvieron de derribar la tarima sobre la que estaba sentado Robertsson. El fiscal fue el único que conservó la calma. Solo frente a la cámara ante la que finalmente concedió una entrevista individual describió lo ocurrido. Un hombre de unos cuarenta y cinco años de edad había sido detenido en su casa, a las afueras de Hudiksvall. Todo sucedió en medio de la mayor normalidad aunque, por razones de seguridad, habían recurrido al apoyo de una unidad de refuerzo. A la luz de indicios evidentes, el sujeto había sido detenido por haber participado en la masacre de Hesjövallen. Robertsson no quería revelar la identidad del sospechoso a causa de la investigación técnica.

–¿Por qué no quiere decir su nombre? –preguntó Staffan.

–Por no poner sobre aviso a otros implicados, para que no se destruyan pruebas... –respondió Birgitta antes de mandar callar a su marido–. Son muchas las razones que puede aducir un fiscal.

Robertsson no ofreció detalles, tan sólo aclaró que les había abierto el camino la información recibida tanto de la gente como de otras fuentes. Ahora estaban comprobando diversas pistas y ya habían sometido al sospechoso a un primer interrogatorio.

El periodista presionaba a Robertsson con sus preguntas.

–¿Ha confesado?

–No.

–¿Ha admitido alguna acusación?

–No puedo pronunciarme sobre ese particular.

–¿Por qué no?

–Porque nos encontramos en un estadio crucial de la investigación.

–¿Se sorprendió cuando fueron a detenerlo?

–Sin comentarios.

–¿Tiene familia?
–Sin comentarios.
–Pero ¿vive a las afueras de Hudiksvall?
–Sí.
–¿A qué se dedica?
–Sin comentarios.
–¿Cuál es su relación con todas las personas asesinadas?
–Estoy seguro de que comprenderás que no puedo responder a esa pregunta.
–Pues yo estoy seguro de que tú comprenderás que a nuestros espectadores les interesa lo ocurrido. Éste es el segundo crimen más trágico de los cometidos en Suecia.
Robertsson enarcó las cejas, sorprendido.
–¿Cuál es peor que éste?
–El baño de sangre de Estocolmo.
Robertsson estalló en una carcajada mientras, en su casa, Birgitta Roslin lanzaba un gruñido ante el descaro del periodista.
–No creo que sea comparable –observó Robertsson–. Pero no pienso entablar una discusión contigo al respecto.
–¿Cuál será el siguiente paso?
–Habrá otro interrogatorio con el detenido.
–¿Tiene ya abogado defensor?
–Ha solicitado la asistencia de Tomas Bodström. Pero no creo que la obtenga.
–¿Estás seguro de haber detenido al verdadero responsable?
–Aún es muy pronto para responder a eso pero, por ahora, estoy satisfecho de que haya sido arrestado.
Ahí terminó la entrevista y Birgitta bajó el volumen del televisor. Staffan la miró con curiosidad.
–¿Qué tiene que decir la señora jueza sobre este asunto?
–Está claro que han encontrado algo seguro. De lo contrario jamás les habrían autorizado la detención de ese individuo. Sin embargo, está arrestado por indicios racionales de criminalidad, es decir, que o actúa así por prudencia, o no tiene nada más que ofrecer.
–¿Un hombre solo ha podido cometer semejante barbarie?
–Que sea el único detenido no significa que esté solo.
–¿Tú crees que puede tratarse de otra cosa aparte de la acción de un loco?
Birgitta guardó silencio un rato, antes de responder.
–¿Planificaría un loco su crimen? Tus respuestas son tan buenas como las mías.

–O sea, que no cabe más que esperar y ver.

Se tomaron un té y se fueron a dormir temprano. Él le posó la mano en la mejilla.

–¿En qué piensas? –le preguntó Staffan.

–Que en Suecia hay una cantidad ingente de bosque.

–Yo creía que verte libre de todo te parecería un alivio.

–¿De qué, por ejemplo? ¿De ti?

–De mí. Y de los juicios. Una pequeña rebelión en la edad madura.

Birgitta se acercó más a él.

–A veces me digo: ¿esto era todo? Ya sé que suena injusto. Tú, los niños, mi trabajo, ¿qué más puedo pedir? Sin embargo, aquello otro..., lo que pensábamos cuando éramos jóvenes..., la voluntad no sólo de comprender el mundo, sino también de cambiarlo. Si miramos a nuestro alrededor, comprobaremos que el mundo es peor que antes.

–No del todo. Ahora fumamos menos, hay ordenador y teléfono móvil.

–Es como si la tierra entera se hallase en vías de descomposición. Y nuestros tribunales están en el límite de la inoperancia cuando se trata de defender la dignidad moral del país.

–¿Y en eso has estado pensando durante tu visita a Norrland?

–Es posible. Estoy algo abatida, pero quizá sea necesario sentirse así a veces.

Guardaron silencio. Birgitta esperaba que él se volviese hacia ella, pero Staffan no se inmutó.

«Aún no hemos llegado a ese punto», se dijo decepcionada. Al mismo tiempo, no comprendía por qué no era capaz de hacer ella misma aquello que esperaba de él.

–Deberíamos emprender un viaje –propuso él de improviso–. Además, hay conversaciones que es mejor mantener a la luz del día y no antes de dormirse.

–Podríamos irnos de peregrinación –sugirió Birgitta–. Recorrer el camino de Santiago de Compostela, según manda la tradición. Ir guardando piedras en las mochilas, cada piedra representa uno de los problemas a los que nos enfrentamos. Y, según vayamos encontrando la solución, iremos dejando las piedras en el camino.

–¿Hablas en serio?

–Por supuesto. Aunque no sé si mis rodillas aguantarán.

–Si llevas demasiado peso, te saldrá un espolón.

–¿Y eso qué es?

–No sé, algo que sale en el talón. Un buen amigo mío lo tiene. Ture, el veterinario. Es muy doloroso.

–Deberíamos hacernos peregrinos –susurró ella–. Pero ahora no. Antes tengo que dormir. Y tú también.

Al día siguiente, Birgitta Roslin llamó al médico para comprobar que la revisión planificada para dentro de cinco días seguía en pie. Después limpió la casa y no dedicó más que una mirada fugaz a la bolsa de los diarios. Habló con sus hijos de organizarle a Staffan una fiesta sorpresa para su cumpleaños. Todos estuvieron de acuerdo en que era una idea excelente, así que fue llamando a los amigos para invitarlos. De vez en cuando escuchaba las noticias sobre Hudiksvall. La información que iban dispensando desde la sitiada comisaría de policía era bastante escueta.

Ya a última hora de la tarde se sentó ante el escritorio y, sin gran entusiasmo, sacó los diarios. Ahora que había un detenido por los asesinatos, sus teorías habían perdido interés. Fue pasando las hojas hasta la página donde había dejado la lectura la última vez.

En ese momento sonó el teléfono. Era Karin Wiman.

–Hola, sólo quería saber si habías llegado bien.

–Los bosques suecos son infinitos. Me extraña que a la gente que habita en sus tinieblas no le crezcan pinochas. A mí me dan miedo los abetos. Me ponen triste.

–¿Y las hojas de los árboles?

–Van mejor. Pero lo que yo necesito ahora mismo es campo abierto, el mar, el horizonte.

–Pues ven a verme. Sólo tienes que cruzar el puente. Tu llamada me trajo a la memoria una serie de recuerdos... Nos hacemos mayores. De repente, los viejos amigos se nos antojan reliquias que debemos conservar. Yo heredé de mi abuela unos jarrones de cristal preciosos, bastante caros, de Orrefors. Pero ¿qué es eso comparado con la amistad?

A Birgitta Roslin le atrajo la idea. De hecho, ella también se había quedado pensando en la conversación con Karin Wiman.

–¿Cuándo te vendría bien? Yo estoy de baja por enfermedad, por algo de anemia y la tensión alta.

–Hoy no, pero quizá mañana.

–¿Ya no das clases?

–Cada vez me dedico más a la investigación. Adoro a mis alumnos, pero me agotan. Sólo les interesa China porque creen que allí pueden hacerse ricos. China es el Klondyke de nuestros días. Son pocos los que desean profundizar en sus conocimientos sobre el gigantesco Reino del Centro y su pasado, que es de un dramatismo casi inverosímil.

Birgitta pensó en el diario que tenía ante sí. También allí se intuía entre líneas un Klondyke.

–Por supuesto, puedes quedarte en mi casa. Mis hijos casi nunca están.

–Pero ¿y tu marido?

–Murió, ya sabes.

Birgitta Roslin habría querido morderse la lengua... Lo había olvidado. Karin Wiman llevaba viuda casi diez años. Su marido, el hermoso joven de Aarhus que estudió medicina, murió de una leucemia galopante con poco más de cuarenta años.

–Lo siento, debería haberlo recordado.

–No te preocupes. Bueno, ¿vendrás?

–Mañana. Y me gustaría hablar de China. Tanto de la vieja como de la nueva.

Anotó la dirección, quedaron a una hora y notó cómo la idea de volver a ver a Karin la llenaba de alegría. Hubo un tiempo en que fueron íntimas. Después sus caminos las condujeron por derroteros diferentes, cada vez tenían menos contacto, cada vez se llamaban con menor frecuencia. Birgitta Roslin asistió a la lectura de tesis de Karin Wiman y a su discurso de toma de posesión de su puesto en la Universidad de Copenhague. En cambio Karin nunca presenció uno de sus juicios.

La asustaba el olvido. ¿Cuál era el origen de su dispersión mental? Todos los años que llevaba ejerciendo de jueza, concentrada en alegatos y testimonios, habían agudizado su capacidad de concentración. Y ahora no recordaba siquiera que el marido de Karin llevaba diez años muerto.

Se sacudió aquella desagradable sensación y comenzó a leer el diario por donde lo tenía abierto. Poco a poco fue dejando el invierno de Helsingborg para meterse en el desierto de Nevada, poblado de hombres con sombreros oscuros o pañuelos anudados alrededor de la cabeza, que empleaban todas sus fuerzas en conseguir que el ferrocarril se extendiese hacia el este, metro a metro.

En sus notas, J.A. seguía hablando mal de cuantos trabajaban con él o estaban bajo su responsabilidad. Los irlandeses son perezosos y borrachos, los pocos negros que contrata la compañía constructora son fuertes, pero reacios a esforzarse. J.A. desea que lleguen esclavos de las islas caribeñas o del sur de América, pues ha oído hablar bien de ellos. Tan sólo los latigazos son capaces de convencer a aquellos hombres de que trabajen con ahínco. Le gustaría poder azotarlos como si fuesen bueyes o asnos. Birgitta no logró averiguar a qué pueblos detestaba más. Tal vez a los indios, a la población originaria de América, contra los que prodiga su desprecio. Su renuencia al trabajo, sus taimadas artimañas no pueden compararse con ninguno de los representantes de la escoria a la que se ve obligado a patear y golpear para que el ferrocarril continúe serpenteando. De vez en cuando habla también de los chinos, a los que quisiera mandar al océano Pacífico y darles a elegir entre ahogarse o llegar nadando hasta China. No obstante, no es capaz de negar que son buenos trabajadores. No beben alcohol, se lavan y cumplen las normas. Sus únicas debilidades son su pasión por el juego y sus extrañas ceremonias religiosas. J.A. intenta argumentar por qué detesta de tal manera a unas personas que se dedican a facilitarle a él el trabajo. En algunas frases de difícil interpretación, Birgitta creyó entender que, según J.A., los chinos, tan sufridos y trabajadores, estaban destinados para eso en la vida, simplemente. Habían alcanzado un nivel que jamás superarían por mucho que se desarrollasen.

Las personas a las que J.A. respeta por encima de todas son las procedentes de Escandinavia. En el campamento de construcción del ferrocarril hay una pequeña colonia nórdica compuesta por varios daneses, un grupo algo mayor de noruegos y un grupo, el más numeroso, de suecos y finlandeses. «Confío en esos hombres. Mientras los tenga vigilados, no me engañarán. Además, no temen el esfuerzo; pero si les doy la espalda, se convierten en la misma basura que los demás.»

Birgitta Roslin apartó el diario y se levantó. Quienquiera que fuese aquel capataz del ferrocarril, le resultaba un personaje cada vez más desagradable. Un hombre de origen sencillo que había llegado a América. Y allí, de pronto, se le otorga un gran poder sobre otras personas. Un ser brutal que se había convertido en un pequeño tirano. Birgitta se puso el abrigo y salió a dar un largo paseo por la ciudad, con la idea de liberarse de aquel profundo malestar.

Cuando puso la radio de la cocina, eran las seis de la tarde. La emisión de noticias comenzó con la voz de Robertsson. Se quedó de pie dispuesta a escuchar las novedades. Mientras Robertsson hablaba, se oía de fondo el ruido de los flashes de las cámaras y de las sillas en las que la gente iba acomodándose.

Como en las ocasiones anteriores, el fiscal se expresó de forma clara e inequívoca. El hombre al que habían detenido el día anterior había confesado haber cometido él solo todos los asesinatos de Hesjövallen. A las once de la mañana, y a través de su abogado, solicitó hablar con la policía que lo interrogó por primera vez. Además, señaló su deseo de contar con la presencia del fiscal. Después confesó sin ambages las circunstancias objetivas que llevaron a su detención. Adujo como móvil un acto de venganza. Aún había que someterlo a muchos interrogatorios antes de poder establecer cuál era el motivo de su venganza.

Robertsson terminó ofreciendo el dato que todos esperaban.

–El hombre detenido se llama Lars-Erik Valfridsson. Es soltero, empleado de una compañía de sondeos y ha cumplido varias penas por agresión.

Los flashes no paraban. Robertsson empezó a responder a las preguntas, que apenas lograba entender puesto que todos los periodistas las lanzaban a la vez. La locutora de radio bajó el volumen y empezó a hablar en lugar del fiscal. Dio una retrospectiva de lo que había sucedido hasta el momento. Birgitta Roslin dejó la radio encendida mientras miraba las noticias del teletexto; allí sólo podía leerse lo que Robertsson ya había revelado en la conferencia de prensa. Apagó los dos aparatos y se sentó en el sofá. Algo en la voz de Robertsson la convenció de que no estaba totalmente seguro de que hubiesen detenido al verdadero culpable. Pensó que en toda su vida había oído a un número suficiente de fiscales como para poder forjarse una opinión sobre la fuerza de su aserto. Pero Robertsson creía que tenía razón. Y un fiscal honrado jamás basaba sus acusaciones en apariencias o suposiciones, sino en hechos.

En realidad, era demasiado pronto para sacar una conclusión. Pese a todo, eso fue lo que hizo, precisamente. El hombre al que habían arrestado y detenido no era chino, desde luego. Sus descubrimientos empezaron a perder fuerza. Entró en el despacho y volvió a guardar los diarios en la bolsa. No le quedaba una sola razón para seguir profundizando en las ideas racistas que aquel misántropo desagradable había anotado en unos libros hacía más de ciento cincuenta años.

Cenó tarde en compañía de Staffan e intercambiaron unas palabras sobre la noticia. Tampoco los diarios vespertinos que él se había traído del tren incluían una información distinta de la que ya sabían. En una de las fotos de la conferencia de prensa se entreveía a Lars Emanuelsson con la mano en alto, esperando su turno para preguntar. La recorrió un escalofrío al recordar sus encuentros con él. Le contó a Staffan que, al día siguiente, iría a visitar a Karin Wiman y que probablemente se quedaría allí a pasar la noche. Staffan los conocía a los dos, a Karin y al hombre con el que estuvo casada.

–Vete –la animó–. Te hará bien. ¿Cuándo tienes la revisión médica?

–Dentro de unos días. Y seguramente me dirán que ya estoy recuperada.

Al día siguiente, cuando Staffan ya se había ido al trabajo y mientras ella preparaba la maleta, sonó el teléfono. Era Lars Emanuelsson. Birgitta desconfió enseguida.

–¿Qué quieres? ¿Cómo has localizado mi número de teléfono? Es secreto.

Lars Emanuelsson soltó una risita.

–El periodista que no sepa cómo dar con un número de teléfono, por secreto que sea, debería dedicarse a otra profesión.

–Bueno, ¿qué quieres?

–Tu opinión. En Hudiksvall han ocurrido hechos importantes. Un fiscal que no parece muy seguro de lo que dice pero que, pese a todo, responde mirándonos a los ojos. ¿Qué tienes tú que decir al respecto?

–Nada.

La amabilidad de Lars Emanuelsson, fingida o no, desapareció al instante. El tono de su voz resonó más duro e impaciente.

–No volvamos a lo de antes, responde a mis preguntas. De lo contrario, empezaré a escribir sobre ti.

–No tengo ningún tipo de información sobre lo que ha revelado el fiscal. Estoy tan sorprendida como el resto del pueblo sueco.

–¿Sorprendida?

–Elige la palabra que prefieras. Sorprendida, aliviada, indiferente, lo que quieras.

–Bien, te haré unas preguntas sencillas.

–Voy a colgar.

–Si lo haces, escribiré que una jueza de Helsingborg que acaba de abandonar Hudiksvall precipitadamente se niega a responder a mis preguntas. ¿Has vivido alguna vez la situación de tener la casa sitiada por periodistas? No cuesta nada. Antiguamente en este país no se tardaba nada en organizar a una chusma para que linchasen a alguien, bastaba con difundir, de forma bien planificada, ciertos rumores. Una manada de periodistas se parece muchísimo a ese tipo de chusma.

–¿Qué quieres exactamente?

–Respuestas. ¿Para qué fuiste a Hudiksvall?

–Soy pariente de varias de las víctimas. No te diré cuáles.

Birgitta oía la pesada respiración del periodista mientras éste consideraba o tal vez anotaba sus palabras.

–Sí, eso puede ser cierto. ¿Por qué te marchaste?

–Porque quería volver a casa.

–¿Qué hay en la bolsa de plástico con la que saliste de la comisaría?

Antes de contestar, Birgitta reflexionó un instante.

–Una serie de diarios que pertenecen a mi pariente.

–¿Es verdad eso?

–Lo es. Si vienes a Helsingborg, te mostraré uno de los diarios por la puerta entrecerrada, para que lo veas. Gracias por su visita.

–Te creo. Debes comprender que sólo hago mi trabajo.

–¿Hemos terminado ya?

–Sí, hemos terminado.

Birgitta Roslin colgó el auricular de golpe. La conversación la había irritado tanto que estaba empapada de sudor. Sin embargo, las respuestas que le había dado a Emanuelsson eran tan ciertas como completas. Lars Emanuelsson no tendría nada sobre lo que escribir, pero su tozudez seguía llenándola de admiración y hubo de admitir que, seguramente, sería un buen reportero.

Pese a que le habría resultado más fácil tomar el transbordador a Helsingör, fue hasta Malmö y cruzó el largo puente que antes sólo había atravesado en autobús. Karin Wiman vivía en Gentofte, al norte de Copenhague. Birgitta Roslin se equivocó dos veces antes de tomar la rotonda adecuada y, de ahí, la carretera de la costa hacia el norte. Soplaba un fuerte viento y hacía frío, pero el cielo estaba despejado. Eran las once cuando dio con la hermosa casa de Karin. Allí vivía cuando se casó y en ella murió su marido. Era un edificio blanco de dos plantas, rodeado de un jardín grande y frondoso. Birgitta sabía que desde la planta alta se veía el mar por encima de los tejados de las casas.

Karin Wiman salió a recibirla. Birgitta comprobó que había adelgazado y que estaba más pálida de como ella la recordaba. Lo primero que pensó fue que quizás estaba enferma. Se dieron un abrazo, entraron, dejaron la maleta en la habitación que ocuparía Birgitta y Karin la guió para enseñarle la casa. No se habían producido muchos cambios desde la última vez que Birgitta estuvo allí. Karin había querido conservarla como cuando vivía su marido, se dijo. «¿Qué habría hecho yo en su lugar?» No supo qué contestarse. Claro que ella y Karin eran muy distintas. Y esa amistad suya tan resistente se basaba precisamente en esa gran disparidad. Habían desarrollado una especie de parapeto con el que amortiguar los golpes que se propinaban mutuamente.

Karin había preparado el almuerzo. Se sentaron en una terraza acristalada llena de plantas de diversos aromas. Y casi enseguida, tras las consabidas frases iniciales de tanteo, empezaron a hablar de sus años de juventud en Lund. Karin, cuyos padres tenían un acaballadero en Escania, llegaron allí en 1966, y Birgitta al año siguiente. Se conocieron en la asociación académica, durante una velada poética, y no tardaron en congeniar pese a ser tan distintas. Karin, con sus antecedentes, tenía una gran confianza en sí misma. Birgitta, en cambio, era insegura y tímida.

Se vieron involucradas en el movimiento de adhesión al Frente Nacional de Liberación, a cuyas reuniones asistían, calladas como moscas y atentas a los jóvenes, sobre todo hombres, que se consideraban en posesión de grandes conocimientos; ellos pronunciaban largos y ampulosos discursos sobre la necesidad de hacer la revolución. Al mismo tiempo, las arrebataba la sensación de que era posible crear otra realidad; de que ellas mismas participaban en la creación del futuro. Y no fue el movimiento por el Frente de Liberación Nacional su única escuela en materia de organización política. De hecho, existía un sinfín de grupos que expresaban su solidaridad con los movimientos de todo el mundo a favor de la liberación de las colonias pobres. Y otro tanto ocurría en Suecia. Era una efervescencia de ansias de rebelión contra todo lo viejo y obsoleto. Fue, en pocas palabras, una época maravillosa.

Después, ambas fueron miembros del grupo de izquierda radical conocido como Los Rebeldes y, durante varios meses de actividad febril, vivieron como en una secta cuyos pilares eran una autocrítica brutal y el dogmatismo de la confianza en las interpretaciones que Mao Zedong hacía de las teorías de la revolución. Se distinguieron de todas las demás alternativas de izquierda, a las que miraban con desprecio. Destruyeron sus discos de música clásica, limpiaron sus estanterías y llevaron una vida que emulaba la de la guardia roja que Mao había movilizado en China.

Karin le preguntó si recordaba el famoso viaje a Tylösand, adonde fueron a bañarse. Sí, claro que lo recordaba. Habían celebrado una reunión con la célula a la que pertenecían. El camarada Moses Holm, que estudió medicina, aunque perdió la licencia por abuso y prescripción de narcóticos, presentó la propuesta de «infiltrarse en el nido de serpientes burgués que se pasaba el verano bañándose y tomando el sol en Tylösand». Tras una larga discusión se aceptó la propuesta y se diseñó una estrategia. Al domingo siguiente, un día de primeros de julio, diecinueve camaradas partieron en autobús en dirección a Halmstad, hacia Tylösand. Encabezado por un retrato de Mao y rodeado de banderas rojas, el grupo inició la marcha hasta la playa, ante el asombro de los veraneantes. Recitando sus divisas y blandiendo el pequeño libro rojo, se adentraron en el agua con la fotografía de Mao. Después se congregaron en la orilla cantando *El este es rojo,* condenaron la Suecia fascista en un breve discurso y exhortaron a los trabajadores que tomaban el sol a tomar las armas y prepararse para la revolución que no tardaría en llegar. Finalmente regresaron a casa, donde dedicaron varios días a valorar «el ataque» en la playa de Tylösand.

–¿Qué es lo que mejor recuerdas tú? –quiso saber Karin.

–A Moses. Aseguraba que nuestra entrada en Tylösand quedaría escrita en la futura historia de la revolución.

–Yo recuerdo lo fría que estaba el agua.

–Lo que he olvidado, en cambio, es qué pensaba entonces.

–Entonces no pensábamos. Ésa era la idea. Se suponía que teníamos que seguir dócilmente las ideas ajenas. No comprendimos que se esperaba que liberásemos a la Humanidad como si fuésemos robots. –Karin meneó la cabeza y rompió a reír–. Éramos como niños. Muy serios. Creíamos que el marxismo era una ciencia, como algo nacido de Newton, Copérnico o Einstein. Pero creíamos. El pequeño libro rojo de Mao era un catecismo. No entendimos que no se trataba de una Biblia, sino de un conjunto de citas de un gran revolucionario.

–Yo recuerdo que tenía mis dudas –confesó Birgitta–. En el fondo. Como aquella ocasión en que fui a la Alemania del Este. Pensé que aquello era absurdo; que, a la larga, jamás funcionaría. Sólo que no me atreví a decirlo. Temía que se notase que abrigaba mis dudas. Por eso, en las manifestaciones, siempre gritaba más alto que los demás.

–Lo cierto es que no queríamos ver lo que veíamos. Vivimos en un autoengaño sin parangón, aunque la intención fuese buena. ¿Cómo pudimos creer que los trabajadores suecos que pasaban sus vacaciones al sol estarían dispuestos a unirse a la lucha armada contra el sistema para construir algo nuevo y desconocido?

Karin Wiman encendió un cigarrillo. Birgitta Roslin recordó que siempre había fumado, que sus manos siempre se movían nerviosas en busca del paquete de tabaco o de la caja de cerillas.

–Moses murió –reveló Karin–. En un accidente de tráfico. Conducía bajo la influencia de las drogas. ¿Te acuerdas de Lars Wester, el que decía que un verdadero revolucionario nunca bebía alcohol? Lo encontraron borracho perdido en Lundagård... ¿Y de Lillan Alfredsson, la que perdió toda ilusión y se marchó a la India para convertirse en mendigo? ¿Qué fue de ella?

–Ni idea. Quizás haya muerto también.

–Pero nosotras estamos vivas.

–Sí, nosotras sí.

Siguieron charlando hasta que cayó la noche. Entonces salieron a dar un paseo por el pueblo. Birgitta se dio cuenta de que Karin sentía la misma necesidad que ella de volver al pasado para comprender el presente.

–De todos modos, no nos movían sólo la ingenuidad y la locura –observó Birgitta–. La idea de un mundo en que la solidaridad fuese importante sigue hoy viva en mí. Y me gusta pensar que, pese a todo, opusimos resistencia, cuestionamos lo convencional, unas tradiciones que, de lo contrario, habrían orientado a este mundo aún más hacia la derecha.

–Pues yo he dejado de votar –declaró Karin–. No me gusta que sea así, pero no encuentro ningún partido cuya verdad política pueda suscribir. En cambio, sí que presto mi apoyo a ciertos movimientos en los que creo. A pesar de todo, aún existen, tan fuertes e indómitos como antes. ¿Cuántas personas crees que se interesan hoy por el feudalismo de un país tan pequeño como Nepal? Pues yo, por ejemplo. Firmo listas y hago donaciones...

–¿Nepal? Si apenas sé dónde está... –confesó Birgitta–. Admito que me he vuelto indolente. Pero te diré que, a veces, añoro la buena voluntad de antaño. No éramos sólo un puñado de alocados estudiantes que nos creíamos en el centro del mundo, un lugar donde nada era imposible. La solidaridad era real.

Karin se echó a reír.

–¿Te acuerdas de Hanna Stoijkovics? Aquella camarera loca del hotel Grand, en Lund, la que decía que éramos demasiado indulgentes... Siempre andaba fomentando la táctica de lo que ella llamaba «pequeños asesinatos». Según ella, teníamos que ir matando a los directores de banco, a los empresarios y a los profesores reaccionarios. Debíamos dedicarnos a cazar depredadores, decía. Nadie la escuchaba, era demasiado. Y nosotros preferíamos disparar contra nosotros mismos y echar sal sobre las heridas. En una ocasión le arreó con la cubitera al portavoz del ayuntamiento. Y la echaron. Ella también murió.

–Ah, pues no lo sabía.

–Al parecer, le dijo a su marido que los trenes no se ajustaban al horario. Él no entendió el mensaje. Luego la encontraron en las vías del tren, a las afueras de Arlöv. Se había envuelto en una manta, para que su cuerpo no estuviese demasiado desparramado cuando llegase la ambulancia.

–¿Por qué lo hizo?

–Quién sabe. Lo único que dejó fue una nota que hallaron en la mesa de la cocina: «He ido a tomar el tren».

–Pero tú has llegado a catedrática de universidad. Y yo soy jueza.

–¿Y Karl-Anders? ¿Lo recuerdas? El que tanto temía quedarse calvo. Apenas hablaba, pero siempre llegaba el primero a las asambleas... Pues se hizo sacerdote.

–¡No es posible!

–De una iglesia libre de la Asociación Sueca de Misiones. Y ahí sigue. Se pasa los veranos viajando y predicando bajo una carpa.

–¿Tal vez no haya tanta diferencia?

Karin adoptó una expresión grave.

–Pues yo creo que sí la hay. No debemos olvidar a cuantos han seguido luchando por otro mundo. En medio de todo aquel caos en que las teorías políticas se solapaban unas a otras, existía la confianza en que la razón terminaría por salir vencedora. ¿Tú no pensabas así? Yo, al menos, recuerdo que solíamos hablar de ello. La ilustración acabaría triunfando.

–Sí, es cierto. Sin embargo, lo que entonces parecía sencillo se ha complicado demasiado.

–¿Y no crees que eso debería estimularnos más aún?

–Supongo que sí. Quizá todavía estemos a tiempo. En cualquier caso, envidio a todos aquellos que nunca abandonaron sus ideales o, más bien, la conciencia de cómo es el mundo y por qué. A los que siguen ofreciendo resistencia, pues los hay.

Mientras preparaban la cena, Karin le contó que iría a China la semana siguiente para participar en un gran congreso sobre los orígenes de la dinastía Qin, cuyo primer emperador sentó las bases de China como un reino unificado.

–¿Cómo te sentiste la primera vez que visitaste el país de tus sueños juveniles?

–La primera vez que visité China tenía veintinueve años. Entonces, Mao ya no estaba y las cosas empezaban a cambiar. Fue una gran decepción, dura de asimilar. Pekín era una ciudad fría y húmeda. Y los miles de bicicletas que circulaban por la ciudad chirriaban como grillos. Después me di cuenta de que, pese a todo, el país había sufrido una gran transformación. La gente iba vestida y calzada. No vi a nadie en la ciudad que muriese de hambre, ningún mendigo. Recuerdo que sentí vergüenza. Yo, que había llegado en avión de un país rico, no tenía ningún derecho a juzgar el desarrollo con desprecio o con arrogancia. Empecé a acariciar la idea de volver a probar la fuerza de lo chino. Y fue entonces cuando decidí estudiar sinología. Antes de aquel viaje, tenía otros planes.

–¿Cuáles?

–No me creerás.

–¡Venga!

–Pensaba hacerme militar profesional.

–Pero ¿por qué?

–Tú te hiciste jueza. ¿Por qué se le ocurren a uno las cosas?

Después de la cena volvieron a la terraza acristalada. Las luces de las lámparas se reflejaban sobre la blancura de la nieve. Karin le prestó un jersey, pues empezaba a hacer frío. Habían bebido vino en la cena y Birgitta se sentía algo achispada.

–Vente conmigo a China –propuso Karin de pronto–. En realidad, hoy en día no sale tan caro volar hasta allí. Seguro que me dan una habitación de hotel bastante grande. Podemos compartirla. Ya lo hemos hecho en otras ocasiones. Cuando nos íbamos de acampada los veranos, tú, yo y otras tres personas más compartíamos tienda. Casi dormíamos unos encima de otros.

–No puedo –respondió Birgitta–. Creo que ya me he recuperado y debo volver al trabajo.

–Vamos, vente conmigo. El trabajo puede esperar.

–Ganas no me faltan. Pero supongo que viajarás a China más veces, ¿no?

–Seguro que sí. Aunque a nuestra edad, no hay por qué esperar innecesariamente.

–Viviremos muchos años. Llegaremos a ser muy, muy viejas.

Karin Wiman no replicó y Birgitta cayó en la cuenta de que había vuelto a meter la pata. El marido de Karin había muerto a los cuarenta y un años. Y ella era viuda desde entonces.

Karin intuyó lo que estaba pensando. Extendió la mano y la posó sobre la rodilla de Birgitta.

–No importa, no te preocupes.

Siguieron hablando hasta muy tarde. Era casi medianoche cuando se fueron a dormir. Birgitta se tumbó en la cama, teléfono en mano. Staffan llegaría a casa a medianoche y le había prometido llamarlo.

–¿Te he despertado?

–Casi. ¿Lo habéis pasado bien?

–No hemos parado de hablar durante más de doce horas.

–¿Vuelves mañana?

–Me quedaré durmiendo por la mañana. Luego me iré a casa.

–Supongo que habrás oído lo que ha pasado. Ya ha explicado cómo lo hizo.

–¿Quién?

–El hombre de Hudiksvall.

Birgitta se incorporó en la cama de un salto.

–No, no sé nada. Cuéntame.

–Lars-Erik Valfridsson, el detenido. En estos momentos, la policía está buscando el arma del crimen. Al parecer, ha confesado que la enterró. Según las noticias, una espada de samurái de fabricación casera.

–¿Es verdad lo que dices?

–¿Por qué iba a contarte una mentira?

–No, claro. Pero cuesta creerlo. ¿Ha dado alguna explicación del móvil?

–No se ha oído otra versión más que la de la venganza.

Después de la conversación Birgitta se quedó sentada en la cama.

No había pensado en Hesjövallen en todo el día, mientras hablaba con Karin Wiman. En ese momento, los sucesos volvieron a poblar su conciencia.

Quién sabía... Tal vez la cinta roja tuviese una explicación que nadie se esperaba.

Lars-Erik Valfridsson también podía haber visitado el restaurante chino...

Se tumbó en la cama y apagó la luz. Al día siguiente regresaría a casa. Le devolvería los diarios a Vivi Sundberg y se reincorporaría al trabajo.

Desde luego, lo que no pensaba hacer era ir a China con Karin. Aunque tal vez fuese eso exactamente lo que quería hacer...

22

A la mañana siguiente, cuando Birgitta Roslin se levantó, Karin Wiman ya se había marchado a Copenhague, pues tenía clase. Le había dejado una nota en la mesa de la cocina.

«Birgitta. A veces pienso que tengo un sendero en la cabeza. Cada día que pasa, me adentro unos metros en un paisaje desconocido en el que, un día, dicho sendero morirá. Sin embargo, el sendero serpentea también hacia atrás. En ocasiones me doy la vuelta, como ayer, durante las horas que pasamos hablando, y entonces veo lo que he olvidado o lo que me he negado a recordar. A veces tengo la sensación de que, en lugar de recordar las cosas, pretendemos olvidarlas. Quisiera que pudiéramos mantener estas conversaciones más a menudo. Al final, los amigos son lo único que nos queda. Tal vez incluso la última fortaleza que hemos de defender. Karin.»

Birgitta Roslin se guardó la carta en el bolso, se tomó un café y se preparó para partir. Justo cuando iba a cerrar la puerta, vio los billetes de avión que había sobre la mesa del vestíbulo. Y comprobó que Karin viajaría con Finnair vía Helsinki hasta Pekín.

Por un instante, volvió a sentir la tentación de aceptar su oferta; pero no podía, por más que quisiera. Sus superiores no verían con buenos ojos que se tomase unas vacaciones después de haber estado de baja, en especial en aquellos momentos en que el juzgado se veía abrumado de casos sin resolver.

Para regresar a casa tomó el transbordador desde Helsingör. El viento sopló durante toda la travesía. Una vez ahí se detuvo ante un quiosco. Las primeras páginas de los diarios gritaban la confesión de Lars-Erik Valfridsson y Birgitta compró un puñado de periódicos antes de continuar su camino a casa. Se topó en el pasillo con la tranquila y callada limpiadora polaca que le ayudaba en casa. Birgitta había olvidado que aquél era su día. Intercambiaron unas palabras en inglés cuando le pagó las horas de trabajo. Una vez sola en la casa, se sentó a leer la prensa. Como en las ocasiones anteriores, se quedó estupefacta ante la cantidad de páginas que los periódicos extraían de un material más que escaso. Lo que Staffan le había dicho en la breve conversación telefónica de la noche anterior cubría con creces todo lo que los diarios trillaban y repetían una y otra vez.

La única novedad era una fotografía del hombre que se suponía había cometido el delito. En la imagen, que parecía una ampliación de una foto de pasaporte o de permiso de conducir, se veía a un hombre de rostro sin carácter, boca fina, frente despejada y escaso cabello. Le costaba ver en él a alguien capaz de haber cometido la barbarie de Hesjövallen. «Un pastor de una iglesia libre», se dijo. «No creo que sea un hombre que lleve el infierno en la cabeza ni en las manos.» Sin embargo, sabía que su razonamiento era insostenible a la luz de la experiencia. De hecho, en los tribunales había tenido ocasión de ver pasar delincuentes cuya apariencia no delataba su predisposición al crimen.

No obstante, cuando dejó los diarios y puso el teletexto, su interés empezó a despertarse de verdad. Encabezaba la lista de contenidos la noticia de que la policía había hallado la posible arma del crimen. En un lugar desconocido, pero según las indicaciones de Lars-Erik Valfridsson, habían desenterrado el arma. Era de forja casera, una mala imitación de una espada de samurái japonés. Aunque la hoja estaba bien afilada. En esos momentos estaban analizándola, buscando huellas y, ante todo, restos de sangre.

Media hora después encendió la radio para escuchar las noticias. Una vez más oyó la voz pausada de Robertsson. A Birgitta Roslin le pareció que estaba aliviado por el hallazgo.

En cuanto el fiscal acabó su intervención llovieron las preguntas, pero Robertsson se abstuvo de hacer más comentarios y aseguró que, en cuanto surgiese otro dato de interés que comunicar a la prensa, volvería a convocarlos.

Birgitta Roslin apagó la radio y tomó un diccionario enciclopédico de la estantería. Había en él una fotografía de una espada de samurái. Leyó que la hoja podía afilarse tanto como una hoja de afeitar.

La sola idea le dio escalofríos. De modo que, una noche, aquel hombre se dirigió a Hesjövallen y fue de casa en casa hasta matar a diecinueve personas. Tal vez la cinta roja que hallaron en la nieve adornase su espada.

Se quedó pensando en ello, sin poder apartar la idea de su mente. Llevaba en el bolso una tarjeta de visita del restaurante chino, marcó el número y reconoció la voz de la camarera con la que había estado hablando. Birgitta Roslin le explicó quién era. A la camarera le costó varios segundos recordar.

–¿Has visto los diarios y la foto del hombre que mató a toda esa gente?

–Sí, ¡qué hombre tan horrible!

–¿Recuerdas haberlo visto alguna vez comiendo en vuestro restaurante?

–Jamás.

–¿Estás segura?

–Al menos no mientras yo he estado aquí. Claro que hay días en que mi hermana o mi primo me sustituyen. Ellos viven en Söderhamn. Nos vamos turnando. Ya sabes, empresa familiar.

–Hazme un favor, pídeles que miren la foto del periódico. Si lo reconocen, me llamas, ¿de acuerdo?

La camarera anotó su número.

–¿Cómo te llamas? –le preguntó Birgitta.

–Li.

–Yo me llamo Birgitta. Gracias por tu ayuda.

–¿No estás en el pueblo?

–Estoy en Helsingborg. Vivo aquí.

–¿En Helsingborg? Allí también tenemos un restaurante. También de la familia. Se llama Shanghai. Se come igual de bien que aquí.

–Pues iré, pero ayúdame con esto, por favor.

Se quedó junto al teléfono, esperando. Cuando sonó, era su hijo que llamaba para hablar con ella, pero Birgitta le pidió que volviese a llamar más tarde. Li tardó media hora en devolverle la llamada.

–Puede –le dijo la camarera.

–¿Cómo que puede?

–Mi primo dice que cree que ha estado en el restaurante alguna vez.

–¿Cuándo?

–El año pasado.

–Pero ¿no está seguro?

–No.

–¿Puedes decirme su nombre?

Birgitta Roslin anotó el nombre y el número de teléfono del restaurante de Söderhamn y terminó la conversación. Tras un minuto de vacilación, llamó a la comisaría de Hudiksvall y pidió que la pusieran con Vivi Sundberg. Ya contaba con tener que dejarle un mensaje pero, para su sorpresa, la policía contestó personalmente.

–Y los diarios –le preguntó–. ¿Siguen resultándote interesantes?

–Son difíciles de leer, pero dispongo de tiempo. Os felicito por vuestro hallazgo. Si no he entendido mal, tenéis tanto la confesión como el arma del crimen.

–No creo que llames por eso, ¿verdad?

–No, claro que no. Quería, una vez más, hablar del restaurante chino.

Le habló del primo chino de Söderhamn y de que era posible que Lars-Erik Valfridsson hubiese comido en el restaurante de Hudiksvall.

–Eso podría explicar la cinta roja –concluyó Birgitta–. Un cabo suelto menos.

Aquello no pareció despertar el interés de Vivi Sundberg.

–Bueno, en estos momentos, la cinta no nos importa demasiado. Supongo que entiendes por qué.

–Sí, ya, pero quería contároslo. Si quieres, puedo darte el nombre del camarero que quizás haya visto a ese tipo, y su número de teléfono.

Vivi Sundberg tomó nota.

–Gracias por llamar.

Concluida la conversación, Birgitta Roslin llamó a su jefe, Hans Mattsson. Tuvo que esperar un rato hasta que Mattsson atendió el teléfono. Le dijo que contaba con que le dieran el alta en su próxima visita al médico, dentro de unos días.

–Nos ahoga el trabajo –le aseguró el jefe–. O tal vez sea más propio decir que nos asfixia. Cuando se producen reducciones de presupuesto se acaba con los tribunales suecos. Es algo que jamás pensé que me tocaría vivir.

–¿Qué?

–Que le pusiéramos precio al Estado de derecho. Creía que la democracia no podía valorarse en dinero. Sin un sistema judicial eficaz, se acabó la democracia. Nos arrastramos. Los cimientos de esta sociedad crujen, se retuercen y se quiebran. Te aseguro que estoy muy preocupado.

–Bueno, no creo que yo sola pueda resolver todo eso, pero te prometo volver a hacerme cargo de mis juicios.

–Te recibiremos con los brazos abiertos.

Aquella noche cenó sola, pues Staffan tenía dos servicios y hacía noche en Hallsberg. Siguió hojeando los diarios. Lo único en lo que se detenía con verdadero entusiasmo eran las notas que cerraban el último de ellos. Estaban fechadas en junio de 1892. J.A. era ya un anciano. Vivía en una pequeña casa de San Diego y sufría dolores en las piernas y la espalda. Después de mucho regatear le compró a un viejo indio unas pomadas y unas hierbas que, en su opinión, eran lo único que lo aliviaban. Hablaba de su inmensa soledad, de la muerte de su esposa, y de sus hijos, que se habían mudado a vivir muy lejos, uno de ellos incluso a las tierras salvajes de Canadá. Ya no contaba nada del ferrocarril. Sin embargo, seguía siendo el mismo cuando describía a las personas. Los negros y los chinos continuaban resultándole odiosos. Le preocupaba que los negros o los amarillos se mudasen a una de las casas vecinas, que estaba en venta.

El diario terminaba en medio de una frase. El 19 de junio de 1892. Anota que ha estado lloviendo durante la noche. Le duele la espalda más que de costumbre. Aquella noche, había tenido un sueño.

Y ahí terminaba el relato. Ni Birgitta Roslin ni ninguna otra persona llegaría a saber nunca qué soñó.

Pensó en lo que Karin Wiman le había escrito el día anterior acerca del sendero que serpenteaba por su cabeza hacia un punto en el que, de repente, llegaría a su fin. Así fue aquel día de junio de 1892 en que todos los comentarios de desprecio que J.A. prodigaba sobre las personas de otro color acabaron de forma tan repentina.

Fue hojeando hacia atrás. No había indicios de que sospechase que iba a morir, nada de lo que se leía en sus notas anunciaba lo que sucedería. «Una vida», pensó Birgitta. «A mí podría sobrevenirme la muerte del mismo modo; mi diario, si hubiera escrito uno, también quedaría inconcluso. En realidad, ¿quién tiene tiempo de terminar su historia, de ponerle punto final antes de morir?»

Dejó los diarios en la bolsa de plástico y decidió devolverlos al día siguiente. Seguiría los sucesos de Hudiksvall igual que el resto de la gente.

Sacó de la estantería la lista de los jueces de distrito suecos. El de Hudiksvall se llamaba Tage Porsén. «Será el juicio de su vida», confirmó para sí misma. «Espero que le guste la publicidad.» Birgitta sabía que muchos de sus colegas detestaban e incluso temían enfrentarse a los periodistas y a las cámaras de televisión.

Al menos así eran los de su generación y los colegas de más edad; pero no sabía cómo encajaban la publicidad los jueces jóvenes.

El termómetro que había fuera, junto a la ventana de la cocina, indicaba que la temperatura había descendido. Se sentó ante el televisor para ver las noticias de la noche. Después se iría a dormir. El día que había pasado con Karin fue enriquecedor, pero también la dejó agotada.

Hacía varios minutos que habían empezado las noticias, sin embargo, comprendió enseguida que se había producido alguna novedad relacionada con el caso de Hesjövallen. Un periodista estaba entrevistando a un criminólogo tan prolijo como grave. Intentó enterarse de qué hablaban.

Después del criminólogo, aparecieron unas imágenes de Líbano. Lanzó una maldición y cambió al teletexto: enseguida supo lo ocurrido.

Lars-Erik Valfridsson se había suicidado. Aunque pasaban a controlarlo cada quince minutos, había tenido tiempo suficiente para rasgar en tiras una camiseta, fabricarse una cuerda y colgarse. Y por mucho que lo hubieran encontrado casi de inmediato, todos los intentos de reanimación fueron en vano.

Birgitta Roslin apagó el televisor. Las ideas se cruzaban en su mente como rayos. ¿Acaso no tuvo fuerzas para vivir con la culpa? ¿O sería un enfermo mental?

«Algo no encaja», concluyó. «Él no pudo cometer todos los asesinatos. Ignoro por qué se ha quitado la vida, por qué confesó y por qué le indicó a la policía el lugar donde hay enterrada una espada de samurái; pero, en el fondo, siempre he tenido la sensación de que no era él.»

Se sentó en el sillón de lectura, con la lámpara apagada. La habitación estaba en semipenumbra. Alguien que pasaba por la calle soltó una risotada. Aquél era su sillón de pensar. Acudía a él cuando necesitaba meditar sobre la sentencia que debía redactar o sobre cualquier otro tema relacionado con un juicio. Y también cuando sentía la necesidad de cavilar sobre su día a día y el de su familia.

Volvió al punto de partida. Las primeras reflexiones que se hizo cuando descubrió que existía un vago parentesco entre ella y todas las personas asesinadas aquella noche de enero. «Era demasiado», se dijo. «Tal vez no para que lo llevase a cabo un hombre solo y decidido y con el objetivo claro, pero sí para un tipo que vive en Hälsingland y sobre el que no pesan más que unas sentencias por agresión. Se ha confesado culpable de algo que no ha hecho. Después le brinda a la policía un arma de fabricación casera, y luego va y se cuelga en su celda. Cabe la posibilidad de que yo esté en un error, pero es indiscutible que aquí hay algo que no encaja. Lo atraparon demasiado rápido. Y, además, ¿qué tipo de venganza podía ser la que adujo como móvil?»

Era más de medianoche cuando se levantó del sillón. Sopesó la posibilidad de llamar a Staffan, pero pensó que tal vez ya estuviese dormido. Se fue a la cama y apagó la luz. Recorrió mentalmente el pueblo, sin poder dejar de pensar en la cinta roja hallada en la nieve, en la imagen del chino ofrecida por la cámara casera del hotel. «La policía sabe algo que yo ignoro, por qué detuvieron a Lars-Erik Valfridsson, y también tiene una idea del posible móvil. Sin embargo, están cometiendo el mismo error de costumbre: se limitan a seguir una sola línea de investigación.»

No conseguía conciliar el sueño y, cansada de dar vueltas en la cama, se levantó, se puso la bata y volvió a la planta baja. Se sentó ante su escritorio con la intención de redactar un resumen de todos los sucesos que ella relacionaba con Hesjövallen. Tardó cerca de tres horas en exponer detalladamente por escrito cuanto conocía, lo que había descubierto y sus vivencias. Mientras escribía la asaltó la creciente sensación de habérsele pasado por alto algo, que se le ofrecía un nexo entre dos cosas y que ella no era capaz de detectarlo. Era como si el bolígrafo fuese un rastrillo y ella tuviese que estar atenta a los cervatillos que quizás aguardasen amparados en el terreno. Cuando se irguió por fin y estiró los brazos, habían dado ya las cuatro de la mañana. Se llevó las notas al sillón de pensar, ajustó la lámpara y empezó a revisarlas desde el principio, intentando en todo momento leer entre sus propias líneas o quizá más bien tras ellas, para ver si había alguna piedra bajo la cual no hubiese mirado, algún vínculo que debería haber intuido con anterioridad. Ella no era policía y, por tanto, no estaba acostumbrada a buscar lagunas en los testimonios o las declaraciones de los sospechosos. Sin embargo, tenía experiencia a la hora de localizar contradicciones, trampas lógicas y, en numerosas ocasiones, había interrumpido en mitad de un juicio para hacerle al acusado una pregunta que, en su opinión, se le había pasado al fiscal.

No obstante, en su memorando, no había nada que, de pronto, la frenase en la lectura. Lo que consiguió fue, tal vez, reafirmarse en la idea de que aquello no podía ser obra de un desquiciado. Estaba demasiado bien organizado, con excesiva sangre fría, como para que lo hubiese ejecutado alguien que no fuese un asesino frío y sereno. Posiblemente, anotó en el margen, cabría preguntarse si el autor del crimen no habría visitado el lugar con anterioridad. Era de noche y estaba oscuro; cierto que podía ir provisto de una buena linterna, pero algunas de las puertas estaban cerradas con llave. Debía de poseer conocimientos precisos de quién vivía en cada casa y, probablemente, tenía las llaves. Y, ante todo, debía de tener un móvil muy claro y firme que le ayudó a no vacilar en ningún momento.

Ya cerca de las cinco de la mañana empezaron a escocerle los ojos. No cabía la menor duda, se decía. El que lo hizo sabía lo que lo aguardaba y no se detuvo ni un instante. Incluso se las arregló para enfrentarse con éxito a una situación inesperada, el niño que se interpuso en su camino. «No se trata de un criminal eventual que va de aquí para allá; su sangre fría tenía un objetivo concreto.»

«No vaciló», pensó. «Y existía la voluntad de causar dolor. Quería que las víctimas tuviesen tiempo de comprender qué les estaba pasando. Todas salvo una, el niño.»

De repente, una idea se cruzó por su mente, algo sobre lo que no había reflexionado con anterioridad. El hombre que había cometido los asesinatos, ¿les habría mostrado el rostro a las personas contra las que alzaba la espada o el sable? ¿Lo reconocieron? ¿Querría él que lo vieran?

«Ésta es una pregunta para Vivi Sundberg», concluyó. «¿Estaba la luz encendida en las habitaciones donde yacían los cadáveres? ¿Se verían cara a cara con la muerte antes de que cayese sobre ellos el arma?»

Dejó a un lado las notas, comprobó el termómetro y vio que la temperatura había descendido a ocho grados bajo cero. Bebió un vaso de agua y se fue a la cama. Pero..., justo cuando estaba a punto de caer vencida por el sueño, su conciencia la hizo emerger de nuevo a la superficie. Se le había pasado por alto algo. Dos de los muertos estaban atados el uno al otro. ¿De qué le sonaba aquella imagen? Se sentó en la cama, a oscuras y completamente despabilada. En algún lugar había leído una descripción similar.

De pronto, le vino a la memoria. Los diarios. En un apartado que sólo había hojeado de pasada leyó un episodio parecido. Fue a la planta baja, colocó todos los diarios sobre la mesa y se aplicó a la tarea de buscar el pasaje, que encontró casi de inmediato.

Año de 1865. El ferrocarril serpentea hacia el este, cada tablón, cada metro de raíl es una tortura. Las enfermedades se ceban en los trabajadores. Mueren como chinches. Pero la afluencia de nueva mano de obra del oeste salva el trabajo, que debe avanzar a marchas forzadas con el fin de que el gigantesco proyecto ferroviario no sufra un colapso financiero. En una ocasión, el 9 de noviembre, para ser exactos, J.A. oye hablar de un barco de esclavos chino procedente de Cantón. Se trata de un viejo velero que sólo se usa para enviar a California chinos secuestrados. El agua y la comida empiezan a escasear durante un largo periodo de calma chicha y se produce un motín a bordo. Para sofocar el motín, el capitán recurre a métodos de crueldad sin parangón. Incluso a J.A., que no duda en utilizar los puños y el látigo para incitar a sus trabajadores, le resulta conmovedor. El capitán selecciona a varios de los amotinados chinos muertos en el motín y los amarra con otros aún vivos. Los deja así atados sobre la cubierta, el uno corrompiéndose poco a poco, el otro muriéndose de hambre. J.A. deja constancia en su diario de que la «medida le parece desmesurada».

¿Podrían establecerse similitudes? Tal vez el uno se habría visto obligado a aguardar encadenado al cadáver del otro. Durante una hora o más, o quizá menos... Antes de que el hachazo final acabase con su vida...

«Esto se me pasó por alto», constató para sí. «Ahora la cuestión es si la policía de Hudiksvall hizo otro tanto. En todo caso, dudo mucho que prestasen atención a la lectura de los diarios antes de prestármelos.»

Asimismo, cabía hacerse otra reflexión, por más que, de entrada, no pareciese lógica. ¿Conocería el asesino los sucesos descritos en el diario de J.A.? ¿Estarían ante una conexión extraordinaria más allá del tiempo y el espacio?

Tampoco estaba de más plantearse la cuestión de por qué le habría prestado los diarios Vivi Sundberg. ¿Acaso confiaba en que Birgitta los leyese y le facilitase información si descubría algo importante? No era tan descabellado, puesto que la policía estaba desbordada de trabajo.

«Puede que Vivi Sundberg sea más lista de lo que yo pensaba», se dijo. «Puede que pretenda utilizar a la tozuda jueza que se empeña en mezclarse en la investigación.

»Incluso cabe la posibilidad de que Vivi Sundberg aprecie mi perseverancia. Una mujer que, probablemente, no siempre lo haya tenido fácil entre tantos colegas masculinos.»

Al final se acostó de nuevo. A Vivi Sundberg seguro que le interesaba aquel descubrimiento; en especial ahora que el supuesto asesino se había suicidado.

Durmió hasta las diez, se levantó y, al mirar el horario de Staffan, comprobó que estaría de vuelta en Helsingborg hacia las tres. Acababa de sentarse para llamar por teléfono a Vivi Sundberg, cuando llamaron a la puerta. Fue a abrir y se encontró con un chino de baja estatura que le alcanzaba una bolsa de comida.

–No he hecho ningún pedido –aseguró Birgitta perpleja.

–Es de parte de Li, de Hudiksvall –le explicó el hombre con una sonrisa–. No tiene que pagar nada. Li quiere que la llame. Tenemos una empresa familiar.

–¿El restaurante Shanghai?

El hombre volvió a sonreír.

–Restaurante Shanghai. Muy buena comida.

El hombre le dejó la bolsa con una leve inclinación y salió por la verja. Birgitta sacó la comida de la bolsa, inspiró disfrutando del aroma y la metió en el frigorífico antes de llamar a Li. En esta ocasión fue un hombre indignado quien atendió la llamada. Birgitta Roslin supuso que sería el famoso y malhumorado padre que solía trabajar en la cocina. Lo oyó llamar a Li, que acudió al teléfono.

–Gracias por la comida –le dijo Birgitta–. Ha sido una sorpresa.

–¿La has probado?

–Aún no. Esperaré hasta que llegue a casa mi marido.

–¿A él también le gusta la comida china?

–Mucho. Pero, dime, querías que te llamara.

–Sí, estuve pensando en el farolillo –comenzó la joven–. Y en la cinta roja que falta. Resulta que ahora sé algo que antes ignoraba. He hablado con mi madre.

–A ella no llegué a conocerla, ¿verdad?

–No, ella se queda en casa y sólo viene al restaurante a limpiar de vez en cuando. Pero siempre anota cuándo ha estado aquí. El once de enero vino a limpiar por la mañana, antes de abrir.

Birgitta Roslin contuvo la respiración.

–Me contó que, precisamente ese día, limpió todas las lámparas del restaurante. Y está segura de que no faltaba ninguna cinta. Dice que se habría dado cuenta.

–Podría haberse confundido, ¿no?

–¿Mi madre? No.

Birgitta Roslin sabía lo que aquello significaba. El mismo día en que el chino venido de fuera cenó en la mesa del restaurante no faltaba ninguna cinta de los farolillos. Y la que se encontró en Hesjövallen desapareció justo aquella noche. No cabía la menor duda de ello.

–¿Puede ser importante? –quiso saber Li.

–Podría serlo –aseguró Birgitta Roslin–. Gracias por contármelo.

Colgó el auricular, pero el teléfono volvió a sonar de inmediato. En esta ocasión, le trajo la voz de Lars Emanuelsson.

–No cuelgues –dijo el periodista antes de saludar siquiera.

–¿Qué quieres?

–Conocer tu opinión sobre lo sucedido.

–No tengo nada que decir al respecto.

–¿Te sorprendió?

–¿El qué?

–Que Lars-Erik Valfridsson fuese sospechoso.

–Sólo sé de él lo que dicen los periódicos.

–Pero los periódicos no lo dicen todo.

El periodista logró despertar su curiosidad.

–Maltrató a sus dos últimas esposas –le explicó Lars Emanuelsson–. La primera logró huir. Después, Valfridsson conoció a una señora de Filipinas a la que atrajo hasta aquí con un montón de falsas esperanzas. La estaba golpeando hasta casi matarla cuando unos vecinos dieron la alarma. Le valió una condena por malos tratos, pero hizo cosas peores.

–¿Como qué?

–Homicidio. Ya en 1977, muy joven. En una pelea por una moto. Le dio a un joven en la cabeza con una piedra. La víctima murió en el acto. En el examen de psiquiatría forense al que sometieron a Lars-Erik, el médico dejó claro que era posible que volviese a recurrir a la violencia. Seguramente pertenecía a ese grupo de personas que deben considerarse peligrosas para su entorno. De modo que no es de extrañar que la policía y el fiscal creyesen haber dado con el verdadero asesino.

–Pero, según tú, no fue así, ¿me equivoco?

–Bueno, he hablado con las personas que lo conocían. Lars-Erik había soñado siempre con ser un personaje célebre. Al parecer, iba haciéndole creer a la gente que había sido espía e hijo secreto del rey. La confesión de asesinato le daría la fama que buscaba. Lo único que no acabo de entender es por qué decidió acabar su representación antes de tiempo. Ahí se me derrumba la historia.

–¿Estás insinuando que no fue él?

–El tiempo lo dirá, pero ya sabes cómo pienso. Date por respondida. Ahora lo que más me interesa es saber a qué conclusiones has llegado tú. Y si coinciden con las mías.

–La verdad es que no le he dedicado al caso más atención que el resto de la gente. Parece mentira que todavía no comprendas que ya hace tiempo que me cansé de tus llamadas.

Lars Emanuelsson no hizo caso de sus palabras.

–Háblame de los diarios. Algo tendrán que ver con esta historia, ¿no?

–Deja de llamarme –dijo Birgitta antes de colgar.

El teléfono volvió a sonar de inmediato, pero ella no respondió. Aguardó cinco minutos y llamó a la comisaría de Hudiksvall. Tardaron en responder, pero, cuando lo hicieron, reconoció la voz de la joven, que sonó nerviosa y cansada. Vivi Sundberg no podía ponerse. Birgitta Roslin dejó su nombre y su número.

–No puedo prometer nada –le dijo la telefonista–. Esto es un caos.

–Lo comprendo. Dile que me llame cuando pueda.

–¿Es importante?

–Vivi Sundberg sabe quién soy. Tendrás que conformarte con esa respuesta.

Vivi la llamó al día siguiente. El escándalo de la prisión de Hudiksvall acaparaba las noticias. El ministro de Justicia hizo unas declaraciones en las que garantizaba que el suceso se investigaría a fondo y que se pedirían responsabilidades. Tobias Ludwig se zafaba como podía de las preguntas de los periodistas y de las cámaras de televisión. En cualquier caso, todos estaban de acuerdo en que había sucedido algo que se suponía imposible.

Vivi Sundberg parecía agotada. Birgitta Roslin decidió no preguntar sobre la nueva situación después del suicidio. Le habló, eso sí, de la cinta roja y de las reflexiones que había anotado en el margen del resumen que había hecho de los hechos.

Vivi Sundberg la escuchó sin comentar nada. Birgitta oía voces de fondo y pensó que no envidiaba en lo más mínimo la tensión que debía de reinar en la comisaría.

Birgitta Roslin terminó preguntándole si, en las habitaciones donde habían encontrado los cadáveres, las lámparas estaban encendidas.

–Pues, tienes razón –respondió Vivi Sundberg–. Nos extrañó, pero así era, estaban encendidas. Todas, menos una.

–La del niño, ¿verdad?

–Exacto.

–¿Habéis dado con alguna explicación?

–Comprenderás que no puedo hablar contigo de esto por teléfono.

–Sí, claro, disculpa.

–No importa. Pero quisiera pedirte un favor. Escribe lo que te hayan sugerido los sucesos de Hesjövallen. De la cinta roja me encargo yo. Escribe sobre lo demás y envíamelo.

–Lars-Erik Valfridsson no los mató –sentenció Birgitta Roslin.

Las palabras surgieron de su boca de forma inesperada, tanto para Vivi Sundberg como para ella misma.

–Envíame el relato de tus reflexiones –reiteró Vivi Sundberg–. Gracias por llamar.

–¿Y los diarios?

–Será mejor que nos los devuelvas ya.

Después de aquella conversación, Birgitta sintió un gran alivio. Pese a todo, sus esfuerzos no habían sido del todo en vano. Ahora ya podía dejar el asunto y, en el mejor de los casos, la policía daría un día con la pista del autor de los asesinatos y averiguaría si lo hizo solo o contó con la ayuda de algún cómplice. Y, desde luego, no le extrañaría que al final concluyesen que un hombre originario de China estaba involucrado en el caso.

Al día siguiente, Birgitta Roslin acudió a su médico. Era un frío día de invierno con viento racheado procedente del estrecho. Estaba impaciente por volver a trabajar.

No tuvo que aguardar más que unos minutos en la sala de espera.

El médico le preguntó cómo se encontraba y ella respondió que suponía que ya estaba bien. Una enfermera le extrajo una muestra de sangre y Birgitta se sentó a esperar.

Cuando volvió a entrar en la consulta, el médico comprobó su presión sanguínea y, acto seguido, fue derecho al grano.

–Puede que te sientas bien, pero sigues teniendo la tensión demasiado alta, de modo que tendremos que seguir investigando a qué se debe. Para empezar, te prolongaré la baja otras dos semanas. Y te daré un volante para el especialista.

Ya en la calle, con el gélido viento azotándole el rostro, comprendió realmente la situación. La posibilidad de padecer una enfermedad grave la llenó de preocupación, aunque el médico le había asegurado que no era el caso.

Se detuvo en la plaza, de espaldas al viento. Por primera vez en muchos años se sintió indefensa. No se movió hasta que el teléfono que llevaba en el bolsillo empezó a sonar. Era Karin Wiman para darle las gracias por su visita y charlar un rato.

–¿Qué haces? –le preguntó.

–Estoy en medio de una plaza. Y, en estos momentos, no tengo ni idea de qué voy a hacer con mi vida.

Después le habló de su visita al médico. Fue una conversación bastante fría. Le prometió que volvería a llamarla antes de su viaje a China.

Cuando cruzaba la verja de su casa, empezó a nevar. El viento soplaba con mayor intensidad y seguía siendo racheado.

23

Ese mismo día fue al juzgado para hablar con Hans Mattsson. Cuando le comunicó que seguía de baja, su jefe se mostró tan abatido como preocupado.

La observó pensativo por encima de las gafas.

–Creo que ya está bien, empieza a preocuparme tu salud.

–Según mi médico, no tienes por qué. Son los valores sanguíneos, que no están como deben, y la tensión, que la tengo alta. Me ha remitido a un especialista, pero no me siento enferma, sólo algo cansada.

–Sí, cansados lo estamos todos –aseguró Mattsson–. Yo llevo cansado casi treinta años. A estas alturas de la vida, mi mayor placer es no tener que madrugar.

–Estaré de baja otras dos semanas. Después, esperemos, ya me habré restablecido.

–Claro, estarás de baja el tiempo que necesites. Hablaré con la Dirección Nacional de Administración de Justicia para ver si pueden enviarnos ayuda. Como ya sabes, no eres la única que falta. Klas Hansson está de excedencia en Bruselas, investigando para la Unión Europea. Y no creo que vuelva. Siempre sospeché que a él lo que le interesaba no era presidir tribunales.

–Siento causar problemas.

–No eres tú, sino tu presión sanguínea la que causa problemas. Descansa y cuida tu rosal y vuelve cuando te hayas recuperado.

Birgitta lo miró extrañada.

–Pero, si yo no tengo ningún rosal... Es más, no se me dan nada bien las plantas.

–Es un dicho de mi abuela. Cuando no convenía trabajar demasiado, sino cuidar del propio rosal imaginario... A mí me parece una imagen muy hermosa. Mi abuela nació en 1879. El mismo año en que se publicó *La habitación roja,* de Strindberg. Qué idea más curiosa para una mujer como ella. Lo único que hizo en toda su vida, aparte de traer niños al mundo, fue zurcir calcetines.

–Bien, seguiré su consejo –aseguró Birgitta–. Me iré a casa a cuidar mi rosal.

Al día siguiente, Birgitta envió a Hudiksvall los diarios y sus comentarios al respecto. Cuando dejó el paquete en correos y se vio con el justificante en la mano, sintió que cerraba el capítulo de los sucesos de Hesjövallen. En un rincón de aquel tremendo y trágico suceso estuvieron presentes su madre y los padres adoptivos de ésta. Aquello había terminado y, claramente aliviada, se dedicó de lleno a los preparativos de la fiesta de cumpleaños de Staffan.

Y llegó el día en que casi toda la familia y algunos amigos aguardaban a que Staffan Roslin cruzara la puerta, después de dejar el tren de la tarde de Alvesta a Malmö y de volver a casa sin servicio en Helsingborg. Se quedó mudo y atónito en el umbral, enfundado en su uniforme y con el ajado gorro de piel, mientras lo felicitaban cantándole el *Cumpleaños feliz*. Para Birgitta fue muy agradable ver a su familia y a los amigos sentados en torno a la mesa. Lo sucedido en Hälsingland, así como su presión sanguínea, se le antojaron menos importantes al sentir la calma que sólo su familia podía infundirle. Claro que le habría gustado que Anna hubiese podido acudir desde Asia, donde se encontraba, pero cuando por fin consiguieron establecer una deficiente conexión por móvil con Tailandia, la joven dijo que le resultaba imposible. Acabaron bien entrada la noche, y al final, después de que se marchasen los otros invitados, sólo quedó la familia. Sus hijos eran jóvenes charlatanes que disfrutaban con ese tipo de encuentros. Ella y su marido escuchaban divertidos la conversación sentados en el sofá. De vez en cuando, Birgitta se levantaba para llenar las copas. Las gemelas Siv y Louise se quedarían a dormir, en tanto que David había reservado una habitación de hotel, pese a las protestas de Birgitta. Estuvieron charlando hasta las cuatro de la madrugada. Al final sólo quedaron ella y su marido. Retiraron la mesa y colocaron la vajilla en el lavaplatos y llevaron las botellas vacías al garaje.

–Menuda sorpresa –dijo Staffan cuando terminaron y se sentaron a la mesa de la cocina–. Jamás olvidaré este cumpleaños. Lo inesperado puede ser doloroso, pero hoy ha sido un regalo. Precisamente hoy, además, me dije que ya estaba un tanto harto de ir de acá para allá entre vagones de tren. Siempre estoy viajando, pero no llego a ninguna parte. Es la maldición del revisor y del conductor de tren. Un constante viajar en nuestra burbuja de cristal.

–Yo creo que deberíamos hacer esto más a menudo. Después de todo, en momentos así, la vida adquiere otras dimensiones, no sólo cumplir con el deber y ser de utilidad.

–¿Y ahora?
–¿A qué te refieres?
–Tienes otras dos semanas de baja. ¿Qué piensas hacer?
–Mi jefe, Hans Mattsson, me habló con pasión de su deseo de no madrugar. Tal vez pueda dedicarme a eso estos días.
–Vete de viaje a un lugar más cálido. Con alguna amiga.
Birgitta movió la cabeza, como pensándoselo.
–Puede, pero ¿con quién?
–¿Con Karin Wiman?
–Se va a China en viaje de trabajo.
–¿No tienes otra amiga a la que proponérselo? O quizá podrías irte con una de las gemelas.
La idea le resultó muy atractiva.
–Les preguntaré. Aunque antes voy a ver si en realidad me apetece emprender un viaje. No olvides que debo ir al especialista.
Staffan le puso una mano en el hombro.
–Me has dicho la verdad, ¿no? ¿Es cierto que no tengo por qué preocuparme?
–Sí. A menos que mi médico me haya mentido, pero no lo creo.
Permanecieron despiertos un rato más antes de irse a la cama. Cuando se despertó al día siguiente, Staffan y las gemelas ya se habían marchado. Había estado durmiendo hasta las doce. «Lo que tanto añora Hans Mattsson», se dijo. «Lo que él quiere son mañanas así.»
Habló por teléfono con Siv y Louise, pero ninguna de las dos disponía de tiempo para irse de viaje, aunque a ambas les apetecía mucho. A media mañana la llamaron para decirle que habían anulado una cita con el especialista, de modo que podía ir a dejar sus muestras para los análisis al día siguiente.
Hacia las cuatro de la tarde llamaron a la puerta. Se preguntó si sería otra entrega gratuita de comida china cuando, al abrir la puerta, se encontró con el comisario de la Policía Judicial Hugo Malmberg. Llevaba el pelo cubierto de nieve y un par de anticuadas botas de goma.
–Me encontré a Hans Mattsson por casualidad y me dijo que estabas enferma. Me lo dijo en confianza, puesto que sabe que nos conocemos bien.
Birgitta lo invitó a entrar. Pese a lo corpulento que era, se agachó y se quitó las botas sin problema.
Se tomaron un café en la cocina mientras ella le hablaba de su presión sanguínea y le decía que, a su edad, no era nada extraño.
–Yo tengo la tensión muy alta; es como si llevase dentro una bomba –le confesó Hugo Malmberg apesadumbrado–. Sigo un tratamiento

y mi médico dice que los valores sanguíneos están bien, pero a mí me preocupa. En mi familia, nadie ha muerto de cáncer. Todos, hombres y mujeres, han caído víctimas de ataques de apoplejía o de infarto. Mantengo una lucha diaria para no dejarme vencer por el miedo.

–Estuve en Hudiksvall –le contó Birgitta cambiando de tema–. Tú me proporcionaste el nombre de Vivi Sundberg, ¿te acuerdas? Pero no creo que supieras que al final fui allí.

–No, menuda sorpresa, la verdad.

–¿Recuerdas por qué te pregunté? Te comenté que soy pariente de una de las familias asesinadas en Hesjövallen, ¿no? Pues luego se supo que todas las víctimas eran parientes entre sí. ¿Tienes prisa?

–He dejado un mensaje en el contestador: estoy fuera, de servicio, el resto del día. Al no tener guardia, puedo quedarme aquí hasta mañana.

–¿Cómo se dice...? Hasta que se encierre a las vacas, ¿no?

–O hasta que pasen los cuatro jinetes del Apocalipsis y nos destruyan a todos, así que ya puedes empezar a entretenerme con todos los horrores que yo no tengo que investigar.

–¿Estás siendo cínico?

Hugo Malmberg frunció el ceño.

–¿Tan poco me conoces? Después de tantos años... Me duele que hables así.

–Perdona, no era mi intención herirte.

–Bueno, pues ya puedes empezar, te escucho.

Birgitta Roslin le contó lo sucedido, pues el interés que mostraba Hugo parecía auténtico. El comisario la escuchó atento, haciendo alguna que otra pregunta de vez en cuando, aunque parecía convencido de que Birgitta no pasaba por alto ningún detalle. Cuando hubo concluido, Hugo Malmberg guardó silencio durante un rato, mientras se observaba las manos. Birgitta sabía que todos lo consideraban muy competente en su trabajo, un profesional que combinaba paciencia y rapidez, método e intuición. Había oído que era uno de los profesores más solicitados por las academias de policía del país. Pese a estar destinado en Helsingborg, a menudo participaba en la Comisión Nacional de Homicidios, cuando se enfrentaban a investigaciones muy complejas en otras regiones del país.

De repente, a Birgitta se le antojó muy extraño que no lo hubiesen requerido para la investigación de los asesinatos de Hesjövallen.

Le preguntó por qué. Hugo Malmberg sonrió.

–La verdad es que me llamaron, pero nadie me comentó que tú anduviste por allí ni que hubieses descubierto cosas extrañas.

–Creo que no les gusté.

–Los policías suelen vigilar celosamente el plato del que comen. Querían que acudiese a colaborar con ellos, pero, cuando detuvieron a Valfridsson, perdieron todo interés.

–Pues ahora está muerto.

–La investigación prosigue.

–Y ahora sabes que no fue él.

–¿Tú crees que lo sé?

–Ya has oído lo que te he contado.

–Sí, unos sucesos extraños y unos hechos muy sugerentes. Todo lo cual debe investigarse a conciencia, claro está. Sin embargo, la pista principal, Valfridsson, no pierde interés sólo porque al individuo se le haya ocurrido quitarse la vida.

–Él no lo hizo. Lo que sucedió la noche del doce al trece de enero es de mayores dimensiones que lo que puede hacer alguien que ha sido condenado por malos tratos y un homicidio en su juventud.

–Puede que tengas razón. Y puede que no. Una y otra vez vemos cómo los peces más grandes suelen nadar en las aguas más tranquilas. El ladrón de bicicletas termina robando bancos, el camorrista se convierte en un asesino profesional que le quita la vida a cualquiera por una cantidad de dinero. Y alguna vez tenía que pasar también en Suecia, que alguien que comete un homicidio bajo los efectos del alcohol termina de estropearse y lleva a cabo una acción tan horrenda como lo de Hesjövallen.

–Pero ¿cuál es el móvil?

–El fiscal habló de venganza.

–¿Por qué? ¿Vengarse de un pueblo entero? No es lógico.

–Si el crimen en sí no lo es, tampoco tiene por qué serlo el móvil.

–Pues, a pesar de todo, yo creo que Valfridsson era una pista falsa.

–Sin embargo, aún es una pista falsa. ¿Qué acabo de decirte? La investigación continúa, aunque él esté muerto. A ver, dime, ¿acaso es tu historia sobre el chino mucho más verosímil? ¿Cómo relacionas un pequeño pueblo de Norrland con un móvil chino?

–No lo sé.

–Bueno, ya veremos. Lo que tienes que hacer es recuperar la salud.

Cuando Malmberg se disponía a marcharse, la nieve caía con más fuerza.

–¿Por qué no te vas de viaje a algún lugar más cálido?

–Sí, eso me dice todo el mundo.

Lo vio alejarse en medio de la nevada. La conmovió que hubiese dedicado su tiempo a hacerle una visita.

Al día siguiente cesó de nevar. Fue a la consulta del especialista, dejó las muestras para el análisis y le dijeron que tardarían más de una semana en tener los resultados.

–¿Algún tipo de recomendación? –le preguntó al nuevo facultativo.

–Evita los esfuerzos innecesarios.

–¿Puedo viajar?

–Sí, no hay problema.

–Otra pregunta, ¿tengo motivo para estar asustada?

–No, puesto que no presentas otros síntomas, no hay razón para preocuparse.

–O sea, que no voy a morirme.

–Por supuesto que vas a morirte. Cuando llegue el momento. Igual que yo. Pero no por ahora, si conseguimos bajar tu presión sanguínea a un nivel aceptable.

Ya en la calle, tomó conciencia de lo preocupada que había estado. Ahora se sentía más aliviada. Decidió dar un largo paseo, pero, después de recorrer tan sólo unos metros, se paró en seco.

La idea se le ocurrió sin más. O tal vez ya lo hubiese decidido de forma inconsciente. Entró en una cafetería y llamó a Karin Wiman. Comunicaba. Aguardó impaciente, pidió un café, hojeó un periódico. Volvió a intentarlo, pero seguía comunicando. Al quinto intento lo consiguió.

–Oye, me voy contigo a China.

Karin Wiman tardó unos segundos en reaccionar.

–¿Qué ha pasado?

–Sigo de baja, pero el médico dice que puedo viajar.

–¿Seguro?

–Sí, y todos me animan a que me vaya de viaje. Mi marido, mis hijos, mi jefe, todos. Así que he decidido que eso es lo que voy a hacer. Si aún estás dispuesta a compartir habitación conmigo.

–Salgo dentro de tres días, así que hay que darse prisa para conseguirte el visado.

–¡Ah! Cabe la posibilidad de que no funcione con tan poco margen.

–En condiciones normales lleva bastante tiempo, pero puedo tirar de algunos hilos... El billete te lo buscas tú.

–Recuerdo que dijiste que volabas con Finnair.

–Sí, te daré los números de vuelo. Puedo enviártelos en un mensaje al móvil, porque no los tengo aquí. Y, además, necesito urgentemente una fotocopia de tu pasaporte.

–Me voy a casa ahora mismo.

Varias horas más tarde ya le había enviado a Karin toda la documentación necesaria, aunque no consiguió plaza en el mismo vuelo. Tras varias conversaciones telefónicas, Birgitta decidió partir un día después que Karin. El congreso no habría empezado aún. Karin formaba parte del comité organizador que preparaba los distintos seminarios, pero le prometió escabullirse unas horas para ir a esperarla al aeropuerto.

Birgitta Roslin sintió los mismos nervios que a los dieciséis años, cuando viajó por primera vez al extranjero, a Eastbourne, Inglaterra, para perfeccionar el inglés.

–¡Por Dios! –exclamó al teléfono–. Ni siquiera sé qué temperatura hace allí. ¿Es invierno o verano?

–Invierno, igual que aquí. Nos encontramos prácticamente en la misma latitud. Pero aquél es un frío seco. A veces llegan tormentas procedentes de los desiertos del norte de Pekín, así que prepárate como para una expedición al Ártico. Hace muchísimo frío en todas partes, incluso en el interior de las casas. Ahora ha mejorado mucho la cosa, en comparación con la primera vez que fui. Entonces me alojé en uno de los mejores hoteles, pero tenía que dormir con la ropa puesta. Por la mañana me despertaban los chirridos de miles de bicicletas. Llévate ropa interior de abrigo. Y café. Aún no saben hacerlo. Bueno, eso no es del todo cierto, pero por si acaso. El café en los hoteles no suele ser tan fuerte como nos gusta aquí.

–¿Hay que llevar ropa elegante?

–Tú te librarás de los banquetes, pero siempre puedes llevar un vestido bonito.

–¿Cómo hay que comportarse? ¿Qué ropa no se debe llevar? Hubo un tiempo en que creí que lo sabía todo de China; pero era la versión de los rebeldes. En China la gente se dedicaba a desfilar, cultivar arroz y blandir el libro rojo de Mao. En verano nadaban dando grandes brazadas hacia el futuro, siguiendo la estela del gran timonel.

–De todo eso puedes olvidarte. Basta con que te acuerdes de llevar ropa interior de abrigo. Y dólares en billetes. Las tarjetas de crédito valen, pero no en todas partes. Unos zapatos cómodos. Allí es fácil resfriarse y no cuentes con que tengan los medicamentos que utilizas habitualmente.

Birgitta Roslin iba tomando nota. Acabada la conversación fue al garaje a sacar la mejor de sus maletas. Y por la noche le contó a Staffan su decisión. Quizá le sorprendió la noticia, pero no lo dejó traslucir. Para él, nadie mejor que Karin Wiman para acompañar a su esposa.

–A mí también se me ocurrió –confesó Staffan–. Cuando me dijiste que Karin se iba a China, así que no me pilla del todo desprevenido. ¿Qué te ha dicho el médico?

–Me dijo: ¡vete de viaje!

–Pues, en ese caso, yo te digo lo mismo. Pero llama a los niños y cuéntaselo, no sea que se preocupen.

Aquella misma noche los llamó, por orden de edad, a los tres a los que podía localizar. El único que tenía sus dudas era David. ¿Tan lejos y tan de repente? Ella lo tranquilizó explicándole que iba muy bien acompañada y que los doctores que la estaban tratando no habían opuesto ninguna objeción.

Buscó un plano y, con la ayuda de Staffan, logró localizar el hotel en el que iban a alojarse, el Dong Fan.

–Te envidio –admitió él de improviso–. Aunque, de jóvenes, tú eras la china y yo sólo un liberal asustadizo que creía que los cambios sociales podían lograrse con calma, siempre soñé con viajar allí. No a China, sino justo a Beijing. O a Pekín, pues para mí ése será siempre su verdadero nombre. Tengo la convicción de que el mundo tiene otro aspecto desde ese horizonte, si lo comparo con mis trenes a Alvesta y a Nässjö.

–Pues imagínate que me mandas a mí de exploradora. Y luego nos vamos los dos, en verano, cuando no haya tormentas de arena.

Vivió con una tensa excitación los días previos a su partida. Cuando Karin Wiman salió de Kastrup, Birgitta acudió al aeropuerto y aprovechó para recoger su billete. Se despidieron frente a la sala de embarque.

–Quizá sea mejor que no volemos el mismo día –opinó Karin–. Como soy un personaje importante para el congreso tengo un billete de primera, y no habría sido muy agradable ir en el mismo avión pero en distinta clase.

–Ahora estoy tan emocionada que, si fuera preciso, me montaría en un carromato. ¿Me prometes que irás a recogerme al aeropuerto?

–Allí estaré.

Por la noche, cuando Karin ya debería haber llegado a su destino, Birgitta Roslin fue al garaje a mirar en una caja de cartón en cuyo fondo encontró lo que buscaba: su viejo y desgastado ejemplar del libro de citas de Mao. En el interior del librito forrado de rojo había escrito: «19 de abril de 1966».

«Entonces era una niña», recordó. «Virgen en casi todos los terrenos. Tan sólo había estado una vez con un joven, Tore, de Borstahusen, que soñaba con ser existencialista y se quejaba de ser tan lampiño. Con él perdí la virginidad en una fría cabaña que olía a moho.

Lo único que recuerdo es su torpeza, casi insoportable. Después de aquello creció entre nosotros una sensación pegajosa que provocó que quisiéramos separarnos cuanto antes y que no nos mirásemos nunca más a los ojos. Aún me pregunto qué les diría de mí a sus amigos. Yo no recuerdo qué les conté a los míos. En cualquier caso, la virginidad política era tan importante como aquella otra. Hasta que llegó la tormenta roja, que me arrastró consigo. Sin embargo, nunca fui consecuente con mi aprendizaje del mundo. Después del periodo con los rebeldes me escondí. Nunca conseguí comprender por qué me dejé llevar y me metí en lo que era casi una secta. Karin se pasó al partido de izquierdas. Yo, en cambio, me afilié a Amnistía Internacional, y, ahora, a nada de nada.»

Se sentó sobre unos neumáticos amontonados y empezó a hojear el librito. Una fotografía se deslizó de entre sus páginas. Eran ella y Karin Wiman. Recordaba el día en que se la hicieron. Se apretujaron en un fotomatón de la estación de Lund; como de costumbre, por iniciativa de Karin, que introdujo las monedas en la ranura y salió enseguida a esperar que apareciera la serie de instantáneas. Al ver la foto, Birgitta se echó a reír de buena gana, aunque la asustó la distancia. Aquella parte del sendero quedaba ya tan lejos que apenas se animaba a evocar el trayecto recorrido desde entonces.

«Ese viento gélido», se dijo. «La vejez, que se me acerca de puntillas por la espalda.» Guardó el libro en el bolsillo y salió del garaje. Staffan acababa de llegar a casa. Se sentó con él en la cocina mientras él cenaba lo que ella le había preparado.

–¿Estás lista, soldado de la guardia roja? –bromeó Staffan.

–Acabo de ir a buscar mi pequeño ejemplar del libro rojo.

–Especias –dijo Staffan de pronto–. Si quieres traerme un regalo, compra especias. Siempre he creído que en China hay aromas y sabores que no existen en ningún otro lugar.

–¿Qué otra cosa quieres que te traiga?

–A ti. Sana y contenta.

–Pues creo que eso puedo prometértelo.

Se ofreció a llevarla a Copenhague al día siguiente, pero ella le dijo que era suficiente con que la dejase en la estación de ferrocarril. Birgitta estuvo muy nerviosa toda la noche, se la pasó yendo y viniendo a por un vaso de agua tras otro. Había ido siguiendo el devenir de los sucesos de Hudiksvall en el teletexto. Cada vez era más la información que salía a la luz sobre Lars-Erik Valfridsson, aunque nada que aclarase por qué la policía creía que él había cometido la masacre. La indignación por el hecho de que había conseguido suicidarse había llegado al Parlamento bajo la forma de una airada protesta presentada al ministro de Justicia. El único que aún mantenía la calma era Robertsson, por quien Birgitta sentía un creciente respeto. El fiscal insistía en que la investigación continuaba su proceso, aunque el supuesto asesino estuviese muerto. Sin embargo, también había empezado a indicar que la policía trabajaba con otras pistas sobre las que no podía revelar ningún detalle.

«Ahí tenemos a mi chino», concluyó Birgitta. «Y mi cinta roja.»

Varias veces estuvo tentada de llamar a Vivi Sundberg para hablar con ella, pero se abstuvo. En ese momento lo más importante era el sugerente viaje que la aguardaba.

Hacía una hermosa y clara mañana de invierno el día en que Staffan Roslin condujo a su esposa a la estación de ferrocarril y se despidió de ella mientras el tren se alejaba del andén. Facturó sin problemas en Kastrup, le asignaron un asiento en el pasillo, tal y como ella quería, tanto de ida a Helsinki como de allí a Pekín. Cuando el avión despegó de Kastrup, sintió como si se liberase de una especie de cadena y le sonrió al anciano finlandés que ocupaba el asiento contiguo. Cerró los ojos, no probó nada en todo el viaje a Helsinki y volvió a pensar en la época en que China representaba para ella el paraíso, terrenal y soñado. La sorprendía la cantidad y la ingenuidad de todas aquellas extrañas ideas preconcebidas que se había forjado entonces, entre las que se incluía creer que, en un momento dado, el pueblo sueco estaría dispuesto a rebelarse contra el sistema establecido. ¿De verdad llegó a creérselo o, simplemente, se dedicó a participar en un juego?

Birgitta Roslin evocó el campamento de verano de 1969, en Noruega, adonde unos camaradas noruegos las invitaron a ella y a Karin. Todo debía desarrollarse en el más absoluto secreto. Nadie debía saber dónde se organizaba el campamento. A todos los participantes (no se sabía exactamente qué otros camaradas iban a participar) se les asignó un alias y, para desconcertar más aún al siempre vigilante enemigo de clase, se cambiaba el sexo con dicho alias. Aún recordaba que, durante todo el campamento, ella se llamó Alfred. Le habían dicho que tomara un autobús hasta Kongsberg y que se bajase en una parada determinada, adonde irían a buscarla. Mientras aguardaba en la solitaria parada de autobús bajo una intensa lluvia, pensó que tendría que neutralizar la oposición entre la lluvia y su estado de ánimo con paciencia revolucionaria. Por fin llegó una furgoneta, que se detuvo en la parada. Al volante iba un joven que se presentó quedamente como Lisa y que le pidió que subiese al vehículo. Habían instalado el campamento en un campo abandonado cubierto de maleza, con las tiendas montadas en hileras. Consiguió cambiarse a la tienda de Karin Wiman, a la sazón Sture, y todas las mañanas hacían ejercicios gimnásticos ante una ola de ondeantes banderas rojas. Vivió toda aquella semana en una tensión constante por temor a cometer un fallo o decir algo inconveniente, o sea, a comportarse de un modo contrarrevolucionario. El instante decisivo, en el que sintió un miedo atroz y estuvo a punto de desmayarse, llegó cuando le pidieron que se pusiera de pie para presentarse, bajo el nombre de Alfred, claro está, y que contase a qué se dedicaba en la vida civil tras la cual ocultaba que, en realidad, había elegido la dura opción de convertirse en una revolucionaria profesional. Pero salió airosa, no se vino abajo y supo que su victoria había sido total cuando Kajsa, uno de los jefes del campamento, un hombre de unos treinta años, corpulento y lleno de tatuajes, se levantó a darle una palmadita en el hombro.

Ahora, sentada en el avión rumbo a Helsinki, con los ojos cerrados, pensó que cuanto había sucedido en aquella época le provocó un miedo permanente. Cierto que hubo momentos en los que se sintió partícipe de algo que cambiaría la dirección del eje terrestre; pero, por lo general, siempre estuvo asustada.

Pensaba preguntarle a Karin si también ella lo había vivido así, si también ella sentía miedo entonces. Desde luego, no se le ocurría mejor escenario que China, el paraíso soñado, para obtener respuesta a esa pregunta. Además, quizás ahora comprendería mucho mejor aquello que un día marcó toda su existencia.

Cuando el avión inició el aterrizaje en Helsinki y las ruedas chocaron contra el asfalto, se despertó. Disponía de dos horas hasta la salida del avión a Pekín. Se sentó en un sofá que había bajo un avión antiguo que decoraba el techo de la terminal de salidas. En Helsinki hacía frío. A través de los grandes ventanales que daban a las pistas de aterrizaje veía el vaho del personal de tierra del aeropuerto. Pensó en la última conversación mantenida con Vivi Sundberg hacía unos días. Birgitta le preguntó si habían sacado alguna imagen fija de la cámara de vigilancia. Vivi Sundberg le respondió que sí, pero no se extrañó cuando Birgitta le pidió que le enviase una fotografía del chino. Al día siguiente recibió por correo una ampliación que ahora llevaba en el bolso. La sacó del sobre.

«Estás ahí, entre decenas de miles de personas», pensó Birgitta Roslin. «Pero no conseguiré dar contigo. Nunca sabré quién eres. Si diste tu verdadero nombre. Y, ante todo, qué hiciste.»

Muy despacio, empezó a dirigirse a la puerta de embarque del avión para Pekín, junto a la que ya había pasajeros esperando. La mitad eran chinos. «Aquí comienza una porción de Asia», se dijo. «En los aeropuertos se desdibujan las fronteras, se acercan y, al mismo tiempo, se alejan.»

Tenía el asiento 22 C. A su lado viajaba un hombre de piel oscura que trabajaba para una empresa británica en la capital china. Intercambiaron unas frases de cortesía, pero ni él ni Birgitta Roslin tenían el menor interés por profundizar en la conversación. Se acurrucó bajo la manta y se dio cuenta de que el nerviosismo había dado paso a la sensación de haber emprendido el viaje sin estar convenientemente preparada. En realidad, ¿qué iba a hacer ella en Pekín? ¿Deambular por las calles, observar a la gente y visitar museos? Karin Wiman no podría dedicarle mucho tiempo. Pensó que aún llevaba dentro una rémora de la rebelde insegura que fue en su juventud.

«He emprendido este viaje para verme a mí misma», constató. «No voy a la absurda caza de un chino que se llevó una cinta roja del farolillo de un restaurante antes de, seguramente, asesinar a diecinueve personas. He empezado a atar todos los cabos sueltos de los que se compone la vida de una persona.»

Hacia la mitad de las siete horas de viaje, empezó a sentir entusiasmo. Tomó varias copas de vino y comió el plato que le sirvieron, cada vez más impaciente por llegar.

Sin embargo, la llegada no resultó como ella había imaginado. Tan pronto como entraron en territorio chino, el capitán les comunicó que, debido a una tormenta de arena, era imposible aterrizar en Pekín por el momento. Aterrizarían en la ciudad de Taiyuan, a la espera de que mejorase el tiempo. Cuando el avión tomó tierra, los llevaron en autobús hasta una fría sala de espera donde montones de chinos arropados con mantas aguardaban en silencio. Se sentía fatigada a causa del cambio horario. No estaba muy segura de cuál era su primera impresión de China. El paisaje oculto bajo la nieve, las colinas que rodeaban el aeropuerto, los autobuses y los carros de bueyes que circulaban por una carretera cercana a la zona aeroportuaria.

Dos horas después había empezado a remitir la tormenta en Pekín. El avión despegó y volvió a aterrizar. Una vez pasados todos los controles, vio a Karin, que estaba esperándola.

–La llegada del rebelde –bromeó su amiga–. ¡Bienvenida a Pekín!

–Gracias, aunque aún no he tomado conciencia de dónde me encuentro.

–Estás en el Reino del Centro. En el centro del mundo. En el centro de la vida. Venga, nos vamos al hotel.

Aquella primera noche, desde la décima novena planta del hotel, en la habitación que compartía con Karin, contempló el resplandor de la gigantesca ciudad y sintió un escalofrío de excitación.

En otro rascacielos y al mismo tiempo, un hombre observaba la misma ciudad y las mismas luces que Birgitta Roslin.

Tenía en la mano una cinta roja. Al oír unos leves golpes en la puerta, se volvió despacio y recibió a la visita a la que con tanta impaciencia había estado esperando.

El juego chino

24

La primera mañana en Pekín, Birgitta Roslin salió temprano. Desayunó en el inmenso comedor en compañía de Karin Wiman, que se marchó enseguida a su seminario no sin antes haberle confesado su entusiasmo y su deseo de oír todo lo que los expertos tuviesen que decir sobre los antiguos emperadores, un tema que apenas interesaba a la gente normal. Para Karin Wiman, la Historia estaba, en más de un sentido, más viva que la realidad en la que se desarrollaba su existencia.

–Cuando era joven y rebelde, durante aquellos meses horribles de la primavera y el verano del sesenta y ocho, vivía en una ilusión, casi como si hubiese estado inmersa en una secta religiosa. Después huí para refugiarme en la Historia, pues ésta no podía causarme ningún daño. Quizá no tarde en estar preparada para vivir en la misma realidad que tú.

A Birgitta Roslin no le resultó imposible discernir de inmediato entre la verdad y la ironía de sus palabras. Cuando dejó el comedor, bien abrigada para atreverse a salir al crudo y seco frío del exterior, las palabras de Karin Wiman seguían resonando en su memoria. ¿No podría aplicárselas a sí misma?

Llevaba un plano que le había dado en recepción una joven muy hermosa que hablaba inglés casi sin acento. De repente, recordó una cita: «El auge actual del movimiento campesino es un acontecimiento enorme». Era una cita de Mao que siempre salía a colación durante los violentos debates en la primavera del 68. El movimiento de izquierda radical al que se vieron arrastradas tanto ella como Karin Wiman sostenía que las ideas o las citas de Mao, recogidas en el pequeño libro rojo, eran el único argumento necesario, ya fuese para elegir el menú de la cena o para estudiar el modo de hacer comprender a la clase trabajadora sueca que estaba siendo sobornada por los capitalistas y sus aliados los socialdemócratas y que debían tomar conciencia de su misión histórica y su obligación de armarse para la lucha. Birgitta recordaba incluso el nombre del predicador, Gottfred Appel, que ella llamaba Äpplet,

La manzana, de forma un tanto irreverente, aunque sólo ante gente de confianza, como Karin Wiman.

«El auge actual del movimiento de los agricultores es un acontecimiento enorme.» Aquellas palabras seguían reverberando en su cerebro cuando salió del hotel, cuya entrada vigilaba un par de hombres muy jóvenes, mudos y enfundados en sus uniformes verdes. La calle que se extendía ante su vista era muy ancha, con muchos carriles. Por todas partes había coches y casi ninguna bicicleta, estaba flanqueada por grandes edificios bancarios y financieros y había también una enorme librería de cinco plantas. Ante la puerta de un comercio vio a gente que llevaba grandes bolsas de plástico llenas de botellas de agua. No había recorrido muchos metros cuando empezó a sentir la polución en la garganta y la nariz y un sabor metálico en la boca. Donde no había edificios, se alzaban altas grúas moviendo sus brazos de un lado a otro, y comprendió que se hallaba en una ciudad en acelerada transformación.

Un hombre solitario que tiraba de un carro sobrecargado de algo que parecían jaulas vacías para gallinas se le antojó totalmente fuera de contexto. De no ser por esa imagen, habría podido pensar que se encontraba en cualquier parte del mundo. «El eje terrestre va girando con la ayuda de la fuerza mecánica», se dijo. «Cuando yo era joven, recreaba en mi interior imágenes de miríadas de chinos ataviados con el mismo tipo de ropa acolchada que, con azadas y palas, rodeados de banderas rojas y recitando a coro sus divisas, transformaban las altas montañas que los rodeaban en fértil tierra de cultivo. Siguen siendo una masa ingente, pero al menos en Pekín y en esta calle la gente no viste de un modo distinto al resto del mundo y, desde luego, no llevan en las manos palas ni azadas. Ni siquiera van en bicicleta, sino en coche, y las mujeres caminan por las aceras sobre elegantes zapatos de tacón.»

Pero ¿qué esperaba? Hacía casi cuarenta años de la primavera y el verano del 68, del miedo o incluso el terror de no ser lo suficientemente ortodoxo y del repentino desenlace que se produjo en el mes de agosto, del subsiguiente alivio y, después, el gran vacío... Era como si hubiese caminado por un espinoso bosque plagado de arbustos que la condujo a un frío y tenebroso desierto.

A finales de la década de 1980, ella y Staffan emprendieron un viaje a África en el que, entre otros países, visitaron las cataratas Victoria, en la frontera entre Zambia y Zimbabue. Tenían amigos que trabajaban como cooperantes en el Cinturón de Cobre de Zambia e invirtieron parte del tiempo del viaje en una especie de safari. El día que visitaron la zona del río Zambeze, Staffan propuso de pronto que hiciesen un descenso por los rápidos de las cataratas Victoria. Ella aceptó, aunque palideció al día siguiente, cuando se reunieron en la orilla para recibir información, conocer al guía de los botes de goma y firmar un documento en el que declaraban que eran conscientes del riesgo que entrañaba la aventura y lo asumían. Después del primer rápido, considerado como uno de los más sencillos y menos duros, Birgitta comprendió que no había sentido tanto miedo en su vida. Pensaba que, tarde o temprano, se meterían en uno de los rápidos, ella se quedaría bajo el bote de goma y se ahogaría. Staffan iba sentado sujetando el cabo que rodeaba la Zodiac con una sonrisa insondable pintada en los labios. Después, cuando todo hubo pasado y ella por poco no se desmayó del alivio, él aseguró que apenas había pasado miedo. Fue una de las pocas veces a lo largo de su matrimonio en que ella se dio cuenta de que le estaba mintiendo; pero no se lo discutió, feliz de que el bote no hubiese volcado en ninguno de los siete rápidos.

Ahora, ante la puerta del hotel, pensó que justamente así, como durante aquel viaje por aguas salvajes, se sintió en la primavera del 68 cuando, junto con Karin, entró en el movimiento rebelde que, completamente en serio, creía que las «masas» suecas no tardarían en levantarse y emprender la lucha armada contra los capitalistas y los socialdemócratas, traidores a su clase.

Desde la misma puerta del hotel contempló cómo se extendía la ciudad ante sus ojos. Los policías, con sus uniformes azules, trabajaban por parejas para hacer fluir el intenso tráfico. Uno de los sucesos más absurdos de aquella primavera de rebelión acudió a su memoria. Ella formaba parte del grupo de las cuatro personas encargadas de elaborar una propuesta de resolución sobre una cuestión que ya no recordaba. Tal vez relacionada con la aspiración de destruir el movimiento del Frente de Liberación Nacional que, a lo largo de los años, había ido fortaleciéndose en Suecia como movimiento popular, en contra de la guerra de Estados Unidos en la lejana Vietnam. Terminaron la resolución, encabezada por las siguientes palabras: «En una reunión multitudinaria celebrada en Lund, se adoptó la siguiente decisión».

¿Una reunión multitudinaria de cuatro personas? ¿Cuando la realidad que se ocultaba tras «el auge actual del movimiento campesino» abarcaba a cientos de millones de personas movilizadas? ¿Cómo podían considerarse una reunión multitudinaria tres estudiantes y un aprendiz de boticario de Lund?

Karin Wiman era uno de aquellos cuatro, pero, en tanto que Birgitta no pronunció una sola palabra durante la elaboración de la resolución y guardó silencio atemorizada y apartada en un rincón, deseando hacerse invisible, Karin iba mostrando aquí y allá su acuerdo con lo que decían los demás, puesto que, según ella, habían hecho un «correcto análisis» del asunto. En la época en que las masas suecas debían echarse a las plazas a gritar las palabras del gran guía chino, en la imaginación de Birgitta todos los chinos vestían amplios uniformes grises, todos iban tocados con la misma gorra, llevaban el pelo cortado del mismo modo y las frentes arrugadas de seriedad.

De vez en cuando, el día en que recibía un ejemplar del diario gráfico *China*, la llenaban de admiración las personas de aspecto saludable que, con encendidas mejillas y ojos brillantes, alzaban los brazos hacia aquel dios que había descendido de los cielos, el Gran Timonel, el Eterno Maestro y todo lo demás, el misterioso Mao. Sin embargo, ya había dejado de ser tan misterioso, según se había demostrado después. Fue un político que comprendió con una perspicacia asombrosa lo que estaba sucediendo en el gran imperio chino. Hasta la independencia en 1949 fue uno de esos líderes únicos que la Historia da a luz de vez en cuando. Más tarde, su ejercicio del poder supuso mucho sufrimiento, caos y desconcierto; pero nadie podía negarle el haber sido quien, como un emperador moderno, sentó las bases de la China que en la actualidad se convertía en una potencia mundial.

Y allí, ante el reluciente hotel de pórtico de mármol y sus elegantes recepcionistas de inglés impecable, Birgitta se sentía como si la hubiesen transportado a un mundo del que no había tenido noticia nunca. ¿Era aquélla, en verdad, la sociedad en que el auge del movimiento campesino había supuesto tan gran acontecimiento?

«Ya han pasado cuarenta años», constató. «Más de una generación. Entonces me atrajo una especie de secta que prometía la salvación, igual que la miel atrae a las moscas. No nos exhortaban al suicidio colectivo porque el día del juicio ya estaba cerca, sino a renunciar a nuestra identidad a favor de un delirio colectivo en el que un librito rojo había sustituido cualquier otro tipo de conocimiento. En él se encontraba toda la sabiduría, las respuestas a todas las preguntas, la expresión de todas las visiones sociales y políticas que el mundo necesitaba para pasar del estadio en que entonces se hallaba a, de una vez por todas, crear el paraíso en la tierra, en lugar de en el cielo remoto. Lo que no comprendimos, no obstante, fue que el texto se componía, de hecho, de palabras vivas. Las citas no estaban grabadas en piedra. Describían la realidad. Las leíamos sin entender su alcance, sin interpretarlas; como si el librito rojo fuese una catequesis muerta, una liturgia revolucionaria.»

Echó un vistazo al plano y empezó a caminar calle arriba. Ignoraba cuántas veces se había imaginado a sí misma en aquella ciudad. Aunque entonces, en su juventud, se veía marchando junto con otros miles como ella, un rostro anónimo engullido por un colectivo al que ninguna fuerza capitalista fascistoide podría oponerse. Ahora, en cambio, caminaba por ella como una jueza sueca de mediana edad, de baja médica a causa de la presión sanguínea. ¿Había llegado tan lejos que sólo le faltaban unos kilómetros para alcanzar la meca soñada en su juventud, el gran espacio desde el que Mao saludaba a las masas y, al mismo tiempo, a unos estudiantes que participaban en el encuentro multitudinario sentados en el suelo de un apartamento de Lund? Por más que aquella mañana se sintiese desconcertada ante una imagen que en modo alguno se correspondía con sus expectativas, era como el peregrino que por fin alcanza el objetivo soñado. Hacía un frío seco y cortante y caminaba encogida para protegerse de las ráfagas de viento que, de vez en cuando, le azotaban el rostro mezcladas con arena. Llevaba el plano en la mano, pero sabía que, para llegar al lugar deseado, lo único que tenía que hacer era seguir derecho toda aquella gran avenida.

Pero esa mañana pululaba en su cabeza otro recuerdo. Su padre había estado en China en una ocasión, mientras trabajó de marinero antes de perecer en las corrientes del golfo de Gävle. Y Birgitta recordaba la figurilla de Buda que le había traído a su madre. Ahora estaba sobre una mesa en casa de David, que se la pidió en una ocasión. Durante sus años de estudiante, su hijo contempló el budismo como una posible salida de una crisis juvenil provocada por la sensación de que nada tiene sentido. Salvo en aquella ocasión, jamás le había oído a David manifestar interés alguno por la religión, pero seguía conservando la figurilla de madera. En realidad, Birgitta no sabía quién le había contado que procedía de China y que la había traído su padre. Quizá su tía, cuando ella aún era muy pequeña.

De improviso, mientras caminaba por la calle, sintió muy próxima la figura de su padre, pese a que no creía que hubiese visitado Pekín, sino más bien alguna de las grandes ciudades portuarias del país durante una de las travesías en que no sólo transitaba el Báltico.

«Somos como una diminuta e invisible procesión de roedores», se dijo. «Mi padre y yo, en esta gélida mañana y en este Pekín gris y extraño.»

Le llevó más de una hora llegar a la plaza de Tiananmen. Era la más grande que había visto en su vida. Se accedía a ella por un camino peatonal que discurría bajo Jiangumennei Daije. Rodeada de miles de personas, empezó a caminar por la plaza. Por todas partes se veía gente haciendo fotografías y blandiendo banderitas y vendedores de agua y de tarjetas postales.

Se detuvo y miró a su alrededor. El cielo estaba brumoso, faltaba algo... Tardó un rato en caer en la cuenta.

Pajarillos. O palomas. No había ni rastro; sin embargo, sí había gente por todas partes, gente que advertía tan escasamente su presencia como notaría su repentina desaparición.

Recordaba las imágenes de 1989, cuando los estudiantes manifestaron sus exigencias de mayor libertad de pensamiento y de expresión, y el desenlace, cuando los carros de combate entraron rodando en la plaza masacrando a muchos de los manifestantes. «Aquí hubo una vez un hombre con una bolsa de plástico blanca en la mano», se dijo. «Todo el mundo lo vio por televisión, conteniendo el aliento. Se colocó ante un carro de combate y se negó a retirarse. Como un pequeño e insignificante soldado de plomo, su figura concretaba toda la oposición que un ser humano es capaz de concitar. Cuando intentaban pasar a su lado, el hombre se cambiaba de sitio. Birgitta no sabía qué sucedió al final, pues jamás vio esa imagen. Sí sabía, en cambio, que cuantos habían muerto aplastados por los carros de combate o por los disparos de los soldados eran personas de carne y hueso.

En su relación con China, esos sucesos eran el otro punto de partida. Desde su época de rebelde, en la que, en nombre de Mao Zedong, sostenía la absurda opinión de que la revolución ya había empezado en Suecia entre los estudiantes en la primavera del 68, hasta la imagen del joven ante el carro de combate se comprendía una gran parte de su vida, que abarcaba un largo espacio de tiempo de más de veinte años durante los que pasó de ser una joven idealista a madre de cuatro hijos y, después, jueza. Siempre había tenido presente la idea de China. Al principio, como un sueño; después, como algo que no entendía en absoluto, por su magnitud y sus contradicciones. Con sus hijos tuvo la oportunidad de vivir una concepción del todo distinta de China. Allí estaban para ellos las grandes posibilidades de futuro, igual que el sueño de América había marcado la generación de sus padres y la suya propia. David la sorprendió no hacía mucho al contarle que, cuando tuviese niños, pensaba buscarles una niñera china, para que aprendieran el idioma desde pequeños.

Paseó por Tiananmen, observando a la gente haciéndose fotos, a los policías, siempre presentes. Al fondo se alzaba el edificio desde el que Mao proclamó la república en 1949. Empezó a sentir frío y emprendió el camino de regreso al hotel. Karin le había prometido no asistir a uno de los almuerzos organizados y comer con ella.

Había un restaurante en la última planta del rascacielos en el que se alojaban. Les dieron una mesa con vistas, desde donde podían admirar la inmensa ciudad. Birgitta le habló de su paseo hasta la gran plaza y compartió con ella parte de sus reflexiones.

–¿Cómo podíamos creer en aquello?

–¿En qué?

–En que Suecia estaba al borde de una guerra civil que conduciría a la revolución.

–Uno cree cuando sabe poco. Como nosotras entonces. Y, además, nos alimentamos de las mentiras que nos contaban quienes nos engañaron. ¿Recuerdas a aquel español?

Birgitta se acordaba de él perfectamente. Uno de los líderes del movimiento rebelde era un español muy carismático que había estado en China en 1967 y que había visto la marcha de la Guardia Roja. Nadie se habría atrevido a rebatir el relato de un testigo presencial como él.

–¿Qué fue de él?

Karin Wiman meneó la cabeza.

–No lo sé. Cuando el movimiento quedó aplastado, desapareció. Oí que terminó en Tenerife vendiendo sanitarios. Puede que ya haya muerto o que se hiciera religioso, que es lo que en realidad era entonces. Creía en Mao como se cree en Dios. Quién sabe, quizá sentó la cabeza en su trabajo político. Podría decirse que brilló durante unos pocos meses y alteró gravemente las vidas de muchas personas movidas por su buena voluntad.

–Yo tenía siempre tanto miedo... A no dar la talla, a no saber lo suficiente, a dar opiniones poco meditadas, a verme obligada a la autocrítica.

–Como todos. Menos el español, quizá, pues él era el infalible. Era el hijo que Dios envió a la Tierra con el libro de Mao en la mano.

–Pero tú te enterabas más que yo. Tú recapacitaste después y entraste en un partido de izquierdas, un partido con los pies en la tierra.

–Bueno, no era tan sencillo. Allí tenían otro catecismo. Aún dominaba la visión de la Unión Soviética como una especie de ideal social. Y no tardé mucho en sentirme extraña allí también.

–Ya, puede, pero fue mejor que retirarse del todo, como hice yo.

–Nos separamos, simplemente. Aunque no sé por qué.

–Supongo que no teníamos nada de que hablar. Se nos escapó el aire. Durante unos años, yo me sentí como una cáscara vacía.

Karin alzó la mano.

–Alto, no empecemos a despreciarnos a nosotras mismas. Después de todo, nuestro pasado es el que tenemos y no todo lo que hicimos fue negativo.

Degustaron una serie de platos chinos y terminaron con un té. Birgitta sacó el folleto con los caracteres escritos a mano que Karin había interpretado como el nombre del hospital Longfu.

–Pensaba invertir la tarde en visitar ese hospital –le dijo.

–¿Por qué?

–Siempre está bien ponerse un objetivo cuando uno deambula por una ciudad extraña. En realidad, no importa cuál. Si vas sin un plan, los pies terminan agotándose. No tengo a nadie a quien visitar y nada que de verdad desee ver; pero puede que encuentre un letrero con estos caracteres. Entonces te diré que tenías razón.

Se despidieron al salir del ascensor. Karin iba con prisa para llegar a tiempo a su seminario. Birgitta se quedó un rato en su habitación de la décima novena planta y se echó a descansar un momento.

Ya durante el paseo matinal había experimentado un desasosiego que no era capaz de abarcar. Rodeada de todas aquellas personas que se apretujaban por las calles, o sola en el anónimo hotel de la gran ciudad de Pekín, se sentía como si su identidad empezase a difuminarse. ¿Quién la echaría de menos allí si se perdiese? ¿Quién se percataría siquiera de su existencia? ¿Cómo podía vivir la gente cuando se sabía sustituible?

Esa misma sensación la había vivido con anterioridad, de muy joven. Cesar de repente, perder el hilo de su identidad.

Se levantó impaciente y se colocó junto a la ventana. Allá abajo, la ciudad, la gente, con sus sueños, desconocidos para ella.

Echó mano de la ropa de abrigo que había dejado por la habitación, salió y cerró la puerta. Una gran excitación se apoderó de ella y la precipitó a una desesperación cada vez más difícil de domeñar. Necesitaba moverse, sentir la ciudad. Karin le había prometido llevarla a ver una representación de la ópera de Pekín.

Según había comprobado en el plano, el hospital Longfu estaba lejos; pero tenía tiempo, nadie requería su presencia en ningún lugar. Siguió las calles rectas y al parecer interminables hasta que llegó al hospital, después de dejar atrás un gran museo de arte.

Longfu se componía de dos edificios. Contó hasta siete plantas, todo en gris y blanco. Las ventanas de la primera planta tenían rejas. Las persianas estaban echadas. En las ventanas había macetas viejas llenas de hojas mustias. Los árboles que rodeaban el hospital estaban desnudos y el seco césped quemado. Su primera impresión fue que Longfu parecía más una prisión que un hospital. Entró en el jardín. Pasó una ambulancia y, enseguida, una más. Junto a la entrada principal vio los caracteres chinos plasmados en una columna. Los comparó con los escritos en el folleto y comprendió que había llegado al lugar adecuado.

Un médico con bata blanca fumaba ante la entrada mientras hablaba a gritos por el móvil. Lo tenía tan cerca que pudo verle los dedos amarillos por la nicotina. «Otro fragmento de la Historia», se dijo. «¿Qué me separa del mundo en el que vivía entonces? Fumábamos sin parar, en todas partes, sin pensar en que había personas a las que les sentaba mal el humo; pero no teníamos teléfono móvil. No siempre sabíamos dónde estaban los demás, los amigos, la familia. Mao fumaba y, por tanto, nosotros también. Librábamos una batalla sin fin por encontrar cabinas telefónicas que funcionasen, que no tuviesen la ranura atascada o los cables colgando. Aún recuerdo las historias de los envidiados elegidos que habían viajado a China como miembros de distintas delegaciones. China era un país sin delincuencia. Si alguien se olvidaba el cepillo de dientes en un hotel de Pekín y partía hacia Cantón, se lo enviaban. Y todos los teléfonos funcionaban.»

Era como si en aquella época hubiese vivido con la nariz pegada a un cristal. En un museo viviente donde el futuro se formaba detrás de dicho cristal pero, al mismo tiempo, ante sus ojos.

Volvió a la calle y paseó sin rumbo por entre los grandes edificios. Las aceras estaban llenas de ancianos que movían las fichas en sus tableros de juego. Hubo un tiempo en que ella aprendió a dominar uno de los juegos chinos más comunes. ¿Se acordaría Karin de las reglas? Decidió buscar un tablero con fichas para llevárselo a Suecia.

Cuando regresó al punto de partida, emprendió la vuelta al hotel. Apenas había caminado unos metros cuando se detuvo. Había notado algo que, no obstante, no registró. Se dio la vuelta despacio. Allí estaba el hospital, los tristes jardines, la calle, otros edificios. La sensación se intensificaba por momentos, no eran figuraciones suyas. Algo le había pasado inadvertido. Empezó a desandar el camino, de vuelta al hospital. El médico que fumaba y hablaba por el móvil se había marchado y en su lugar había unas enfermeras que aspiraban ansiosas el humo de sus cigarrillos.

En la esquina del gran parque cayó en la cuenta de qué era lo que había llamado su atención sin pensar. Al otro lado de la calle había un rascacielos que parecía muy lujoso y de reciente construcción. Sacó del bolsillo el folleto con el texto chino manuscrito. El edificio fotografiado en el folleto era el mismo ante el que ahora se encontraba, no le cabía la menor duda. En la última planta tenía una terraza como no había visto antes. Sobresalía como la proa de un buque elevado a las alturas. Observó el edificio, cuyas fachadas eran de cristal oscuro. Ante la enorme puerta de entrada vigilaban unos guardias armados. Probablemente sería un bloque de oficinas, no de viviendas. Se colocó al abrigo de un árbol para protegerse del cortante y gélido viento. Unos hombres salieron por las altas puertas, que parecían de cobre, y se metieron deprisa en unos coches negros que los aguardaban. Se le ocurrió una idea muy tentadora. Rebuscó en el bolsillo por ver si llevaba la fotografía de Wang Min Hao. Si el chino tenía algo que ver con aquel edificio, existía la posibilidad de que alguno de los vigilantes lo hubiese visto. Sin embargo, ¿qué iba a decirles si ellos le confirmaban que estaba allí? Birgitta seguía teniendo el presentimiento de que el chino estaba involucrado de algún modo con los asesinatos de Hesjövallen. Por más que la policía siguiese creyendo en la culpabilidad de Lars-Erik Valfridsson.

Le costaba decidirse. Antes de mostrar la foto, debía inventar un motivo para preguntar por él. Y, por supuesto, dicho motivo no podía guardar ninguna relación con los sucesos de Hesjövallen. Si le preguntaban para qué lo buscaba, tenía que estar en condiciones de ofrecer una respuesta verosímil.

Un joven se detuvo a su lado y le dijo algo que ella al principio no entendió, hasta que se dio cuenta de que se dirigía a ella en inglés.

–¿Te has perdido? ¿Necesitas ayuda?

–No, sólo estaba mirando el edificio. Es muy hermoso. ¿Sabes quién es su propietario?

El hombre negó con la cabeza, un tanto sorprendido.

–Soy estudiante de veterinaria –le explicó–. No sé nada de grandes edificios. ¿Necesitas ayuda? Intento mejorar mi inglés.

–Pues no lo hablas mal.

–Lo hablo fatal, pero si practico, mejoraré.

Una cita del pequeño libro rojo de Mao cruzó su mente, pero se le escapó. Algo sobre práctica, capacidad, sacrificios por el pueblo. Ya se tratase de criar cerdos o de aprender una lengua extranjera.

–Hablas demasiado rápido –le explicó Birgitta–. Cuesta captar todas las palabras que dices. Intenta hablar más despacio.

–¿Mejor así?

–Bueno, ahora quizá vayas demasiado despacio.

El joven volvió a intentarlo. Birgitta comprendió que había aprendido de forma mecánica, sin comprender de verdad el significado de las palabras.

–¿Y ahora?

–Ahora se te entiende mejor.

–¿Puedo ayudarte a encontrar el camino?

–No me he perdido. Sólo estoy contemplando ese edificio tan hermoso.

–Sí, es muy hermoso.

Birgitta señaló la terraza colgante.

–Me pregunto quién vivirá allá arriba.

–Alguien con mucho dinero.

De repente, se le ocurrió una idea.

–Oye, me gustaría pedirte un favor. –Sacó la fotografía de Wang Min Hao–. ¿Podrías acercarte a los guardias y preguntarles si reconocen a este hombre? Si te preguntan por qué quieres saberlo, diles que alguien va a encomendarte un mensaje para él.

–¿Qué mensaje?

–Diles que tienes que ir a buscarlo y vuelve aquí. Te esperaré ante la fachada principal del hospital.

Entonces, el joven le hizo la pregunta que ella se temía.

–¿Por qué no vas y preguntas tú misma?

–Soy demasiado tímida. Pienso que una mujer occidental y sola no debe andar preguntando por un hombre chino así, sin más.

–¿Lo conoces?

–Sí.

Birgitta Roslin intentó parecer tan equívoca como le fue posible al tiempo que empezaba a arrepentirse de su ocurrencia y se disponía a alejarse de allí.

–Ah, otra cosa –añadió–. Pregunta quién vive allá arriba, en la última planta. Parece una vivienda con una terraza enorme.

–Yo me llamo Huo –se presentó el joven–. Voy a preguntar.

–Yo Birgitta. Lo único que tienes que hacer es fingir curiosidad.

–¿De dónde eres? ¿De Estados Unidos?

–De Suecia. En chino creo que se dice Rui Dian.

–No sé dónde está.

–Pues es casi imposible de explicar.

Cuando el joven miró a ambos lados de la calle para cruzar, ella se apresuró a volver a la entrada del hospital.

Ya no estaban las enfermeras. Un anciano con muletas salió por la puerta. De pronto, tuvo la sensación de que se metía en una situación peligrosa. Se tranquilizó al recordar la cantidad de gente que andaba por las calles. Un hombre que había asesinado a tantas personas en un pueblecito sueco podía escapar; pero no alguien que arremete contra una turista occidental que visita el país. A plena luz del día. China no podía permitirse ese tipo de sucesos.

De pronto, el hombre de las muletas se cayó al suelo. Uno de los jóvenes policías que vigilaban la puerta ni se inmutó. Birgitta vaciló un instante, pero al final acudió a socorrer al hombre, de cuyos labios surgió una avalancha de palabras que ella no comprendió; ni siquiera sabía si expresaban gratitud o enojo. El anciano despedía un fuerte olor a especias o a alcohol.

El hombre prosiguió su camino a través del jardín en dirección a la calle. «Tendrá un hogar en algún sitio», se dijo Birgitta. «Una familia, amigos. En su juventud, seguramente, estuvo con Mao y participó en la construcción de este ingente país para que todos tuviesen un par de zapatos. ¿Acaso puede ser mayor la aportación de un ser humano? ¿Mayor que la de procurar que a la gente no se le congelen los pies o que no vaya desnuda o pase hambre?»

Al cabo de un rato volvió Huo. Caminaba despacio, sin mirar a su alrededor. Birgitta Roslin se le acercó.

El joven meneó la cabeza.

–Nadie lo ha visto.

–¿Nadie sabe quién es?

–No.

–¿A quién le enseñaste la foto?

–A los guardias. Y a otro hombre que salió del edificio. Llevaba gafas de sol. ¿Lo he pronunciado bien, «gafas de sol»?

–Muy bien. ¿Y quién vive en la última planta?

–Eso no me lo han dicho.

–Pero ahí vive alguien, ¿no?

–Creo que sí. Aunque no les gustó la pregunta.

–¿Por qué lo dices?

–Me dijeron que me largase.

–¿Y qué hiciste?

El joven la miró sorprendido.

–Pues irme.

Birgitta sacó del bolso un billete de diez dólares. Al principio, el joven no quería aceptarlos. Le devolvió la foto de Wang Min Hao y le preguntó en qué hotel se alojaba, se aseguró de que encontraría el camino de vuelta al hotel, se inclinó respetuosamente y se despidió de ella.

Por el camino de regreso al hotel volvió a experimentar la vertiginosa sensación de que la muchedumbre podría engullirla en cualquier momento, sin que nadie lograse dar con ella después. Sintió un súbito mareo y se vio obligada a apoyarse en la pared. Muy cerca de donde se hallaba había una casa de té. Entró, pidió una taza y unas galletas y empezó a respirar hondo. Allí estaba otra vez la ansiedad que había venido experimentando durante los últimos años. El vértigo, la sensación de caída. El largo viaje hasta Pekín no la había liberado del desasosiego que la embargaba.

Pensó de nuevo en Wang. «Hasta aquí he podido seguir su rastro, pero sólo hasta aquí.» Dejó caer mentalmente su mazo de jueza sobre la mesa de la tetería y declaró para sí que se había terminado. Un joven que hablaba mal inglés le había ayudado a llegar lo más lejos posible.

Pidió la cuenta, que le pareció excesiva, y volvió a salir al frío viento de la calle.

Aquella noche fueron al teatro que se hallaba en el interior del edificio del gran Qianmen Hotel. Aunque tenían auriculares, Karin Wiman había solicitado los servicios de un intérprete. Durante las cuatro horas que duró, Birgitta Roslin admiró la representación sentada mientras la joven intérprete le susurraba al oído el, en ocasiones, incomprensible resumen de lo que sucedía en escena. Tanto Karin como ella quedaron decepcionadas, pues no tardaron en comprender que la representación se componía de extractos de diversas piezas clásicas de óperas de Pekín, cierto que de primera clase, pero totalmente adaptadas a turistas. Una vez terminada la función, abandonaron el frío local con un terrible dolor en el cuello.

A la puerta del teatro aguardaba un coche que la organización del congreso había puesto a disposición de Karin. A Birgitta le pareció ver, en el trajín de la calle, al joven Huo, el que antes se había dirigido a ella en inglés.

Fue tan rápido que apenas logró captar su rostro, ya lo había perdido.

Cuando llegaron al hotel, miró atrás, pero allí no había nadie. Al menos, nadie cuyo rostro ella reconociese.

Sintió un escalofrío. El pánico la invadió como nacido de la nada. El joven al que había visto al salir del teatro era Huo, estaba segura de ello.

Karin le preguntó si le apetecía tomarse una copa antes de irse a dormir. Birgitta aceptó.

Una hora más tarde, Karin ya dormía. Birgitta contemplaba por la ventana las brillantes luces de neón.

El desasosiego no la abandonaba. ¿Cómo sabía Huo que estaba allí? ¿Por qué la había seguido?

Cuando por fin decidió meterse en la cama con su amiga, lamentó haber mostrado la fotografía de Wang Min Hao.

Tenía frío. Estuvo despierta un buen rato. La envolvía el frío de la noche invernal de Pekín.

25

Al día siguiente nevaba levemente sobre Pekín. Karin Wiman se levantó a las seis de la mañana para revisar la conferencia que debía pronunciar aquella mañana. Birgitta Roslin se despertó y la vio sentada junto a la ventana. Aún era de noche y Karin había encendido una lámpara de pie. A Birgitta la invadió una vaga sensación de envidia. Karin había elegido una vida que incluía viajes y encuentros con culturas extrañas. Su existencia, en cambio, se desarrollaba en salas de vistas, el escenario de una lucha sin cuartel entre la verdad y la mentira, la arbitrariedad y la justicia, con un resultado incierto y a menudo poco alentador.

Karin se dio cuenta de que Birgitta se había despertado y la miró.

–Está nevando –le anunció–. Escasamente y en copos pequeños. En Pekín jamás caen copos grandes. La nieve aquí es ligera, pero afilada como la arena del desierto.

–Vaya, qué trabajadora, tan temprano...

–Estoy nerviosa. El auditorio es tan numeroso y tan ávido de detectar algún fallo cuando hable...

Birgitta se sentó en la cama y movió la cabeza con cuidado.

–Aún me duele el cuello.

–Las óperas de Pekín exigen resistencia física.

–Me gustaría asistir a otra representación, pero sin intérprete.

Karin se marchó poco después de las siete. Acordaron verse otra vez por la tarde. Birgitta durmió una hora más y, cuando terminó de desayunar, habían dado las nueve. La desazón del día anterior se había esfumado. El rostro que creyó ver después de la ópera debió de ser fruto de su imaginación, que a veces echaba a volar de forma tan sorprendente que ya debería estar acostumbrada.

Se sentó un rato en la silenciosa recepción donde silenciosos espíritus serviles limpiaban con plumeros las columnas de mármol. La irritaba su ociosidad y decidió buscar un centro comercial en el que comprar un juego de mesa chino. Recordó, además, que le había prometido a

Staffan llevarle especias. Un joven recepcionista le dibujó en el plano cómo llegar a un centro comercial en el que podría comprarlo todo, el juego y las especias. Cambió algo de dinero en el banco del hotel antes de salir. El frío se había atenuado. Leves copos de nieve revoloteaban en el aire. Se tapó la boca y la nariz con la bufanda y emprendió el camino.

Después de recorrer unos metros, se detuvo y miró a su alrededor. La gente se movía de aquí para allá por las aceras. Se quedó observándolos, unos estaban inmóviles, fumando, otros hablaban por teléfono o simplemente aguardaban, estáticos. Ninguno de los rostros le resultaba familiar.

Tardó cerca de una hora en llegar al centro comercial, situado en una calle peatonal llamada Wangfuijing Daije. Ocupaba toda la manzana y, cuando entró, tuvo la sensación de acceder a un laberinto gigantesco. Enseguida la envolvió un hormiguero de gente. Se dio cuenta de que la gente la miraba de reojo y comentaba su aspecto y su ropa. En vano buscó algún letrero en inglés. Cuando llegó a las escaleras automáticas, varios vendedores se dirigieron a ella en un inglés precario.

En la tercera planta encontró una sección de libros y papelería donde también vendían juguetes. Se dirigió a una joven dependienta que, a diferencia del personal de hotel, no la entendió. La dependienta dijo algo rápidamente por un teléfono y, un segundo más tarde, un hombre de más edad apareció a su lado sonriendo.

–Busco juegos de mesa –explicó Birgitta–. ¿Dónde puedo encontrarlos?

–¿Mahjong?

El hombre la condujo a otra planta donde, de pronto, se vio rodeada de estanterías llenas de juegos. Escogió dos, le dio las gracias al hombre y se encaminó a la caja. Con los juegos envueltos y dentro de una gran bolsa de vivos colores, buscó por sí sola la sección de alimentación, donde fue oliendo un montón de especias desconocidas en pequeñas y hermosas bolsas de papel. Después se sentó en una cafetería que había junto a la salida. Pidió un té y una pasta china tan dulce que le costó trabajo comérsela. Dos niños pequeños se le acercaron y se quedaron mirándola un rato, hasta que su madre les gritó algo desde una mesa cercana.

Justo antes de levantarse, volvió a experimentar la sensación de que la estaban observando. Miró a su alrededor, intentó localizar algún rostro conocido, pero ninguno le resultaba familiar. La irritaba sufrir ese tipo de obsesiones y se marchó enojada del centro comercial. Puesto que la bolsa era muy pesada, tomó un taxi hasta el hotel mientras pensaba a qué dedicaría el resto del día. A Karin no podría verla hasta la noche, después de una cena de gala de asistencia obligatoria que Karin no podía eludir, por más que quisiera.

Dejó las compras en el hotel y decidió visitar el museo de arte ante cuyas puertas había pasado el día anterior. Conocía el camino y recordó que había varios restaurantes en cualquiera de los cuales podía comer cuando tuviese hambre. Ya había dejado de nevar y las nubes empezaban a disiparse. De repente se sintió más joven, con más energía que por la mañana. «En estos momentos, soy la piedra que rueda libremente, lo que soñábamos ser cuando éramos jóvenes», se dijo. «Una piedra rodante con dolor de cuello.»

El edificio principal del museo parecía una torre china con pequeños balcones y decoración saliente en el tejado. Los visitantes accedían al interior a través de una puerta gigantesca. Puesto que el museo era enorme, decidió visitar sólo la planta baja, que alojaba una exposición sobre el modo en que el Ejército de Liberación Popular se había servido del arte como arma de propaganda. La mayoría de los cuadros estaban ejecutados de aquella forma idealizada que ella recordaba de los diarios gráficos chinos de los años sesenta. Sin embargo, también había pinturas no figurativas que narraban la guerra y el caos en colores intensos.

Por todas partes se veía rodeada de vigilantes y de guías, en general chicas jóvenes que vestían uniformes de color azul marino. Intentó hablar con alguna de ellas, pero no sabían inglés.

Pasó un par de horas en el museo. Cuando salió a la calle, eran cerca de las tres. Echó una ojeada al hospital y, a su espalda, al elevado edificio de la terraza colgante. Entró en un sencillo restaurante que había junto al museo y en el que, tras señalar varios platos de los que había en las mesas de otros comensales, le asignaron una mesa en una esquina. También había señalado una botella de cerveza y, en cuanto empezó a beber, tomó conciencia de lo sedienta que estaba. Comió demasiado y se tomó dos tazas de té bien cargado para disipar el sopor de la digestión mientras miraba las postales de pintura china que había comprado en el museo.

De repente, sintió que había terminado con Pekín, pese a que sólo llevaba allí dos días. Se sentía inquieta, añoraba su trabajo y pensaba que el tiempo se le escapaba de las manos. No podía seguir deambulan do por Pekín. Ahora que ya había comprado los juegos y las especias, echaba de menos un objetivo. «Un plan», se dijo. «En primer lugar iré al hotel, descansaré y luego pensaré un plan de verdad. Voy a pasar aquí cinco días más y Karin sólo tendrá tiempo para estar conmigo los dos últimos.»

Cuando salió a la calle, el sol había vuelto a desaparecer tras las nubes y hacía más frío. Se cerró bien el chaquetón cruzado y decidió respirar a través de la bufanda.

Un hombre se le acercó con un papel y unas tijeras pequeñas en la mano y, en un inglés bastante torpe, le preguntó si podía recortar su silueta. Dicho esto, le mostró un archivador con fundas de plástico donde guardaba otras siluetas recortadas por él. Su primer impulso fue negarse, pero cambió de idea. Se quitó el gorro, dobló la bufanda y se puso de perfil.

El resultado era de una perfección asombrosa. El hombre le pidió cinco dólares, pero ella le pagó diez.

Era un hombre de edad avanzada con una cicatriz en la mejilla. De haber hablado su idioma, le habría gustado escuchar su vida. Se guardó la silueta en el bolso y se despidieron con una leve inclinación antes de marcharse cada uno por su lado.

El ataque fue de repente, sin que tuviese tiempo de comprender qué sucedía. Sintió que un brazo le agarraba el cuello y la obligaba a echarse hacia atrás mientras que alguien le arrebataba el bolso. Birgitta gritó e intentó retener el bolso, pero entonces el brazo se aferró con más fuerza a su garganta. Un golpe en el estómago le cortó la respiración. Cayó al suelo en medio de la calle sin alcanzar a entender quiénes la habían atacado. Todo sucedió en un abrir y cerrar de ojos, en apenas diez o quince segundos. Un hombre que pasaba en bicicleta y una mujer que dejó sus bolsas de la compra en el suelo le ayudaron a levantarse de la acera; pero Birgitta no lograba mantenerse en pie. Volvió a caer de rodillas, antes de desmayarse.

Cuando despertó, se hallaba en la camilla de una ambulancia que recorría las calles con las sirenas encendidas. Un médico la examinaba con el fonendoscopio. Seguía sin estar segura de lo que había ocurrido. Recordaba haber perdido el bolso, pero ¿por qué iba en ambulancia? Intentó preguntarle al médico del fonendoscopio, pero el hombre le respondió en chino unas palabras que, según entendió por los gestos, indicaban que debía guardar silencio y dejar de moverse. Le dolía el cuello por donde la había agarrado el brazo del desconocido. ¿Estaría gravemente herida? La idea la aterró. Podrían haberla matado allí mismo, en la calle. Los que la atacaron no dudaron en hacerlo a pleno día y, además, en una calle llena de tráfico y viandantes.

Empezó a llorar. El médico reaccionó tomándole el pulso cuando, de pronto, la ambulancia se paró en seco y se abrieron las puertas traseras. La pasaron a otra camilla y la condujeron por un pasillo iluminado por lámparas de intensísima luz. Birgitta se había abandonado al llanto, ya irrefrenable. Apenas notó que le ponían una inyección con un tranquilizante. Empezó a perderse en una superficie ondulante, rodeada de rostros chinos que parecían nadar en las mismas aguas que ella, cabezas en vaivén dispuestas a recibir al Gran Timonel que regresaba nadando vigoroso hacia la orilla.

Cuando recobró la conciencia, se vio en una habitación tenuemente iluminada, con las cortinas echadas. Un hombre vestido de uniforme ocupaba la silla que había junto a la puerta. Al ver que Birgitta abría los ojos, se levantó y salió de la habitación. Minutos después aparecieron otros dos hombres, también uniformados. Iban acompañados de un médico que le habló en inglés con acento americano.

–¿Cómo se encuentra?

–No lo sé. Estoy cansada. Me duele el cuello.

–La hemos examinado a fondo y podemos decir que ha salido del percance sin lesiones.

–¿Qué hago aquí? Quiero volver al hotel.

El médico se le acercó.

–La policía quiere hablar con usted primero. No nos gusta que los extranjeros sufran este tipo de agresiones en nuestro país. Nos avergüenza que ocurran estas cosas. Las personas que la atacaron deben ser detenidas.

–Pero, si no vi nada...

–No es a mí a quien tiene que decírselo.

El médico se levantó e hizo un gesto hacia los dos hombres uniformados, que acercaron sus sillas a la cama. Uno de ellos, el que hacía de intérprete, era bastante joven; el otro, en cambio, el que formulaba las preguntas, tendría unos sesenta años. Llevaba gafas de cristales ahumados, de modo que Birgitta no podía verle los ojos. Empezaron a preguntarle sin presentarse siquiera. Tenía la sensación de que no le gustaba al hombre mayor.

–Necesitamos saber lo que vio.

–Nada. Fue todo muy rápido.

–Los testigos han declarado que ninguno de los dos sujetos iba enmascarado.

–Ni siquiera sabía que eran dos.

–¿Qué puede contarme del suceso?

–De repente noté que un brazo me rodeaba el cuello. Me atacaron por detrás. Me arrebataron el bolso y me golpearon en el estómago.

–Necesitamos que nos diga cuanto pueda de esos dos hombres.

–Ya, pero yo no vi nada en absoluto.

–¿No le vio la cara a ninguno de los dos?

–No.
–¿Sus voces?
–No oí sus voces, creo que no dijeron nada.
–¿Qué pasó justo antes de la agresión?
–Un hombre recortó mi silueta. Acababa de pagarle y en ese momento me marchaba, cuando me atacaron.
–Mientras le recortaban la silueta, ¿no vio nada?
–¿Como qué?
–A alguien en actitud de espera...
–¿Cuántas veces tengo que repetir que no vi nada?
Cuando el intérprete tradujo su respuesta, el otro policía se inclinó hacia ella y le gritó:
–Le hacemos estas preguntas porque queremos atrapar a los hombres que la asaltaron y le robaron el bolso. Y usted debe responder sin perder la paciencia.
Aquellas palabras le hicieron el mismo efecto que si la hubiesen abofeteado.
–Estoy diciendo lo que sé.
–¿Qué llevaba en el bolso?
–Un poco de dinero chino y algo en dólares americanos. Un peine, un pañuelo, unas pastillas, un bolígrafo..., nada importante.
–Hemos encontrado su pasaporte en el bolsillo interior de su chaqueta. Es usted sueca. ¿Qué está haciendo aquí?
–He venido de vacaciones con una amiga.
El hombre de más edad parecía reflexionar con el rostro inexpresivo.
–No encontramos la silueta –dijo al cabo de unos minutos.
–Estaba en el bolso.
–Pues no la ha mencionado cuando le pregunté. ¿Había algo más que haya olvidado decir?
Birgitta hizo memoria, pero al final negó con un gesto. El interrogatorio terminó bruscamente. El policía de más edad dijo algo y salió de la habitación.
–Cuando se encuentre mejor, la llevarán al hotel. Volveremos a verla más adelante, para hacerle más preguntas y redactar un informe.
El intérprete dijo el nombre del hotel, aunque ella no lo había mencionado.
–¿Cómo saben en qué hotel me alojo? La llave estaba en el bolso...
–Son cosas que sabemos.
Dicho esto, hizo una breve reverencia y se marchó. No se había cerrado la puerta, cuando entró el médico que hablaba inglés americano.

–Aún necesitamos retenerla un poco –le advirtió–. Hemos de tomar unas muestras de sangre y hacer el informe de las radiografías. Después podrá volver al hotel.

«El reloj», se dijo. «No se lo llevaron.» Miró el reloj de la pared. Eran las cinco menos cuarto.

–¿A qué hora podré irme?

–Pronto.

–Mi amiga se pondrá nerviosa si no me encuentra.

–Le proporcionaremos transporte hasta el hotel. Nos preocupa que nuestros visitantes extranjeros duden de nuestra hospitalidad y nuestra solicitud, aunque a veces se producen sucesos desagradables.

La dejó sola en la habitación. Desde un lugar apartado se oía gritar a alguien, un grito solitario vagando por el pasillo.

No dejaba de darle vueltas a lo ocurrido. Lo único que le indicaba que la habían asaltado era el dolor de garganta y la desaparición del bolso. El resto se le antojaba irreal, el sobresalto de verse agarrada por detrás, el golpe en el estómago y la gente que le prestó ayuda.

«Claro que ellos debieron de verlo», pensó. «¿Les habrá preguntado la policía? ¿Estarían aún allí cuando llegó la ambulancia? ¿O acaso llegó la policía antes?»

Era la primera vez que la atacaban. Y cayó en la cuenta de que el puñetazo que le habían dado había sido la primera agresión de su vida. Había juzgado a gente que maltrataba y disparaba y acuchillaba a otros; pero jamás lo había sentido en su propio pellejo.

«Vaya, he tenido que venir al otro extremo del mundo para vivir una experiencia así», pensó. «Justo aquí, donde no desaparecía ni un cepillo de dientes...»

¿Seguía asustada? Sí, se respondió a sí misma. Era algo que había aprendido durante su carrera como jueza. Una persona a la que atacan y roban no lo olvida jamás. El miedo se aferraba a su alma durante mucho tiempo, a veces, el resto de su vida. Sin embargo, ella no quería que le ocurriese nada semejante, no quería convertirse en un ser asustadizo incapaz de osar salir a la calle sin mirar hacia atrás constantemente.

Decidió contárselo a Staffan en cuanto llegase a casa. Quizás una versión más suave de la verdad, pero, si la oía lanzar un grito inesperado en plena calle, quería que comprendiese el porqué.

Estaba experimentando la cadena de reacciones que sabía habituales en las personas que habían sufrido una agresión. El miedo, pero también la rabia, la sensación de humillación, el dolor. Y la venganza. Ahora que yacía en la cama del hospital, no le habría importado que obligasen a sus dos atacantes a arrodillarse para recibir sendos disparos en la nuca.

Una enfermera entró en la habitación y la ayudó a vestirse. Le dolía el estómago y tenía un buen arañazo en la rodilla. La enfermera le dio un peine y luego un espejo. Birgitta comprobó la palidez de su cara. «Éste es el aspecto que tengo cuando estoy aterrada», concluyó. «No lo olvidaré.»

Se había sentado en el borde de la cama, preparada para regresar al hotel.

–El dolor en el cuello se le pasará, seguramente mañana mismo –pronosticó el doctor.

–Gracias por todo. ¿Cómo puedo ir al hotel?

–La llevará la policía.

En el pasillo había, en efecto, tres policías esperándola. Uno de ellos sostenía entre las manos una aterradora arma automática. Birgitta fue con ellos al ascensor y se acomodó en el coche policial. No sabía dónde se encontraba, ni siquiera sabía el nombre del hospital en el que la habían atendido. Durante un buen rato, creyó atisbar una parte de la Ciudad Prohibida, pero no estaba segura.

Apagaron las sirenas y se alegró de no tener que llegar al hotel con las luces de emergencia. Se bajó del coche delante de la puerta del edificio y el vehículo partió antes de que ella hubiese dado media vuelta. Seguía intrigándola cómo habrían averiguado en qué hotel se alojaba.

Ya en la recepción, explicó que había perdido la llave de la habitación; le dieron otra con tal rapidez, que pensó que seguramente la tendrían preparada. La mujer que había al otro lado del mostrador le sonrió. «Sabe lo que ha pasado», concluyó Birgitta Roslin. «La policía habrá venido para informar del robo y prepararlos...»

Mientras se dirigía al ascensor, pensó que debería estar contenta. En cambio, sentía una inquietud que no se atenuó al entrar en la habitación. Alguien había estado allí, no sólo la limpiadora. Claro que Karin había podido entrar en cualquier momento, para recoger algo o para cambiarse de ropa. Era una posibilidad con la que debía contar. Sin embargo, ¿qué habría podido impedirle a la policía, o a otra persona, efectuar un discreto registro? En China debía de existir una policía secreta, siempre presente, nunca visible.

Fue la bolsa con los juegos lo que delató al visitante desconocido. Descubrió enseguida que la habían dejado en otro lugar. Miró a su alrededor, despacio, para que no se le pasase por alto ningún detalle; pero lo único que habían tocado, sin molestarse en ocultarlo, era la bolsa.

Continuó inspeccionando el cuarto de baño. La bolsa de aseo estaba como ella la dejó por la mañana y tampoco faltaba nada.

Volvió al dormitorio y se sentó en la silla que había junto a la ventana. Entonces vio la maleta abierta. Se levantó y se puso a examinar lo que había dentro, levantando una prenda tras otra. Si alguien la había tocado, había procurado no dejar rastro.

Mas cuando llegó al fondo, se quedó paralizada. En efecto, allí tenía que haber una linterna y una caja de cerillas, dos cosas que llevaba siempre que salía de viaje, desde aquella ocasión, el año antes de casarse con Staffan, en que pasó más de veinticuatro horas sin luz en Madeira, a causa de un corte en el suministro. Salió por la noche a dar un paseo por las escarpadas rocas de las afueras de Funchal cuando, de improviso, se hizo la oscuridad a su alrededor. Le llevó muchas horas encontrar a tientas el camino de vuelta al hotel y, a partir de entonces, siempre metía una linterna y cerillas en la maleta. La caja de cerillas era de un restaurante de Helsingborg y tenía una etiqueta de color verde.

Revisó la ropa, pero no encontró la caja de cerillas. ¿La habría metido en el bolso? A veces lo hacía. Y no siempre recordaba qué había sacado de la maleta y qué no. Pero ¿quién se llevaría una caja de cerillas de una habitación que había registrado en secreto?

Volvió a la silla junto a la ventana. «La última hora que he pasado en el hospital...», evocó pensativa. «Ya entonces me dio la sensación de que, en realidad, no era necesario retenerme allí por más tiempo. ¿Qué resultados esperaban? Tal vez lo hicieron para que me quedase allí hasta que la policía hubiese revisado mi habitación, pero ¿por qué, si yo era la víctima del asalto callejero?»

Oyó unos golpecitos en la puerta y se sobresaltó. Vio por la mirilla que eran unos policías. Abrió, algo nerviosa. Eran otros policías, distintos de los del hospital. Uno de los agentes, una mujer de baja estatura y de su misma edad, se dirigió a ella.

–Sólo queremos asegurarnos de que todo está en orden.

–Gracias.

La policía le indicó con un gesto su deseo de entrar y Birgitta se apartó para cederle paso. Otro de los policías se quedó fuera y el tercero entró también. La mujer la condujo hasta las sillas que había junto a la ventana y dejó sobre la mesa un maletín. Había algo en su conducta que a Birgitta no dejaba de sorprenderla, aunque no sabía explicar la razón.

–Quisiera que examinara unas fotos. Tenemos la información de los testigos y puede que sepamos quiénes cometieron el robo.

–Pero yo no vi nada en absoluto. Un brazo... ¿Cómo podría identificar un brazo?

La policía no la escuchó. Sacó del maletín una serie de fotografías y se las mostró a Birgitta Roslin. Todos los retratados eran hombres jóvenes.

–Puede que haya visto algo que no recordase de inmediato.

Birgitta comprendió que de nada serviría protestar. Echó un vistazo a las fotografías mientras pensaba que tenía ante sí a un montón de jóvenes que, cualquier día, cometerían un delito por el que morirían ejecutados. Ni que decir tiene que no reconoció a ninguno de ellos. Al cabo de un rato, negó con un gesto.

–No los he visto jamás.

–¿Está segura?

–Sí, estoy segura.

–¿A ninguno?

–A ninguno.

La policía volvió a guardar las fotos en el maletín. Birgitta Roslin notó que tenía las uñas rotas.

–Atraparemos a sus atacantes –le aseguró la policía antes de marcharse–. ¿Cuánto tiempo se va a quedar todavía en Pekín?

–Cuatro días.

La mujer asintió, se inclinó y salió de la habitación.

«¡Tú ya lo sabías!», se dijo indignada mientras echaba la cadena de seguridad. «¿Por qué me lo preguntas si ya lo sabes? Yo no me dejo engañar tan fácilmente.»

Se acercó a la ventana a contemplar la calle. Vio salir a los policías, que se montaron en un coche y partieron enseguida. Se tumbó en la cama. Seguía sin poder explicarse qué despertó su interés cuando la policía entró en su habitación.

Cerró los ojos y pensó en llamar a casa.

Cuando despertó, ya había oscurecido. El dolor en el cuello iba desapareciendo, pero el ataque se le antojaba más amenazador si cabe, víctima de la extraña sensación de que aún no hubiese ocurrido. Sacó el móvil y llamó a Helsingborg. Staffan no estaba en casa y tampoco respondía al móvil, así que le dejó sendos mensajes, consideró la posibilidad de llamar a sus hijos, pero desistió.

Pensó en su bolso y revisó mentalmente el contenido una vez más. Había perdido sesenta dólares, pero la mayor parte del dinero lo tenía en la caja fuerte de la habitación. De pronto, tuvo un impulso. Se levantó de la cama y abrió la puerta del armario. La caja fuerte estaba cerrada. Marcó el código y comprobó el contenido. No faltaba nada, así que volvió a cerrar. Aún intentaba comprender por qué le había extrañado la actitud de los policías. Se colocó junto a la puerta con la intención de evocar la imagen de cuando habían llegado y entender lo que no alcanzaba a captar, pero todo su esfuerzo fue en vano. Volvió a tumbarse en la cama y repasó mentalmente las fotografías que la policía le había mostrado.

De pronto, se incorporó... *Ella abrió la puerta. La mujer policía le indicó que la dejase pasar. Después se encaminó directamente a las sillas de la ventana. Ni una sola vez desvió la mirada hacia la puerta abierta del baño ni hacia la del dormitorio donde tenían la gran cama doble.*

A Birgitta Roslin no se le ocurría más que una explicación: la mujer policía había estado allí con anterioridad. No necesitaba inspeccionar las habitaciones, pues ya sabía cómo eran.

Se quedó mirando fijamente la mesa, el lugar en el que la policía había puesto las fotos. La idea que acudió a su mente la desconcertó al principio, pero fue perfilándose poco a poco. No había reconocido ninguno de los rostros que le mostraron. ¿Y si era justo eso lo que querían comprobar? ¿Que no pudiese identificar a ninguno de los fotografiados? No se trataba de que reconociese a sus atacantes, sino de todo lo contrario. La policía quería asegurarse de que realmente no había visto nada.

Pero ¿por qué? Miró por la ventana. Recordó una idea que ya se le había ocurrido cuando estaba en Hudiksvall.

Lo sucedido es demasiado grande, demasiado misterioso.

Un miedo atroz la invadió sin remedio. Tardó más de una hora en reunir las fuerzas necesarias para subir al restaurante.

Antes de entrar, miró a su alrededor. Pero no vio a nadie.

26

Birgitta Roslin se despertó llorando. Karin Wiman estaba sentada en la cama y le tocaba el hombro con mimo para despertarla sin sobresaltos.

Birgitta dormía ya cuando llegó Karin la noche anterior, bastante tarde. Temiendo el insomnio, se había tomado una de las pastillas para dormir que rara vez consumía pero que siempre llevaba consigo.

–Estabas soñando –le dijo Karin–. Debía de ser algo triste, puesto que no parabas de llorar.

Pese a todo, Birgitta no recordaba su sueño. El paisaje interior que tan precipitadamente había abandonado se le presentaba vacío.

–¿Qué hora es?

–Casi las cinco. Estoy cansada. Necesito dormir un poco más. Pero, dime, ¿por qué lloras?

–No lo sé. He debido de soñar algo, aunque no recuerdo qué.

Karin volvió a acostarse y no tardó en caer vencida por el sueño. Birgitta se levantó y descorrió un poco la cortina. Ya había empezado el tráfico matinal. A juzgar por el movimiento de algunas banderas que ondeaban en los mástiles, supuso que aquel día el viento soplaría de nuevo en Pekín.

Volvió a experimentar el miedo que le inspiraba el recuerdo del asalto callejero, pero decidió oponer resistencia exactamente igual que cuando la habían amenazado como jueza. Una vez más, revisó los hechos a la luz de su ojo más crítico y perspicaz. Al final se sintió casi avergonzada ante la posibilidad de haber superado su capacidad de autosugestión... Sospechaba la maquinación de conspiraciones en todas y cada una de las situaciones, una cadena de sucesos que ella misma había ido creando y en la que una cara de la realidad no guardaba la menor relación con la siguiente. La habían asaltado por la calle, le habían robado el bolso. Con toda probabilidad, la policía hacía lo posible por atrapar a los ladrones; por qué iba a estar involucrada en ello era algo que ahora, por la mañana, escapaba a su razón. ¿No habría estado llorando en sueños por sí misma y por sus propias fantasías?

Encendió la lámpara de pie, que retiró de modo que la luz no incidiese sobre la parte de la cama donde dormía Karin. Después se puso a hojear la guía de Pekín. Señaló en los márgenes lo que quería ver en los días que le quedaban. Ante todo, quería visitar la Ciudad Prohibida, sobre la que había leído y por la que se había sentido atraída desde que China empezó a despertar su interés. También quería dedicar otro día a visitar uno de los templos budistas de la ciudad. Staffan y ella habían hablado en numerosas ocasiones de que si un día, por casualidad, sintiesen la necesidad de cultivar valores espirituales superiores, el budismo era la única vía que les resultaba atractiva. Según Staffan, era la única religión que nunca había promovido una guerra ni recurrido a la violencia para difundir su doctrina. Todas las demás religiones habían dominado y se habían expandido mediante el poder de las armas. Lo más importante para Birgitta era que el budismo sólo reconocía al dios que descansaba en el interior de cada uno; comprender su doctrina de sabiduría consistía en despertar poco a poco a aquel dios interior.

Durmió unas horas más, hasta que oyó bostezar a Karin, que, desnuda, se estiraba junto a la cama. «Una vieja rebelde que se conserva bastante bien físicamente», pensó Birgitta.

–Hermosa vista –le dijo.

Karin se sobresaltó como si la hubiesen sorprendido en una falta.

–Pensé que dormías.

–Sí, hasta hace un minuto. Esta vez me he despertado sin llorar.

–¿Algún sueño?

–Seguramente, pero no recuerdo nada. Los sueños se han escabullido y han ido a esconderse. Seguro que soñaba con la adolescencia y un amor no correspondido.

–Yo nunca sueño con mi época de juventud. En cambio, a veces sí que me imagino muy vieja.

–Sí, hacia allá vamos.

–Bueno, en estos momentos no. Ahora me preocupa más que las conferencias sean interesantes.

Karin fue al cuarto de baño y, cuando regresó, ya se había vestido para salir.

Birgitta aún no le había contado nada del robo y dudó de que fuese acertado mencionarlo. Entre todos los sentimientos que le inspiraba aquel suceso existía también una especie de vergüenza, como si ella hubiese podido evitarlo, pues en general era muy precavida.

–Me voy. Esta noche llegaré tan tarde como ayer; pero para mañana habrá terminado todo. Entonces nos tocará a nosotras.

–Tengo una larga lista –le dijo Birgitta–. Hoy me espera la Ciudad Prohibida.

–Allí vivió Mao –comentó Karin–. Y además creó una dinastía. La dinastía comunista. Hay quienes aseguran que intentó conscientemente imitar a alguno de los viejos emperadores. En especial a Qi, del que tratan los seminarios. Pero yo creo que eso es difamación política, ni más ni menos.

–Seguro que su espíritu impregna toda la ciudad –observó Birgitta–. Anda, vete ya, trabaja mucho y ten ideas brillantes.

Karin se marchó llena de energía. En lugar de envidiarla, Birgitta se levantó, hizo algunas flexiones de brazos bastante chapuceras y se preparó para un día en Pekín sin conspiraciones y sin mirar nerviosa hacia detrás por si la perseguían. Dedicó la mañana a adentrarse en el misterioso laberinto que constituía la Ciudad Prohibida. Sobre la puerta central del último muro rosado, que antiguamente sólo podían cruzar los emperadores, colgaba un retrato enorme de Mao. Birgitta se dio cuenta de que todos los chinos que cruzaban dicha puerta tocaban los herrajes de oro. Supuso que se trataba de algún tipo de superstición. Quizá Karin supiese explicárselo.

Caminó sobre las desgastadas piedras del patio del palacio y recordó que, cuando era una rebelde roja, leyó que la Ciudad Prohibida constaba de nueve mil novecientas noventa y nueve habitaciones y media. Puesto que el Dios del Cielo tenía diez mil, el Hijo del Cielo no podía poseer más. Ella dudaba de que fuese verdad.

Había muchos visitantes pese a que soplaba un viento gélido. Quienes admiraban las habitaciones a las que sus antepasados no habían tenido acceso durante generaciones eran sobre todo chinos. «Aquella revuelta ingente...», se dijo. «Lo que sucede cuando un pueblo se libera es que tiene derecho a abrigar sus propios sueños, el acceso a las habitaciones prohibidas donde se creó la opresión.»

Una de cada cinco personas del mundo era china. «Si mi familia fuera el mundo, uno de nosotros sería chino», calculó. «Al menos en eso teníamos razón cuando éramos jóvenes. Nuestros profetas nacionales y, desde luego, Moses, el de formación teórica más sólida, nos recordaban siempre que no podía discutirse el futuro del mundo sin contar con China en todo momento.»

Estaba a punto de salir de la Ciudad Prohibida cuando descubrió con asombro que había allí dentro una cafetería de una cadena norteamericana. El letrero le llamó poderosamente la atención desde la pared de ladrillo rojo de la que colgaba. Intentó ver cómo reaccionaban los chinos que pasaban por allí. Alguno que otro se detenía y señalaba el local; otros incluso entraban, pero a la mayoría no parecía importarle lo que ella consideraba un sacrilegio execrable. China se había convertido en otro tipo de misterio desde la primera vez que ella intentó comprender algo del Reino del Centro. «Bueno, quizá no sea así», se corrigió. «Hasta un café norteamericano situado en la Ciudad Prohibida debe de poder explicarse mediante un análisis objetivo de cómo es hoy el mundo.»

Por el camino de vuelta hacia el hotel rompió la promesa que se había hecho a sí misma aquella mañana y echó una ojeada a su alrededor. Sin embargo, no había nadie; o, al menos, nadie a quien ella reconociese o que pareciese sorprendido de que se hubiese dado la vuelta. Almorzó en un pequeño restaurante donde, una vez más, le sorprendió que la cuenta fuese tan elevada. Después decidió ver si encontraba algún periódico inglés en el hotel y tomarse una taza de café en el bar que había junto a la recepción. Halló un ejemplar de *The Guardian* en el quiosco y se sentó en el rincón junto a la chimenea encendida. Unos turistas americanos se levantaron y declararon en voz alta para que los oyese todo el mundo que se disponían a subir a la Muralla China. A Birgitta no le gustaron lo más mínimo.

¿Cuándo iría ella a la Muralla? Tal vez Karin tuviese tiempo el último día antes de que volviesen a casa. ¿Cómo era posible ir a China y dejar de visitar la Muralla, que, según una leyenda moderna, era una de las pocas obras humanas visibles desde el espacio?

«Debo ver la Muralla», pensó. «Seguro que Karin ya ha estado allí, pero se habrá de sacrificar. Además, ella tiene cámara. No podemos irnos de aquí sin una foto que mostrarles a nuestros hijos donde se nos vea ante la Muralla.»

De repente, una mujer se detuvo ante su mesa. Era de su edad, aproximadamente, y llevaba el cabello peinado hacia atrás. Le sonreía con un aspecto muy digno. Se dirigió a Birgitta en un inglés muy correcto.

–¿La señora Roslin?

–Sí, soy yo.

–¿Podría sentarme? Tengo algo importante que decirle.

–Claro.

La mujer llevaba un traje azul marino que parecía muy caro.

Tomó asiento antes de presentarse.

–Me llamo Hong Qui. No la molestaría si no se tratase de un asunto verdaderamente importante.

Dicho esto, le hizo una discreta seña a un hombre que aguardaba a unos metros. El hombre se acercó y dejó el bolso de Birgitta sobre la mesa, como si se tratase de un precioso regalo, y se marchó enseguida.

Birgitta Roslin miró a Hong inquisitiva.

–La policía encontró su bolso –le explicó Hong–. Para nosotros es humillante que cualquiera de nuestros huéspedes sufra un percance, de modo que me han pedido que se lo devuelva en persona.

–¿Eres policía?

La mujer no cesaba de sonreír.

–En absoluto. Pero las autoridades me piden de vez en cuando que les ayude en algunos asuntos. ¿Falta algo?

Birgitta Roslin abrió el bolso. No faltaba nada, salvo el dinero. Además, comprobó con sorpresa que también estaba la caja de cerillas.

–Falta el dinero.

–Tenemos la esperanza de atrapar a los ladrones. Y se les aplicará una pena muy dura.

–Pero no los condenarán a muerte, ¿verdad?

Al rostro de Hong asomó una expresión apenas perceptible que, no obstante, no pasó inadvertida para Birgitta.

–Nuestras leyes son muy estrictas. Si tienen antecedentes de delitos graves, tal vez los condenen a muerte. Si observan un buen comportamiento, se les conmutará la pena por cadena perpetua.

–¿Y si no cambian de comportamiento?

Hong dio una respuesta evasiva.

–Nuestras leyes son claras y fáciles de interpretar, pero eso no significa que se puedan establecer de antemano las condenas. Nuestras sentencias son particulares. Cuando las penas se imponen de forma rutinaria, es imposible que sean justas.

–Yo soy jueza. Según mi opinión, un sistema judicial que aplica la pena de muerte es esencialmente primitivo, pues nunca tiene el menor efecto preventivo.

A Birgitta no le agradó lo más mínimo el tono altanero de sus propias palabras. Hong Qui la escuchaba con gesto atento y grave. La sonrisa se había esfumado de su semblante. Despachó con un gesto a la camarera que se acercaba a la mesa y Birgitta tuvo la sensación de que se repetían las pautas. Hong Qui no reaccionó en modo alguno al saber que era jueza. Ya lo sabía.

«En este país, todo el mundo lo sabe todo de mí», se dijo indignada. A menos que aquello fuesen figuraciones suyas.

–Por supuesto que me alegro de haber recuperado el bolso, pero comprenderás que me sorprenda el modo. De pronto, te presentas con él, no eres policía y no sé qué ni quién eres. ¿Han atrapado a los que me robaron o no te he entendido bien? ¿Lo encontraron tirado por ahí?

–No han detenido a nadie. Pero hay sospechas concretas. El bolso apareció cerca de donde te lo robaron.

Hong Qui hizo amago de levantarse, pero Birgitta Roslin la retuvo.

–Aclárame quién eres. Es extraño que una completa desconocida venga de pronto y me devuelva el bolso que me habían robado en la calle.

–Trabajo con temas de seguridad. Como hablo inglés y francés, a veces me llaman para que haga ciertas gestiones.

–¿Seguridad? O sea que, después de todo, eres policía, ¿no?

Hong Qui negó con un gesto.

–La seguridad de una sociedad no siempre consiste en la vigilancia externa, que es responsabilidad de la policía. Se trata de algo más profundo que alcanza las raíces mismas de la sociedad. Estoy segura de que en su país ocurre lo mismo.

–¿Quién te pidió que vinieses a devolverme el bolso?

–Uno de los jefes de la central de objetos perdidos de Pekín.

–¿Objetos perdidos? ¿Quién lo había entregado allí?

–No lo sé.

–¿Cómo sabíais que era mío? No llevaba el documento de identidad ni ningún otro efecto con mi nombre.

–Supongo que reciben información de las distintas instancias de investigación policial.

–¿Acaso hay más de una unidad que trabaje con robos callejeros?

–La colaboración entre policías de distintos grupos es muy frecuente.

–¿Para encontrar un bolso?

–Para resolver un grave asalto a un extranjero que visita nuestro país.

«No hace más que eludir el asunto y dar rodeos», concluyó Birgitta Roslin. «No conseguiré que me responda lo que debe responder.»

–Yo soy jueza –repitió Birgitta–. Y me quedaré unos días más en Pekín. Puesto que parece que lo sabes todo de mí, no será necesario que te cuente que he venido con una amiga que se pasa los días hablando del primer emperador en un congreso internacional.

–Es fundamental conocer a fondo la dinastía Qin para comprender mi país. Sin embargo, se equivoca si cree que sé quién es o el motivo de su visita a Pekín.

–Puesto que has sido capaz de recuperar mi bolso, estaba pensando pedirte consejo. ¿Cómo puedo obtener permiso para acceder a una sala de vistas china? No tiene por qué ser un juicio importante, claro. Sólo quisiera poder seguir los procedimientos y, quizás, hacer alguna que otra pregunta.

La respuesta, inmediata, sorprendió a Birgitta.

–Puedo arreglarlo mañana. Yo misma la acompañaré.

–No quiero causar molestias. Pareces una persona muy ocupada.

Hong Qui se puso de pie.

–La llamaré más tarde para decirle cuándo podemos vernos mañana.

Birgitta Roslin estaba a punto de decirle el número de su habitación, pero pensó que Hong Qui ya lo sabría.

La vio cruzar el bar en dirección a la salida. El hombre que había dejado el bolso en la mesa se unió a otro antes de desaparecer de su campo de visión.

Miró el bolso y se echó a reír. «Existe una entrada», se dijo. «Y también una salida. Un bolso desaparece y aparece otra vez. Pero, de lo que acontece entre un suceso y el otro, no sé nada en absoluto. Aunque también existe el riesgo de que no sea capaz de distinguir entre mis quimeras y la realidad.»

Hong Qui la llamó una hora más tarde, justo cuando Birgitta acababa de volver a su habitación. Ya nada la sorprendía. Era como si personas para ella desconocidas estuviesen siguiendo cada uno de sus movimientos y supiesen dónde se encontraba en todo momento. Como ahora: acababa de entrar y sonaba el teléfono.

–Mañana a las nueve –le dijo Hong Qui.

–¿Dónde?

–Yo la recogeré. Vamos a un juzgado de un distrito a las afueras de Pekín. Lo elegí porque presidirá la sala una jueza.

–Muchas gracias.

–Haremos cuanto esté en nuestras manos para compensar el desgraciado accidente del bolso.

–Ya lo has compensado. Me siento rodeada de espíritus protectores.

Después de la conversación, Birgitta Roslin vació el contenido de su bolso sobre la cama. Aún le costaba comprender que las cerillas estuviesen allí, en lugar de en la maleta. Abrió la caja y comprobó que estaba medio vacía. Frunció el entrecejo. «Alguien que fuma», concluyó. «Esta caja estaba llena de cerillas cuando la guardé en el bolso.» Sacó las cerillas, las dejó en la cama y abrió la caja del todo para observar bien las dos partes. No sabía exactamente qué pensaba descubrir. Una caja de cerillas no era ni más ni menos que eso. Irritada, volvió a guardar las cerillas en la caja, y ésta en el bolso. Estaba yendo demasiado lejos con sus fantasías.

Dedicó el resto del día a un templo budista y una prolongada cena en un restaurante próximo al hotel. Cuando Karin entró de puntillas en la habitación y encendió la luz, ella ya dormía y se dio media vuelta en la cama.

Al día siguiente se levantaron a la misma hora. Puesto que Karin se había quedado dormida y llegaba tarde, sólo le dijo que el congreso se clausuraba a las dos. A partir de esa hora estaba libre. Birgitta Roslin le habló de la visita que pensaba hacer a la sala de vistas, pero sin contarle aún nada del robo.

Hong Qui la esperaba en la recepción enfundada en un abrigo de piel de color blanco. Birgitta se sintió avergonzada al comparar su vestimenta con la de ella, pero Hong Qui observó que iba bien abrigada.

–Nuestras salas de vistas son muy frías –le advirtió.

–Como vuestros teatros, ¿no?

Hong Qui sonrió al responder. «No creo que sepa que hace unos días asistimos a un espectáculo de la ópera de Pekín, ¿no?», se preguntó Birgitta. «¿O tal vez sí?»

–China sigue siendo un país muy pobre. Avanzamos hacia el futuro con mucha humildad y trabajando duro.

«No todos son pobres», pensó Birgitta con amargura. «Incluso yo, que no soy una experta, tengo claro que las pieles que llevas no sólo son auténticas, sino además muy caras.»

A la puerta del hotel las esperaba un coche con chófer. Birgitta Roslin sintió cierto malestar. En realidad, ¿qué sabía de aquella extraña que iba a llevarla en un coche conducido por otro extraño?

Intentó convencerse de que no había peligro. ¿Por qué no era capaz de apreciar, simplemente, la solicitud con que la estaban tratando? Hong Qui guardaba silencio, con los ojos medio cerrados. Circulaban a gran velocidad por una larga avenida, y unos minutos más tarde Birgitta no tenía la menor idea de en qué parte de la ciudad se encontraban.

Se detuvieron ante un edificio bajo construido en cemento cuya entrada custodiaban dos policías. Por encima del dintel había una serie de caracteres chinos de color rojo.

–Es el nombre del juzgado del distrito –explicó Hong Qui, que siguió la mirada curiosa de Birgitta.

Cuando empezaron a subir la escalinata que conducía a la puerta, los dos policías presentaron armas. Hong Qui no reaccionó y Birgitta se preguntó quién sería aquella mujer en realidad. Desde luego, no era una vulgar mensajera encargada de devolver bolsos robados a los turistas.

Siguieron caminando por un pasillo hasta que llegaron a la sala de vistas, una habitación sobria cuyas paredes estaban forradas de paneles de madera en color marrón. Sobre una tarima bastante elevada ocupaban sendas sillas dos hombres uniformados. Entre ambos quedaba un sitio libre. No había ningún espectador en la sala y Hong Qui se dirigió a la primera fila de los bancos destinados al público, donde había dos cojines. «Todo está preparado», constató Birgitta. «El espectáculo puede comenzar. Aunque quizá también aquí, en la sala de vistas, quieran tratarme con amabilidad.»

Acababan de sentarse cuando dos guardias condujeron al acusado al interior de la sala. Un hombre de mediana edad que llevaba la cabeza rapada y un uniforme de presidiario de color azul oscuro y tenía la vista clavada en el suelo. A su lado se hallaba el abogado defensor. En otra mesa se sentó quien Birgitta supuso que sería el fiscal. Era un hombre de edad que vestía ropa normal, calvo y con el rostro surcado de arrugas. La jueza entró en la sala por una puerta situada detrás de la tarima. Tendría unos sesenta años, era corpulenta y de baja estatura. Sentada en la silla, parecía una niña.

–Shu Fu ha sido jefe de una banda de delincuentes especializados en robos de coches –le explicó Hong Qui en voz baja–. Los demás ya han sido juzgados y ahora le toca el turno al cabecilla de la banda. Al ser reincidente le impondrán una dura condena. Hasta el momento se le ha tratado con suavidad, pero, al continuar con su actividad delictiva, ha traicionado la confianza que la justicia depositó en él, de modo que el tribunal deberá imponerle una sentencia más dura.

–Pero no la pena capital, ¿verdad?

–Por supuesto que no.

Birgitta Roslin intuyó que a Hong Qui no le había gustado su pregunta, pues respondió con impaciencia, casi molesta. «Vaya, ya se te ha borrado la sonrisa de la boca», pensó Birgitta. «La cuestión es si lo que voy a presenciar es un verdadero juicio o si se trata de una puesta en escena con una sentencia ya dictada.»

Todos hablaban con voz chillona, que resonaba en la sala. El único que no dijo una palabra en ningún momento fue el acusado, que seguía mirando al suelo fijamente. De vez en cuando Hong Qui le traducía lo que decían. El abogado defensor no hizo mayor esfuerzo por apoyar a su cliente, algo que tampoco era infrecuente en los tribunales suecos, pensó Birgitta. Todo se redujo a una conversación entre el fiscal y la jueza. Birgitta no logró entender cuál podía ser la función de los personajes sentados a ambos lados de la magistrada.

El juicio terminó en menos de media hora.

–Le caerán unos diez años de trabajos forzados –explicó Hong Qui.

–No he oído que la jueza haya dicho nada que pudiera interpretarse como una sentencia...

Hong Qui no hizo el menor comentario a su observación. Cuando la jueza se puso en pie, todos los presentes la imitaron. Se llevaron al acusado sin que Birgitta hubiese conseguido verle los ojos una sola vez.

–Voy a presentarte a la jueza –le dijo Hong Qui–. Nos invita a una taza de té en su despacho. Se llama Min Ta. Cuando no está trabajando, se dedica a cuidar de sus dos nietos.

–¿De qué tiene fama?

Hong Qui no pareció entender la pregunta.

–Todos los jueces tienen fama de algo que, en mayor o menor grado, se corresponde con la realidad, pero siempre hay un fondo de verdad. A mí se me considera una jueza templada pero muy decidida.

–Min Ta cumple la ley. Está orgullosa de ser jueza. Por esa razón es una buena representante de nuestro país.

Por la baja puerta que había detrás de la tarima accedieron a una habitación fría y de decoración espartana donde las aguardaba Min Ta. Un ujier les sirvió el té mientras ellas se sentaban. Min Ta empezó a hablar sin preámbulos, con la misma voz chillona que en la sala. Cuando guardó silencio, Hong Qui tradujo sus palabras.

–Es para ella un gran honor conocer a una colega de Suecia. Ha oído hablar muy bien del sistema judicial sueco. Por desgracia, tiene pendiente otro juicio que no tardará en empezar; de lo contrario, le habría gustado seguir conversando sobre el sistema judicial sueco.

–Dale las gracias por recibirme –le dijo Birgitta–. Y pregúntale cuál cree que será la sentencia y si tú tenías razón en lo de los diez años.

–Nunca entro en la sala sin la preparación previa necesaria –aseguró Min Ta cuando le tradujeron la pregunta–. Es mi deber utilizar bien mi tiempo y el de las demás personas que están al servicio de la justicia. En este caso, no había lugar a dudas. El sujeto había confesado, es reincidente y no existen atenuantes. Creo que le impondré entre siete y diez años de prisión, pero debo sopesar a conciencia mi sentencia.

Aquélla fue la única pregunta que Birgitta tuvo la oportunidad de formular, pues Min Ta había preparado una larga serie de cuestiones que quería plantearle a ella. Birgitta se preguntó qué traduciría Hong Qui en realidad. Tal vez ella y Min Ta estuviesen manteniendo una conversación sobre un tema totalmente distinto.

Veinte minutos después, Min Ta se levantó y explicó que debía volver a la sala de vistas. Apareció un hombre con una cámara. Min Ta se colocó al lado de Birgitta y el individuo las fotografió. Hong Qui se mantuvo algo apartada, fuera del alcance de la cámara. Min Ta y Birgitta Roslin se estrecharon la mano y salieron juntas al pasillo. Cuando la jueza abrió la puerta de acceso a la sala, Birgitta entrevió que, en esa ocasión, el público era muy numeroso.

Volvieron al coche, que partió de allí a toda velocidad. Al cabo de un rato se detuvieron, pero no ante el hotel, sino ante una casa de té con forma de pagoda construida en una isla de un lago artificial.

–Hace frío –observó Hong Qui–. El té nos ayudará a entrar en calor.

Hong Qui la llevó a una sala separada del resto del local en la que aguardaban dos tazas y una camarera con la tetera en la mano. Todo estaba minuciosamente preparado. Y, de simple turista, Birgitta había pasado a ser una visita importante, por más que aún no alcanzase a comprender la razón.

De pronto, Hong Qui empezó a hablar del sistema judicial sueco, sobre el que parecía muy bien informada, y le hizo varias preguntas sobre los asesinatos de Olof Palme y Anna Lindh.

–En una sociedad abierta, nunca puede garantizarse al cien por cien la seguridad de una persona –explicó Birgitta Roslin–. Toda organización social paga un precio. La libertad y la seguridad están en constante lucha por mantener sus posiciones.

–Es decir, que no se puede evitar que alguien que lo desee asesine a otra persona –concluyó Hong Qui–. Ni siquiera un presidente norteamericano tiene garantizada la protección.

Birgitta Roslin adivinó cierta reticencia en sus palabras, pero no consiguió interpretarlo.

–Aquí no llegan muchas noticias sobre Suecia –prosiguió–. Pero últimamente hemos podido leer en los diarios información esporádica sobre una terrible masacre.

–Sí, un caso que, por cierto, conozco bien –apuntó Birgitta–. Aunque no estoy involucrada en calidad de jueza. Detuvieron a un sospechoso pero se suicidó. Lo que no deja de ser un escándalo es el mero hecho de que pudiese suceder.

Puesto que Hong Qui parecía amablemente interesada, Birgitta Roslin le narró los sucesos con todo lujo de detalles. Hong Qui la escuchaba atenta, sin hacer preguntas, aunque en varias ocasiones le pidió que repitiera algún que otro dato.

–Un loco –sintetizó Birgitta para terminar–. Que, por cierto, logró quitarse la vida. O tal vez sea otro loco distinto, al que la policía aún no ha logrado atrapar. O puede que se trate de algo totalmente distinto, alguien con un móvil y un plan brutal y calculado con extrema frialdad.

–¿Cuál podría ser el móvil?

–Venganza. Odio. Puesto que no robaron nada, debe de ser una combinación de odio y venganza.

–¿Y tú qué opinas?

–¿Sobre la persona a la que deben buscar? No lo sé. Pero me cuesta creer en la teoría del loco solitario.

Después, Birgitta Roslin le habló de lo que ella había dado en llamar la pista china. Empezó desde el principio, con el descubrimiento de su propio parentesco con algunas de las víctimas y continuó con la misteriosa aparición del visitante chino en Hudiksvall. Como quiera que Hong escuchaba con visible interés, siguió ofreciéndole detalles hasta que, por fin, le sacó la fotografía y se la mostró.

Hong Qui asintió despacio. Por un instante pareció sumida en alguna reflexión y a Birgitta le dio la impresión de que reconocía el rostro de la instantánea. Claro que no tenía sentido, ¿cómo iba a reconocer a un hombre entre millones?

Hong Qui sonrió, le devolvió la fotografía y le preguntó qué planes tenía para el resto de su estancia en Pekín.

–Pues espero que mi amiga me lleve mañana a ver la Muralla China. Al día siguiente volvemos a casa.

–Vaya, pues mañana estoy ocupada y no podré servirte de guía.

–Ya has hecho más de lo que debías.

–De todos modos, me pasaré para decirte adiós.

Se despidieron a la puerta del hotel. Birgitta Roslin vio cómo el coche de Hong Qui se alejaba tras cruzar la verja del hotel.

Karin llegó a las tres de la tarde y, con un suspiro de alivio, arrojó a la papelera gran parte del material utilizado en el congreso. Birgitta le propuso que visitaran la Muralla China al día siguiente, idea que Karin aceptó sin objeciones. Ahora, aseguró, quería ir de compras. Birgitta la acompañó de un centro comercial a otro, antes de que ambas se adentraran en mercados semioficiales montados en pequeñas plazas y oscuros comercios donde podían encontrarse todo tipo de gangas, desde lámparas antiguas hasta estatuillas de madera que representaban espíritus malignos. Cuando empezó a caer la noche, y ya cargadas de paquetes y bolsas, llamaron a un taxi. Karin estaba cansada y decidieron cenar en el hotel. Birgitta le pidió a la recepcionista que les organizaran la visita a la Muralla para el día siguiente.

Karin se durmió y Birgitta se sentó a ver la televisión china con el volumen al mínimo. De vez en cuando la invadía una oleada de temor ante el recuerdo de lo sucedido el día anterior; sin embargo, ya había decidido no contárselo a nadie, ni siquiera a Karin.

Al día siguiente fueron a ver la Muralla. No soplaba el viento, con lo que el frío seco y acerado resultaba menos intenso. Llenas de admiración, pasearon por los alrededores de la Muralla tomando fotos individuales o pidiéndole a algún amable visitante chino que les sacase una foto a las dos.

–Bueno, aquí estamos –dijo Karin–. Con una cámara, en lugar de con el libro rojo de Mao.

–En este país ha debido de producirse un milagro –observó Birgitta–. Una maravilla, obra de los hombres gracias a su enorme esfuerzo, y no de los dioses.

–Sí, al menos en las ciudades. Pero creo que la pobreza persiste en las zonas rurales. ¿Qué harán cuando cientos de millones de campesinos pobres se cansen de serlo?

–«El auge actual del movimiento campesino es un acontecimiento enorme.» Tal vez tras esas palabras se oculte una realidad arrolladora.

–Nadie nos dijo entonces que en China hacía tanto frío. Creo que me voy a morir congelada.

Regresaron al coche que las aguardaba y, justo cuando Birgitta bajaba las escaleras que las alejarían de la Muralla, volvió la vista atrás, quizá para contemplar la Muralla por última vez.

Y entonces vio a uno de los hombres de Hong Qui que leía distraídamente una guía. No le cabía la menor duda. Era él, el hombre que se había acercado a la mesa con el bolso.

Karin la apremió impaciente para que entrara en el coche, tenía frío y quería marcharse cuanto antes.

Birgitta se volvió a mirar una vez más, pero el hombre había desaparecido.

27

La última noche en Pekín, Birgitta Roslin y Karin Wiman no salieron del hotel. Después de la visita a la Muralla estuvieron en el bar tomándose un par de vodkas para entrar en calor mientras discutían las diversas opciones que se les ofrecían para terminar el viaje. Pero el vodka surtió efecto y se sentían tan mareadas y cansadas que decidieron comer en el hotel. Después charlaron durante un buen rato sobre el rumbo que habían tomado sus vidas. Era como si se hubiesen quedado encerradas en un círculo descrito por los rebeldes sueños juveniles de una China roja y el país con que ahora se habían encontrado, un reino que había sufrido grandes transformaciones, aunque quizá no las que ellas imaginaron en su día. Permanecieron en el restaurante hasta quedarse solas. De la lámpara que colgaba sobre la mesa pendían unas cintas de seda. Birgitta se acercó a Karin y le susurró que se llevarían un par de cintas, como recuerdo. Karin las cortó con unas tijeras pequeñas aprovechando que ninguno de los camareros las observaba en ese momento.

Después de hacer las maletas, Karin se durmió. El congreso la había dejado exhausta. Birgitta se sentó en el sofá con las luces apagadas. De repente, tomó conciencia de estar envejeciendo. Hasta allí, un tramo más..., pero después el camino llegaría a su fin en el abrazo de una inmensa y desconocida oscuridad. Tal vez sentía por primera vez que el sendero empezaba a inclinarse y descender, de forma imperceptible aún, pero imposible de detener o eludir. «Piensa en diez cosas que quieras hacer todavía», se susurró a sí misma. «Diez cosas que aún quieras hacer. Diez cosas que te falten por hacer.» Se sentó ante el pequeño escritorio y empezó a anotar.

¿Qué vivencias deseaba experimentar aún? Naturalmente, tenía la esperanza de conocer a uno o a varios de sus nietos. Staffan y ella habían hablado en varias ocasiones de visitar distintas islas. Por ahora, sólo habían viajado a Islandia y a Creta. Uno de sus viajes soñados tenía las Galápagos por destino; otro, las islas Pitcairn, por cuyos habitantes aún corría la sangre de los amotinados del *Bounty.* ¿Aprender otro idioma quizás? O, al menos, intentar mejorar el francés que antes hablaba tan correctamente.

Lo principal, no obstante, era que ella y Staffan lograsen resucitar su relación y empezasen a verse otra vez el uno al otro. En ocasiones, la apenaba sobremanera la idea de acercarse a la vejez sin la menor chispa viva de su antigua pasión.

Ningún viaje era más importante que ese deseo.

Arrugó el papel y lo arrojó a la papelera. ¿Para qué anotar lo que tan claro y definido tenía en su fuero interno? Las tesis que pervivían sobre el futuro de Birgitta Roslin.

Se desnudó y se metió en la cama. Karin respiraba pausadamente a su lado. Sintió de pronto la urgencia de volver a casa, de que le diesen el alta médica y de volver al trabajo. Sin las rutinas del día a día, no podría hacer realidad ninguno de los sueños que la esperaban.

Dudó un instante antes de echar mano del móvil para enviarle un mensaje de texto a su marido. «De vuelta a casa. Cada viaje comienza con un paso muy sencillo de dar. También el regreso.»

Se despertó a las siete. Pese a no haber dormido más de cinco horas se sentía despejada, aunque un ligero dolor de cabeza le recordó la cantidad de vodka que habían tomado la noche anterior. Karin dormía arropada entre las sábanas con una mano colgando fuera de la cama y apuntando al suelo. Con mucho cuidado, le metió el brazo bajo la sábana.

Se dirigió al comedor, ya lleno de huéspedes a pesar de ser tan temprano. Miró a su alrededor para ver si descubría algún rostro familiar en una de las mesas. Estaba completamente segura de que el hombre de la Muralla era uno de los que acompañaban a Hong. Pudiera ser que el Estado chino la hubiese puesto bajo vigilancia para que no le ocurriese ningún otro percance.

Desayunó, hojeó un diario inglés y, ya estaba a punto de volver a la habitación, cuando descubrió a Hong junto a su mesa. No había llegado sola, sino flanqueada por dos hombres a los que Birgitta no había visto con anterioridad. A una señal de Hong, los dos sujetos se retiraron y ella tomó asiento junto a Birgitta. Le dijo algo al camarero, que acudió enseguida con un vaso de agua.

–Espero que todo esté en orden –comenzó Hong–. ¿Qué tal la visita a la Muralla?

«Sabes bien cómo fue...», pensó Birgitta. «Además, no me cabe la menor duda de que alguno de tus ojos auxiliares estuvo anoche en el Flor de Loto, el restaurante del hotel, mientras Karin y yo cenábamos.»

–La Muralla es impresionante, pero hacía mucho frío.

Birgitta Roslin miraba a Hong a los ojos, desafiante, para averiguar si sabía que ella había descubierto a quien la vigilaba. Sin embargo, el rostro de Hong permanecía impenetrable. No desvelaba sus cartas.

–En la habitación contigua al restaurante te espera un hombre llamado Chan Bing.

–¿Y qué quiere?

–Explicarte que la policía ha atrapado a uno de los hombres que te asaltaron y te robaron el bolso.

Birgitta Roslin notó que se le aceleraba el corazón, como si las palabras de Hong fuesen de mal agüero.

–¿Cómo es que no ha venido aquí, si lo que quiere es hablar conmigo?

–Va de uniforme y no desea molestar ni llamar la atención mientras desayunas.

Birgitta Roslin alzó los brazos con gesto resignado.

–Bueno, para mí no es ningún problema relacionarme con gente uniformada.

Se levantó y dejó la servilleta justo cuando entraba Karin, que las miró sorprendida. Birgitta se vio obligada a explicarle lo sucedido y a presentarle a Hong.

–No sé qué quiere ese hombre exactamente. Al parecer, la policía ha atrapado a uno de los ladrones que me atacaron. Desayuna tranquilamente, volveré cuando haya terminado de hablar con el policía.

–Pero ¿por qué no me contaste nada?

–No quería preocuparte.

–Pues ahora sí que estoy preocupada. E incluso creo que enojada.

–Anda ya, no tienes motivo.

–Debemos salir para el aeropuerto a las diez.

–Aún faltan dos horas.

Birgitta Roslin acompañó a Hong. Los dos hombres las seguían en todo momento. Recorrieron el pasillo que conducía a los ascensores y se detuvieron ante una puerta entreabierta. Birgitta Roslin vio que se trataba de una pequeña sala de conferencias. En un extremo de la mesa ovalada se había acomodado un señor de edad que fumaba un cigarrillo. Llevaba un uniforme de color azul oscuro con muchas medallas. Sobre la mesa estaba la gorra. Se levantó y la saludó con una breve inclinación al tiempo que le señalaba una silla que había a su lado. Hong se colocó detrás, junto a la ventana.

Chan Bing tenía los ojos inyectados en sangre y el escaso cabello peinado hacia atrás. Birgitta Roslin experimentó la vaga sensación de hallarse ante un hombre extremadamente peligroso. Chupaba con fruición el humo de su cigarrillo. Ya había tres colillas en el cenicero.

Hong dijo algo y Chan Bing asintió. Birgitta Roslin intentó recordar si había conocido a alguien con más estrellas rojas en las hombreras.

Chan Bing hablaba con voz bronca.

–Hemos atrapado a uno de los dos hombres que la atacaron. Estamos obligados a pedirle que lo identifique.

Su inglés era deficiente, pero le bastaba para comunicarse.

–Pero si no vi nada.

–Uno siempre ve más de lo que cree.

–En ningún momento se me pusieron delante. Le aseguro que no tengo ojos en la nuca.

Chan Bing la observó inexpresivo.

–Todos los tenemos. En situaciones tensas y peligrosas, uno ve incluso por la nuca.

–Puede que en China, pero no en Suecia. Jamás he sentenciado a una persona porque otra la haya acusado aduciendo que la vio con la nuca.

–Hay otros testigos. Usted no es la única que ha de identificar a alguien. Los testigos también han de identificarla a usted.

Birgitta Roslin imploró con la mirada a Hong, que observaba un punto más allá de donde ella se encontraba.

–Debo tomar el avión para volver a casa –explicó Birgitta–. Dentro de dos horas, mi amiga y yo dejaremos el hotel para ir al aeropuerto. Ya he recuperado el bolso y la policía ha actuado de forma impecable. Incluso podría escribir un artículo en la revista de los abogados suecos acerca de mis experiencias en este país, expresando mi agradecimiento. Pero no puedo señalar a ningún supuesto autor del robo.

–Nuestra solicitud de colaboración no es desproporcionada. Según las leyes de este país, usted tiene el deber de ponerse a disposición de la policía para facilitar el esclarecimiento de un delito grave.

–Pero tengo que volver a casa. ¿Cuánto tardaremos?

–No más de veinticuatro horas.

–Imposible.

Hong se había acercado sin que Birgitta se percatase de ello.

–Por supuesto, te ayudaremos a cambiar los billetes de avión –le aseguró.

Birgitta Roslin dio una palmada sobre la mesa.

–Yo vuelvo a casa hoy mismo. Me niego a prolongar mi estancia aquí veinticuatro horas.

–Chan Bing es un alto cargo policial. Se hará lo que él diga. Tiene poder para retenerte en el país.

–En ese caso, exijo hablar con mi embajada.

–Por supuesto.

Hong le dio un teléfono móvil y una nota con un número de teléfono.

–La embajada abre dentro de una hora.

–¿Por qué me obligáis a hacer esto?

–No queremos castigar a un inocente, pero tampoco permitir que un delincuente quede libre.

Birgitta Roslin la miró fijamente y comprendió que no le quedaba otro remedio que permanecer en Pekín un día más. Habían decidido retenerla. Lo mejor sería aceptar la situación, pensó resignada. «Pero nadie me obligará a señalar a un delincuente al que no he visto nunca.»

–Tengo que hablar con mi amiga –declaró–. ¿Qué será de mi equipaje?

–La habitación seguirá a tu nombre –le respondió Hong.

–Supongo que ya lo habéis arreglado. ¿Cuándo decidisteis retenerme aquí? ¿Ayer? ¿Anteayer? ¿Anoche?

Nadie le respondió. Chan Bing encendió otro cigarrillo y le dijo algo a Hong.

–¿Qué dice? –preguntó Birgitta.

–Que debemos darnos prisa. Chan Bing es un hombre muy ocupado.

–¿Quién es exactamente?

Hong le respondió mientras salían al pasillo.

–Chan Bing es un investigador criminal con mucha experiencia. Es responsable de los delitos que afectan a personas como tú, a los turistas que visitan nuestro país.

–Pues no me ha gustado.

–¿Por qué?

Birgitta Roslin se detuvo.

–Si he de quedarme, exijo que tú estés conmigo. De lo contrario, dejaré el hotel antes de que abra la embajada y haya podido hablar con ellos.

–Me quedaré contigo.

Continuaron hasta llegar al comedor. Karin Wiman estaba a punto de levantarse cuando las vio entrar. Birgitta le explicó la situación. Karin la observaba atónita.

–¿Por qué no me dijiste nada? De haberlo hecho, habríamos podido prever el inconveniente de que tuvieses que quedarte aquí un día más.

–Ya te lo he dicho, no quería que te preocuparas. Y tampoco quería preocuparme yo. Creía que todo había pasado. Incluso había recuperado el bolso. Pero, en fin, el caso es que tengo que quedarme hasta mañana.

–¿Es absolutamente necesario?

–El policía con el que acabo de hablar no parece el tipo de persona que cambia de idea una vez ha tomado una decisión.

–¿Quieres que me quede contigo?

–No, vete. Yo saldré pasado mañana. Llamaré a casa y les contaré lo ocurrido.

Karin seguía dudando. Birgitta la acompañó hasta la salida.

–Venga, vete. Yo me quedo y lo soluciono. Al parecer, según las leyes de este país, no puedo marcharme sin haberles prestado antes mi ayuda.

–¡Pero si dices que no viste a quien te atacó!

–Sí, y en eso me mantendré. Anda, vete ya. Cuando llegue a casa, quedamos para enseñarnos las fotos de la Muralla.

Birgitta vio cómo Karin se alejaba hacia el ascensor. Puesto que había bajado al comedor con el abrigo, estaba lista para partir.

Se subió al coche con Hong y Chan Bing. Varias motos con las sirenas en marcha iban abriéndole paso al vehículo entre el denso tráfico. Dejaron atrás Tiananmen y continuaron por una de las amplias avenidas centrales hasta que giraron para entrar en una cochera vigilada por policías. Subieron en ascensor al décimo cuarto piso y recorrieron un pasillo custodiado por policías que la miraban curiosos. Chan Bing y no Hong caminaba ahora a su lado. «En este edificio, ella no es la importante», concluyó Birgitta. «Aquí el señor Chan Bing es quien manda.»

Llegaron a la antesala de un gran despacho donde dos policías se levantaron de inmediato poniéndose firmes. La puerta se cerró a sus espaldas cuando entraron en lo que supuso sería el despacho de Chan Bing. En la pared, detrás de su escritorio, había colgado un retrato del presidente del país. Vio que Chan Bing tenía un ordenador muy moderno y varios teléfonos móviles. El alto cargo policial le señaló una silla junto al escritorio. Birgitta Roslin se sentó. Hong aguardaba en la antesala.

–Lao San –comenzó Chan Bing–, así se llama el hombre al que pronto verá para identificarlo junto con otros nueve.

–¿Cuántas veces tendré que repetir que no vi a los que me asaltaron?

–En ese caso, tampoco puede saber si fueron uno o dos o quizá más.

–Tuve la sensación de que eran más de uno. Demasiados brazos a mi alrededor.

De repente se asustó. Demasiado tarde cayó en la cuenta de que tanto Hong como Chan Bing sabían que ella había estado buscando a Wang Min Hao. Ésa era la razón por la que ahora ocupaba aquella silla en el despacho de un alto cargo policial. De algún modo que se le escapaba, su persona se había convertido en una amenaza. La cuestión era, ¿para quién?

«Ambos lo saben», pensó. «Y Hong no ha entrado porque ya sabe de qué va a hablar conmigo Chan Bing.»

Aún llevaba la fotografía en el bolsillo del abrigo. Dudó si sacarla y explicarle a Chan Bing lo que la había llevado al lugar en que le robaron, pero algo la disuadió de mostrar la instantánea. En aquel momento era Chan Bing quien marcaba el son al que ella debía bailar.

Chan Bing atrajo hacia sí unos documentos que había sobre la mesa, no para leerlos, según pudo ver Birgitta, sino para decidir qué iba a decir.

–¿Cuánto dinero? –le preguntó.

–Sesenta dólares americanos. Algo menos en moneda china.

–¿Bisutería, joyas, tarjetas de crédito?

–No se llevaron nada.

Uno de los móviles que había sobre la mesa empezó a zumbar. Chan Bing respondió, escuchó y dejó el aparato donde estaba.

–Bien –dijo poniéndose de pie–. Ahora podrá ver al hombre que la atacó.

–¿No me dijo que eran varios?

–De los dos que la atacaron, el único al que aún podemos interrogar.

«Es decir, que el otro ha muerto», concluyó Birgitta embargada de un intenso malestar. En aquel momento, lamentaba haberse quedado en Pekín. Debería haber insistido en regresar a su país en compañía de Karin Wiman. Al quedarse, había caído en una especie de trampa.

Recorrieron un pasillo, bajaron una escalera y pasaron por una puerta a un lugar donde había poca luz. Un policía montaba guardia junto a una cortina.

–La dejaré sola –anunció Chan Bing–. Como comprenderá, el sujeto no puede verla a usted. Si quiere que alguno dé un paso al frente o se ponga de perfil, dígalo por el micrófono.

–¿A quién le hablo por el micrófono?

–A mí. Tómese su tiempo.

–Es absurdo. No sé cuántas veces tendré que decir que no les vi la cara a las personas que me atacaron.

Chan Bing no respondió. Retiraron la cortina. Birgitta estaba sola en la sala. Al otro lado del espejo había una serie de hombres de unos treinta años, con vestimenta muy sencilla y extremadamente delgados. Sus rostros le eran desconocidos, no reconocía a uno solo de ellos, aunque por un instante pensó que el último de la fila por la izquierda se parecía al que había filmado la cámara de Sture Hermansson en Hudiksvall.

Pero no era él, el rostro de aquel hombre era más redondo y tenía los labios más carnosos.

La voz de Chan Bing se oyó por un altavoz invisible.

–Tómese su tiempo.

–No he visto en mi vida a ninguno de estos hombres.

–Deje que las impresiones se vayan sedimentando.

–Aunque me quedase aquí hasta mañana, mis impresiones no cambiarán.

Chan Bing no respondió y Birgitta pulsó irritada el botón del micrófono.

–Jamás he visto a ninguno de estos hombres.

–¿Está segura?

–Sí.

–Mire bien.

El hombre que ocupaba el cuarto lugar por la derecha dio un paso adelante. Llevaba una cazadora con hombreras, parches en los pantalones y tenía el rostro enjuto y sin afeitar.

De pronto, la voz de Chan Bing resonó tensa en la sala.

–¿Ha visto usted antes a este hombre?

–Jamás.

–Fue uno de los que la atacaron: Lao San, veintinueve años, condenado por varios delitos. Su padre fue ejecutado por un delito de asesinato.

–Jamás lo había visto.

–Ha confesado el crimen.

–En ese caso, no me necesitan para nada.

Un policía que había permanecido oculto detrás de ella en la semipenumbra dio un paso adelante y corrió la cortina. Después, le indicó que lo siguiese. Volvieron al despacho en el que Chan Bing la aguardaba. No se veía a Hong por ninguna parte.

–Queremos darle las gracias por su ayuda –le dijo Chan Bing–. Ahora sólo quedan un par de formalidades. Ya están redactando un protocolo.

–¿Un protocolo de qué?

–El reconocimiento del delincuente.

–¿Qué le pasará?

–Yo no soy juez. ¿Qué habría sido de él en su país?

–Depende de las circunstancias.

–Claro, nuestro sistema judicial funciona igual. Juzgamos al criminal, su voluntad de confesar el delito y las circunstancias específicas en que se cometió.

–¿Existe el riesgo de que lo condenen a muerte?

–No creo –respondió Chan Bing secamente–. La idea de que aquí condenamos a muerte a culpables de delitos menores es un prejuicio occidental. Si hubiese utilizado algún arma o si la hubiese herido de gravedad, la cosa habría sido muy distinta.

–Pero su cómplice está muerto, ¿no es así?

–Opuso resistencia durante la detención. Los policías fueron atacados y actuaron en defensa propia.

–¿Cómo saben que era culpable?

–Opuso resistencia.

–Pudo tener otras razones para ello.

–El hombre al que acaba de ver, Lao San, ha confesado que fue su cómplice.

–Pero no hay pruebas, ¿verdad?

–Hay una confesión.

Birgitta Roslin comprendió que no debía poner a prueba la paciencia de Chan Bing. Decidió hacer lo que le pedían para poder salir de China lo antes posible.

Una mujer uniformada entró con un archivador e hizo lo posible por no mirar a Birgitta.

Chan Bing leyó el texto del protocolo. Birgitta Roslin creyó advertir que tenía prisa. «Se le acaba la paciencia», observó para sí. «O quizás haya otra cosa que yo ignoro...»

En un documento muy prolijo y complicado, Chan Bing declaraba que la señora Birgitta Roslin, ciudadana sueca, no había podido identificar a Lao San, autor del grave delito del que ella había sido víctima.

Chan Bing guardó silencio y le acercó los documentos, que estaban redactados en inglés.

–Fírmelo –le dijo–. Y podrá irse a casa.

Birgitta Roslin leyó con atención las dos páginas antes de estampar su firma. Chan Bing se encendió un cigarrillo. Ya parecía haber olvidado la presencia de Birgitta.

De pronto, Hong entró en el despacho.

–Ya podemos irnos –anunció–. Hemos terminado.

Birgitta guardó silencio durante todo el camino de regreso al hotel. Tan sólo quiso hacerle una pregunta a Hong antes de entrar en el coche.

–Me figuro que no hay ningún vuelo para mí hoy mismo.

–Por desgracia, tendrás que esperar a mañana.

En la recepción del hotel había un mensaje para ella en el que le comunicaban que le habían cambiado el vuelo con Finnair para el día siguiente. Ya iba a despedirse cuando Hong le propuso volver más tarde para cenar juntas. Birgitta Roslin aceptó enseguida. Lo último que deseaba era estar sola en Pekín en aquellos momentos.

Entró en el ascensor pensando que Karin ya iba de camino a casa, transportada por los aires, invisible allá arriba en las alturas.

Lo primero que hizo en cuanto llegó a la habitación fue llamar a casa. Le costaba calcular la diferencia horaria. Cuando Staffan respondió, supo que lo había despertado.

–¿Dónde estás?

–En Pekín.

–¿Por qué?

–Me retrasé.

–¿Qué hora es?

–Aquí es la una de la tarde.

–¿Quieres decir que no vas camino de Copenhague?

–No quería despertarte, lo siento. Llegaré a la hora prevista, pero veinticuatro horas más tarde.

–¿Todo bien?

–Sí, todo bien.

Se cortó la comunicación. Intentó volver a llamar, pero sin éxito, de modo que le escribió un mensaje de texto en el que le repetía que llegaría al día siguiente.

Al dejar el teléfono, notó que alguien había estado en la habitación mientras ella se encontraba en las oficinas de la policía. No fue una impresión momentánea, sino una sensación que iba cobrando fuerza en su interior. Se situó en el centro de la habitación y miró a su alrededor. En un primer momento no pudo determinar qué había llamado su atención, pero enseguida se dio cuenta de que la maleta estaba abierta. La ropa no estaba ordenada como ella la había dejado la noche anterior. Cuando hizo la maleta, comprobó que podía cerrarse sin dificultad. Ahora no.

Se sentó en el borde de la cama. «Una limpiadora no revolvería en mi maleta», razonó para sí. «Alguien ha estado aquí y ha revisado mis pertenencias. Por segunda vez.»

De repente lo vio todo claro. La historia de identificar a un delincuente no era más que un pretexto para alejarla del hotel. De hecho, después de que Chan Bing le leyese el protocolo todo fue muy deprisa. Alguien le habría avisado de que ya habían terminado de registrar sus cosas.

«No tiene nada que ver con mi bolso», se dijo. «La policía tiene otros motivos para registrar mi habitación. Exactamente igual que cuando

Hong apareció de pronto junto a mi mesa y comenzó a hablar conmigo.

»No tiene nada que ver con el bolso», reiteró para sí. «Sólo puede haber una explicación. Alguien quiere saber por qué le mostré la fotografía a un desconocido junto al edificio cerca del hospital. Tal vez el hombre de la foto no sea una persona cualquiera...»

El miedo que había sentido con anterioridad volvió a embargarla con toda su fuerza. Empezó a buscar cámaras y micrófonos ocultos en la habitación, le dio la vuelta a los cuadros, revisó las pantallas de las lámparas, pero no halló nada.

A la hora acordada se encontró con Hong en la recepción. Ésta propuso ir a un restaurante muy famoso, pero Birgitta no quería salir del hotel.

–Estoy cansada –confesó–. El señor Chan Bing es un hombre agotador. Ahora quiero comer y después acostarme. Mañana me voy a casa.

Pronunció la última frase como una pregunta. Hong asintió.

–Sí, mañana te vas a casa.

Se sentaron junto a una de las altas ventanas. Un pianista interpretaba una discreta melodía sobre una pequeña tarima situada en el centro de la gran sala, donde había varios acuarios y alguna fuente.

–Esa música me resulta familiar –dijo Birgitta–. Es una melodía inglesa de la segunda guerra mundial. *We'll meet again, don't know where, don't know when.* ¿Podría decirse que trata de nosotras?

–Yo siempre he querido visitar los países nórdicos. ¿Quién sabe?

Birgitta Roslin bebía vino tinto y, puesto que no había comido aún, empezó a notar sus efectos.

–Ya ha terminado todo –comentó–. Ya puedo irme a casa. He recuperado el bolso y he visto la Muralla China. Estoy convencida de que el movimiento del campesinado chino ha dado un paso de gigante. Lo que ha ocurrido en este país es una gran obra maestra humana. Cuando era joven, deseaba con todas mis fuerzas marchar con el libro rojo de Mao en mano, rodeada de otros miles de jóvenes. Tú y yo somos más o menos de la misma edad, ¿cuál era tu sueño?

–Yo era una de las que marchaba entre esos miles.

–¿Convencida?

–Todos lo estábamos. ¿Has visto alguna vez un circo o un teatro lleno de niños? Suelen gritar de alegría. No necesariamente por lo que ven, sino por el hecho de encontrarse junto con otros miles de niños bajo una carpa o en un teatro. Sin profesor y sin padres. Ellos dominan el mundo. Si hay una cantidad suficiente de gente, uno puede convencerse de cualquier cosa.

–Eso no responde a mi pregunta.

–Espera, iba a llegar a ese punto. Yo era como uno de aquellos niños bajo la carpa. Pero además estaba convencida de que, sin Mao Zedong, China jamás habría logrado salir de su pobreza. Ser comunista era luchar contra la miseria, obligarse a caminar descalzo. Luchábamos para que todos tuvieran un par de pantalones.

–¿Qué pasó después?

–Lo que Mao no se cansó de advertirnos. Que siempre existiría un gran desasosiego bajo el cielo, pero que se engendraría bajo distintas condiciones. Tan sólo un loco cree que puede entrar dos veces en el mismo río. Hoy sé hasta qué punto supo prever el futuro.

–¿Tú sigues siendo comunista?

–Sí. Hasta ahora, nada me ha arrebatado la convicción de que sólo en comunidad podemos seguir luchando contra la pobreza, que aún es mucha en nuestro país.

Birgitta Roslin alzó un brazo y, sin querer, rozó una de las copas de vino y salpicó sobre la mesa.

–Este hotel, por ejemplo. Si me abstraigo, puedo pensar que estoy en cualquier país del mundo.

–Aún queda mucho camino.

Les sirvieron la comida. El pianista había dejado de tocar. Birgitta Roslin se sumió en sus cavilaciones hasta que dejó los cubiertos y miró a Hong, que se disponía a comer.

–Dime la verdad. De todos modos, me iré mañana. Ya no tienes por qué seguir con tu representación. ¿Quién eres? ¿Por qué habéis estado vigilándome en todo momento? ¿Quién es Chan Bing? ¿Quiénes eran los hombres entre los que tenía que identificar a uno? Ya no me creo la historia del bolso ni del extranjero que ha sido víctima de un desgraciado percance.

Había contado con que Hong reaccionaría de algún modo, con que relajaría la firme defensa tras la que se amparaba constantemente. Pero ni siquiera aquel torrente de preguntas perturbó su calma.

–¿Qué otro motivo habría, salvo el asalto que sufriste?

–Alguien ha registrado mi habitación.

–¿Echas algo en falta?

–No, pero sé que alguien ha estado allí.

–Si quieres, podemos llamar al jefe de seguridad del hotel.

–Quiero que respondas a mis preguntas. ¿Qué está pasando?

–Nada, salvo que pretendo que nuestros visitantes anden seguros en mi país.

–¿Quieres que me lo crea?

–Sí –respondió Hong–. Quiero que creas lo que te digo.

Un matiz indefinible en el tono de su voz hizo que Birgitta perdiera todo interés por seguir haciendo preguntas. Sabía que no obtendrían respuesta. Jamás sabría si había sido Hong o Chan Bing quien la había tenido constantemente vigilada. Allí estaban una vez más la entrada y la salida, entre las que ella corría, pero con los ojos vendados.

Hong la acompañó hasta la puerta. Birgitta la agarró de la muñeca.

–No habrá más detenciones ni delincuentes ni protocolos, ¿verdad? Nadie que pretenda reconocer un rostro.

–Vendré a buscarte a las doce.

Aquella noche Birgitta durmió inquieta. Por la mañana, muy temprano, desayunó a toda prisa sin reconocer a ninguno de los camareros ni de los huéspedes. Antes de salir, colgó el cartel de no molestar y esparció un poco de sal de baño en el suelo, sobre la alfombra que había ante la puerta. Al volver después del desayuno, comprobó que nadie había estado allí.

Hong acudió a buscarla según lo acordado. Cuando llegaron al aeropuerto, la hizo pasar por un control especial de modo que no tuviese que guardar cola.

Cuando se despidieron en el control de pasaportes, Hong le dio un paquete.

–Un regalo de China.

–¿Es tuyo o de tu país?

–De ambos.

Birgitta Roslin pensó que quizás había sido injusta con Hong; que tal vez con tanta vigilancia no pretendía más que ayudarla a olvidar el incidente.

–Ve con cuidado –le recomendó Hong–. Puede que volvamos a vernos.

Birgitta Roslin pasó el control de pasaportes. Cuando se dio la vuelta, Hong había desaparecido.

Ya acomodada en el avión y una vez que éste hubo despegado, abrió el paquete. Era una miniatura de porcelana que representaba a una joven con el brazo en alto y el pequeño libro rojo de Mao en la mano.

Birgitta la guardó en el bolso y cerró los ojos. El alivio de saber que por fin iba de camino a casa hizo que le saliera todo el cansancio.

Staffan la esperaba en Copenhague. Aquella noche, sentada a su lado en el sofá, le contó sus aventuras; sin embargo, no dijo una palabra del robo.

Karin Wiman la llamó por teléfono. Birgitta le prometió que iría a Copenhague en cuanto pudiera.

Al día siguiente de su llegada acudió al médico. La tensión le había bajado y, si se mantenía estable, podría reincorporarse a su puesto dentro de unos días.

Nevaba levemente cuando salió de la consulta. Sentía un deseo inmenso de volver al trabajo.

A las siete de la mañana del día siguiente ya estaba clasificando el papeleo acumulado sobre su escritorio, aunque su vuelta al trabajo aún no era oficial.

La nieve empezó a caer más espesa y a través de los cristales contempló cómo crecía la capa de nieve sobre el alféizar de la ventana.

Puso junto al teléfono la figurita de rosadas mejillas y amplia sonrisa triunfal cuya mano sostenía en alto el libro rojo. Y la fotografía de la cámara de vigilancia que había llevado en el bolsillo interior del abrigo la guardó en el fondo de un cajón.

Cuando lo cerró, sintió que todo había terminado por fin.

Cuarta parte
Los colonizadores (2006)

En la lucha por la liberación total de los pueblos oprimidos, confiad ante todo en su propia lucha y, después, pero sólo después, en la ayuda internacional.

El pueblo que ha vencido en su propia revolución debe ayudar a aquellos que aún luchan por liberarse.

Es nuestro deber internacionalista.

Mao Zedong
Conversaciones con amigos africanos,
8 de agosto de 1963

Corteza de piel de elefante

28

A cincuenta kilómetros al oeste de Pekín, no muy lejos de las ruinas del palacio del Emperador Amarillo, había una serie de edificios de color gris rodeados de un muro que, en ciertas ocasiones, utilizaba la cúpula del Partido Comunista Chino. Dichos edificios, que por fuera daban la impresión de ser muy modestos, constaban de varias salas de conferencias de grandes dimensiones, cocina y restaurante, y estaban rodeados de un gran parque donde los convocados a alguna reunión podían estirar las piernas o mantener discretas conversaciones privadas. Tan sólo quienes pertenecían a las más íntimas esferas del Partido Comunista sabían que aquel complejo, al que sólo se aludía con el nombre de Emperador Amarillo, era el que se utilizaba para negociaciones cruciales relativas al futuro de China.

Y eso fue lo que pasó aquel día de invierno de 2006. Muy temprano por la mañana llegaron hasta allí una serie de coches de color negro que, a gran velocidad, atravesaron las puertas que cortaban el muro y que no tardaron en cerrarse nuevamente. En la chimenea de la gran sala de reuniones ardía un generoso fuego. Los convocados eran diecinueve hombres y tres mujeres. La mayor parte de ellos contaba más de sesenta años, los más jóvenes rondaban los treinta y cinco. Todos se conocían de ocasiones anteriores. Juntos constituían la elite que, en la práctica, gobernaba China, tanto en lo político como en lo económico. Los únicos que faltaban eran el presidente del país y el alto mando militar. Ellos eran, en efecto, a quienes los participantes de aquella reunión debían rendir cuentas y presentar las propuestas acordadas una vez concluida la reunión.

Un solo punto figuraba en el orden del día de hoy. Dicho punto se había formulado en el mayor de los secretos y cuantos allí se habían congregado habían hecho voto de silencio al respecto. La persona que rompiese aquel voto de silencio podía estar segura de que desaparecería de la vida pública sin dejar rastro.

En una de las salas privadas daba inquietos paseos un hombre de unos cuarenta años de edad. Llevaba en la mano el discurso que había estado preparando durante meses y que debía pronunciar aquella mañana. Sabía que era uno de los documentos más importantes que se habían presentado nunca ante la cúpula del Partido Comunista desde que China se independizó en 1949.

El presidente de China le había encomendado la misión a Yan Ba hacía dos años, cuando, un día, recibió un mensaje en la Universidad de Pekín, donde trabajaba como investigador, según el cual el presidente del país quería hablar con él. El mandatario le encargó el cometido a solas, sin la presencia de ninguna otra persona. Desde aquel día lo liberaron de su tarea docente. Le asignaron un equipo de colaboradores formado por treinta personas. El proyecto debía llevarse a cabo en el mayor de los secretos, siempre vigilado por los servicios de seguridad personales del presidente. El texto del discurso se había redactado en un único ordenador, el que pusieron a disposición de Yan Ba. Y nadie salvo él tenía acceso al texto que ahora sostenía en su mano.

Ningún ruido se filtraba desde fuera por aquellas paredes. Decían que la habitación había sido en otro tiempo un dormitorio, utilizado por Jiang Qing, esposa de Mao Zedong, que después de la muerte del Gran Timonel fue detenida junto con otras tres personas, lo que se llamó «la Banda de los Cuatro», fue juzgada y después se suicidó en la cárcel. Jiang Qing exigía siempre el más absoluto silencio en el lugar donde dormía. Albañiles y pintores viajaban con antelación para insonorizar su dormitorio mientras un equipo de soldados iba eliminando a todos los perros que ladraban en las proximidades del lugar donde iba a alojarse, aunque fuese por una breve temporada.

Yan Ba miró el reloj de pulsera. Eran las nueve menos diez. Debía pronunciar su discurso a las nueve y cuarto en punto. A las siete de la mañana se había tomado una pastilla que le había dado su médico para que se tranquilizase sin quedar aturdido. Y, en efecto, ya empezaba a notar que sus nervios iban cediendo. Si aquello que había escrito en el documento llegaba a hacerse realidad un día, las consecuencias serían tremendas para el mundo entero, no sólo para China. Sin embargo, nadie llegaría a saber nunca que fue él quien sintetizó y dio forma a las propuestas aplicadas. Él, simplemente, volvería a su cátedra y a sus alumnos. Recibiría mejor salario; de hecho, ya se había mudado a un apartamento más amplio, situado en mejor zona, en el centro de Pekín. El voto de silencio que había jurado cumplir lo ataba para toda la vida. La responsabilidad, la crítica y quizá también las alabanzas por lo que sucediese recaerían sobre los políticos responsables que lo gobernaban tanto a él como a todos los ciudadanos chinos.

Se sentó junto a la ventana y se tomó un vaso de agua. «Los grandes cambios no se deciden en el campo de batalla», se dijo. «Se fraguan en salas cerradas en las que personas muy poderosas deciden qué dirección ha de tomar el desarrollo. El presidente de China es, junto con el de Estados Unidos y el de Rusia, el hombre más poderoso del mundo. Ahora se enfrenta a grandes decisiones. Los aquí reunidos son sus oídos. Ellos han de escuchar por él y emitir un juicio. Poco a poco, el resultado irá filtrándose desde las dependencias del Emperador Amarillo hasta el mundo exterior.»

Yan Ba recordaba un viaje que había emprendido hacía unos años junto con un amigo geólogo. Fueron a la lejana región montañosa que albergaba el nacimiento del Yangtsé. Siguieron el sinuoso y cada vez más angosto lecho del río, hasta el punto en que quedaba reducido a finísimos arroyuelos de agua. Una vez allí, su amigo puso el pie de través en la débil corriente y declaró:

–Mira, estoy deteniendo el curso del poderoso río Yangtsé.

El recuerdo de aquel suceso lo había acompañado durante los duros meses que dedicó a preparar su discurso sobre el futuro de China. En efecto, en su mano estaba ahora cambiar el curso venidero del gran río. La gigantesca China empezaría su andadura en otra dirección, distinta del camino marcado durante los últimos decenios.

Yan Ba tomó la lista de los asistentes, que ya empezaban a acudir a la sala. Conocía todos los nombres de ocasiones anteriores y no dejaba de asombrarle el hecho de que justamente él, tan insignificante, reclamase ahora la atención y el tiempo de aquella gente. Era un grupo constituido por las personas más poderosas de toda China. Políticos, algunos militares, economistas, filósofos y, desde luego, los llamados «mandarines grises», que diseñaban las estrategias políticas que se sometían a las pruebas de la realidad. Contaría además con la asistencia de algunos de los principales analistas de asuntos exteriores, así como representantes de las más destacadas organizaciones de seguridad del país. Muchos de los asistentes se reunían periódicamente, otros tenían poco contacto entre sí, o ninguno. No obstante, todos ellos se incluían en la ingeniosa red que constituía el centro del poder del reino chino y sus más de mil millones de habitantes.

La puerta lateral se abrió silenciosa y una sirvienta vestida de blanco entró con la taza de té que había pedido. La muchacha era muy joven y hermosa. Sin pronunciar una palabra, dejó la bandeja y salió de la habitación.

Llegado el momento, Yan Ba contempló su rostro en el espejo y le sonrió a su imagen. Ya estaba preparado para poner el pie y determinar el curso del río.

Yan Ba se sentó en la tribuna en medio del más absoluto silencio. Ajustó el micrófono, ordenó los folios y miró al público que entreveía en la semipenumbra de la sala.

Comenzó a hablar del futuro. La razón por la que estaba allí, por la que el presidente y el Politburó lo habían requerido para explicar los grandes cambios necesarios. Y les reveló lo que le había dicho el presidente cuando le encomendó aquella misión.

–Hemos alcanzado un punto en que es preciso enfrentarse a una nueva y dramática encrucijada. Si no lo hacemos y si no elegimos lo correcto, existe un gran riesgo de que estalle el caos en distintas regiones del país. Ni siquiera la lealtad de los militares podrá detener a cientos de millones de campesinos iracundos cuando éstos decidan rebelarse.

Así era como Yan Ba había entendido su misión. China arrostraba una amenaza que debía encarar con contramedidas inteligentes y audaces. De lo contrario, el país se vería abocado al mismo caos vivido en tantas ocasiones anteriores a lo largo de su historia.

Tras aquellos hombres y aquellas pocas mujeres que asistían sentados a la media luz de la sala se ocultaban cientos de millones de campesinos que esperaban impacientes hacer suya la posibilidad de otra vida, como había hecho la creciente clase media de las zonas urbanas. Su paciencia se agotaba e iba transformándose en una ira inconmensurable expresada en repentinos estallidos en que exigían acción. Había llegado el momento, la manzana no tardaría en caer del árbol y, si nadie la recogía, terminaría pudriéndose.

Yan Ba comenzó su discurso formando con las manos una simbólica encrucijada. «Nos hallamos aquí», declaró. «Nuestra gran revolución nos trajo a un punto que nuestros padres no tuvieron oportunidad de soñar siquiera. Por un instante, podemos detenernos en esta encrucijada y darnos la vuelta. Allá lejos atisbamos la miseria y el sufrimiento del que venimos. No está tan lejos como para que la generación que nos precede no recuerde el dolor de vivir igual que ratas. La época en que los ricos latifundistas veían al pueblo como alimañas sin alma que no servían más que para llevar su carga hasta morir como culis o pobres siervos sin tierra. Podemos y debemos admirarnos de lo que hemos conseguido bajo la dirección de nuestro gran partido y de los distintos líderes que nos han conducido por vías distintas pero siempre acertadas. Sabemos que la verdad es cambiante, que debemos adoptar nuevas decisiones para que sobrevivan las viejas directrices de socialismo y solidaridad. La vida no espera, se nos imponen exigencias siempre nuevas y debemos encontrar nuevos conocimientos y hallar nuevas soluciones a los nuevos problemas. Sabemos que nunca alcanzaremos un paraíso que sea eternamente nuestro. Si nos lo creemos, el paraíso se convertirá en una trampa. No existe realidad sin combate, futuro sin lucha. Hemos aprendido que la oposición entre las clases resurge siempre, del mismo modo en que las circunstancias cambian en el mundo, los países pasan de una posición de fuerza a otra de debilidad antes de volver a la primera. Mao Zedong solía decir que bajo el cielo reinaba un gran desasosiego y sabemos que tenía razón y que nos hallamos en un barco que nos exige navegar por vías marítimas de cuya profundidad nada sabemos de antemano. Pues también el fondo marino se mueve, también en lo invisible existen amenazas contra nuestra existencia y nuestro futuro.»

Yan Ba pasó la hoja. Percibía la absoluta concentración reinante. Nadie se movía, todos ansiaban que continuase. Había calculado en cinco horas la duración del discurso. Y eso era también lo que se les había dicho a los asistentes. Cuando informó al presidente de que estaba listo y el discurso preparado, éste le aseguró que no se permitiría ninguna interrupción. Los asistentes debían permanecer en sus puestos las cinco horas.

–Han de ver el todo –observó el presidente–. El todo no puede dividirse. Con cada pausa existe el riesgo de que surja la duda, de que se produzcan grietas en la comprensión global del imperativo que determina lo que hemos de hacer.

Continuó toda la hora siguiente con una revisión histórica de las profundas transformaciones sufridas por China no sólo en la última centuria, sino durante todos los siglos pasados, desde que el emperador Qin sentó las bases de la unificación del país. Era como si el Reino del Centro se hubiese fundido gracias a una larga serie de cargas explosivas colocadas secretamente. Tan sólo los mejores, los dotados de la visión más perspicaz, pudieron prever los instantes en que iban a producirse las voladuras. Algunos de esos hombres, entre los que se contaban Sun Yat-sen y, desde luego, Mao, tuvieron lo que el pueblo inculto consideraba casi una capacidad mágica de adivinar el futuro y provocar ellos mismos las explosiones que algún otro –que podemos llamar la Némesis, la divina venganza de la Historia– colocó a lo largo del camino invisible del hombre chino.

Yan Ba se ciñó la mayor parte del tiempo, como es lógico, a Mao y su época, pues era inevitable. En efecto, con Mao se estableció la primera dinastía comunista. Y no es que se utilizase la denominación de dinastía, claro está, pues habría constituido una asimilación repugnante con el precedente imperio del terror, pero todos sabían que bajo esa luz veían a Mao los campesinos pobres que llevaron a cabo la revolución. Mao era un emperador; cierto que permitía que la gente normal y corriente entrase en la Ciudad Prohibida y no la obligaba a apartar la vista cuando él pasaba, por lo que no corrían el riesgo de morir decapitados si miraban al Gran Líder, al Gran Timonel, mientras éste saludaba desde un estrado remoto o nadaba en alguno de los caudalosos ríos. Había llegado el momento, explicó Yan Ba, de retomar a Mao y, con humildad, admitir que tenía razón en sus previsiones de cuál sería el desarrollo, el que ahora se estaba viviendo, pese a que llevaba muerto treinta años exactamente. Su voz seguía viva, tenía la capacidad del adivino, del vaticinador y, ante todo, del científico, para ver el futuro, para arrojar una luz propia al espacio tenebroso en que los decenios venideros, las explosiones venideras, se prepararían con las fuerzas de la historia.

Mas ¿en qué había acertado Mao? También había errado mucho. El líder de la primera dinastía comunista no siempre consideró y trató a su tiempo como debía. Él encabezaba la marcha cuando se liberó el país, aquella primera y larga marcha a través de las montañas que se vio sustituida después por otra marcha muy larga, tan larga y trabajosa como la primera como mínimo: el camino para salir del feudalismo y entrar en una sociedad industrial y una sociedad campesina colectivizada donde hasta el más pobre de los pobres tuviese derecho a unos pantalones, una camisa, un par de zapatos y, por supuesto, a ser respetado y valorado como ser humano. El sueño de la libertad, el verdadero contenido espiritual de la lucha por la liberación, aseguró Yan Ba, consistía en el derecho a que incluso el campesino más pobre pudiese soñar sus propios sueños de un futuro mejor sin correr el riesgo de que un odioso latifundista le cortase la cabeza. Ellos, los latifundistas, serían ahora decapitados; ahora sería su sangre y no la de los pobres campesinos la que regara la tierra.

Pero Mao se equivocó al decir que China sería capaz de dar un gran salto económico en pocos años. Sostenía que las industrias del metal estarían tan cerca unas de otras que las humaredas de sus chimeneas se fundirían unas con otras. El gran salto que llevaría a China al presente y al futuro fue un error de proporciones descomunales. Así, en lugar de trabajar en las grandes industrias, la gente fundía viejas cacerolas y tenedores en primitivos hornos situados en la parte trasera de sus casas. El gran salto no se produjo, cayó el listón, porque se había colocado demasiado alto. Nadie podía negar ya, por más que los historiadores chinos debiesen aplicar mesura a la hora de tratar ese periodo, que millones de personas murieron de hambre. Fue un periodo en que la dinastía de Mao empezó a asemejarse, durante unos años, a las viejas dinastías imperiales. Mao se encerró en sus dependencias de la Ciudad Prohibida, jamás aceptó el fracaso del gran salto, nadie podía hablar de ello. Sin embargo, nadie sabía tampoco qué pensaba el propio Mao. En los escritos del Gran Timonel había siempre un tema que brillaba por su ausencia, él escondía sus más hondos pensamientos, nadie sabe si Mao se despertaba a las cuatro de la madrugada, a la hora más solitaria, preguntándose por el desastre que había ocasionado. Durante esa hora de vigilia, ¿vería las sombras de aquellos que morían de hambre sacrificados en el altar de un sueño imposible, el sueño del gran salto?

Lo que sucedió, en cambio, fue que Mao emprendió el contraataque. ¿El contraataque contra qué?, Yan Ba formuló en este punto aquella pregunta retórica, y tardó unos segundos en responder. El contraataque contra su propia derrota, su propia política errónea, y el peligro de que en algún lugar, en las sombras, se engendrase entre murmullos un golpe. La gran contrarrevolución, el reto de Mao de «bombardear el cuartel general», una nueva carga explosiva, podría decirse, eso fue la reacción de Mao a lo que veía a su alrededor. Movilizó a la juventud, como suele hacerse en estados de guerra. No había diferencia alguna entre el modo en que Mao utilizó a la juventud y el modo en que Francia, Inglaterra y Alemania movilizaron a la de sus países cuando emprendieron la marcha al campo de batalla de la primera guerra mundial, donde ellos morirían y sus sueños se ahogarían en el blando barro. De la Revolución Cultural no había mucho que decir, fue el segundo error de Mao, una venganza casi personal contra las fuerzas sociales que lo retaban.

Por aquel entonces, Mao había empezado a envejecer y la cuestión de la sucesión siempre ocupaba el primer lugar en su orden del día. Cuando Lin Biao, el elegido, resultó ser un traidor y se estrelló en el avión en el que huía a Moscú, Mao empezó a perder el control. Pero hasta el último momento estuvo advirtiendo de los retos a aquellos que habían de sobrevivirle. Surgirían nuevas luchas de clase, nuevos grupos que buscarían privilegios a costa de otros. En palabras de Mao, siempre repetidas como un mantra, «lo uno se vería sustituido por lo opuesto, como de costumbre». Tan sólo el necio, el ingenuo, aquel que se negase a ver lo que todos veían, podría creer que el camino futuro de China estaba determinado de una vez para siempre.

Ahora, prosiguió Yan Ba, Mao, nuestro gran líder, lleva treinta años muerto. Resulta que tenía razón, pero él no pudo definir la naturaleza de las luchas que él anunció que se producirían. Tampoco lo intentó, pues sabía que era imposible. La historia no es capaz de dar información exacta sobre el futuro, sino que más bien nos muestra que nuestra capacidad de prepararnos para los cambios es limitada.

Yan Ba notó que el auditorio seguía escuchando sus palabras muy concentrado. Ahora, una vez terminada la introducción histórica, sabía que serían más sensibles a su discurso. Muchos ya habrían intuido lo que diría. Eran personas inteligentes con un profundo conocimiento de los grandes retos y amenazas que encerraban las fronteras de China. Pero ahora iba a definirse la política de los dramáticos cambios que aguardaban al país. Yan Ba era consciente de estar pronunciando uno de los discursos ejemplares más importantes de la historia de la nueva China. Un día, el presidente repetiría sus palabras.

Había un pequeño reloj colocado discretamente junto a la lámpara de la tribuna. Yan Ba inició la segunda hora de su discurso describiendo la situación actual del país y los cambios que se presentaban como necesarios. Describió el creciente abismo que se abría entre las gentes del país, un abismo que amenazaba el desarrollo. Tras la muerte de Mao, Deng hizo una valoración adecuada al considerar que sólo existía un camino, salir del aislamiento, abrir las puertas al mundo. Citó el célebre discurso de Deng acerca de «nuestras puertas, que ahora se abren, no deben volver a cerrarse nunca». El futuro de China sólo podía conformarse en colaboración con el entorno. Los conocimientos de Deng sobre la inteligente colaboración del capitalismo y las fuerzas del mercado lo habían llevado al convencimiento de que China se encontraba próxima al momento idóneo, podían recoger la manzana y el país volvería a recuperar su papel como el Reino del Centro, un gran poder en ciernes; dentro de otros treinta o cuarenta años, volvería a ser la nación líder del mundo, tanto en lo político como en lo económico. Durante los últimos veinte años, China había experimentado un desarrollo económico sin parangón. En alguna ocasión, Deng había declarado que el salto de la situación en que todos tienen un par de pantalones hasta la situación en que todos pueden elegir si quieren tener otro par es un salto mucho mayor que el primero. Aquellos que comprendieron la forma de expresarse de Deng sabían que lo que quería decir era muy sencillo; todos no podían adquirir el segundo par de pantalones al mismo tiempo. Tampoco en tiempos de Mao, claro; aquellos que habitaban las regiones más remotas y los campesinos más pobres que habitaban pueblos miserables fueron los últimos, cuando la gente de las ciudades ya había arrojado para siempre sus viejas vestiduras. Deng sabía que el desarrollo no podía alcanzar todos los rincones al mismo tiempo. Era algo que contravenía todas las leyes económicas; unos se harían ricos, o como mínimo menos pobres, antes que otros. El desarrollo haría equilibrios sobre una cuerda y se trataba de que ni la riqueza ni la pobreza creciesen demasiado, con el fin de que el Partido Comunista y su cúpula, que eran quienes dirigían aquel equilibrio, no sucumbiesen precipitados en el abismo. Ahora Deng no estaba; pero había llegado el momento que él temía, el peligro del que nos advirtió, el instante en que estaríamos a punto de perder el equilibrio.

Yan Ba había llegado al punto en que dos palabras dominarían su discurso: «amenaza» y «necesidad». Empezó a hablar de las distintas amenazas existentes. Una procedía del abismo que separaba a las gentes del país. En tanto que los que vivían en las ciudades de la costa veían crecer su bienestar, los pobres campesinos apenas notaban mejoras en sus vidas. Peor aún, ni siquiera eran capaces de ganarse el sustento cultivando sus tierras. Lo único que les quedaba era emigrar a las ciudades con la esperanza de encontrar allí un trabajo. De momento, este desplazamiento de las zonas rurales a las urbanas y sus industrias, sobre todo a las que fabricaban productos destinados al mercado occidental, ya fuesen juguetes o ropa, era un fenómeno promovido por las autoridades. Mas ¿qué ocurriría cuando esas ciudades industriales o el hervidero de la construcción no pudiesen acoger a todos aquellos que ya no eran necesarios en el trabajo del campo? Lo que hasta el momento había sido una posibilidad se convertiría en una amenaza. Detrás de aquellos que buscaban la solución en las ciudades había muchos más, cientos de millones que sólo esperaban poder ocupar su lugar en la cola y emprender un viaje sin retorno a la ciudad. ¿Qué fuerzas podrían retenerlos cuando las opciones eran la pobreza y una vida lejos de esa abundancia de la que oían hablar y de la que reclamaban su parte? ¿Cómo impedir que se rebelasen cientos de millones de personas que no tenían otra cosa que perder que su pobreza? Mao decía que rebelarse siempre era correcto. ¿Por qué no había de serlo ahora, si eran tan pobres como cuando elevaron sus protestas hacía veinte años?

Yan Ba sabía que muchos de los que lo escuchaban ahora llevaban años preocupados por ese problema, la amenaza de una situación que, en un breve espacio de tiempo, podría devolver a China al estado en que se encontraba antes. Sabía además de la existencia de un plan, del que sólo había unas cuantas copias escritas, con la solución extrema. Nadie hablaba de ello, pero todos aquellos que estaban más o menos al corriente del modo de pensar del Partido Comunista Chino sabían lo que implicaba dicha solución. Los sucesos acontecidos en Tiananmen en 1989 demostraban, a modo de prólogo breve pero fácil de interpretar, la existencia de dicho plan. El Partido Comunista jamás permitiría que estallase el caos. En el peor de los casos, si no hallaban otra solución, el ejército recibiría órdenes de atacar a los que estuviesen dispuestos a rebelarse. Diez millones de personas o cincuenta, tanto daba, les ordenarían que abriesen fuego contra ellas. Ningún precio era demasiado alto con tal de que el Partido conservase su poder sobre los ciudadanos y sobre el futuro del país.

La cuestión era, en fin, muy sencilla, aseguró Yan Ba. ¿Hay otra solución? Él mismo respondió a la pregunta. La había, aunque exigiría de quienes conformaban la política china una nueva manera de pensar en muchos aspectos. Esa solución exigiría, para poder hacerse realidad, un despliegue de pensamiento estratégico sin igual. Pero, honorable auditorio, prosiguió Yan Ba, estos preparativos ya se han puesto en marcha, aunque en todo momento parezca que lo que se está haciendo es otra cosa...

Hasta aquí sólo había hablado de China, de la historia y del presente. Ahora que estaba a punto de entrar en la tercera hora de su discurso dejó su país para trasladarse muy lejos de las fronteras de China. Ahora hablaría del futuro.

Dejémonos llevar a un continente totalmente distinto, propuso Yan Ba: a África. En la lucha por cubrir nuestras necesidades de materias primas y, desde luego, también de petróleo, llevamos varios años estableciendo relaciones cada vez más fuertes y profundas con muchos estados africanos. Hemos sido generosos concediendo créditos y donaciones, sin inmiscuirnos en los sistemas políticos de dichos países. Somos neutrales, hacemos negocios con todos. De ahí que, para nosotros, no tenga la menor importancia que el país con el que comerciemos sea Zimbabue o Malaui, Sudán o Angola. Para nosotros, que rechazamos cualquier injerencia extranjera en nuestra política interior y nuestro sistema judicial, esos países son soberanos y no podemos exigirles que construyan su sistema social de un modo determinado. Ni que decir tiene que se nos critica por ello, pero no nos importa, puesto que sabemos que esas críticas ocultan la envidia y el miedo a que China no sea el coloso de barro que Estados Unidos y Rusia llevan tanto tiempo suponiendo. El mundo occidental se resiste a comprender por qué los pueblos africanos prefieren colaborar con nosotros. China jamás los ha oprimido ni ha convertido nunca sus países en colonias. Al contrario, los apoyamos cuando empezaron a liberarse en la década de 1950. De ahí que nuestros éxitos en África generen vana envidia en los países occidentales. Nuestros amigos de los países africanos acuden a nosotros cuando el Fondo Monetario Internacional o el Banco Mundial rechazan sus solicitudes de crédito. Nosotros, en cambio, no dudamos en ayudarles. Y lo hacemos con la conciencia tranquila, puesto que también somos un país pobre. Aún formamos parte del llamado Tercer Mundo. A lo largo de nuestro trabajo, cada vez más enriquecedor, con estos países hemos llegado a comprender que con el tiempo quizás hallemos ahí parte de la solución a las amenazas que he mencionado antes. Puede que para muchos de vosotros, y quizás incluso para mí, mi razonamiento resulte paradójico.

Permitidme que recurra a un símil para explicar cuáles eran las circunstancias en esos países hace cincuenta años. Entonces África se componía casi exclusivamente de colonias que sufrían la opresión del imperialismo occidental. Nosotros nos solidarizamos con esas gentes, apoyamos sus movimientos de liberación, con consejos y con armas. No en vano, Mao y su generación fueron ejemplos de cómo una guerrilla bien organizada era capaz de vencer a un enemigo superior, cómo mil hormigas empleadas en morder el pie de un elefante podían hacerlo caer. Nuestro apoyo contribuyó a la liberación de un país tras otro. Vimos cómo el imperialismo iba perdiendo fuerza. Cuando nuestro camarada Nelson Mandela salió de la prisión que sufría en la isla en la que durante tantos años estuvo recluido, el imperialismo occidental bajo el disfraz del colonialismo sufrió su derrota definitiva. La liberación de África orientó el eje terrestre hacia la dirección en la que nosotros creemos que vencerán por fin la libertad y la justicia. Ahora vemos grandes regiones de algunos países africanos, por lo general muy fértiles, totalmente despobladas. A diferencia de nuestro país, el continente africano está poco poblado. Y hemos comprendido que, dándose esa circunstancia, podemos hallar al menos parte de la solución a los problemas que amenazan nuestra estabilidad.

Yan Ba bebió agua del vaso que tenía junto al micrófono, antes de proseguir. Se acercaba al punto en el que sabía que se suscitaría una dura discusión no sólo entre sus oyentes de aquella mañana, sino también en el seno del Partido Comunista y en el Politburó.

«Hemos de saber lo que hacemos», declaró Yan Ba, «pero también lo que no hacemos. Lo que ahora proponemos, tanto a vosotros como a los africanos, no es una segunda oleada de colonizaciones. No llegaremos como conquistadores, sino como los amigos que somos. No es nuestra intención repetir las humillaciones del colonialismo. Sabemos lo que significa la opresión, puesto que muchos de nuestros antepasados vivieron en circunstancias próximas a la esclavitud en Estados Unidos durante el siglo XIX. Nosotros también sufrimos la barbarie del colonialismo occidental. El hecho de que existan similitudes aparentes no significa que vayamos a exponer al pueblo africano a una segunda invasión colonialista. Lo único que perseguimos es resolver un problema al tiempo que prestamos nuestro apoyo a esas gentes. En las desiertas llanuras, en los fértiles valles que rodean los grandes ríos africanos, trabajaremos la tierra trasladando allí a millones de nuestros campesinos pobres que, sin dudarlo, empezarán a cultivar la tierra que está en barbecho. Con ello no arrojamos de aquí a nadie, tan sólo llenamos un vacío y todos se beneficiarán de ello. Hay países en África, sobre todo en el sur y en el sudeste, que podrían repoblarse con los pobres de nuestro país. De este modo cultivaríamos la tierra africana al tiempo que eliminaríamos la amenaza que se cierne sobre nosotros. Sabemos que habremos de enfrentarnos a la oposición, y no sólo del resto del mundo, que creerá que China ha pasado de apoyar la lucha contra el colonialismo a convertirse en país colonizador. Además hallaremos resistencia en el seno del Partido Comunista. El objetivo de mi discurso es esclarecer en qué consistirá esa resistencia. Serán muchas las voluntades que habrá que quebrantar en las esferas de poder de nuestro país. Los que hoy estáis aquí poseéis la sensatez y la perspicacia suficientes para comprender que gran parte de la amenaza contra nuestra estabilidad puede eliminarse como acabo de explicar. Las nuevas ideas siempre encuentran detractores. Mao y Deng lo supieron mejor que nadie. En ese sentido, ambos eran iguales, jamás tuvieron miedo de lo nuevo, siempre buscaron salidas que, en nombre de la solidaridad, ofreciesen a los pobres de la tierra una vida mejor.»

Yan Ba prosiguió una hora y cuarenta y cinco minutos más explicando en qué consistiría la política china en un futuro próximo. Cuando terminó, estaba tan cansado que le temblaban las piernas, pero recibió un aplauso atronador. Una vez que el silencio volvió a reinar en la sala, y cuando las luces ya estaban encendidas, miró de nuevo el reloj. La ovación duró diecinueve minutos. Había cumplido su misión.

Dejó el podio por la misma vía por la que había accedido a él y se apresuró a subir al coche que lo aguardaba junto a una de las puertas de salida. Durante el trayecto de vuelta a la universidad intentó imaginarse la discusión que habrían desencadenado sus palabras. ¿O tal vez se marcharían ahora los asistentes, cada uno por su lado, sin comentar nada? ¿Volverían quizás a sus asuntos para reflexionar sobre los grandes acontecimientos que marcarían la política china el año venidero?

Yan Ba lo ignoraba y sintió cierta nostalgia del escenario que ahora abandonaba. Ya había terminado su tarea. Nadie, en el futuro, mencionaría su nombre cuando los historiadores estudiasen los decisivos sucesos que se producirían en China en el año 2006. La leyenda hablaría quizá de una reunión celebrada en el Emperador Amarillo, pero nadie sabría con exactitud qué pasó. Los participantes de dicha reunión tenían órdenes estrictas de no anotar una sola palabra.

Cuando Yan Ba llegó a su despacho, cerró la puerta e introdujo el discurso en la destructora de papel que le habían instalado cuando le encomendaron aquella misión secreta. Una vez destruidos los folios, recogió las tiras y las llevó a la sala de calderas del sótano de la universidad. Un conserje le abrió uno de los hornos. Arrojó los restos del discurso y se quedó a ver cómo se reducían a cenizas.

Eso era todo. El resto del día lo dedicó a trabajar en un artículo sobre lo que supondrían para el futuro las investigaciones sobre el ADN. Salió del despacho poco después de las seis y se marchó a casa. Se estremeció al acercarse a su nuevo coche japonés, que era parte del pago por el discurso pronunciado.

Aún quedaba mucho invierno. Añoraba la llegada de la primavera.

Aquella misma noche, Ya Ru miraba por los ventanales de su enorme despacho situado en la última planta del edificio del que era propietario. Meditaba en el discurso que aquella mañana había escuchado sobre el futuro de China. Sin embargo, no pensaba en su contenido. De hecho, él sabía desde hacía tiempo cuáles eran las estrategias que en el seno del Partido cobraban forma como respuesta a los grandes retos por venir. En cambio, sí lo sorprendió el hecho de que su hermana Hong hubiese sido invitada a escuchar dicho discurso. Por más que ocupase un alto cargo como consejera de quienes formaban el núcleo del Partido Comunista, no esperaba encontrarla allí.

No le gustó. Estaba convencido de que Hong pertenecía a los viejos comunistas, los que protestarían ante lo que, sin duda, verían como una vergonzosa nueva colonización de África. Puesto que él era uno de los más ardientes defensores de la política que estaba fraguándose, no quería verse enfrentado a su hermana sin necesidad. Aquello generaría nerviosismo y le afectaría en la posición de poder que él ocupaba. Si algo desagradaba a la dirección del Partido y a quienes gobernaban el país era precisamente que se suscitasen conflictos entre altos cargos en puestos de influencia que, además, estuviesen emparentados. Nadie había olvidado la gran oposición que reinó entre Mao y su esposa Jiang Qing.

Tenía abierto sobre la mesa el libro de San. Aún no había llenado las últimas páginas en blanco. Pero sabía que Liu Xin había regresado y que no tardaría en presentarse ante él para darle cuentas de su misión.

El termómetro de la pared le indicaba que la temperatura estaba bajando.

Ya Ru sonrió, dejó a un lado todas las ideas sobre su hermana y el frío y pasó en cambio a pensar que, muy pronto, dejaría aquel frío como miembro de una delegación de políticos y hombres de negocios que iban a visitar cuatro países del sur y el este de África.

Jamás había estado allí. Ahora que el continente negro iba a convertirse en fundamental para el desarrollo de China, tal vez incluso, a la larga, en un satélite chino, su presencia en las negociaciones iniciales resultaba crucial.

Serían semanas agotadoras, de muchos viajes y reuniones; pero antes de que el avión despegase para regresar a Pekín, él tenía planeado dejar la delegación unos días para adentrarse en la sabana y cumplir su deseo de ver un leopardo.

La ciudad se extendía bajo sus pies. Sabía que los leopardos solían buscar las alturas para abarcar con su vista el territorio que los rodeaba.

«Ésta es mi colina», se dijo. «Mi fortaleza. Desde aquí, nada escapa a mis sentidos.»

29

La mañana del 7 de marzo de 2006, la Corte Suprema del Pueblo de Pekín le leyó su sentencia de muerte al empresario Shen Wixan. Ya el año anterior le habían impuesto la pena de muerte condicional, en función de su buena conducta. Pese a que, desde entonces, se había conducido de un modo que evidenciaba su profundo arrepentimiento por haber aceptado millones de yuanes en sobornos, el tribunal no pudo modificar su sentencia y conmutarle la pena capital por la de cadena perpetua. La opinión popular sobre los empresarios corruptos con contactos en el Partido Comunista había cobrado una fuerza considerable. El Partido comprendía que era de capital importancia infundir temor en quienes amasaban fortunas increíbles dejándose sobornar.

Shen Wixan tenía cincuenta y nueve años cuando se decidió su ejecución. Había ido ascendiendo hasta convertirse en jefe de un gran consorcio de mataderos que se había especializado en la carne y derivados del cerdo. A fin de conseguir diversas ventajas, los criadores empezaron a ofrecerle dinero y él no tardó en empezar a aceptarlo. En un primer momento, a principios de la década de 1990, fue prudente, sólo aceptaba cantidades pequeñas y evitaba llevar una vida de llamativa ostentación. Hacia finales de los noventa, cuando casi todos sus colegas aceptaban sobornos, fue relajándose y empezó a exigir cantidades cada vez mayores, al tiempo que se complacía en demostrar los lujos que podía permitirse.

Por supuesto, jamás imaginó que él sería el elegido para hacer de cabeza de turco y de advertencia para los demás. Hasta el instante en que entró en la sala de vistas estuvo completamente seguro de que le conmutarían la pena de muerte por otra de prisión que reducirían con el tiempo. Cuando, con su voz quebrada y chillona, el juez pronunció la sentencia definitiva, que implicaba su ejecución en un plazo de cuarenta y ocho horas, Shen Wixan no alcanzaba a comprender. Ninguno de los presentes en la sala se atrevía a mirarlo a los ojos. Cuando los policías se lo llevaron, empezó a protestar, pero para entonces ya era demasiado tarde. Nadie lo escuchó. Lo trasladaron de inmediato a una de las celdas en que custodiaban a los condenados a muerte antes de ser conducidos al lugar donde, solos o junto con otros reos, se los ejecutaba, de rodillas y con las manos atadas a la espalda, de un tiro en la nuca.

En condiciones normales, cuando se trataba de delincuentes condenados a muerte por asesinato, violación o delitos similares, los llevaban directamente después del juicio al lugar de ejecución. Hasta mediados de 1990, la sociedad china había puesto de manifiesto que aceptaba la pena de muerte, pues los condenados eran trasladados en la plataforma descubierta de un camión, a la vista de todos. Las ejecuciones se efectuaban ante un público masivo, que además podía decidir si el reo había de morir o si, por el contrario, la justicia debía mostrar clemencia. Sin embargo, quienes se congregaban ante el cadalso en esas ocasiones no mostraban misericordia alguna. Los hombres y las mujeres que se presentaban ante ellos con los ojos clavados en el suelo y los hombros vencidos debían ser castigados con la muerte. En los últimos años, las ejecuciones empezaron a ponerse en práctica con creciente discreción. No se permitía la presencia de cámaras ni de fotógrafos que documentasen la ejecución, a menos que fuesen controlados por el Estado. Sólo después publicaban los diarios que se había ejecutado la sentencia y que los criminales habían cumplido su pena. Con objeto de no provocar la ira extranjera sin necesidad, no se hacía pública la noticia de la ejecución de delincuentes comunes. Nadie, salvo las autoridades chinas, conocía con exactitud el número de ejecuciones realizadas. Tan sólo se permitía la presencia de público cuando se trataba de casos como el Shen Wixan, que servían para enviar señales de advertencia a otros altos funcionarios y empresarios, al tiempo que atenuaba la animadversión popular hacia una sociedad que posibilitaba ese tipo de corrupción.

Los rumores sobre la ratificación de la pena de muerte de Shen Wixan se difundieron con rapidez en los círculos políticos de Pekín. Una de las personas a cuyos oídos llegó la noticia fue Hong Qui, que oyó la decisión del tribunal tan sólo unas horas antes de que se ejecutase. Había salido de una reunión celebrada con un grupo de mujeres camaradas del Partido cuando sonó el móvil, entonces le pidió al chófer que se detuviese junto a la acera para reflexionar sobre la noticia. Hong no conocía a Shen Wixan, sólo lo había visto hacía unos años en una recepción en la embajada francesa. Shen Wixan no le gustó, intuyó que era un hombre avaricioso y corrupto. Sin embargo, cuando se detuvo el coche, pensó en el hecho de que Shen Wixan era buen amigo de su hermano Ya Ru. Claro que Ya Ru se distanciaría ahora de él y negaría que hubiesen sido más que meros conocidos, pero ella sabía que la realidad era otra.

Tomó la decisión en unos segundos y le pidió al chófer que la llevase hasta la prisión donde Shen había de pasar las últimas horas de su vida. Hong conocía al director de la prisión. Si tenía órdenes de no dejar pasar a nadie a la celda del reo, tampoco a ella le permitirían verlo. Sin embargo, existía la posibilidad de que a ella se lo concediese.

«¿En qué pensará un condenado a muerte?», se preguntó mientras el coche se abría paso por el caótico mar de vehículos. Hong no dudaba de que Shen se encontraría en un estado de conmoción. Decían que era un hombre frío y despiadado, pero, al mismo tiempo, muy cauto. En este caso, no obstante, parecía haber calculado mal las consecuencias de sus actos.

Hong había visto morir a muchas personas. Había asistido a decapitaciones, ahorcamientos, fusilamientos. La ejecución por haber engañado al Estado se le antojaba la muerte más despreciable de cuantas podía imaginar. ¿Quién querría ser enviado al basurero de la historia con un tiro en la nuca? La sola idea la hizo estremecer. Al mismo tiempo, ella no se contaba entre las personas que condenaban la pena de muerte. La consideraba una herramienta necesaria para la protección del Estado y pensaba que era justo que los delincuentes peligrosos se viesen privados del derecho a la vida en una sociedad a la que maltrataban con sus crímenes. Los hombres que violaban o asesinaban para robar no le inspiraban la menor compasión. Aunque fuesen pobres, aunque sus abogados fuesen capaces de enumerar largas listas de circunstancias atenuantes, la vida no consistía, en definitiva, sino en asumir la responsabilidad personal. Quien así no lo hiciera, debía estar dispuesto a enfrentarse a las consecuencias que, en última instancia, suponían la muerte.

El coche se detuvo ante el portón de la cárcel. Antes de que Hong abriese la puerta del coche, escrutó la acera por la ventanilla de cristales ahumados. Vio a varias personas que, supuso, serían periodistas o fotógrafos. Después salió del coche y se apresuró en dirección a la entrada que había en el muro, cerca del gran portón. Un vigilante de la prisión le abrió y le dio paso.

Hubo de aguardar cerca de treinta minutos hasta que, conducida por otro vigilante a través de los laberínticos pasillos del edificio, llegó al despacho del director Ha Nin, que se encontraba en el último piso. Llevaban muchos años sin verse y Hong se sorprendió al comprobar lo mucho que había envejecido.

–Ha Nin –dijo extendiendo ambas manos–. ¡Cuánto tiempo ha pasado!

Él apretó en sus manos las de ella.

–Hong Qui. Veo canas en tus cabellos, igual que tú las ves en los míos. ¿Recuerdas la última vez que nos vimos?

–Cuando Deng pronunció su discurso sobre las racionalizaciones que era necesario aplicar a nuestras fábricas.

–El tiempo vuela.

–Más rápido cuanto mayores nos hacemos. Creo que la muerte nos dará alcance a una velocidad vertiginosa; tanta, que no tendremos tiempo de percatarnos de ello siquiera.

–¿Como una granada de mano sin seguro? ¿Nos estallará en la cara?

Hong atrajo hacia sí las manos de Ha Nin.

–Como el vuelo de una bala al salir del cañón del rifle. He venido para hablar de Shen Wixan.

A Ha Nin no pareció sorprenderle. Hong comprendió que una de las razones por las que la había hecho esperar era para, entretanto, averiguar cuál podía ser el motivo de su visita. Sólo había una respuesta, no podía tratarse más que de ese condenado a muerte. Tal vez incluso hubiese llamado a alguien del Ministerio del Interior para recibir instrucciones sobre cómo tratar a Hong. Se sentaron a una mesa de reuniones bastante estropeada. Ha Nin encendió un cigarrillo y Hong fue derecha al grano. Quería visitar a Shen, despedirse y preguntarle si había algo que pudiese hacer por él.

–Resulta muy extraño –opinó Ha Nin–. Shen conoce a tu hermano. Le ha suplicado que intente salvarle la vida, pero Ya se niega a hablar con él y asegura que la sentencia es merecida. Y ahora vienes tú, la hermana de Ya Ru.

–Un hombre que merece morir no tiene por qué merecer que se le niegue un último deseo o que no se escuchen sus últimas palabras.

–Me han dado permiso para concederte que lo visites. Si él quiere.

–¿Y quiere?

–No lo sé. El médico de la prisión está en su celda en estos momentos, hablando con él.

Hong asintió y se dio la vuelta, dando a entender que no deseaba continuar la conversación.

Otros treinta minutos más tarde llamaron a Ha Nin a la antesala de su despacho y, cuando volvió, le comunicó a Hong que Shen estaba dispuesto a recibirla.

Regresaron al laberinto y se detuvieron en el pasillo con doce celdas, en las que custodiaban a los presos que iban a ser ejecutados y entre los que se encontraba Shen.

–¿Cuántos hay? –preguntó Hong quedamente.

–Nueve. Dos mujeres y siete hombres. Shen es el principal, el peor de los delincuentes. Las mujeres se han dedicado a la prostitución, a los hombres les han imputado robo por homicidio y tráfico de drogas. Todos ellos son individuos incorregibles de los que nuestra sociedad puede prescindir.

Hong experimentó una desagradable sensación mientras recorría el pasillo y atisbaba a los seres humanos allí encerrados, lamentándose, balanceándose de un lado a otro sentados o apáticos y tumbados en sus camas. «¿Habrá algo más aterrador que saber que vas a morir en breve?», se preguntó. «Los minutos están contados, no hay salida, tan sólo la sonda que va descendiendo, la muerte que se prepara.»

Shen estaba encerrado en la última celda del pasillo, justo donde éste terminaba. Su habitual larga y abundante cabellera negra había desaparecido, pues lo habían rapado al cero. Vestía un uniforme azul de presidiario compuesto de unos pantalones demasiado grandes y una camisa demasiado pequeña. Ha Nin se retiró para que uno de los vigilantes abriera la puerta de la celda. Una vez dentro, Hong percibió la angustia y el pánico que impregnaban el breve espacio de la celda. Shen le agarró la mano y se puso de rodillas.

–No quiero morir –se lamentó en un susurro.

Hong le ayudó a sentarse en la cama, donde había un colchón y una manta. Luego arrastró un taburete y se sentó frente al prisionero.

–Tienes que ser fuerte –lo animó–. Eso es lo que recordará la gente. Que morirás con dignidad. Se lo debes a tu familia. Nadie puede salvarte, ni yo ni ninguna otra persona.

Shen la observó con los ojos desorbitados.

–Pero yo no hice nada que no hayan hecho todos los demás.

–No todos, pero sí muchos, tienes razón. Debes admitir lo que hiciste en lugar de humillarte aún más mintiendo.

–¿Y por qué tengo que morir yo precisamente?

–Podría haber sido cualquiera. Pero te tocó a ti. Al final, todos aquellos que son incorregibles sufrirán el mismo destino.

Shen se miró las manos temblorosas y meneó la cabeza.

–Nadie quiere hablar conmigo. No es sólo que vaya a morir, es como si, además, estuviese solo en el mundo. Ni siquiera mi familia quiere venir a visitarme. Es... como si ya estuviera muerto.

–Tampoco Ya Ru ha venido.

–No lo entiendo.

–En realidad, estoy aquí por él.

–Pues yo no quiero ayudarle.

–Te equivocas. Ya Ru no necesita ayuda. Él se libra de todo negando cualquier relación contigo. En la suerte que te ha tocado correr, se incluye el hecho de ser vilipendiado por todos. Ya Ru no es ninguna excepción.

–¿Es eso cierto?

–Estoy diciéndote la verdad. Ahora bien, hay algo que yo puedo hacer por ti. Puedo facilitarte la venganza si me hablas con detalle de tu relación con Ya Ru.

–Pero ¡si es tu hermano!

–Un lazo familiar que lleva roto muchos años. Ya Ru es peligroso para este país. La sociedad china se fundó partiendo de la premisa de la honradez individual. El socialismo no puede funcionar y crecer si no hay decencia ciudadana. La gente como tú y como Ya Ru no sólo os corrompéis a vosotros mismos, sino a toda la sociedad.

Shen terminó por comprender cuál era el objetivo de la visita de Hong, que, por cierto, pareció infundirle renovada fuerza y, por un instante, adormeció el pánico que lo invadía. Hong sabía que Shen podía volver a caer de nuevo y que la angustia ante la muerte podía paralizarle e impedirle contestar a sus preguntas. De ahí que lo acuciase como si lo estuviesen sometiendo a un nuevo interrogatorio policial.

–Aquí estás, encerrado en una celda esperando la muerte, mientras que Ya Ru se pasa el tiempo en su despacho del rascacielos que él mismo llama la Montaña del Dragón. ¿Es eso lógico?

–Él podría ocupar mi lugar.

–Corren rumores sobre él, pero Ya Ru es muy habilidoso. Nadie parece hallar el menor rastro de su paso por ninguna parte.

Shen se le acercó y bajó la voz.

–Sigue el rastro del dinero.

–¿Adónde conduce?

–A las personas que le prestaron grandes sumas para que pudiera construir su fortaleza. ¿De dónde crees que recibió tantos millones?

–De sus inversiones en distintas empresas.

–¿De las destartaladas instalaciones donde fabrica ranas de plástico con las que los niños occidentales juegan en la bañera? ¿Del patio trasero de las barracas donde sus empleados cosen zapatos y camisetas? Ni siquiera con los hornos de fabricación de ladrillos gana tanto dinero.

Hong frunció el entrecejo, sorprendida.

–¿Acaso tiene Ya Ru intereses en fábricas de ladrillo? Acabamos de enterarnos de que allí tratan a los empleados como esclavos; que, cuando no rinden lo suficiente, los castigan quemándolos.

–A Ya Ru le advirtieron lo que iba a pasar. Y se deshizo de esas fábricas antes de que la policía empezase con sus redadas. En eso consiste la clave de su éxito, siempre le avisan con antelación. Tiene espías por todas partes.

De repente, Shen se apretó las manos contra el estómago, como si le hubiese sobrevenido un dolor repentino. Hong vio la angustia pintada en su rostro y, por un instante, estuvo a punto de sentir cierta compasión. Shen no contaba más de cincuenta y nueve años y tenía a sus espaldas una brillante carrera, pero ahora iba a perderlo todo; no sólo el dinero, sino también la buena vida que se había procurado, el oasis que se había construido para sí y para su familia en medio de tanta pobreza. Cuando lo detuvieron y lo acusaron, los diarios, indignados y satisfechos a un tiempo, publicaron con todo lujo de detalles cómo sus dos hijas solían volar a Tokio o a Los Ángeles para comprarse ropa. Hong recordaba aún un titular, seguramente redactado por los servicios secretos y el Ministerio del Interior. SE TRATA DE ROPA ADQUIRIDA CON LOS AHORROS DE LOS POBRES CAMPESINOS. Los medios de comunicación repetían una y otra vez aquel titular. Se publicaron cartas de los lectores, también escritas, claro está, por los mismos periódicos y controladas por los funcionarios que, en las más altas esferas, ejercían de responsables de los efectos políticos del juicio contra Shen. Los lectores propusieron que descuartizasen el cuerpo de Shen y lo arrojasen a los cerdos. La única manera de castigarlo era convertirlo en comida para esos animales.

–Yo no puedo salvarte –insistió Hong–. Pero sí darte la posibilidad de que arrastres a otros contigo. Me han concedido treinta minutos para hablar contigo. Pronto habrán pasado. ¿Decías que le siguiese la pista al dinero?

–A veces lo llaman «Mano amarilla».

–¿A qué se refieren?

–¿Acaso puede tener más de un significado? Es el intermediario dorado, el que convierte en blanco el dinero negro, el que saca el dinero de China y lo coloca en distintas cuentas sin que el fisco tenga la menor idea de qué sucede. Se lleva el quince por ciento de todas las transacciones que realiza. Y, además, lava el dinero que circula por Pekín; todas las casas y los estadios que se construyen, todos los preparativos que se están haciendo para las Olimpiadas que se celebrarán dentro de dos años.

–¿Puedes probar algo de eso?

–Hacen falta dos manos –dijo Shen despacio–. La que recibe y también la que está dispuesta a dar. ¿Es normal que condenen a muerte a la otra mano, a la que está dispuesta a ofrecer el maldito dinero para obtener ventajas? Casi nunca lo hacen. ¿Por qué uno comete mayor delito que otro? Por eso te digo que busques el rastro del dinero. Empieza por Chan y Lu, los constructores. Tienen miedo, hablarán para protegerse. Y te contarán cosas asombrosas.

Shen guardó silencio. Hong pensaba en cómo, lejos de las noticias de los diarios, se libraba una batalla entre aquellos que querían conservar el barrio antiguo del centro de Pekín, ahora amenazado por la celebración de los Juegos Olímpicos, y aquellos otros que, con todas sus fuerzas, deseaban derribarlo todo para construir nuevas viviendas. Ella se contaba entre los que defendían con todas sus fuerzas la conservación del barrio antiguo y, en varias ocasiones, había argumentado indignada que no era sólo por razones sentimentales. Desde luego que podían construir nuevas residencias y renovar las existentes, pero no permitir que intereses a corto plazo, como los Juegos Olímpicos, decidiesen cuál había de ser el aspecto de la ciudad.

Los Juegos Olímpicos se inauguraron por primera vez en 1896, recordó Hong. «Hace muy poco tiempo», razonó. «Apenas cien años. Ni siquiera sabemos si es realmente una tradición nueva o si sólo durará unos años, quizás un par de centurias o algo así. Hemos de recordar las sabias palabras de Zhou Enlai cuando le preguntaron cuáles serían las enseñanzas de la Revolución Francesa para nuestro tiempo. Zhou respondió que aún era demasiado pronto para forjarse una opinión definitiva.

Hong comprendió que con sus preguntas había logrado que, por unos minutos, Shen olvidase totalmente que la ejecución estaba cada vez más cerca. El hombre retomó la palabra:

–Ya Ru es un hombre muy vengativo. Dicen que jamás olvida una afrenta, por pequeña que sea. Él mismo me contó que considera a su familia como una dinastía propia cuyo recuerdo debe preservarse; de modo que ten cuidado, procura que no vea en ti a una renegada que traiciona el honor de la familia. –Shen parecía concentrado en ella–. Ya Ru mata a quien le causa problemas. Lo sé. Pero, ante todo, a quien se burla de él. Dispone de unos cuantos hombres a los que recurre cuando es necesario. Aparecen de entre las sombras y se esfuman con la misma rapidez con que llegaron. No hace mucho oí que había enviado a uno de ellos a Estados Unidos. Dicen que los cadáveres seguían en el lugar del crimen cuando él ya había regresado a Pekín. Y también ha estado en Europa.

–¿Estados Unidos? ¿Europa?

–Eso dicen.

–¿Y dicen la verdad?

–Los rumores siempre son verdad. Cuando se les limpia de mentiras y de excesos, siempre queda un núcleo de verdad. Y eso es lo que uno debe buscar.

–¿Y tú cómo lo sabes?

–El poder que no se basa en el conocimiento y en el flujo constante de información a la larga resulta imposible de defender.

–Pues a ti no te ayudó.

Shen no respondió. Hong reflexionaba sobre lo que le había revelado. No salía de su asombro.

Asimismo, recordó lo que la jueza sueca le había contado. Reconoció al hombre de la fotografía que Birgitta Roslin le había mostrado; aunque estaba borrosa, no cabía la menor duda de que se trataba de Liu Xin, el guardaespaldas de su hermano. ¿Existiría alguna relación entre lo que Birgitta Roslin le había contado y lo que acababa de descubrirle Shen? ¿Era posible? En tal caso, Ya Ru había hecho algo sorprendente. ¿Lo dominaba realmente un deseo de venganza tan irrefrenable que ni siquiera podían pararlo los cien años transcurridos?

El vigilante que aguardaba en el pasillo volvió para anunciarle que se había agotado el tiempo. De repente, Shen palideció y le agarró el brazo.

–No me dejes –le suplicó–. No quiero estar solo a la hora de morir.

Hong se zafó de sus manos, pero Shen empezó a gritar. Era como un niño aterrorizado. El vigilante lo arrojó contra el suelo. Hong salió de la celda y se marchó a toda prisa. Los gritos desesperados de Shen la perseguían. Oyó cómo resonaban en su cabeza hasta que regresó al despacho de Ha Nin.

Entonces adoptó por fin una decisión. No dejaría solo a Shen en el último instante de su vida.

Poco antes de las siete de la mañana del día siguiente, Hong se encontraba en el lugar cercado que se utilizaba para las ejecuciones. Según había oído, allí realizaban sus prácticas los militares antes de atacar Tiananmen, hacía ya quince años. Ahora, en cambio, iban a utilizarlo para ejecutar a nueve criminales. Hong se colocó entre los familiares que se lamentaban helados de frío, detrás de la cerca. Un grupo de jóvenes soldados con las armas prestas en la mano los vigilaban. Hong observó al joven que le quedaba más cerca. No tendría más de diecinueve años.

Se preguntó qué estaría pensando el soldado. Tenía la edad de su hijo.

Un camión cubierto con una lona entró en la zona de ejecución. Los nueve condenados bajaron del remolque, acuciados por los impacientes empellones de los soldados. A Hong siempre le había llamado la atención que, en estos casos, todo tuviese que suceder tan deprisa. La muerte en el frío y húmedo descampado no revestía la menor dignidad. Vio a Shen caer de bruces cuando lo obligaron a bajar. Guardaba silencio, pero Hong se dio cuenta de que estaba llorando. En cambio, una de las mujeres gritaba a voz en cuello. Uno de los soldados la reprendió, pero ella siguió gritando hasta que un oficial se acercó y la golpeó en el rostro con la culata de la pistola. Entonces la mujer dejó de lamentarse y la arrastraron hasta su puesto en la fila. Los obligaron a arrodillarse. Los soldados que llevaban los rifles se apresuraron a ocupar sus posiciones detrás de los reos. La boca del rifle quedaba a unos treinta centímetros de sus nucas. Todo sucedió muy deprisa. Un oficial rugió la orden, efectuaron los disparos y los muertos cayeron de bruces hundiendo sus rostros en el frío barro. Cuando el oficial pasó ante ellos para darles el tiro de gracia, Hong volvió el rostro. Ya no necesitaba ver más. «Esos dos disparos se les facturarán a los supervivientes», se dijo. «Las balas mortales han de pagarse.»

Durante los días que siguieron a la ejecución estuvo pensando en lo que Shen le había dicho sobre el deseo de venganza de Ya Ru. Sus palabras no dejaban de resonar en su mente. Sabía que nunca había dudado en recurrir a la violencia. Brutal, casi sádicamente. En alguna ocasión llegó a pensar que su hermano era, en el fondo, un psicópata. Gracias a las confidencias del difunto Shen, tal vez consiguiese averiguar quién era su hermano.

Había llegado el momento. Debía ir a hablar con alguno de los fiscales que se encargaban sólo de casos de corrupción.

Hong no lo dudó un instante. Shen le había dicho la verdad.

Tres días después, ya entrada la noche, Hong aterrizó en una base aérea militar a las afueras de Pekín. Dos grandes aviones de pasajeros de Air China aguardaban a una delegación compuesta por cerca de cuatrocientas personas que iban a visitar Zimbabue.

Hong se enteró de que también ella haría ese viaje a principios de diciembre. Su misión consistía en mantener conversaciones sobre una colaboración más profunda entre los servicios secretos chinos y los del país africano. Una colaboración que, en esencia, se basaría en que los chinos transmitirían conocimientos y tecnología a sus colegas africanos. Hong se alegró al recibir la noticia, pues nunca había visitado el continente africano.

Se contaba entre los pasajeros más insignes, de modo que tenía reservado un asiento en la sección anterior del avión, que eran más amplios y cómodos. Cuando el avión despegó, les sirvieron el almuerzo, y después de comer y con las luces apagadas, Hong se durmió.

La despertó alguien que fue a ocupar el asiento vacío que había a su lado. Cuando abrió los ojos, se encontró con el rostro sonriente de Ya Ru.

–¿Sorprendida, querida hermana? Claro que no viste mi nombre en la lista de delegados que te remitieron, por la sencilla razón de que no figuran en ella todos los nombres. Aunque yo sí sabía que te encontraría aquí.

–Debería haber adivinado que no dejarías que esta oportunidad se te escapase de las manos.

–África es una parte del mundo. Ahora que los poderes occidentales están abandonando el continente, es normal que aparezca China de entre bastidores. Auguro grandes éxitos para nuestra patria.

–Y yo veo que China se aparta cada vez más de sus ideales.

Ya Ru alzó las manos en señal de protesta.

–Por favor, ahora no, a medianoche... El mundo duerme a muchos metros bajo nuestros pies. Quizás en estos momentos estemos volando sobre Vietnam, o quién sabe si no habremos llegado ya más lejos. No discutamos. Es mejor que nos durmamos. Las preguntas que quieras plantearme pueden esperar. ¿O tal vez no son preguntas, sino acusaciones?

Ya Ru se levantó y se marchó por el pasillo hasta la escalerilla que conducía al piso superior, justo detrás del morro del avión.

«No sólo viajamos en la misma nave», observó Hong para sí. «Además, llevamos con nosotros nuestro propio campo de batalla, en el que la contienda está lejos de darse por resuelta.»

Volvió a cerrar los ojos. Pensó que sería imposible evitarlo. «Se acerca el momento en que la enorme grieta abierta entre nosotros ni puede ni debe ocultarse por más tiempo. Como tampoco la enorme grieta que ha resquebrajado el Partido Comunista. La gran contienda coincide con esta otra batalla menor.»

Logró conciliar el sueño poco a poco. No estaría en condiciones de medir sus fuerzas con las de su hermano sin antes haber descansado bien.

En la parte superior del avión, Ya Ru volaba despierto, con una copa en la mano. Finalmente había admitido para sí que odiaba a su hermana Hong. Debía hacerla desaparecer. Había dejado de pertenecer a la familia que él adoraba. Se inmiscuía demasiado a menudo en asuntos que no le incumbían. La víspera del viaje, Ya Ru supo por uno de sus contactos que Hong había ido a visitar a uno de los fiscales que dirigía la investigación del caso de soborno. Y estaba convencido de que su hermana había hablado de él.

Además, su amigo, el alto cargo policial Chan Bing, le reveló que Hong se había interesado por una jueza sueca que había estado de visita en Pekín. Ya Ru decidió que volvería a hablar con Chan Bing a su regreso de África.

Hong le había declarado la guerra. Pensó que su hermana la perdería antes de que hubiese empezado siquiera.

Ya Ru no vacilaba lo más mínimo, y eso lo sorprendió. Ya nada podía interponerse en su camino. Ni siquiera su querida hermana, que volaba en el piso de abajo, en el mismo avión que él.

Se acomodó en el asiento, que se convertía en cama, y no tardó en dormirse.

A sus pies se extendía el océano Índico y, más allá, la costa africana, aún envuelta en las tinieblas.

30

Hong estaba sentada en el porche del *bungalow* en el que se alojaría durante su visita a Zimbabue. El frío invierno de Pekín se le antojaba remoto, reemplazado por la calidez de la noche africana. Prestó atención a los sonidos que surgían de la oscuridad, sobre todo el intenso canto de la cigarra. Pese al calor, llevaba una blusa de manga larga, pues la habían advertido de que había gran cantidad de mosquitos de la malaria. Ella habría preferido desnudarse y sacar la cama al porche para dormir al abrigo del firmamento. Jamás había experimentado un calor como el que la sorprendió al alba, cuando salió del avión. Fue una liberación. «El frío nos tiene castigados, como maniatados», se dijo. «El calor es la llave que nos libera.»

Su *bungalow* estaba arropado por árboles y arbustos en un poblado artificial para los huéspedes ilustres del Estado de Zimbabue. Se construyó durante el mandato del Ian Smith, cuando la minoría blanca del país proclamó unilateralmente su independencia de Gran Bretaña para garantizar un gobierno blanco racista en la antigua colonia. Entonces sólo existía una gran casa de huéspedes con restaurante y piscina. Ian Smith solía retirarse allí algunos fines de semana con sus ministros, para discutir los grandes problemas que debía afrontar su gobierno, sometido a un aislamiento creciente. A partir de 1980, cuando cayó el régimen blanco, el país quedó liberado y Robert Mugabe accedió al poder, la zona se amplió con una serie de *bungalows,* paseos y una gran balconada panorámica junto al río Logo, adonde las manadas de elefantes acudían a beber a la caída de la tarde.

Entrevió la figura de un guardia por el sendero que serpenteaba entre los árboles. Hong pensó que jamás había visto una oscuridad tan compacta como la africana. Cualquiera podía confundirse y ocultarse en ella, cualquier fiera, de cuatro o de dos patas...

Súbitamente, se sobresaltó ante la idea de que su hermano pudiese andar por allí. Observándola, esperando. En aquel momento, sentada en la negra noche, sintió por primera vez terror al pensar en él.

Era como si, por primera vez, comprendiese que era capaz de hacer cualquier cosa por saciar sus ansias de poder, de más riquezas, de venganza.

La sola idea le produjo escalofríos. Un insecto se estrelló contra su mejilla y Hong reaccionó dando un respingo. El vaso que había sobre la mesa de bambú cayó y se quebró contra el suelo de piedra. Las cigarras callaron un segundo antes de reanudar su canto.

Hong movió la silla para no pisar las esquirlas. Sobre la mesa tenía el programa de los días que iba a estar en Zimbabue. Aquel día, el primero, lo habían pasado admirando la marcha y la música militar de un interminable desfile de soldados. Después la nutrida delegación fue conducida en una larga caravana de coches flanqueados por motoristas de la policía a un almuerzo donde los ministros pronunciaron largos discursos que cerraban proponiendo los correspondientes brindis. Según el programa, el presidente Mugabe debería haberlos acompañado durante el almuerzo, pero no llegó a presentarse. Una vez terminado el prolongado festín, los llevaron a tomar posesión de sus respectivos *bungalows,* que se hallaban a varias decenas de kilómetros de Harare, hacia el sudoeste. Hong iba contemplando por la ventanilla el árido paisaje y los tristes poblados mientras pensaba que la pobreza siempre tiene el mismo aspecto, dondequiera que impere. Los ricos pueden expresar su bienestar introduciendo variaciones en sus vidas, cambiando de casa, de ropa, de coche. O de ideas, de sueños. Para el pobre, en cambio, no existe más que el gris imperativo, la única expresión de la pobreza.

Ya bien entrada la tarde, se celebró una reunión destinada a preparar el trabajo de los próximos días. Sin embargo, Hong prefirió revisar el material a solas en su habitación. Después dio un largo paseo hasta el río, contemplando a hurtadillas por entre los arbustos los despaciosos movimientos de los elefantes y las cabezas de los hipopótamos sobre la superficie del agua. Estaba prácticamente sola junto al río, con la única compañía de un químico de la Universidad de Pekín y de uno de los economistas de mercado radicales que se había formado bajo el mandato de Deng. Hong sabía que el economista, cuyo nombre había olvidado, tenía una estrecha relación con Ya Ru. Por un instante, se preguntó si no lo habría enviado su hermano, a fin de tenerla vigilada y saber qué hacía en cada momento; pero desechó la idea pensando que eran figuraciones suyas. Su hermano era mucho más astuto.

La discusión que deseaba mantener con Ya Ru..., ¿sería posible? La grieta que dividía en dos el Partido Comunista, ¿no habría sobrepasado el punto en que era posible acercar posiciones? No se trataba de diferencias sencillas y superables, de qué estrategia política era adecuada en un momento determinado, sino de una lucha fundamental, los viejos ideales contra los nuevos, que sólo de forma superficial podían considerarse comunistas, basados en la tradición que creó la República Popular hacía cincuenta y siete años.

Hong se decía que, en más de un sentido, aquella lucha podía considerarse como la contienda final. No para siempre, sería una ingenuidad pensarlo. Siempre surgirían nuevas contradicciones, nuevas luchas de clases, nuevas revueltas. La historia no tenía fin. Sin embargo, no cabía la menor duda de que China se hallaba ante una encrucijada decisiva. Hubo un tiempo en que contribuyeron al ocaso del mundo colonial. Los países pobres de África eran libres, pero ¿qué papel podía desempeñar China en el futuro? ¿Lo haría en calidad de amigo o de nuevo colonizador?

Si la decisión quedaba en manos de hombres como su hermano, los últimos bastiones firmes de la sociedad china serían arrasados. Una ola de irresponsabilidad capitalista arrastraría consigo cualquier residuo de las instituciones y los ideales construidos sobre la base de la solidaridad y sería casi imposible recuperarlos en mucho tiempo, quizá después de varias generaciones. Para Hong, constituía una verdad incuestionable la idea de que el ser humano, en el fondo, era un ser racional; que la solidaridad era en primera instancia sensatez y no un sentimiento; y que el mundo, pese a todos los fracasos, avanzaba hacia un punto en que reinaría la razón. Sin embargo, también estaba convencida de que no había que dar nada por supuesto, y que nada, en la construcción de la sociedad humana, sucedía de forma automática. No existían leyes naturales que gobernasen el comportamiento humano.

Mao, una vez más. Era como si su rostro se entreviese en la oscuridad. Él sabía lo que iba a suceder, pensaba Hong. La cuestión del futuro nunca está definitivamente resuelta. Mao lo repetía una y otra vez, pero nosotros no lo escuchábamos. Siempre habría grupos ávidos de procurarse privilegios, siempre se producirían nuevos levantamientos.

Dejó vagar sus pensamientos, allí sentada en el porche, y se quedó adormilada hasta que un ruido la despertó. Aguzó el oído. Volvió a percibirlo. Alguien llamaba a su puerta. Miró el reloj. Medianoche. ¿Quién querría verla tan tarde? Dudaba si abrir la puerta. Volvieron a oírse los golpes. «Alguien sabe que estoy despierta», concluyó. «Alguien que me ha visto en el porche.» Fue hasta la puerta y estudió por la mirilla a quien llamaba. Era un africano con el uniforme del hotel. La venció la curiosidad y terminó por abrir. El joven le tendió una carta. Por la caligrafía del nombre escrito en el sobre supo que era de Ya Ru.

Le dio al joven unos dólares de Zimbabue, sin saber si eran muchos o pocos, y regresó al porche para leer la carta, que era muy breve.

«Hong.

»Debemos mantener la paz entre nosotros, en nombre de la familia, de la nación. Volvamos a mirarnos a los ojos. Te invito a acompañarme en un paseo por la selva antes de volver a casa; entre la naturaleza salvaje y los animales podremos hablar.

»Ya Ru.»

Leyó el texto con atención, como si intuyese la existencia de un mensaje oculto entre las simples palabras, pero no halló nada, como tampoco una respuesta a por qué le habría enviado aquel mensaje a medianoche.

Miró en la oscuridad y pensó en las fieras, capaces de ver a su presa sin que ésta pueda barruntar lo que se avecina.

–Puedo verte –susurró Hong–. De dondequiera que vengas, te descubriré a tiempo. Jamás volverás a sentarte a mi lado sin que te haya visto acercarte.

Hong se despertó temprano al día siguiente. Había dormido inquieta, con ensoñaciones de sombras que se aproximaban amenazadoras, sin rostro. Se encontraba fuera, en el porche, contemplando el breve amanecer, el sol que se alzaba sobre la selva infinita. Un martín pescador de vivos colores aterrizó en la barandilla del porche, pero volvió a partir enseguida. El rocío de la noche húmeda resplandecía en la hierba. Oyó voces extrañas, alguien que gritaba, risas. Se veía envuelta en intensos aromas. Pensó en la carta que había recibido por la noche y se recomendó a sí misma toda la precaución posible. En cierto modo, en aquel país extraño, estaba más sola frente a Ya Ru.

A las ocho de la mañana, una selección de la delegación formada por treinta y cinco personas, bajo la dirección del ministro de Comercio y los alcaldes de Shanghai y Pekín, se había congregado en el vestíbulo del hotel. Como decoración se veía colgado de varias paredes el rostro de Mugabe, con esa media sonrisa suya que Hong no sabía si interpretar como socarrona o amable. El secretario del ministro reclamó en voz alta la atención de los congregados.

–Señores, el presidente Mugabe va a recibirnos ahora en su palacio. Entraremos en fila, guardando las distancias normales entre los ministros, los alcaldes y otros delegados. Saludamos, escuchamos los himnos nacionales y nos sentamos a una mesa en los lugares prefijados. El presidente Mugabe y nuestro ministro intercambiarán los consabidos saludos mediante los intérpretes y, acto seguido, el presidente pronunciará un breve discurso. Ignoramos cuál es el contenido, pues no nos han entregado ninguna copia. Puede durar desde veinte minutos a tres horas. Les recomiendo que vayan a los servicios antes de entrar. Después, habrá un turno de preguntas. Aquellos de ustedes a quienes se les haya permitido preparar preguntas alzarán la mano, se presentarán cuando se les haya concedido la palabra y permanecerán de pie mientras el presidente Mugabe les esté respondiendo. No se permite abundar en las preguntas ni que ninguna otra persona de la delegación formule las suyas por iniciativa propia. Después de la reunión con el presidente, la mayor parte de la delegación partirá para visitar las minas de cobre de Wandlana, mientras que el ministro y los delegados elegidos seguirán la conversación con el presidente Mugabe y algunos de sus ministros, aunque ignoramos cuántos.

Hong miró a Ya Ru, quien, con los ojos entrecerrados, se apoyaba en la columna que había al fondo de la sala. No se miraron a los ojos hasta que salieron. Ya Ru le sonrió antes de desaparecer en uno de los coches destinados a los ministros, los alcaldes y los delegados elegidos.

Hong se sentó en un autobús que aguardaba al resto. «Ya Ru tiene un plan», se dijo. «Aunque desconozco totalmente en qué consiste.»

El miedo crecía sin cesar en su interior. «Tengo que hablar con alguien con quien poder compartir mis temores.» Ya sentada en el autobús, miró a su alrededor. A muchos de los delegados de más edad los conocía desde hacía mucho tiempo. La mayoría de ellos compartían, además, su visión del desarrollo político de China. «Pero están cansados», consideró para sí. «Son tan viejos que ya no reaccionan ante los peligros que acechan.»

Siguió buscando con la mirada, pero en vano. Allí no había nadie a quien conociese y a quien pudiese confiarse. Después de la reunión con el presidente Mugabe, revisaría con detenimiento la lista de delegados. La persona que buscaba debía de estar en alguna parte.

El autobús avanzaba a gran velocidad en dirección a Harare. Hong observaba la tierra roja cuyo polvo se arremolinaba al paso de las gentes que caminaban al borde de la carretera.

De repente, el autobús se detuvo. Un hombre que estaba sentado en la otra hilera de asientos le explicó el porqué:

–No podemos llegar al mismo tiempo –aclaró–. Los coches que llevan a las personas importantes han de aparecer con cierta antelación.

Después entraremos nosotros. Es el ballet político y económico, para embellecer el fondo.

Hong sonrió. Había olvidado el nombre de aquel hombre, pero sabía que, durante la Revolución Cultural, había sido profesor de física y muy perseguido. Cuando volvió de sus muchas penalidades en el campo, lo nombraron enseguida director de lo que sería el instituto de investigaciones espaciales chino. Hong sospechaba que también él compartía sus opiniones sobre el camino que debía seguir China. Era uno de los viejos que aún se mantenía vivo, no uno de los jóvenes, que nunca habían llegado a comprender lo que significaba llevar una existencia en la que ellos no fuesen lo más importante.

Se habían detenido justo al lado de un pequeño mercado que se extendía a lo largo de la carretera. Hong sabía que la economía en Zimbabue estaba al borde del colapso. Ésa era una de las razones por las que aquella gran delegación china se encontraba en el país. Pese a que aquella información jamás trascendería, fue el presidente Mugabe quien pidió la intervención del Gobierno chino para ayudar a Zimbabue a salir de la difícil depresión económica. Las sanciones de Occidente suponían el hundimiento de todas las estructuras básicas. Tan sólo unos días antes de partir hacia Pekín, Hong leyó en un diario que la inflación en Zimbabue se aproximaba ya al cinco mil por cien. La gente que se hallaba al borde de la carretera se movía despacio. Hong pensó que estarían hambrientos o cansados.

De pronto vio a una mujer que se puso de rodillas. Llevaba a un niño atado a la espalda y un rollo de trapo alrededor de la cabeza. Dos hombres que había cerca aunaron sus fuerzas para levantar un saco de cemento y lo colocaron sobre el rollo de trapo. Después le ayudaron a levantarse. Hong la vio avanzar dando tumbos por la carretera. Sin pensárselo dos veces, se levantó, recorrió el pasillo del autobús y se dirigió a la intérprete.

–Quiero que me acompañes.

La intérprete, que era una mujer muy joven, abrió la boca con la intención de protestar, pero Hong no la dejó decir una sola palabra. El chófer había abierto la puerta delantera para que corriese el aire, que ya empezaba a ser bochornoso, puesto que el aire acondicionado no funcionaba. Hong se llevó a la intérprete hasta el otro lado de la carretera, donde los dos hombres, sentados a la sombra, compartían un cigarrillo. La mujer que llevaba aquella pesada carga sobre la cabeza había desaparecido en la calina.

–Pregúntales cuánto pesaba el saco que le han puesto a la mujer en la cabeza.

–Cincuenta kilos –respondió la intérprete una vez hubo preguntado.

–Es una carga tremenda. Tendrá la espalda destrozada antes de cumplir los treinta.

Los hombres se echaron a reír.

–Estamos orgullosos de nuestras mujeres. Son muy fuertes.

Hong no vio en sus ojos más que incomprensión. «Aquí, como en China, las cosas son como son para las mujeres», concluyó. «Siempre llevan pesadas cargas sobre sus cabezas, pero peor aún debe de ser la carga que soportan dentro de sus cabezas.»

Regresó con la intérprete al autobús, que partió enseguida. Los motoristas de la policía habían vuelto. Hong expuso la cara al viento que entraba por la ventanilla.

Jamás olvidaría a la mujer que transportaba el saco de cemento.

La reunión con el presidente Robert Mugabe duró cuatro horas. Por su aspecto, cuando lo vio entrar en la sala le pareció un maestro de escuela bonachón. Le estrechó la mano a Hong sin mirarla apenas, un hombre de otro mundo que la rozaba con premura. Después de la reunión no le quedaría el menor recuerdo de su persona. Hong se acordó de que a aquel hombrecillo, que emanaba fortaleza pese a ser mayor y frágil, se lo describía como un tirano sanguinario que atormentaba a sus propias gentes destruyendo sus casas y ahuyentándolas de sus tierras cuando a él le convenía. Otros, en cambio, lo veían como a un héroe que jamás abandonaba la lucha contra los vestigios de las fuerzas coloniales que, según él se empeñaba en afirmar, se hallaban tras todos los problemas de Zimbabue.

¿Qué pensaba ella al respecto? Sabía demasiado poco para tener una opinión determinada. Aunque Robert Mugabe era un hombre que, por muchas razones, merecía su admiración y respeto, pese a que no todo lo hiciese bien, era un hombre convencido de que las raíces del colonialismo eran profundas y debían cortarse no una, sino muchas veces. Asimismo, lo respetaba por los violentos ataques que contra él publicaban constantemente los medios de comunicación occidentales. Hong había vivido lo suficiente como para saber que las airadas protestas de los acaudalados y sus diarios solían servir para acallar los gritos de dolor de quienes aún sufrían los males causados por el colonialismo.

Zimbabue y Robert Mugabe estaban sitiados. Occidente reaccionó con virulencia cuando Mugabe, hacía unos años, mandó sus fuerzas para anexionarse todas las extensas fincas del país, a la sazón dominadas por grandes latifundistas que dejaban sin tierras a cientos de miles de habitantes pobres de Zimbabue. El odio contra Mugabe crecía cada vez que un granjero blanco era víctima de pedradas o tiroteos en confrontaciones abiertas con los negros indigentes.

Pero Hong sabía que ya en 1980, cuando Zimbabue se liberó del gobierno fascista de Ian Smith, Mugabe se ofreció a un diálogo abierto con los granjeros blancos a fin de resolver aquella cuestión crucial de un modo pacífico. Respondieron a su oferta con el silencio, tanto en aquella primera ocasión como en los quince años siguientes. Mugabe repitió su oferta de negociaciones una y otra vez, sin recibir nada más que un humillante silencio por respuesta. Al final, no pudo esperar más y un buen número de grandes latifundios fueron traspasados a los habitantes sin tierras. Aquel gesto fue condenado y vituperado por todo el mundo.

A partir de ese momento, la imagen de Mugabe se transformó y, de ser un héroe de la lucha por la libertad, pasó a considerárselo un tirano africano. Aparecía retratado como los antisemitas solían retratar a los judíos, le arrebataron el honor y la honra a un hombre que había guiado a su pueblo a la libertad. Nadie mencionó en ningún momento el hecho de que permitió que los antiguos gobernantes del periodo de Ian Smith y el propio Ian Smith siguieran viviendo en el país. Tampoco los hizo pasar de los tribunales a la horca, como hicieron los británicos con los rebeldes negros de las colonias. Claro que un rebelde blanco no era lo mismo que un rebelde negro.

Escuchó con atención el discurso de Mugabe. Hablaba despacio, con voz suave que nunca alzaba, ni siquiera cuando mencionó las sanciones que incrementaron el índice de mortalidad infantil, que hicieron que se extendiera la hambruna y que los ciudadanos se viesen obligados a buscar solución en Sudáfrica como inmigrantes ilegales entre otros tantos millones como ellos. Mugabe habló de la oposición que existía en el país. Cierto que se habían producido incidentes, observó, «pero los medios de comunicación occidentales nunca informan sobre los ataques dirigidos contra aquellos que son fieles a mí y a mi partido. Siempre somos nosotros los que arrojamos piedras o utilizamos palos, nunca se dice que ellos lanzan bombas incendiarias, mutilan y golpean a mi pueblo».

Mugabe se explayó, pero habló bien. Hong pensaba que aquel hombre habría alcanzado ya los ochenta años. Como tantos otros líderes africanos, había pasado gran parte de su vida en la cárcel, durante el prolongado periodo en que los poderes coloniales creían que podrían rechazar los ataques contra su soberanía. Ella sabía que Zimbabue era un país corrupto, que aún les quedaba un largo camino por recorrer, pero juzgar a Mugabe como único culpable resultaba demasiado fácil. La verdad era mucho más compleja.

Hong veía a Ya Ru sentado al otro extremo de la mesa, cerca del ministro de Comercio y del podio desde el que hablaba el presidente Mugabe. Su hermano garabateaba algo en su bloc, lo hacía desde niño, siempre estaba dibujando muñequitos mientras pensaba o escuchaba, por lo general diablillos rodeados de hogueras. «Sin embargo, seguramente es el que con más atención escucha», pensó Hong. «Va absorbiendo las palabras y procesando la información con el fin de ver qué puede darle algún tipo de beneficio en futuros negocios: ésa es la verdadera razón de este viaje. ¿Qué materias primas hay en Zimbabue que nosotros podamos necesitar? ¿Cómo conseguirlas al mejor precio?»

Una vez terminada la reunión y cuando el presidente Mugabe había abandonado la sala, Ya Ru y Hong se tropezaron en la salida. En realidad, su hermano estaba esperándola. Tomaron un plato con algo para picar que había en una larga mesa. Ya Ru bebía vino, en tanto que Hong se contentó con un vaso de agua.

–¿Por qué me mandas una carta a medianoche?

–De pronto tuve la irrefrenable sensación de que era importante y no pude esperar.

–El hombre que llamó a mi puerta sabía que yo estaba despierta –señaló Hong–. ¿Cómo es posible?

Ya Ru enarcó las cejas sorprendido.

–La gente llama de forma distinta si sabe que la persona que está dentro está despierta o dormida.

Ya Ru asintió.

–Vaya, hermanita, qué lista eres.

–No olvides que yo también veo en la oscuridad. Anoche estuve un buen rato sentada en el porche y entreví rostros a la luz de la luna.

–Pero si anoche no había luna.

–Las estrellas emiten una luz que yo soy capaz de intensificar si quiero. Así, el brillo de las estrellas se convierte en luz de luna.

Ya Ru la observó pensativo.

–¿Estás midiendo tus fuerzas con las mías? ¿Es eso?

–Y tú, ¿no haces lo mismo?

–Tenemos que hablar. Tranquilamente. Con calma. Están produciéndose grandes cambios. Nos hemos acercado a África con un ejército grande, pero con buena disposición. Y ahora estamos asentándonos.

–Hoy vi a dos hombres que colocaban un saco de cemento de cincuenta kilos sobre la cabeza de una mujer. Mi pregunta es muy sencilla: ¿qué pretendemos hacer con el ejército que hemos traído? ¿Ayudaremos a que a esa mujer se le alivie la carga? ¿O pretendemos formar parte de los que cargan sacos sobre su cabeza?

–Una cuestión importante que no me disgustará discutir contigo. Pero no ahora. El presidente está esperando.

–A mí no.

–Disfruta del porche esta tarde. Si, para medianoche, no he llamado a tu puerta, ya no te visitaré y podrás acostarte.

Ya Ru dejó la copa de vino y se marchó con una sonrisa. Hong se dio cuenta de que había empezado a sudar durante la breve conversación. Una voz anunció en voz alta que su autobús partiría dentro de treinta minutos. Hong volvió a llenar su plato y, cuando terminó de comer, se encaminó a la parte posterior del palacio, donde esperaba el autobús. Hacía mucho calor y los rayos del sol se reflejaban contra las paredes de piedra blanca del edificio. Se puso las gafas de sol y un sombrero blanco que llevaba en el bolso. Estaba a punto de subir al autobús cuando alguien se dirigió a ella. Hong se dio media vuelta.

–¿Ma Li? ¿Qué haces tú aquí?

–Vine a sustituir al viejo Tsu. Le dio una embolia y no pudo asistir, así que me llamaron para que acudiese en su lugar. Por eso mi nombre no figura en la lista.

–Pues no te vi cuando salimos esta mañana.

–Alguien me indicó con tono muy severo que, según el protocolo, no debía ir en coche. Ahora iré en el vehículo que me corresponda.

Hong extendió las manos y estrechó las de Ma Li. Ella era la persona a la que había estado esperando, alguien con quien poder hablar. Ma Li y ella eran amigas desde la facultad, después de la Revolución Cultural. Hong recordaba que una mañana muy temprano, en una de las salas de día de la universidad, encontró a Ma Li dormida en una silla. Cuando despertó, empezaron a hablar.

Desde el principio fue como si estuviesen destinadas a ser amigas. En la memoria de Hong aún perduraba claramente la primera conversación que mantuvieron. Ma Li le dijo que había llegado el momento de dejar de «bombardear el cuartel general». Era una de las instrucciones de Mao a los revolucionarios, ni siquiera los líderes del Partido Comunista se librarían de las críticas. Ma Li le confesó entonces que, para ella, había llegado la hora de «bombardear el vacío que existía en su corazón, su inmensa falta de conocimiento, contra la que debía combatir».

Ma Li se convirtió en analista económico y empezó a trabajar en el Ministerio de Comercio, donde formó parte del grupo de expertos financieros que, las veinticuatro horas del día, controlaban los movimientos de divisas en todo el mundo. Hong, por su parte, fue contratada como consejera del ministro en asuntos de seguridad interna, con la misión, entre otras, de coordinar el punto de vista del alto mando militar sobre la protección interior y exterior del país, y en especial en lo tocante a la seguridad de los altos cargos políticos. Hong fue a la boda de Ma Li, pero, desde que ésta tuvo a sus dos hijos, empezaron a verse sólo de vez en cuando, de forma bastante irregular.

Y ahora volvían a encontrarse, en un autobús aparcado en la parte trasera del palacio de Robert Mugabe. Hablaron sin cesar durante el viaje de regreso a los *bungalows*. Se dio cuenta de que Ma Li se alegraba tanto del reencuentro como ella. Cuando llegaron al hotel, decidieron dar un paseo hasta la gran balconada con vistas al río. Ninguna de las dos tenía nada concreto que hacer hasta el día siguiente, cuando Ma Li debía visitar una granja experimental, en tanto que Hong debía viajar a las cataratas Victoria para mantener una conversación con un grupo de militares de Zimbabue.

Hacía un calor sofocante mientras bajaban al río. En la distancia se veían los rayos y se oía el sordo tronar presagio de la tormenta. En el río no se avistaba ningún animal; como si, de repente, se tratase de un terreno totalmente abandonado. Cuando Ma Li agarró a Hong del brazo, ésta se sobresaltó.

–¿Ves allí? –preguntó Ma Li al tiempo que señalaba un punto.

Hong miró al lugar que le indicaba, pero no detectó ningún movimiento entre el espeso boscaje que flanqueaba la orilla.

–Detrás de aquellos árboles cuya corteza han arrancado los elefantes, junto al risco que se alza como una lanza surgiendo de la tierra...

Entonces lo vio. La cola del león se movía despacio, azotando la tierra roja. Los ojos y la melena del animal se atisbaban de vez en cuando por entre las hojas.

–Tienes buena vista –observó Hong.

–He aprendido a observar. De lo contrario, el terreno resulta peligroso. También en la ciudad o en una sala de reuniones existe un paisaje donde se pueden esconder numerosas trampas que caen sobre ti si no estás alerta.

En silencio, casi con veneración, observaron cómo el león bajaba hasta la orilla, entraba en el agua y empezaba a chapotear. A lo lejos, en medio del río, se entreveían las cabezas de unos hipopótamos. Un martín pescador con el mismo colorido plumaje que el que apareció en el porche de Hong se posó en la barandilla con una libélula en el pico.

–Qué paz... –comentó Ma Li–. Cada día la añoro más, cuanto más vieja me hago, más añoro la paz. ¿Será uno de los primeros signos de la vejez? Nadie desea morir rodeado del ruido de máquinas o aparatos de radio. El precio de nuestros éxitos es el gran silencio. ¿Acaso puede vivir alguien sin la calma que experimentamos ahora?

–Tienes razón –admitió Hong–. Pero ¿qué hacemos con las amenazas invisibles que acechan nuestras vidas?

–¿Te refieres a la suciedad, a los venenos? ¿Las plagas que no cesan de mutar y cambiar de apariencia?

–Según la Organización Mundial de la Salud, Pekín es hoy la ciudad más sucia del mundo. No hace mucho, llegaron a detectar hasta ciento cuarenta y dos microgramos de partículas por metro cúbico de aire. La cifra en Nueva York era de veintisiete y en París, veintidós. Ya sabemos que el diablo siempre se manifiesta en los detalles.

–Piensa en todas las personas que, por primera vez, tienen la oportunidad de comprar una motocicleta. ¿Cómo convencerlos de que no lo hagan?

–Fortaleciendo la influencia del Partido sobre el desarrollo. Lo que producen las materias primas y lo que producen las ideas.

Ma Li acarició levemente a Hong en la mejilla.

–Siento una honda gratitud cada vez que me doy cuenta de que no estoy sola. No me avergüenzo cada vez que aseguro que *Baoxian yundong*, la campaña ideada para preservar los privilegios del Partido Comunista, es lo que salvará a nuestro país de la división y la decadencia.

–«Una campaña para preservar el derecho del Partido Comunista a gobernar» –repitió Hong–. Estoy de acuerdo contigo. Aunque, al mismo tiempo, tú y yo sabemos que el peligro está dentro. Hubo un tiempo en que la mujer de Mao fue el nuevo topo de la clase alta, pese a que se contaba entre las que con más entusiasmo enarbolaban la bandera roja. En la actualidad, son otros los que se cobijan en el seno del Partido, aunque lo único que pretenden es oponer resistencia y sustituir la estabilidad del país por una libertad capitalista que nadie podrá controlar.

–La estabilidad no existe –sentenció Ma Li–. Soy analista y sé cuál es el curso que el flujo de dinero sigue en nuestro país, de modo que también sé mucho más que tú o que otras personas sobre ese particular. Aunque, claro está, no puedo decir nada.

–Estamos solas. El león no nos escucha.

Ma Li la miró, como estudiándola. Hong sabía exactamente lo que estaba pensando: ¿podré confiar en ella o no?

–No digas nada si tienes la menor duda –le advirtió Hong–. Si elegimos mal a la persona en la que confiar, no vemos indefensos y desarmados. Como ya nos adelantó Confucio.

–Yo confío en ti –aseguró Ma Li–. Aun así, es inevitable, el instinto de supervivencia nos pone alerta.

Hong señaló la orilla del río.

–Ya se ha ido el león. Y ni nos hemos dado cuenta.

Ma Li asintió.

–Este año, el Gobierno aprobará un incremento de cerca del quince por ciento en defensa –prosiguió Hong–. Teniendo en cuenta que a China no la amenazan enemigos cercanos reales, el Pentágono y el Kremlin se preguntan, claro está, el porqué de dicho incremento. Sus analistas comprenden sin mayor esfuerzo que el Estado y el Ejército están preparándose para poder hacer frente a una amenaza interna. Además, invertimos casi diez billones de yuanes en vigilar Internet. Son cifras imposibles de ocultar. Sin embargo, existe otra estadística que muy pocos conocen. ¿Cuántas revueltas y protestas masivas crees que se produjeron en nuestro país el año pasado?

Ma Li reflexionó un instante antes de responder.

–¿Cinco mil, quizá?

Hong negó con un gesto.

–Cerca de noventa mil. Calcula cuántas resultan al día. Es una cifra que empaña con su sombra toda acción emprendida por el Politburó. Lo que Deng hizo hace quince años, liberalizar la economía, pudo calmar entonces la inquietud que embargaba el país. Hoy, esa medida no es suficiente, sobre todo teniendo en cuenta que las ciudades ya no ofrecen ni espacio ni trabajo a los cientos de millones de campesinos pobres que esperan impacientes que les llegue el turno de disfrutar de la buena vida con la que todos sueñan.

–¿Y qué crees que ocurrirá?

–No lo sé. Nadie lo sabe. Quienes se preocupan y no dejan de pensar en ello son personas sensatas. En el seno del Partido está librándose una batalla de proporciones jamás vistas, ni siquiera en tiempos de Mao. Nadie puede prever cuál será su resultado. El ejército teme no ser capaz de controlar el posible caos. Tú y yo sabemos que lo único que podemos y debemos hacer es retomar los principios de antaño.

–*Baoxian yundong*.

–El único camino. Nuestro único camino. Ningún atajo conduce al futuro.

Una manada de elefantes se aproximaba despacio al río para beber. Un grupo de turistas occidentales bajaron hasta la barandilla del mirador y las dos mujeres aprovecharon para volver al vestíbulo del hotel. Hong pensaba proponerle que cenasen juntas, pero Ma Li se le adelantó al decirle que tenía la noche ocupada.

–Vamos a pasar aquí dos semanas –le dijo–. Ya tendremos tiempo de hablar de todo lo ocurrido.

–Y de lo que ocurre y ocurrirá –añadió Hong–. Y de todo aquello para lo que aún no tenemos respuesta.

Vio cómo se marchaba Ma Li, que desapareció al otro lado de la piscina. «Hablaré con ella mañana», decidió Hong. «Justo cuando más necesitaba a alguien, se presenta una de mis mejores y más viejas amigas.»

Hong cenó sola aquella noche. Un nutrido grupo de miembros de la delegación china compartía mesa en el restaurante, pero ella prefirió la soledad.

En torno a la lamparilla que ardía sobre su mesa danzaban las polillas.

Cuando terminó de cenar, se sentó un rato en el bar, junto a la piscina, a tomarse una taza de té. Varios delegados chinos bebieron más de la cuenta y se les insinuaron a las jóvenes y hermosas camareras que iban y venían entre las mesas. Hong se indignó y se marchó de allí. «En otra China, jamás se habría permitido tal actitud», se dijo iracunda. «Los guardias de seguridad habrían intervenido de inmediato impidiendo que personas que actúan bajo los efectos del alcohol volviesen a representar a China. Tal vez incluso les habría caído una pena de prisión. Ahora no es así. Ahora nadie hace nada.»

Se sentó en el porche de su *bungalow* mientras reflexionaba sobre la arrogancia que emanaba de la creencia de que un sistema de mercado capitalista más libre favorecería el desarrollo. Deng pretendía que la rueda china girara más rápido. En la actualidad, la situación era diferente. «Vivimos bajo la amenaza del sobrecalentamiento, no sólo en el mundo industrial, sino también en nuestros propios cerebros. No somos conscientes del precio que hemos de pagar en forma de ríos envenenados, de un aire que nos asfixia y de millones de personas que huyen desesperadas de las zonas rurales.

»Hubo un tiempo en que acudimos a un país a la sazón llamado Rodesia, con el objeto de apoyar su lucha por la liberación. Ahora, casi treinta años después de dicha liberación, volvemos como colonizadores mal disfrazados. Mi hermano es uno de los que traicionan nuestros viejos ideales. No queda en él el menor residuo de la honorable fe en la fuerza del pueblo y en su bienestar, la misma fe que un día liberó a nuestro propio país.»

Cerró los ojos y prestó atención a los sonidos de la noche. Muy despacio, las reflexiones sobre la conversación mantenida con Ma Li abandonaron su mente fatigada.

Estaba a punto de vencerla el sueño cuando oyó un ruido que truncó el canto de las cigarras. El crujido de una rama al quebrarse.

Abrió los ojos y se irguió en la silla. Las cigarras callaron. De pronto, tuvo la certeza de que había alguien merodeando por allí.

Entró a toda prisa en el *bungalow* y cerró la cristalera. Apagó una lámpara que tenía encendida.

El corazón le latía acelerado: estaba muerta de miedo.

Alguien había estado rondando su *bungalow* y había quebrado una rama sin querer.

Se dejó caer en la cama, a oscuras, temiendo que apareciese alguien.

Pero no fue así. Después de casi una hora, echó las cortinas y se sentó a la mesa con la intención de escribir la carta que, a lo largo del día, había ido formulando en su cabeza.

31

Varias horas le llevó a Hong redactar una suerte de informe sobre los acontecimientos de los últimos meses, cuyo punto de partida eran tanto su hermano como los datos que la jueza sueca Birgitta Roslin le había proporcionado. Y puso por escrito aquella memoria para protegerse, al tiempo que, de una vez por todas, dejaba constancia de que su hermano era un hombre corrupto, así como uno de los elementos que estaban haciéndose con el control de toda China. Por otro lado, él y su guardaespaldas Liu podían muy bien estar involucrados en varios asesinatos brutales, cometidos lejos de las fronteras chinas. Mientras escribía, tenía apagado el aire acondicionado a fin de percibir mejor los ruidos del exterior. En el calor sofocante de la habitación, los insectos nocturnos revoloteaban alrededor de la lámpara mientras las gotas de sudor se estrellaban contra el tablero de la mesa. Pensó que tenía razones de sobra para sentirse inquieta. Los años vividos eran más que suficientes para distinguir entre los peligros reales y los ficticios.

Ya Ru era su hermano, pero, ante todo, un hombre que no dudaba en utilizar cualquier medio para alcanzar sus fines. Ella, por su parte, no se oponía a un desarrollo que siguiese el plan de nuevas trayectorias. Al igual que cambiaba el entorno, también los líderes chinos debían buscar nuevas estrategias para resolver los problemas presentes y futuros. No obstante, lo que Hong y otras personas como ella cuestionaban era que no se combinasen los fundamentos socialistas con una economía en la que se había concedido un gran espacio al mercado libre. ¿Acaso era imposible otra opción? Ella no lo consideraba así. Un país poderoso como China no tenía por qué vender su alma a cambio de petróleo y materias primas y nuevos mercados en los que su producción industrial podía hallar terreno abonado. ¿Acaso no era ésa su noble misión, demostrarle al mundo que el imperialismo y el colonialismo no eran consecuencias necesarias del desarrollo de un país?

Hong había detectado en la juventud una codicia que, gracias al nepotismo, a los contactos familiares y, en igual medida, a la falta de escrúpulos, había permitido amasar grandes fortunas. Los jóvenes se sentían invulnerables y eso aumentaba su brutalidad y su cinismo. Contra ellos, y contra Ya Ru, pensaba ella oponer resistencia. El futuro no estaba ganado, todo era posible aún.

Cuando terminó, repasó lo escrito, hizo algunas correcciones y aclaraciones, cerró el sobre y, antes de echarse en la cama a dormir, escribió el nombre de Ma Li en el lugar del destinatario. Ningún ruido externo perturbaba la calma. Pese a que estaba agotada, tardó en conciliar el sueño.

Se levantó a las siete y, desde el porche, vio cómo se alzaba el sol sobre el horizonte. Ma Li ya estaba desayunando cuando ella llegó al comedor. Hong se sentó a su mesa, le pidió un té a la camarera y miró a su alrededor. La mayoría de las mesas estaba ocupada por miembros de la delegación china. Ma Li le dijo que pensaba bajar al río para contemplar los animales.

–Pásate por mi habitación dentro de una hora –le propuso Hong quedamente–. Es la número veintidós.

Ma Li asintió sin hacer preguntas. «Ella, al igual que yo, ha llevado ese tipo de vida que nos enseña que los secretos existen», concluyó Hong.

Terminó de desayunar y volvió a su dormitorio a esperar a Ma Li. La visita a la granja experimental no sería hasta las nueve y media.

Una hora más tarde, exactamente, Ma Li llamó a su puerta. Hong le entregó la carta que había escrito la noche anterior.

–Si me ocurriera algo, esta carta es importante –le advirtió–. Si muero de vieja en mi cama, puedes quemarla.

Ma Li la observó con gravedad.

–¿Hay algún motivo para que deba preocuparme por ti?

–No. Pero debía escribir esta carta. Es necesaria para otras personas. Y para nuestro país.

A Hong no le pasó inadvertida la curiosidad de Ma Li, pero su amiga se abstuvo de seguir indagando y se guardó la carta en el bolso.

–¿Qué tienes hoy en el orden del día? –quiso saber Ma Li.

–Una reunión con los miembros de los servicios secretos de Mugabe. Les daremos apoyo.

–¿Armas?

–En parte, pero, ante todo, entrenamiento para sus unidades, los instruiremos en el combate cuerpo a cuerpo y en temas de vigilancia.

–Algo en lo que somos expertos.

–Me ha parecido oír una crítica solapada en el tono de tu afirmación...

–No, por supuesto que no –respondió Ma Li sorprendida.

–Ya sabes que siempre he reivindicado la importancia de que nuestro país se defienda tanto del enemigo interno como del externo. Muchos países de Occidente no desean otra cosa que ver Zimbabue convertido en un caos sangriento. Inglaterra jamás ha aceptado plenamente que el país se ganase a pulso la independencia en 1980. Mugabe está rodeado de enemigos. Sería una necedad por su parte si no les exigiese a los servicios secretos que trabajasen al máximo de su capacidad.

–Y tú no crees que sea un necio, ¿verdad?

–Robert Mugabe es un hombre sensato al comprender que debe oponer resistencia a todo cuanto el antiguo poder colonial sería capaz de hacer para derribar al actual partido gobernante. La caída de Zimbabue provocaría un efecto dominó en muchos otros países.

Hong acompañó a Ma Li hasta la puerta y la vio desaparecer por el sendero empedrado que serpenteaba a través de la frondosa vegetación. Junto a su *bungalow* crecía una jacaranda. Hong admiró el azul diáfano de sus flores. Intentó hallar algo con que compararlo, sin éxito. Recogió una de las que habían caído al suelo y la metió entre dos páginas del diario que siempre llevaba consigo, aunque rara vez se molestaba en escribir algo.

Estaba a punto de sentarse en el porche a examinar un informe sobre la oposición política en Zimbabue cuando oyó que llamaban a la puerta. Al abrir vio que se trataba de uno de los organizadores chinos del viaje, un hombre de mediana edad llamado Shu Fu. Hong había notado en un par de ocasiones que estaba nervioso ante la posibilidad de que la organización no funcionase debidamente. Desde luego, no era la persona idónea para responsabilizarse de semejante viaje, sobre todo teniendo en cuenta que su inglés estaba lejos de ser satisfactorio.

–Señora Hong –saludó Shu Fu–. Cambio de planes. El ministro de Comercio hará un viaje a Mozambique, el país vecino, y desea que usted lo acompañe.

–¿Y eso por qué?

Su sorpresa era del todo sincera, pues jamás había tenido el menor contacto con el señor Ke, el ministro de Comercio, salvo el saludo que cruzó con él antes de la partida rumbo a Harare.

–El ministro de Comercio, el señor Ke, sólo me ha dicho que debe usted acompañarlo. Será una delegación reducida.

–¿Cuándo y adónde nos vamos?

Shu Fu se enjugó el sudor de la frente y alzó los brazos señalando que lo ignoraba, antes de mostrarle su reloj.

–Me resulta imposible ofrecerle más detalles. Los coches que los llevarán al aeropuerto salen dentro de cuarenta y cinco minutos. No se tolerará el menor retraso. Todos los convocados deben preparar un equipaje ligero y contar con la posibilidad de pasar una noche fuera. Aunque puede que regresen esta misma noche.

–¿Cuáles son el destino y el objetivo del viaje?

–Eso se lo aclarará el ministro Ke.

–Al menos, dígame adónde vamos.

–A la ciudad de Beira, en el océano Índico. Según la información que poseo, el vuelo durará menos de una hora. Beira se encuentra en el país vecino, Mozambique.

Hong no tuvo tiempo de hacer más preguntas, pues Shu Fu se apresuró a regresar por el sendero.

Hong se quedó petrificada en el umbral. «Sólo se me ocurre una explicación», concluyó. «Es cosa de Ya Ru. Seguramente, él será uno de los delegados que acompañen a Ke. Y querrá que yo también esté.»

Recordó algo que había oído durante el viaje a África. El presidente Kaunda, de Zambia, había exigido que la compañía nacional Zambia Airways invirtiese en un ejemplar del vehículo aéreo más grande del mundo, el Boeing 747. El mercado no justificaba el uso de un avión de tales dimensiones para el tráfico regular entre Lusaka y Londres. De hecho, no tardó en descubrirse que la verdadera intención del presidente Kaunda no era sino la de utilizar el avión para sus recurrentes visitas a otros países. Y no porque quisiera viajar rodeado de lujo, sino por tener sitio suficiente para la oposición dentro de su gobierno o para los militares en los que no confiaba. Simplemente, llenaría el avión con todos aquellos que estaban dispuestos a conspirar contra él o incluso a dar un golpe de Estado mientras él se encontraba fuera del país.

¿Sería ésa también la intención de Ya Ru? ¿Querría tener cerca a su hermana a fin de controlarla mejor?

Hong pensó en la rama que oyó quebrarse en la oscuridad. Con toda probabilidad no sería Ya Ru quien la partió escondido entre los arbustos, sino más bien un espía enviado por él.

Sin embargo, Hong no quería indisponerse con el ministro Ke, de modo que llenó la más pequeña de sus dos maletas y se preparó para el viaje. Llegó a la recepción unos minutos antes de la hora fijada para la partida, pero no vio ni a Ya Ru ni al ministro Ke. En cambio, sí que le pareció ver a Liu, el guardaespaldas de su hermano, aunque no estaba segura. Shu Fu la condujo a una de las limusinas que aguardaban ante el hotel. Viajaban con ella dos hombres que, le constaba, trabajaban en el Ministerio de Agricultura, en Pekín.

El aeropuerto se hallaba a poca distancia de Harare. Los tres coches de que se componía la delegación avanzaban a gran velocidad, flanqueados por una escolta de motocicletas. Hong alcanzó a ver que había policías deteniendo el tráfico en todas las esquinas. Atravesaron sin obstáculos las puertas enrejadas del aeropuerto antes de subir directamente a un jet de la aviación militar de Zimbabue. Hong entró por la puerta trasera y, una vez dentro, observó que el avión estaba dividido en dos mitades, de lo que dedujo que sería el avión privado de Mugabe, que se lo habría cedido al ministro. El avión despegó tan sólo unos minutos después de que Hong hubiese subido a bordo. Sentada a su lado iba una de las secretarias de Ke.

–¿Adónde vamos? –preguntó Hong cuando el avión ya estaba en el aire y el comandante anunció que el tiempo de vuelo sería de unos cincuenta minutos.

–A la cuenca del río Zambeze –le contestó la mujer.

Su tono de voz le indicó a Hong lo absurdo de seguir indagando. Llegado el momento, se enteraría del objeto de aquel repentino viaje.

Si es que en verdad era tan repentino... De pronto, la asaltó la idea de que ni siquiera de eso podía estar segura. ¿Y si todo formaba parte de un plan desconocido por ella?

Cuando el avión empezó a descender para el aterrizaje, describió una amplia curva sobre el océano. Hong contempló el mar verdiazul centelleando a sus pies, los pequeños pesqueros provistos de sencillas velas triangulares que ondeaban al ritmo de las olas. La ciudad de Beira brillaba blanca a la luz del sol. Fuera del centro construido en cemento se extendían barrios de casas independientes, quizá también suburbios.

Cuando bajó del avión, sintió el golpe de calor. Vio a Ke dirigirse al primer coche, que no era una limusina negra sino un Land Cruiser de color blanco que enarbolaba dos banderas mozambiqueñas en la parte delantera. Vio que en el mismo coche se subía Ya Ru. En ningún momento se volvió a buscarla con la mirada. «Pero él sabe que estoy aquí», se dijo Hong.

Se dirigían al noroeste. En el coche de Hong viajaban también los dos funcionarios del Ministerio de Agricultura. Iban absortos en sus mapas topográficos y seguían atentamente los cambios del paisaje que discurría al otro lado de las ventanillas. Hong sentía la misma desazón que cuando Shu Fu se presentó ante la puerta de su *bungalow* para comunicarle que los planes habían cambiado. Era como si se viese obligada a entrar en algún lugar donde saltaban todas las alarmas de su experiencia y su intuición. «Ya Ru quería que yo viniese con él», se repitió. «Pero ¿cómo argumentaría su deseo ante el ministro Ke para convencerlo de que yo, ahora, me encuentre aquí sentada en un coche japonés que va levantando espesas nubes de tierra roja? En China, la tierra es amarilla; aquí en cambio es roja, pero el polvo que se levanta de ella es igual de ligero, penetra con la misma facilidad por todas partes, por los poros y los ojos de todos.»

La única razón plausible de que ella participase en aquel viaje era su pertenencia al grupo de aquellos que, en el seno del Partido Comunista, adoptaban una postura crítica ante la política aplicada, entre otros, por el propio Ke. Pero ¿estaba allí como rehén o para que cambiase de idea al ver puesta en práctica esa política que ella tanto detestaba? El hecho de que la acompañasen los dos altos funcionarios del Ministerio de Agricultura y el ministro de Comercio no podía señalar otra cosa más que la importancia del viaje.

El paisaje que iban dejando atrás era monótono, de árboles enanos y arbustos, de vez en cuando interrumpido por el resplandor de un riachuelo y por alguna que otra explanada salpicada de chozas y pequeños huertos. Hong se preguntaba por qué una zona tan fértil estaría prácticamente despoblada. En su imaginación, el continente africano era, igual que China o la India, uno de los continentes pobres del mundo donde masas ingentes de personas se pisaban unas a otras para poder sobrevivir. «Será que me he creído el mito», pensó. «Las grandes ciudades africanas no serán muy distintas de Shanghai o de Pekín. Un desarrollo a la postre catastrófico que aniquila al hombre y la naturaleza. Pero de las zonas rurales africanas tal y como ahora las veo, lo ignoraba todo.»

Continuaron en dirección noroeste. El piso de la carretera por la que circulaban tenía tramos en tan mal estado que los coches se veían obligados a circular muy despacio. La lluvia había vuelto porosa la tierra roja y había deshecho el camino convirtiéndolo en un sinfín de baches profundos.

Finalmente se detuvieron en un lugar llamado Sachombe, un pueblo muy extenso con chozas, algunos comercios y edificios blancos de cemento, semiderruidos, vestigio de la época colonial, de cuando los administradores portugueses y sus *assimilados* locales gobernaban las distintas provincias del país. Hong recordaba haber leído en alguna ocasión que el dictador portugués Salazar había descrito la gigantesca zona que comprendía Angola, Mozambique y Guinea Bissau y que él gobernaba con mano de hierro. En su código lingüístico, esos lejanos países eran «los territorios que Portugal poseía allende los mares». Allí envió a todos sus campesinos pobres, a menudo analfabetos, en parte para deshacerse de un problema nacional y, al mismo tiempo, para ampliar la estructura de poder colonial que, hasta la década de 1950, se había concentrado en las costas. «¿Iremos nosotros por el mismo camino?», se preguntó Hong. «Repetimos el abuso, aunque vengamos disfrazados bajo otra apariencia.»

Cuando se bajaron de los coches y se limpiaron el polvo y el sudor del rostro, Hong descubrió que toda la zona estaba acordonada por vehículos militares y soldados armados. Al otro lado de las barreras se arracimaban curiosos que observaban a los extraños huéspedes de ojos oblicuos. «Observadores pobres», pensó Hong. «Siempre están ahí. Se supone que es a ellos a quienes debemos proteger.»

En el centro de la explanada que se extendía ante uno de los blancos edificios habían montado dos grandes tiendas. Ya antes de que la caravana se detuviese, había acudido al lugar un nutrido grupo de limusinas negras. También había dos helicópteros de la aviación mozambiqueña. «Ignoro qué nos espera, pero sé que es importante», concluyó Hong. «¿Qué puede haber movido al ministro de Comercio Ke a realizar esta visita a un país cuyo nombre ni siquiera figura en el programa? Una parte de la delegación visitaría Malaui y Tanzania durante un día, pero en ningún lugar del programa se mencionaba Mozambique.

De pronto, una orquesta de viento entró al son de una marcha al tiempo que varios hombres salían de las tiendas. Hong reconoció enseguida al sujeto de baja estatura que iba al frente. Tenía el cabello cano, llevaba gafas y era bastante corpulento. El hombre que saludaba al ministro de Comercio Ke no era otro que Gebuza, el recién elegido presidente de Mozambique. Ke le presentó a los miembros de la delegación y a su séquito. Cuando Hong le estrechó la mano, fijó la mirada en sus ojos, afables pero escrutadores. Gebuza era sin duda un hombre que jamás olvidaba un rostro, pensó Hong. Concluidas las presentaciones, la orquesta interpretó los himnos nacionales de ambos países. Hong se colocó en posición de firmes.

Mientras escuchaba el himno mozambiqueño, buscó sin éxito a Ya Ru con la vista. De hecho, no lo había visto desde que llegaron a Sachombe. Continuó observando al grupo de chinos que estaba allí presente y comprobó que, desde el aterrizaje en Beira, habían desaparecido algunas personas más. Meneó la cabeza, reflexiva. De nada servía intentar adivinar qué estaba tramando Ya Ru. Desde luego, era mucho más importante tratar de averiguar qué estaba sucediendo en ese momento allí, en aquella cuenca por la que discurría el río Zambeze.

Un grupo de muchachas y muchachos negros los condujeron a una de las tiendas y unas mujeres de más edad, ataviadas con ropas de vivos colores, bailaron a su lado al son del ritmo intenso y desenfrenado de varios tambores. A Hong le asignaron un puesto en la última fila. En el suelo de la tienda habían extendido alfombras y cada uno de los participantes disponía de un cómodo asiento. Una vez que todos se hubieron acomodado, el presidente Gebuza subió a un podio. Hong se colocó los auriculares, gracias a los cuales pudo oír una perfecta traducción al chino del discurso en portugués. Hong supuso que el intérprete habría estudiado en el célebre instituto de interpretación de Pekín, que sólo formaba a quienes acompañaban en sus negociaciones al presidente, a los miembros del Gobierno y a los más notables hombres de negocios del país. En alguna ocasión había oído decir que no existía una sola lengua, por minoritaria que fuese, que no contase en China con intérpretes cualificados. Se sentía tan orgullosa de ello... No existían límites, su pueblo podía conseguir cualquier cosa, un pueblo que, tan sólo una generación atrás, estaba sumido en la ignorancia y la miseria.

Se dio la vuelta y observó la entrada de la tienda, que se movía despacio al ritmo de la brisa. Allá fuera entrevió a Shu Fu y a varios soldados, pero ni rastro de Ya Ru.

El presidente fue breve en su intervención. Le dio la bienvenida a la delegación china y no dijo más que unas palabras introductorias. Hong escuchaba con suma atención para comprender lo que sucedía.

De repente, alguien posó la mano sobre su hombro, y Hong dio un respingo. Allí estaba Ya Ru, que había entrado en la tienda sin que nadie se percatase, acuclillado a su espalda. Le quitó uno de los auriculares y le susurró al oído:

–Escucha bien, querida hermana, y comprenderás parte de los grandes acontecimientos que cambiarán nuestro país y nuestro mundo. Así será el futuro.

–¿Dónde has estado?

Ruborizada, comprendió enseguida lo necio de su pregunta. Como cuando Ya Ru era niño y llegaba tarde a casa. Ella solía adoptar el papel de madre cuando sus padres estaban fuera, en alguna de sus eternas reuniones políticas.

–Yo sigo mi propio camino; pero, olvídate de eso, quiero que prestes atención y que aprendas, que compruebes cómo los viejos ideales se sustituyen por otros nuevos sin perder su contenido.

Ya Ru volvió a colocarle el auricular en la oreja y salió a buen paso de la tienda. Allá fuera, Hong divisó al guardaespaldas Liu y, una vez más, se preguntó si él sería en verdad el autor del asesinato de todas aquellas personas de las que le habló Birgitta Roslin. Pensó que, en cuanto estuviesen de vuelta en Pekín, le preguntaría a alguno de los amigos que trabajaban en la policía. Liu no daba un paso sin una orden expresa de Ya Ru.

Llegado el momento, se enfrentaría a su hermano, pero antes debía averiguar la verdad.

El presidente cedió la palabra al portavoz del comité mozambiqueño encargado de los preparativos. Se trataba de un hombre sorprendentemente joven, con la cabeza rapada y unas gafas sin montura. Hong creyó oír que se llamaba Mapito, quizá Mapiro. Hablaba muy animado, como si lo que tenía que decir fuese divertido.

Y Hong empezó a comprender. Poco a poco fue viendo claro el contexto, la naturaleza de aquel encuentro, el marco hasta ahora secreto. En lo más profundo de la selva mozambiqueña estaba cobrando forma un proyecto gigantesco que incluía a dos de los países más pobres del mundo; uno era una gran potencia, el otro un pequeño país africano. Hong escuchaba atenta las palabras en portugués, mientras la suave voz china traducía dócilmente; y entendió por qué quería Ya Ru que ella estuviese presente. Hong era una poderosa detractora de todo aquello que pudiese llevar a China a convertirse en un poder imperialista y, por consiguiente, tal y como solía decir Mao, un tigre de papel que una oposición popular unida destruiría tarde o temprano. Tal vez Ya Ru abrigase la débil esperanza de que Hong se dejase convencer y que terminase pensando que aquello proporcionaría ventajas a esos dos países pobres. Lo más importante, sin embargo, era demostrarle que el grupo al que Hong pertenecía no provocaba el menor temor a aquellos que ostentaban el poder. Ni Ke ni Ya Ru temían a Hong, y tampoco sus correligionarios.

Mapito hizo una breve pausa para beber agua mientras Hong pensaba que aquello, precisamente, era lo que más terror le inspiraba, que China hubiese resurgido como una sociedad de clases. Sería mucho peor que todos los temores de Mao. Un país dividido entre las elites que ostentan el poder y una subclase inmovilizada en su pobreza. Un país, además, que se permitiese el lujo de tratar a su entorno como suele hacerlo el imperialismo.

Mapito prosiguió con su discurso.

–Dentro de poco sobrevolaremos en helicóptero el curso del río Zambeze, hasta Bandar, y después bajaremos rumbo a Luabo, donde comienza el gran delta en el que confluyen el río y el mar. Recorreremos tierras muy fértiles escasamente pobladas. Según nuestros cálculos, a lo largo de un periodo de cinco años podremos recibir a cuatro millones de campesinos chinos, que podrán cultivar las áreas despobladas. Nadie se verá obligado a dejar esta tierra, nadie perderá sus beneficios. Antes al contrario, nuestros compatriotas se beneficiarán con este gran cambio. Todos tendrán acceso a carreteras, escuelas, hospitales, corriente eléctrica, todo aquello que hasta el momento sólo ha estado a disposición de pocos campesinos y que ha sido privilegio de los habitantes de las ciudades.

Hong ya había oído rumores de que las autoridades que se encargaban del traslado obligatorio de campesinos a causa de la construcción de las grandes presas prometieron a los afectados que un día vivirían en África como terratenientes. Ya se imaginaba el desplazamiento. Hermosas palabras que evocaban una imagen paradisiaca de cómo los empobrecidos campesinos chinos, analfabetos e ignorantes, serían capaces de echar raíces en un medio desconocido. No surgiría ningún problema gracias a la amistad y a la colaboración, ningún conflicto con las personas que ya habitaban las orillas del río. Sin embargo, nadie lograría convencerla de que aquello que ahora estaba escuchando no era el preludio de la transformación de China en una nación ávida de obtener un botín y que, sin dudarlo, se haría con todo el petróleo y las materias primas que necesitara para continuar con su imparable desarrollo económico. La Unión Soviética le había proporcionado armas durante la larga guerra de liberación que llevó a la expulsión de los colonizadores portugueses en 1974. Se trataba por lo general de armas viejas, desgastadas. A cambio, se arrogaron el derecho de pescar sin licencia en las ricas aguas de Mozambique. ¿Acaso seguiría China los pasos de esa tradición, cuya primera y única divisa era servir siempre los intereses propios?

A fin de no llamar la atención, Hong aplaudió como los demás, una vez finalizado el discurso. El ministro de Comercio Ke subió al podio. No existía el menor peligro, aseguró, todo y todos estaban insobornablemente unidos por los lazos del intercambio mutuo e igualitario.

Ke no se prodigó a la hora de hablar y, cuando terminó, los visitantes fueron conducidos a la otra tienda, donde los aguardaba una mesa con aperitivos. Hong tomó una copa de vino bien fresco. Una vez más, buscó con la mirada a Ya Ru, pero sin éxito.

Una hora más tarde, los helicópteros despegaron y pusieron rumbo noroeste. Hong contempló el extraño río que discurría bajo sus pies. Los pocos lugares habitados y en los que la tierra era roja y aparecía cultivada se presentaban en marcado contraste con las inmensas áreas en apariencia intactas. Hong se preguntó si, pese a todo, no estaría equivocada. ¿Y si China iba a prestar a Mozambique un apoyo del que no esperaba extraer el doble de beneficio?

El ruido de los motores le impedía ordenar sus ideas. Y la cuestión quedó sin respuesta.

Antes de subir al helicóptero, le entregaron un pequeño mapa que le resultó familiar, pues era el mismo que los dos funcionarios del Ministerio de Agricultura habían estado estudiando durante el viaje en coche hasta Beira.

Llegaron al punto más al norte, antes de girar al este. Una vez en Loabo, los helicópteros giraron en dirección al mar y empezaron a descender cerca de un lugar que Hong localizó en el mapa bajo el nombre de Chinde. Junto a la pista de aterrizaje aguardaban otros coches y otras carreteras cubiertas de la misma tierra roja de siempre.

Los vehículos se adentraron en el follaje y empezaron a frenar cerca de un pequeño afluente del Zambeze. Después se detuvieron en un lugar del que habían retirado arbustos y maleza. Junto al río había montadas varias tiendas formando un semicírculo. Cuando Hong bajó del helicóptero, Ya Ru la estaba esperando.

–Bienvenida a Kaya Kwanga. Significa «mi hogar» en alguna de las lenguas locales. Esta noche la pasaremos aquí.

Señaló una de las tiendas más próximas al río. Una joven negra le llevó la maleta.

–¿Qué hacemos aquí exactamente? –quiso saber Hong.

–Disfrutar del silencio africano después de una larga jornada de trabajo.

–¿Es aquí donde tendré ocasión de ver el leopardo?

–No. Aquí lo que abundan son las serpientes y los lagartos. Y las famosas hormigas cazadoras que tanto temen todos, pero nada de leopardos.

–¿Qué hacemos ahora?

–Nada. Ya hemos terminado por hoy. Descubrirás que no todo es tan primitivo como crees. En tu tienda hay incluso una ducha. La cama es cómoda. Luego, llegada la noche, cenaremos juntos. Quien quiera quedarse junto al fuego, podrá hacerlo; quien no, será libre de irse a dormir.

–Tú y yo hemos de hablar –señaló Hong–. Es necesario.

Ya Ru sonrió.

–Después de la cena. Podemos sentarnos a la puerta de mi tienda.

No tuvo que indicarle cuál era. Hong ya se había dado cuenta de que se hallaba junto a la suya.

Sentada ante la tienda, contempló el breve ocaso que se cernía sobre la sabana. Una hoguera ardía ya en la explanada que formaban las tiendas. Y vio a Ya Ru. Llevaba un esmoquin blanco. Le recordó una imagen que había visto hacía mucho tiempo, en un diario chino que dedicaba un gran reportaje a describir la historia colonial de África y de Asia. Dos hombres blancos vestidos de etiqueta degustaban una cena sentados a una mesa con un mantel blanco, lujosas piezas de porcelana y vino frío, en medio de la selva africana. Los camareros, también africanos, aguardaban tras sus sillas a recibir órdenes.

«Me pregunto quién será mi hermano», se dijo Hong. «Hubo un tiempo en que creí que formábamos un equipo, no sólo como familia, sino también en las aspiraciones para nuestro país. Ahora, en cambio, no estoy tan segura.»

Hong fue la última en sentarse a la mesa preparada junto al fuego.

Pensaba en la carta que había escrito la noche anterior. Y en Ma Li, en quien, de improviso, dudaba si podría seguir confiando.

«Ya no puedo dar nada por seguro», sentenció para sí. «Nada.»

32

Concluida la cena, que degustaron entre las sombras de la noche, disfrutaron de la actuación de un grupo de danza. Hong, que ni siquiera probó el vino pues quería mantener la mente despejada, observó a los bailarines con admiración y con los vestigios de un sentimiento de antiguas añoranzas. Hubo un tiempo, cuando era muy joven, en que soñó con convertirse en artista de algún circo chino o en la clásica ópera de Pekín. Era un sueño dividido. Cuando se veía en la carpa del circo, era la más importante de las equilibristas, capaz de mantener en movimiento un número infinito de platos de porcelana sobre cañas de bambú. Iba paseando despacio entre los platos que giraban a su alrededor antes de, en el último minuto, poner a danzar un plato vacilante con un rápido movimiento de la mano. En la ópera de Pekín, en cambio, era la grave heroína que luchaba contra un enemigo mil veces superior, ambos provistos de bastones con los que, a modo de espadas, se batían en una lucha acrobática. Después, cuando se hizo mayor, comprendió que lo que en realidad deseaba era tener un control absoluto sobre todos los sucesos que la rodeaban. Ahora, al ver a los bailarines, que parecían fundirse en un único cuerpo de múltiples brazos, evocó nuevamente aquella sensación de su niñez. En la noche africana con su impenetrable oscuridad, su calor húmedo y el perfume del mar, tan cercano que cuando todo quedó en calma se oía el vago murmullo de las olas, su infancia vino a visitarla.

Vio a Ya Ru sentado ante su tienda jugueteando con una copa de vino sobre la rodilla y con los ojos semicerrados, y pensó que sabía muy poco sobre sus sueños infantiles. Su hermano se hallaba siempre en un mundo interior propio. Hong pudo tener con él una relación íntima, pero nunca tanto como para que hablasen de sus sueños.

Una intérprete china iba presentando las danzas. «No habría sido necesario», pensó Hong. Era evidente que se trataba de bailes populares cuyas raíces se hallaban en la vida cotidiana o en encuentros simbólicos con demonios y malos o buenos espíritus. Los ritos humanos procedían todos de las mismas fuentes, con independencia del color de la piel o del país de origen. El clima quizá sí ejerciese alguna influencia, pues quienes habitaban un lugar frío bailaban vestidos, pero en el trance y la búsqueda de la unión con los mundos superior e inferior, así como con lo que había sido y lo que quedaba, el chino y el africano se comportaban de un modo similar.

Hong continuó estudiando lo que tenía a su alrededor. El presidente Gebuza y su séquito habían desaparecido. En el campamento donde iban a pasar la noche no se encontraban más que la delegación china, los sirvientes, los cocineros y un nutrido grupo de vigilantes de seguridad convenientemente ocultos entre las sombras. Muchos de ellos, que ahora admiraban las danzas, parecían absortos en sus asuntos. «Algo grande se está cociendo en la noche africana», resolvió Hong. «Y me niego a creer que sea éste el camino que debamos emprender. No existe la menor posibilidad de que suceda, que cuatro millones de nuestros ciudadanos más pobres, quizá más, se trasladen a la selva africana sin que le exijamos una contraprestación considerable al país de acogida.»

De improviso, una mujer empezó a cantar. La intérprete china explicó que se trataba de una canción de cuna. Hong escuchó con atención y constató que su melodía habría podido adormecer igualmente a un niño chino. Recordó una historia que oyó contar en una ocasión acerca de una cuna. En los países pobres, las mujeres se ataban a sus hijos a la espalda, pues debían tener libres las manos para trabajar, sobre todo en el campo, en África con azadas, en China con el agua hasta las rodillas para plantar arroz. Alguien había comparado las cunas habituales en otros países e incluso en ciertas regiones de China y había llegado a la conclusión de que el ritmo al que el pie de la madre mecía la cuna era el mismo que el de las caderas de la mujer al caminar con el niño a la espalda. Los niños se dormían con él.

Cerró los ojos para concentrarse en la nana. La mujer terminó con un tono prolongado que acabó con la misma ligereza que una pluma al caer al suelo. El espectáculo llegó a su fin entre los aplausos del público. Algunos acercaron sus sillas para entablar una discreta conversación, en tanto que otros se levantaban y se dirigían a sus tiendas o se quedaban cerca del fuego, como si aguardasen algo más.

En ese momento apareció Ya Ru, que fue a sentarse a su lado en un asiento que acababa de quedar vacío.

–Una noche extraña –opinó su hermano–. De libertad y calma absolutas. No creo haberme hallado jamás tan lejos del ambiente de la gran ciudad.

–En tu despacho –observó Hong–. Allá arriba, tan alto, muy por encima de las personas normales, de los coches y del ruido.

–Bueno, no puede compararse. Allí es como si me encontrase en un avión. A veces pienso que mi casa está suelta en el aire. Aquí, en cambio, tengo los pies en el suelo. La tierra me retiene. Me gustaría poseer una casa en este país, un *bungalow* junto a una playa para poder darme un baño nocturno e irme directamente a la cama.

–Sólo necesitas pedirlo, ¿no? Un terreno, una valla y alguien que te construya la casa tal como tú la quieras.

–Puede ser. Pero ahora no es el momento.

Hong se percató de que se habían quedado solos. Las sillas a su alrededor estaban vacías. Se preguntó si Ya Ru habría indicado que deseaba hablar con su hermana a solas...

–¿Te has fijado en la mujer que representaba con su danza a una bruja desbocada?

Hong se quedó pensando un instante. Sí, la mujer bailaba con energía y, al mismo tiempo, con movimientos muy rítmicos.

–Bailaba con una energía casi violenta.

–Pues alguien me ha contado que está muy enferma y que morirá pronto.

–¿De qué?

–De una enfermedad de la sangre. No es sida, tal vez cáncer, dijeron. También me dijeron que baila para armarse del valor necesario para resistir. La danza es su lucha por la vida. Así entretiene a la muerte.

–Aun así, morirá.

–Como la piedra, no como la pluma.

«Ahí tenemos a Mao otra vez», se dijo Hong. «Puede que en las ideas sobre el futuro que abriga Ya Ru, el Gran Timonel esté más presente de lo que yo creo. Es consciente de su condición de miembro de la nueva elite, lejos de la gente a la que dice representar y por la que dice preocuparse.»

–¿Cuál será el precio de todo esto? –quiso saber Hong.

–¿Te refieres al campamento y al viaje?

–A lo de trasladar a cuatro millones de personas desde China y traerlas a una cuenca africana al lado de un gran río. Y después, quizás, a que hasta diez o veinte o cien millones de nuestros campesinos más pobres puedan mudarse a otros países de este continente.

–A corto plazo costará mucho dinero. A la larga, nada en absoluto.

–Supongo que todo estará ya listo, ¿no? –preguntó Hong–. Los procesos de selección, el transporte con una escuadra de buques, viviendas sencillas que los nuevos colonos podrán montar por sí mismos, la comida, las herramientas, los comercios, las escuelas, los hospitales. ¿Se han firmado ya los acuerdos entre ambos países? ¿Qué recibirá a cambio Mozambique? Y nosotros, ¿qué obtendremos, aparte del derecho a deshacernos de un número de campesinos pobres mandándolos a otro país, también pobre? ¿Qué sucederá si resulta que este gran traslado no funciona? ¿De qué modo se pillará los dedos Mozambique? ¿Qué parte de la información es la que a mí me falta? ¿Qué hay detrás de todo esto, aparte de la voluntad de verse libre de un problema chino que está creciendo de forma descontrolada? ¿Qué piensas hacer con el resto de millones que amenazan con rebelarse contra el nuevo orden establecido?

–Quería que lo vieras con tus propios ojos; que utilizaras tu razón para comprender la necesidad de poblar la cuenca del Zambeze. Nuestros hermanos producirán aquí un excedente de productos que podrán destinarse a la exportación.

–Haces que suene como si, en el fondo, arrastrar hasta aquí a nuestros pobres fuese una buena acción. A mi entender, seguimos las huellas de los imperialistas de siempre. En las colonias se desloman, nosotros percibimos los beneficios. Un nuevo mercado para nuestras manufacturas, un modo de hacer más soportable el capitalismo. Ésta, Ya Ru, es la verdad que se oculta detrás de vuestras hermosas palabras. Sé que hemos pagado la construcción de un nuevo Ministerio de Finanzas en Mozambique. Pese a que aludimos a ello como a un regalo, para mí es un soborno. También he oído decir que los capataces chinos golpeaban a los trabajadores locales cuando no se empleaban a fondo. Ni que decir tiene que ese asunto se silenció, pero eso no impide que me avergüence. Y que me asuste. Poco a poco, iremos eligiendo distintos países africanos, uno tras otro, para utilizarlos y favorecer nuestro propio desarrollo. No te creo, Ya Ru.

–Estás haciéndote vieja, hermana Hong. Y como todos los viejos, te atemoriza que lo nuevo se abra camino. Allá donde miras, ves conspiraciones contra los antiguos ideales. Estás convencida de ser la única en posesión de la verdad, cuando en realidad has empezado a convertirte en lo que más te asusta, una conservadora, una reaccionaria.

De pronto, Hong se le acercó y le dio una bofetada. Ya Ru la miró con sorpresa y sobresalto.

–Has ido demasiado lejos. No te permitiré que me humilles. Podemos conversar y estar en desacuerdo, pero no consentiré que me ataques.

Ya Ru se levantó sin decir una sola palabra más y desapareció en la oscuridad. Nadie más parecía haberse percatado del incidente. Hong estaba arrepentida, debería haberse mostrado más paciente y con más recursos para perseverar en el intento de convencerlo con palabras de su error.

Ya Ru no volvía, de modo que Hong se marchó a su tienda, iluminada como las demás por candiles colgados tanto fuera como en el interior. La mosquitera estaba preparada y la cama lista para dormir.

Hong se sentó ante la puerta. Hacía una noche bochornosa. La tienda de Ya Ru estaba vacía. Tenía la certeza de que su hermano se vengaría de la bofetada. Sin embargo, eso no la asustaba; comprendía que Ya Ru se enfadase por ese motivo. En cuanto volviese a verlo, le pediría perdón.

La tienda estaba tan retirada de la hoguera que le llegaban mejor los sonidos de la naturaleza que el murmullo de las voces y las conversaciones de la gente. Corría una ligera brisa impregnada del aroma a sal, a arena mojada y a algo más que no fue capaz de determinar.

Se retrotrajo mentalmente en el tiempo. Recordó las palabras de Mao cuando decía que, en política, una tendencia ocultaba otra; que bajo lo que era evidente, se gestaba lo latente. Así pues, habría tanta razón para rebelarse hoy como dentro de diez mil años. En la humillación de la antigua China se había forjado la fuerza futura, a base de sangre y de sudor y esfuerzo milenarios. El brutal ejercicio del poder por parte de los señores feudales condujo a la caída y a una miseria incomprensible. Sin embargo, la ruina generó al mismo tiempo la fortaleza necesaria de la que se nutrirían las numerosas guerras y el movimiento campesino que nunca se dejó aplastar por completo. Durante cientos de años, señores y campesinos midieron sus fuerzas, el Estado de los mandarines y de las dinastías imperiales se rodeó de lo que, según pensaban, los haría inaccesibles. Mas el sentimiento de insatisfacción no se calmó jamás, continuaron las rebeliones y, por fin, llegó el momento de que los fuertes ejércitos campesinos abatieran de una vez por todas a los señores feudales y llevasen a cabo la liberación popular.

Mao sabía lo que les esperaba. El mismo día en que proclamó en Tiananmen el nacimiento de la República Popular China en 1949, convocó a sus colaboradores más próximos para anunciarles que, pese a que el Estado no había cumplido aún ni un día de edad, las fuerzas que se oponían al país recién nacido ya habían empezado a fraguarse.

«Aquellos que crean que no puede crearse un puesto de mandarín en época comunista no han entendido nada», les diría. Y, en efecto, después se vio que tenía razón. Mientras el ser humano no fuese otro, sino que siguiese inspirado por el pasado, siempre habría grupos que buscasen obtener privilegios.

Mao los puso sobre aviso del desarrollo de la Unión Soviética. Puesto que China dependía por completo del apoyo del gran vecino occidental, se expresó de forma diplomática y cauta, atenuando sus palabras.

–Ni siquiera es necesario que se trate de malas personas, la gente persigue igualmente aquello que puede otorgarles privilegios. Los mandarines no están muertos. Un día, a menos que estemos alerta, se presentarán ante nosotros enarbolando banderas rojas.

Hong experimentó una sensación de debilidad justo después de golpear a Ya Ru, pero ya había remitido. Para ella, lo más importante era seguir pensando en cómo podría contribuir a que, en el seno del Partido, se discutiese a fondo sobre las consecuencias que la nueva línea política podría acarrear. Todo su ser se rebelaba contra lo que había visto aquel día y contra la visión de futuro presentada por Ya Ru. Cualquiera que fuese mínimamente consciente del creciente descontento que se propagaba en las proximidades de las ciudades más grandes y ricas del país, comprendería que era preciso actuar, pero no de aquel modo, no trasladando a África a millones de campesinos.

Noventa mil revueltas, le dijo Ma Li. ¡Noventa mil! Intentó calcular mentalmente cuántos incidentes y escaramuzas resultaban al día. Doscientos, trescientos, e iban en aumento. El creciente descontento no sólo guardaba relación con las enormes diferencias entre los salarios. Ni eran sólo los médicos y las escuelas quienes provocaban los incidentes, sino también violentas bandas de criminales que arrasaban en las zonas rurales, raptaban a las mujeres para prostituirlas o secuestraban a trabajadores para usarlos como esclavos en las fábricas de ladrillos o en industrias que requerían peligrosos procesos químicos. Y existía la crispación contra aquellos que, por lo general confabulados con los funcionarios locales, echaban a la gente de zonas que no tardarían en subir de precio, cuando empezasen a construirse viviendas para las ciudades en expansión. Hong sabía además, por los viajes que solía hacer a lo largo del país, que las consecuencias medioambientales del avance del mercado libre se traducían en ríos desbordados de desechos, contaminados, tan sucios que depurarlos costaría sumas incalculables de dinero, si es que aún tenían salvación.

En algún acceso de ira, ella misma había denunciado la existencia de esos funcionarios cuya misión era evitar los abusos cometidos tanto contra las personas como contra la naturaleza, pero que se dejaban sobornar para no cumplir con su obligación.

«Ya Ru forma parte de ese entramado», se lamentó en silencio. «Es algo que no puedo olvidar.»

Aquella noche tuvo un sueño ligero y se despertó varias veces. Los sonidos de la oscuridad le resultaban extraños y se filtraban en sus sueños haciéndola emerger al estado consciente. Cuando el sol se alzó sobre el horizonte, ella ya estaba en pie y se había vestido.

De pronto, descubrió a Ya Ru sonriendo ante su puerta.

–Vaya, los dos somos madrugadores –comentó su hermano–. Ninguno de los dos tiene paciencia para dormir más de lo estrictamente necesario.

–Siento haberte golpeado.

Ya Ru se encogió de hombros y señaló un jeep de color verde estacionado en la carretera que discurría próxima al lugar donde estaban montadas las tiendas.

–Es para ti –le explicó–. Un chófer te llevará a un lugar situado a unos diez kilómetros de aquí. Allí podrás contemplar el extraordinario espectáculo que tiene lugar al alba en cualquier poza de agua. Por un instante, las fieras y sus presas firman una paz provisional, sólo mientras están bebiendo.

Junto al coche aguardaba un hombre de color.

–Se llama Arturo. Es un chófer de confianza que, además, habla inglés.

–Te agradezco el detalle –respondió Hong–. Pero creo que deberíamos hablar.

Ya Ru hizo un aspaviento, como señalando su desacuerdo.

–Ya lo haremos después. El amanecer africano es breve. Hay una cesta con café y algo para desayunar.

Hong comprendió que su hermano buscaba una vía de reconciliación. Lo sucedido el día anterior no podía interponerse entre ellos. Hong se encaminó al coche, saludó al chófer, un hombre delgado de mediana edad, y se sentó detrás. El camino, que atravesaba la selva en zigzag, era casi inexistente, apenas unas marcas en la tierra reseca. Hong iba atenta a las espinosas ramas de los árboles más bajos que golpeaban la desprotegida cabina del jeep.

Cuando llegaron a la poza, Arturo se detuvo sobre una elevación del terreno desde la que arrancaba la pendiente que conducía al agua, y le dio unos prismáticos. En efecto, allí bebían juntos varias hienas y unos búfalos. Arturo señaló una gran manada de elefantes que, muy despacio, se acercaban al agua como si hubiesen surgido del sol mismo.

Hong pensó que así debió de ser en el principio de los tiempos. Los animales llevaban una serie interminable de generaciones bebiendo en aquel lugar.

Arturo le sirvió una taza de café sin pronunciar una sola palabra.

Los elefantes ya estaban muy cerca, sus cuerpos gigantescos envueltos en nubes de polvo.

Después, de repente, se quebró la calma.

El primero en morir fue Arturo. El disparo le dio en la sien y le arrancó la mitad de la cabeza. Hong no tuvo tiempo de comprender lo que sucedía cuando también la alcanzó una bala, que hizo impacto en la mandíbula y siguió su curso hasta llegar a la espina dorsal. Al producirse los fríos estallidos, los animales alzaron la cabeza y aguzaron el oído un instante. Después, continuaron bebiendo.

Ya Ru y Liu se acercaron al jeep, consiguieron volcarlo y lo dejaron rodar pendiente abajo. Liu lo roció con la gasolina que llevaba en un bidón, se apartó, prendió una caja de cerillas y la arrojó contra el coche que no tardó en incendiarse con un estallido. Los animales que había junto a la poza huyeron despavoridos.

Ya Ru esperó junto a su propio jeep. Su guardaespaldas se sentó, dispuesto a poner el motor en marcha. Ya Ru se le acercó despacio por detrás y le asestó un fuerte golpe en la nuca con un garrote de acero. Repitió la acción hasta que Liu dejó de moverse, y entonces arrojó su cuerpo al fuego, que aún ardía con toda su fuerza.

Ya Ru retiró el coche, que estacionó entre los espesos arbustos, y aguardó media hora. Transcurrido ese tiempo, volvió al campamento y dio la alarma del accidente de tráfico sucedido junto a la poza. El jeep cayó rodando por la pendiente hasta estrellarse contra el agua, donde se incendió. Su hermana y el chófer murieron, y cuando Liu intentó acudir en su ayuda, murió también pasto de las llamas.

Cuantos vieron a Ya Ru aquel día comentaron lo triste que debía de estar. Sin embargo, también los llenó de admiración su capacidad para controlarse. En efecto, Ya Ru declaró que el accidente no debía entorpecer la misión tan importante que tenían entre manos. El ministro de Comercio Ke le presentó sus condolencias y las negociaciones continuaron según lo planeado.

Los cuerpos fueron trasladados en bolsas de plástico de color negro para ser incinerados en Harare. Nada se escribió al respecto en los diarios, ni en los mozambiqueños ni en los de Zimbabue. La familia de Arturo, que vivía en Xai-Xai, más al sur de Mozambique, recibió una renta vitalicia que le permitiría a su mujer comprarse una casa y un coche nuevos y pagar los estudios de sus seis hijos.

Cuando Ya Ru volvió a Pekín junto con el resto de la delegación china, llevaba consigo dos urnas con cenizas. Una de las primeras noches después de su regreso, salió a la espaciosa y alta terraza y esparció las cenizas en la oscuridad.

Ya empezaba a sentir añoranza de su hermana y de las conversaciones que solían mantener. No obstante, tenía la certeza de que aquello fue absolutamente necesario.

Ma Li lamentaba lo ocurrido, aterrorizada; pero en el fondo de su alma no se creyó ni por un instante la versión del accidente.

33

Sobre la mesa había una orquídea blanca. Ya Ru acariciaba con el dedo los suaves pétalos.

Era muy temprano, una mañana del mes siguiente a su regreso de África, tenía ante sí los planos de la casa que había decidido hacerse construir junto a la playa de Quelimane, en Mozambique. Como beneficio extraordinario por los grandes negocios que habían acordado los dos países, se le ofreció la posibilidad de comprar una gran parcela de playa virgen a muy buen precio. Su idea era, a la larga, construir allí un centro turístico de lujo para chinos acomodados que, seguramente, empezarían a viajar cada vez en mayor número.

Al día siguiente de la muerte de Hong y de Liu, Ya Ru subió a una alta duna para contemplar el océano Índico. Lo acompañaba el gobernador de la provincia de Zambeze y un arquitecto sudafricano, expresamente invitado para la visita. El gobernador señaló de pronto los arrecifes, donde se veía una ballena expulsando el aire de sus pulmones. El gobernador le contó que no era infrecuente ver ballenas en aquella costa.

–¿Y los icebergs? –quiso saber Ya Ru–. ¿Se ha visto en alguna ocasión un bloque de hielo desgajado de la placa del Antártico flotando por aquí?

–Existe una leyenda –admitió el gobernador–. Sucedió en tiempos de nuestros antepasados, justo antes de que los primeros blancos, los marinos portugueses, arribasen a nuestras costas. Dicen que los hombres que iban remando en las canoas se asustaron del frío que emanaba del hielo. Después, cuando los blancos bajaron a tierra de sus grandes veleros, empezó a correr el rumor de que el iceberg era un presagio de lo que acontecería. La piel de los hombres blancos tenía el mismo color que el iceberg, sus ideas y sus acciones eran igual de frías. Pero no sabría decir si sucedió de verdad o no.

–Quisiera construir aquí –aseguró Ya Ru–. A estas playas jamás llegará un iceberg amarillo.

Durante todo un día estuvieron delimitando una gran zona de la playa que, más tarde, quedó registrada en una de las muchas compañías de Ya Ru. El precio de la tierra y la playa fue prácticamente simbólico. Ya Ru compró además, por una suma similar, la aprobación del gobernador y de los funcionarios más importantes, que se encargarían de que le otorgasen las escrituras de propiedad y todas las licencias de obras exigidas sin necesidad de engorrosas esperas. Las instrucciones que le dio al arquitecto sudafricano se habían concretado en aquellos planos y en varias acuarelas que daban una idea del aspecto de su palacete y las dos piscinas que pensaba llenar con agua del mar, todo rodeado de palmeras y con una cascada artificial. La casa constaría de once habitaciones, una de las cuales tendría un techo móvil, de modo que se pudiese contemplar el firmamento. El gobernador le prometió llevar el tendido eléctrico y la infraestructura necesaria para las telecomunicaciones hasta la aislada zona adquirida por Ya Ru.

Ahora, mientras admiraba lo que sería su hogar africano, se le ocurrió que una de las habitaciones sería para Hong. Ya Ru deseaba honrar su memoria. Así, decoraría un dormitorio con una cama siempre lista para un huésped que nunca se presentaría. Pese a todo lo ocurrido, ella seguiría formando parte de la familia.

El teléfono emitió un discreto zumbido. Ya Ru frunció el ceño. ¿Quién querría hablar con él a hora tan temprana?, se preguntó antes de responder.

–Lo buscan dos hombres de los servicios secretos.

–¿Qué desean?

–Son altos cargos, jefes de la Sección Especial. Aseguran que se trata de un asunto de capital importancia.

–Déjalos entrar dentro de diez minutos.

Ya Ru colgó el auricular conteniendo la respiración. La Sección Especial era responsable de asuntos relacionados sólo con altos cargos del Gobierno o, como en su caso, con figuras que se movían entre las esferas de los poderes político y económico, los modernos constructores de puentes, a los que Deng consideraba personas decisivas para el desarrollo del país.

¿Qué querrían de él? Ya Ru se acercó a la ventana y contempló la ciudad envuelta en la bruma matinal. ¿Estaría relacionado con la muerte de Hong? Pensó en todos los enemigos que tenía, conocidos o no. ¿Y si alguno de ellos intentaba utilizar la muerte de Hong para echar por tierra su buen nombre y su reputación? ¿O sería algo que le había pasado inadvertido? Le constaba que Hong se había puesto en contacto con un fiscal, pero ese hombre pertenecía a otra institución.

Claro que Hong podría haber hablado con otras personas sin que él tuviese conocimiento de ello.

No halló ninguna explicación satisfactoria. Lo único que podía hacer era escuchar a los dos visitantes. Sabía que los hombres de los servicios secretos solían hacer sus visitas a última hora de la noche o por la mañana muy temprano. Era una rémora de la época en que la inteligencia china se creó según el modelo estalinista de la Unión Soviética. Mao había propuesto en varias ocasiones que adoptasen también las tácticas y las formas del FBI, pero jamás logró que su sugerencia hallase el menor eco.

Transcurridos los diez minutos, guardó los planos en un cajón y se sentó. Los dos hombres a los que la señora Shen dejó pasar rondaban los sesenta años, detalle que agudizó el desasosiego de Ya Ru. Lo normal era que enviasen a funcionarios más jóvenes. Aquéllos, en cambio, tendrían una amplia experiencia, lo que significaba que el asunto revestía mayor gravedad.

Ya Ru se puso de pie, se inclinó levemente y les rogó que se sentasen. No les preguntó sus nombres, pues sabía que la señora Shen ya habría comprobado a conciencia sus documentos de identidad.

Se sentaron en los sillones que había junto a los altos ventanales. Ya Ru les preguntó si podía ofrecerles un té, pero los funcionarios declinaron la invitación.

Acto seguido, tomó la palabra el que parecía de más edad. Ya Ru identificó el inconfundible dialecto de Shanghai.

–Nos ha llegado cierta información –comenzó el alto funcionario–. No podemos revelar las fuentes. Puesto que se trata de una información muy detallada, tampoco podemos desestimarla sin más. Últimamente se han recrudecido las normas y debemos atajar de forma estricta cualquier tipo de delito que contravenga las leyes y normativas estatales.

–Yo mismo he contribuido a que se endurezca la vigilancia de la corrupción –declaró Ya Ru–. No comprendo por qué han venido a verme.

–Verá, nos han informado de que sus empresas consiguen ventajas por medios no permitidos.

–¿Ventajas no permitidas?

–Intercambios ilegales de diversos servicios.

–En otras palabras, ¿corrupción y soborno? ¿Chantaje?

–Insisto en que la información es muy detallada. Y estamos preocupados. Se han endurecido las normas.

–Es decir, que se han presentado aquí a hora tan temprana para comunicarme que hay sospechas de irregularidades en mis empresas, ¿no es así?

–En realidad, hemos venido para contárselo.

–¿Para prevenirme?

–Si usted quiere.

Ya Ru comprendió enseguida. Él tenía amigos muy poderosos, incluso en el departamento anticorrupción. De ahí que le hubiesen permitido cierto margen de tiempo para eliminar huellas, retirar pruebas o buscar explicaciones, por si acaso el propio Ya Ru no era consciente de lo que estaba sucediendo.

Pensó en el tiro en la nuca que había acabado con la vida de Shen Wixan. Era como si aquellos dos hombres grises que tenía ante sí desprendiesen un frío paralizador, el mismo que, según la leyenda, emanaba del iceberg africano.

Ya Ru volvió a preguntarse si no se habría conducido de forma descuidada. Tal vez en alguna ocasión se sintió demasiado seguro y se dejó dominar por la arrogancia. En tal caso, había cometido un grave error de los que siempre cuestan caros.

–Necesito saber más –señaló–. Lo que me dicen es demasiado general, demasiado impreciso.

–Las instrucciones que recibimos no nos permiten dar más detalles.

–Las acusaciones, aunque sean anónimas, tendrán algún origen.

–A eso tampoco podemos responder.

Ya Ru sopesó a toda prisa si sería posible pagarles a aquellos hombres para obtener más información acerca de las acusaciones que pesaban sobre él. Sin embargo, no se atrevió a correr ese riesgo. Alguno, si no ambos, podía llevar micrófonos ocultos que reprodujesen la conversación. También existía el peligro, claro estaba, de que fuesen honrados y no tuviesen precio, como tantos otros funcionarios estatales.

–Esas acusaciones tan generales son totalmente infundadas –aseguró Ya Ru–. Les agradezco la oportunidad de conocer los rumores que, al parecer, circulan sobre mí y mis empresas. No obstante, el anonimato como fuente de información suele ser signo de falsedad, envidia e insidiosas mentiras. Mis empresas están limpias, cuento con la confianza del Estado y del Partido y no dudo en afirmar que tengo el control suficiente como para saber si mis directores ejecutivos siguen o no mis directrices. Lo que no puedo asegurar, como comprenderán, es que no se produzcan irregularidades de orden menor entre algunos de mis empleados, que, seguramente, son más de treinta mil.

Ya Ru se levantó, señalando así que daba por terminada la conversación. Los dos funcionarios hicieron una pequeña reverencia y salieron del despacho. Una vez que se hubieron marchado, Ya Ru llamó a la señora Shen.

–Encárgale a alguno de mis responsables de seguridad que averigüe quiénes son. Y quiénes son sus jefes. Después, llama a mis nueve directores ejecutivos y convócalos a una reunión para dentro de tres días. No admitiré excusas, deben asistir todos. El que no lo haga, abandonará su puesto inmediatamente. ¡Déjelo bien claro!

Ya Ru estaba fuera de sí. Lo que él hacía no era peor que lo que hacían otros. Un hombre como Shen Wixan había permitido que el asunto se le escapase de las manos y, además, había sido bastante tacaño con los funcionarios del Estado que le abrían camino. Fue, por tanto, un cabeza de turco muy adecuado, al que nadie echaría de menos ahora que había desaparecido.

Ya Ru dedicó varias horas a elaborar un plan de acción, al tiempo que cavilaba sobre cuál de sus directores habría abierto la caja de Pandora, difundiendo información sobre sus negocios ilícitos y acuerdos secretos.

Tres días más tarde, sus directores se reunieron en un hotel de Pekín. Ya Ru prestó suma atención al lugar elegido. En efecto, se trataba del hotel en el que, una vez al año, convocaba a sus directores para despedir a alguno de ellos, con objeto de demostrar que nadie podía sentirse seguro en su puesto. Y, de hecho, todos los componentes del grupo estaban pálidos cuando se presentaron allí poco después de las diez de la mañana. Ninguno de ellos había recibido la menor información sobre el tema que iba a tratarse en una reunión convocada de forma tan repentina. Ya Ru los hizo esperar más de una hora antes de entrar en la sala. Su plan era bien sencillo. Después de haberles retirado sus móviles, para que no pudieran ponerse en contacto ni entre sí ni con el resto del mundo, los hizo salir a todos. Luego fue llamándolos uno a uno para contarles sin ambages lo que le habían dicho días antes. ¿Tenían algo que comentar al respecto? ¿Alguna explicación? ¿Había algo que él ignorase y debería saber? Ya Ru observaba atentamente sus rostros intentando ver si alguno parecía saber para qué los había convocado. De ser así, averiguaría enseguida dónde estaba la fuga.

Sin embargo, todos los directores mostraron la misma sorpresa, la misma indignación. Al final del día, no pudo por menos de constatar que no hallaría entre ellos al culpable. Los dejó ir sin despedir a ninguno, aunque todos recibieron órdenes estrictas de buscar al topo en sus propias esferas.

Varios días después, cuando la señora Shen le hizo saber lo que sus hombres habían averiguado sobre los dos funcionarios de los servicios secretos, comprendió lo equivocado que había estado. Cuando ella entró en su despacho, él estaba estudiando de nuevo los planos de la casa en África, que tenía sobre la mesa. Le pidió que se sentase y giró el flexo, para que su rostro quedase a oscuras. No le gustaba la voz de la señora Shen. Tanto si le exponía un resumen económico como una interpretación de las nuevas directivas de alguna institución estatal, siempre tenía la sensación de que le estaba contando un cuento. Había en su voz un eco de la niñez que él tenía ya olvidada desde hacía mucho tiempo, o que le robaron a su terca memoria, quién sabía.

Él le enseñó que debía empezar siempre por lo más importante, y eso hizo la señora Shen también en esta ocasión.

–En cierto modo, parece estar relacionado con su difunta hermana Hong. Por lo visto, tuvo repetidos contactos con parte de los jefes de los servicios secretos. Su nombre ha salido a relucir cada vez que hemos intentado relacionar a los dos hombres que lo visitaron aquella mañana con otros que están entre bastidores. Creemos poder asegurar que la información llevaba muy poco tiempo circulando cuando ella murió. Pese a todo, alguno de los más altos cargos dio la señal.

Ya Ru notó que la señora Shen había dejado de hablar bruscamente.

–¿Qué es lo que no me has dicho?

–No estoy segura.

–Nada está seguro. ¿Acaso algún alto funcionario ha dado órdenes de que continúen la investigación sobre mí?

–Ignoro si será verdad o no, pero corre el rumor de que no están satisfechos con la sentencia de Shen Wixan.

Ya Ru se quedó petrificado. Lo comprendió enseguida, antes de que la señora Shen continuase hablando.

–¿Quieren otra cabeza de turco? ¿Quieren condenar a otro hombre rico para subrayar que se trata de una campaña anticorrupción, no sólo un aviso de que su paciencia está agotándose?

La señora Shen asintió. Ya Ru se hundió más en las sombras.

–¿Algo más?

–No.

–Puedes irte.

La señora Shen se marchó. Ya Ru se quedó inmóvil, obligándose a pensar, pese a que nada deseaba más que marcharse del despacho.

Cuando tomó la difícil decisión de matar a Hong durante el viaje a África, aún veía en ella a su leal hermana. Claro que tenían opiniones distintas y a menudo encontradas. Precisamente en aquel despacho y el día de su cumpleaños, Hong lo acusó de aceptar sobornos.

Ese día comprendió que, tarde o temprano, su hermana se convertiría en un serio peligro para él. Ahora era consciente de que debería haber reaccionado mucho antes. Hong ya lo había abandonado.

Ya Ru meneó la cabeza despacio. De pronto, cayó en la cuenta de algo en lo que no había reparado antes. Hong estaba dispuesta a hacerle a él lo mismo que él le había hecho a ella. Cierto que no se le habría ocurrido empuñar un arma. Hong quería seguir el camino atendiendo a las leyes del país; pero, si a Ya Ru lo hubiesen condenado a muerte, ella se habría contado entre los que consideraban que la condena era justa.

Ya Ru pensó en su amigo Lai Changxing, quien, hacía unos años, se vio obligado a huir precipitadamente del país la mañana en que la policía emprendió varias redadas simultáneas en todas sus empresas. Sólo porque poseía su propio avión, siempre dispuesto para despegar, logró salir de China con su familia. Se dirigió a Canadá, que no tenía firmado ningún tratado de extradición con China. Era hijo de un campesino muy pobre y, cuando Deng liberó los solares, inició una carrera espectacular. Empezó abriendo pozos, pero luego se convirtió en contrabandista e invirtió cuanto ganaba en empresas que, en pocos años, le generaron una inmensa fortuna. Ya Ru lo visitó en una ocasión en la Finca Roja que Lai Changxing se hizo construir en su pueblo de Xiamen. Allí asumió además una gran responsabilidad social al mandar construir escuelas y residencias de ancianos. A Ya Ru le llamó ya entonces la atención la ostentosa arrogancia de Lai Changxing e incluso le advirtió que un día sería su ruina. Una noche estuvieron discutiendo sentados la envidia que despertaban los nuevos capitalistas, «La segunda dinastía», como solía llamarlos irónico Lai Changxing, pero sólo cuando hablaba a solas con personas en las que confiaba.

Así, cuando el gigantesco castillo de naipes de Lai Changxing cayó y tuvo que huir con su familia, a Ya Ru no le sorprendió lo más mínimo. Desde entonces habían ejecutado a varios hombres ricos involucrados en sus negocios. Otros, que se contaban por cientos, fueron encarcelados. Simultáneamente, perduraba el recuerdo del hombre generoso con su depauperado pueblo natal. El que a veces daba de propina a los taxistas auténticas fortunas o el que siempre andaba haciendo regalos, sin motivo, a gentes pobres cuyo nombre ni siquiera conocía. Además, Ya Ru sabía que Lai estaba escribiendo sus memorias, cosa que, claro está, tenía aterrorizados a muchos altos cargos y políticos chinos. Lai estaba en posesión de muchas verdades y, en Canadá, donde ahora se encontraba, nadie podía censurarlo.

Sin embargo, Ya Ru no tenía la menor intención de huir de su país. A él no lo esperaba ningún avión listo para despegar en alguno de los aeropuertos de Pekín.

Además, otra idea empezaba a fraguarse en su mente. Ma Li, la amiga de Hong, estuvo con ellos en África. Ya Ru sabía que habían estado conversando. Además, a Hong siempre le había gustado escribir cartas... ¿Se habría llevado de África un mensaje de Hong? Quizás algo que después le hubiese transmitido a otras personas que, a su vez, informaron a los servicios secretos... Lo ignoraba, pero pensaba averiguarlo.

Tres días después, cuando una de las numerosas y duras tormentas de invierno arrasaba Pekín, Ya Ru fue al despacho de Ma Li, próximo al parque del Dios Sol, Ritan Gongyuan. Ma Li trabajaba en la sección de análisis económico y no tenía una posición tan elevada como para poder causarle problemas. Con la ayuda de sus empleados, la señora Shen localizó a sus amigos, entre los que no halló a ninguno que tuviese contacto con el núcleo del Gobierno ni de la dirección del Partido. Ma Li tenía dos hijos. Su actual marido era un burócrata insignificante. Puesto que su primer marido murió durante la guerra de los años setenta contra los vietnamitas, nadie la criticó cuando decidió casarse por segunda vez y tener otro hijo. Ambos se habían independizado ya, la mayor era asesora de enseñanza en una academia de profesores, mientras que el hijo trabajaba como cirujano en un hospital de Shanghai. Tampoco ellos gozaban de contactos ni relaciones que inquietasen a Ya Ru. En cambio, había tomado nota de que Ma Li tenía dos nietos a los que dedicaba gran parte de su tiempo.

La señora Shen le había preparado una cita con Ma Li. No le dijo el motivo del encuentro, sólo que la reunión era urgente y que, probablemente, guardaría relación con el viaje a África. «Eso debería preocuparle», se dijo Ya Ru mientras recorría las calles contemplando la ciudad desde el asiento trasero de su coche. Había salido con tiempo, de modo que le pidió al chófer que diese un rodeo por algunas de las zonas en construcción en las que él había invertido. Se trataba ante todo de los nuevos edificios que se construían con motivo de los Juegos Olímpicos. Ya Ru tenía además un suculento contrato para demoler uno de los barrios que debían desaparecer para ser sustituidos por carreteras que conducirían a las nuevas instalaciones deportivas. Ya Ru calculaba que obtendría mil millones de beneficios con sus negocios, incluso después de restar las cantidades que pagaba a funcionarios y políticos, que suponían millones mensuales.

Contempló la ciudad, que poco a poco se transformaba ante su vista. No eran pocos los que protestaban aduciendo que Pekín perdía demasiado de su sabor original. Ya Ru exhortaba a los periodistas que trabajaban para él que escribiesen acerca de los suburbios que estaban desapareciendo y de las inversiones que, a la larga, cuando se hubiesen celebrado los Juegos Olímpicos y éstos le hubieran otorgado a China otro rostro ante el mundo, permanecerían para beneficio de los habitantes del país. Ya Ru, que prefería al creador invisible que se mantenía al margen, había caído en la vanidosa tentación de aparecer en diversos programas de televisión en los que se discutía la transformación que estaba sufriendo Pekín. En dichas ocasiones, aprovechó siempre para hacer algún comentario sobre las mejoras sociales y la conservación de ciertos parques y edificios concretos de la ciudad. Según los analistas de los medios de comunicación a los que él pagaba por distintos servicios, era una persona de buena reputación, pese a pertenecer a la elite de los más acaudalados del país.

Y él tenía intención de preservar esa reputación. A cualquier precio.

El coche se detuvo ante el modesto edificio en el que trabajaba Ma Li, que lo aguardaba en la escalera para recibirlo.

–Ma Li –la saludó Ya Ru–. Ahora, al verte, tengo la sensación de que el viaje a África y su doloroso final pertenecen a un pasado remoto.

–No transcurre un solo día sin que piense en la querida Hong –respondió Ma Li–. Aunque para mí África ha quedado atrás y, desde luego, nunca más volveré allí.

–Como sabes, cerramos nuevos acuerdos con los países africanos a diario. Estamos construyendo puentes que nos unirán por mucho tiempo.

Mientras hablaban, fueron caminando por un pasillo desierto hasta que llegaron al despacho de Ma Li, cuyas ventanas daban a un pequeño jardín rodeado de un alto muro. En el centro del jardín había una fuente cuyo surtidor cerraban en invierno.

Ma Li apagó el teléfono y sirvió el té. Ya Ru oyó una risa lejana.

–La búsqueda de la verdad es como observar un caracol que persigue a otro –aseguró Ya Ru reflexivo–. Avanza despacio, pero con tesón. –Ya Ru la miró con encono, pero Ma Li le sostuvo la mirada–. Corren rumores –prosiguió Ya Ru– que me afectan muchísimo. Sobre mis empresas y mi manera de ser. Me pregunto de dónde proceden. He de preguntarme quién querría hacerme daño. No se trata de los envidiosos de siempre, sino de alguien cuyos motivos no alcanzo a comprender.

–¿Y por qué iba yo a querer destruir tu reputación?

–No es eso lo que quiero decir. Ni es ésa la pregunta, sino quién sabe, quién posee la información, quién está en condiciones de difundirla.

–Nuestras vidas no tienen nada que ver. Yo soy funcionaria, tú haces negocios de tal envergadura que aparecen reseñados en los diarios. Comparado conmigo, que soy una persona insignificante, tú llevas una vida que yo apenas soy capaz de imaginar.

–Pero conocías a Hong –objetó Ya Ru despacio–. Mi hermana, con la que yo mantenía una estrecha relación. Después de tantos años sin veros, os encontrasteis en África. Estuvisteis hablando y ella te hizo una apresurada visita una mañana, muy temprano. Y resulta que, cuando vuelvo a China, empiezan a circular rumores sobre mí.

Ma Li palideció.

–¿Estás acusándome de criticarte a tus espaldas en el ámbito de la función pública?

–Debes comprender o, mejor, estoy convencido de que comprenderás que, en mi situación, no me permitiría semejante afirmación de no haber indagado antes su veracidad. He descartado varias posibilidades. Finalmente, me he quedado con la única explicación posible. Una sola persona.

–¿Yo?

–En realidad, no.

–¿Insinúas que fue Hong? ¿Tu propia hermana?

–No es ningún secreto que estábamos en desacuerdo acerca de cuestiones básicas relativas al futuro de China. El desarrollo político, la economía, la visión de la historia.

–Pero ¿acaso erais enemigos?

–La enemistad puede ir fraguándose a lo largo de muchos años, de forma casi imperceptible, como una elevación del terreno que cubre el mar. De repente, ahí está, una enemistad de la que no éramos conscientes.

–Me cuesta creer que Hong utilizase el recurso de una acusación anónima. Ella no era así.

–Lo sé. De ahí mi pregunta. ¿De qué hablasteis?

Ma Li no respondió y Ya Ru prosiguió, sin concederle la menor tregua para la reflexión.

–Tal vez había una carta –sugirió despacio–, que pudo darte aquella mañana. ¿Estoy en lo cierto? ¿Una carta? ¿Otro tipo de documento? Tengo que saber lo que te dijo y qué te entregó.

–Era como si presintiese que iba a morir –explicó Ma Li–. He estado reflexionando sobre ello, pero no he llegado a comprender la naturaleza del desasosiego que debía de sentir. Simplemente, me pidió que me encargase de que incinerasen su cuerpo. Y quería que esparciesen sus cenizas en el Longtanhu Gonguyan, el pequeño lago que hay en el parque. Además, me pidió que me ocupase de sus pertenencias, sus libros, que regalase su ropa y que vaciase su casa.

–¿Nada más?

–No.

–¿Te lo dijo de palabra o te lo dejó escrito?

–Me dejó una carta. Me aprendí su contenido de memoria antes de quemarla.

–Es decir, que no era muy extensa, ¿verdad?

–Sí.

–Pero ¿por qué la quemaste? Casi podría decirse que era un testamento.

–Me dijo que nadie cuestionaría mis palabras.

Ya Ru continuaba observando su rostro mientras meditaba sobre lo que Ma Li acababa de decirle.

–Y no te dejaría otra carta, ¿verdad?

–¿Otra carta?

–Justo ésa es mi pregunta. Tal vez una carta que no quemaste sino que le entregaste a otra persona.

–Me dio una carta que iba dirigida a mí y yo la quemé. Y eso es todo.

–Sería lamentable que no me dijeses la verdad.

–Pero ¿por qué iba a mentirte?

Ya Ru alzó los brazos para subrayar su pregunta:

–¿Por qué miente la gente? ¿Por qué tenemos esa capacidad? Porque hay momentos en que nos proporciona ciertas ventajas. La mentira y la verdad son armas, Ma Li, y alguien que las use con habilidad puede sacar provecho de ellas. Igual que otros son hábiles blandiendo la espada.

Ya Ru no apartaba la vista de Ma Li, que seguía imperturbable.

–¿Nada más? ¿Algo que quieras contarme?

–No. Nada.

–Imagino que eres consciente de que, tarde o temprano, averiguaré cuanto me interesa saber.

–Sí.

Ya Ru asintió reflexivo.

–Eres una buena persona, Ma Li. Y yo también. Sin embargo, me molesta y me llena de amargura que sean deshonestos conmigo.

–No te he ocultado nada.

–Bien. Tienes dos nietos, ¿verdad? A los que amas por encima de todo.

Vio que Ma Li daba un respingo, como alarmada.

–¿Es eso una amenaza?

–En absoluto. Sólo estoy dándote la oportunidad de decirme la verdad.

–Ya te la he dicho. Hong me habló del miedo que le infundía el rumbo del desarrollo de China. Nada de amenazas ni de rumores.

–Bien, en ese caso, te creo.

–Me das miedo, Ya Ru. ¿De verdad crees que merezco que me atemorices?

–Yo no te he asustado. Fue Hong, con su carta misteriosa. Habla de ello con su espíritu. Y pídele la paz para la zozobra que te embarga.

Ya Ru se levantó y Ma Li lo acompañó hasta la salida, donde se estrecharon la mano. Luego, él se subió al coche y se marchó, en tanto que Ma Li volvía a su despacho..., donde vomitó en el lavabo.

Acto seguido, se sentó dispuesta a memorizar palabra por palabra la carta que Hong le había entregado y que ella guardaba en un cajón de su escritorio.

«Hong murió a causa de la ira», concluyó Ma Li. «Fuera lo que fuera lo que le sucedió. En realidad nadie ha sabido aún darme una explicación satisfactoria de cómo se produjo aquel accidente.»

Antes de salir del despacho aquella noche, rompió la carta y arrojó los restos al inodoro. Seguía asustada y sabía que, a partir de aquel momento, se vería obligada a vivir con la amenaza de Ya Ru. A partir de aquel momento, él estaría siempre cerca.

Ya Ru pasó la noche en uno de sus clubes de Sanlitun, la zona de ocio de Pekín. En uno de los reservados se sentó a descansar, mientras que Li Wu, una de las dueñas del club, le daba un masaje en la nuca. Li era más o menos de su edad. Y hubo un tiempo en que fue su amante. Aún pertenecía al reducido grupo de personas en las que Ya Ru confiaba y, aunque se pensaba muy bien qué decirle y qué ocultarle, sabía que le era leal.

Li se desnudaba para darle los masajes. La música del club se oía lejana, la habitación estaba sumida en una semipenumbra que apenas iluminaba el rojo papel pintado de las paredes.

Ya Ru revisó mentalmente la conversación con Ma Li. «Todo es cosa de Hong», concluyó para sí. «Cometí un grave error al confiar durante tanto tiempo en su lealtad a la familia.»

Li continuó masajeando su espalda. De repente, Ya Ru le agarró la mano y se sentó de un salto.

–¿Te he hecho daño?

–Necesito estar solo, Li. Volveré a llamarte más tarde.

La mujer se marchó, mientras Ya Ru se cubría con una sábana. Se preguntaba si no habría errado el razonamiento. Si la cuestión no era qué decía la carta que Hong le había entregado a Ma Li.

«Supongamos que Hong habló con alguien», se dijo. «Alguien que pensaba que a mí no me preocuparía demasiado.»

De repente recordó las palabras de Chan Bing acerca de la jueza sueca que tanto interés había despertado en Hong. ¿Qué le habría impedido hablar con ella y hacerle confidencias indebidas?

Ya Ru se tumbó en la cama. Después del masaje que Li le había dado con sus delicados dedos, el cuello le dolía menos.

A la mañana siguiente llamó a Chan Bing y fue derecho al grano.

–Mencionaste algo de una jueza sueca con la que mi hermana estuvo en contacto. ¿A propósito de qué?

–Se llamaba Birgitta Roslin. Fue un robo normal y corriente. La hicimos venir a identificar a los agresores, pero no reconoció a ninguno. En cambio, sí que habló con Hong sobre una serie de asesinatos cometidos en Suecia, según ella sospechaba, a manos de un chino.

Ya Ru se quedó helado. Era mucho peor de lo que él creía. Existía una amenaza capaz de causarle mucho más daño que las sospechas de corrupción. Se apresuró a concluir la conversación con Chan Bing rematándola con las consabidas frases de despedida.

Y, mentalmente, fue preparándose para una misión que tendría que ejecutar en persona, puesto que Liu ya no estaba.

Aún le quedaba algo por llevar a cabo. Su victoria sobre Hong no era aún completa.

Chinatown, Londres

34

Llovía de forma copiosa la mañana de mediados de mayo en que Birgitta Roslin acompañó a su familia a Copenhague, desde donde partirían para emprender sus vacaciones en Madeira. Tras no poca angustia y numerosas conversaciones con Staffan, decidió no ir con ellos. La prolongada baja por enfermedad de hacía unos meses le impidió solicitarle a su jefe unas vacaciones. El juzgado seguía sobrecargado de casos que aguardaban a ser juzgados. Simplemente, no podía marcharse.

Llegaron a Copenhague bajo una abundante lluvia. Staffan, que tenía billetes de tren gratis, insistió en que tomasen el tren hasta el aeropuerto de Kastrup, donde aguardaban sus hijos, pero ella se empeñó en llevarlo en coche. Se despidió de ellos en la terminal de salidas y se sentó en una cafetería a observar el flujo de personas cargadas de maletas y de sueños en que viajaban a tierras lejanas.

Llamó a Karin unos días antes para avisarla de que iría a Copenhague. Pese a que habían transcurrido varios meses desde que regresaron de Pekín, aún no habían tenido la posibilidad de volver a verse. Birgitta Roslin se entregó de lleno al trabajo en cuanto le dieron el alta. Hans Mattsson la recibió con los brazos abiertos, le colocó un jarrón de flores sobre la mesa y, un segundo después, le plantó un montón de demandas pendientes que debían ir a juicio lo antes posible. Precisamente entonces, a finales de marzo, se discutió en la prensa local del sur de Suecia el tema de la lentitud de los tribunales suecos. Hans Mattsson, cuyo carácter no podía considerarse combativo, no respondió, según Birgitta y sus colegas, con la contundencia necesaria, pues nada dijo sobre lo desesperado de la situación de los juzgados y, sobre todo, de las consecuencias de los recortes del Gobierno. En tanto que sus colegas gruñían y se enfurecían ante la gran cantidad de trabajo que pesaba sobre ellos, Birgitta Roslin sintió una serena alegría al verse de nuevo en su puesto. Volvió a quedarse en el despacho tan a menudo y hasta tan tarde, que Hans Mattsson le advirtió que, de continuar así, no tardaría en sobrepasar sus límites y caer enferma de nuevo.

–No estaba enferma –objetó Birgitta–. Sólo tenía la tensión alta y los valores sanguíneos por los suelos.

–He ahí la respuesta de un buen demagogo –observó Hans Mattsson–. No la de una jueza sueca que sabe que tergiversar las cosas puede conducir a lo peor.

De ahí que sólo hubiese hablado por teléfono con Karin Wiman. Habían intentado quedar en dos ocasiones, pero en ambos casos se les presentaron problemas de última hora. Sin embargo, aquel lluvioso día, en Copenhague, Birgitta estaba libre. Tenía que volver al juzgado al día siguiente y decidió pasar la noche con Karin. Llevaba en el bolso las fotografías del viaje y, con la curiosidad de una niña, ansiaba ver las tomadas por Karin.

Ya sentían el viaje a Pekín como algo lejano. Se preguntaba si el que los recuerdos se esfumasen con tanta rapidez sería cosa de la edad. Miró a su alrededor en la cafetería, como si buscase a alguien capaz de darle una respuesta. En un rincón había dos mujeres árabes cuyos rostros apenas se veían. Una de las dos estaba llorando.

«Ellas no pueden responder a mi pregunta», se dijo. «¿Quién, sino yo misma, podría hacerlo?

Birgitta y Karin habían quedado en verse para comer en un restaurante situado en una de las calles perpendiculares a Ströget. Birgitta había pensado ir de tiendas en busca de un traje para los juicios, pero la lluvia le quitó las ganas. Se quedó en Kastrup haciendo tiempo antes de tomar un taxi para ir a la ciudad, puesto que no estaba segura de dar con el lugar. Karin la saludó contenta al verla entrar en el restaurante, que estaba lleno de gente.

–¿Ya se han ido?

–Sí, siempre se piensa demasiado tarde, pero es horrible mandar a toda la familia en el mismo avión.

Karin meneó la cabeza.

–No pasará nada –le aseguró–. El avión es el medio más seguro de viajar.

Almorzaron, miraron las fotografías y recordaron el viaje. Mientras Karin hablaba, Birgitta se sorprendió pensando, por primera vez en mucho tiempo, en el incidente del robo del que fue víctima. En Hong, que apareció ante su mesa de aquel modo inopinado. En el bolso, que volvió a aparecer. En todo aquel suceso aterrador en que se vio envuelta.

–¿Me estás escuchando? –inquirió Karin.

–Claro que sí. ¿Por qué lo preguntas?

–No lo parece.

–Pensaba en mi familia, que ahora va por los aires.

Después de comer pidieron un café. Karin propuso que se tomasen un coñac como protesta contra el frío que hacía.

–Desde luego que sí.

Luego tomaron un taxi para ir a casa de Karin. Cuando llegaron, la lluvia había cesado y la capa de nubes empezó a disiparse.

–Necesito moverme –comentó Birgitta–. Paso una cantidad infinita de horas sentada en mi despacho o en el juzgado.

Fueron a dar un paseo por la playa, que estaba desierta, a excepción de unas cuantas personas mayores que habían salido a pasear con sus perros.

–¿En qué piensas cuando mandas a alguien a la cárcel? ¿Te lo he preguntado ya alguna vez? No sé si has juzgado a algún asesino... –quiso saber Karin.

–Muchas veces. Entre otros, a una mujer que asesinó a tres personas. A sus padres y a un hermano menor. Recuerdo que estuve observándola durante el juicio. Era pequeña y menuda, muy hermosa. Si yo hubiese sido un hombre, me habría resultado sexy. Intenté detectar arrepentimiento en su expresión. Era evidente que los asesinatos fueron premeditados. No mató a palos a sus víctimas en un acceso de ira. Además, fue literalmente así, los mató *a palos*. Eso es típico de los hombres. Las mujeres suelen utilizar cuchillos. Nosotras somos el sexo que acuchilla, mientras que los hombres golpean. Aquella mujer, en cambio, agarró un bate que su padre tenía en el garaje y les abrió la cabeza a los tres. Nada de arrepentimiento.

–¿Por qué lo hizo?

–Nunca se supo.

–O sea, que estaba loca.

–No según los que examinaron su estado mental. Al final, no me quedó más remedio que condenarla a la máxima pena permitida por la ley. Ni siquiera apeló, algo que los jueces suelen considerar un triunfo. En este caso, no estoy tan segura.

Se detuvieron a contemplar un barco de vela que navegaba con rumbo norte por el estrecho.

–¿No crees que deberías contármelo? –preguntó Karin.

–¿Contarte qué?

–Lo que de verdad sucedió en Pekín. Sé que no me contaste la verdad. Al menos, no toda la verdad, como soléis decir vosotros.

–Me asaltaron. Y me robaron el bolso.

–Eso ya lo sé, pero las circunstancias, Birgitta..., no me las creo. Tuve la sensación de que me ocultabas algo. Aunque no nos hayamos visto mucho en los últimos años, te conozco bien. Cuando éramos rebeldes, hace ya mucho tiempo, aprendimos a decir la verdad y a mentir al mismo tiempo. Yo jamás intentaría mentirte. O engañarte, como solía decir mi padre. Sé de sobra que verías mis intenciones.

Birgitta se sintió aliviada.

–Ni siquiera yo lo entiendo –confesó–. No sé por qué te oculté la mitad de la historia. Tal vez porque estabas tan ocupada con el tema de la primera dinastía de emperadores... O porque ni yo misma comprendía bien lo sucedido.

Siguieron caminando por la playa y, cuando el sol empezó a calentar de verdad, se quitaron las cazadoras. Birgitta le habló de la fotografía sacada de la cámara de vigilancia instalada en el pequeño hotel de Hudiksvall y de sus esfuerzos por localizar al hombre que aparecía en la grabación. Se lo contó todo con detalle, como si ella misma se encontrase en el lugar del testigo, bajo la mirada vigilante del juez.

–Y no me dijiste una palabra de ello –se lamentó Karin cuando Birgitta concluyó su relato y emprendieron el camino de regreso.

–Sentí miedo cuando te fuiste –admitió Birgitta–. Pensé que acabaría pudriéndome en cualquier celda subterránea. La policía podría decir después que había desaparecido.

–Para mí, tu actitud es indicio de falta de confianza. En realidad, debería enfadarme.

Birgitta se detuvo frente a Karin.

–No nos conocemos tan bien –declaró–. Puede que nos lo creamos, o que deseemos que fuese así. Cuando éramos jóvenes, nuestra relación era muy distinta a la de hoy. Somos amigas, pero no tan íntimas. Quizá nunca lo fuimos.

Karin asintió. Prosiguieron caminando por la playa, más allá de las algas, donde la arena estaba más seca.

–Deseamos que todo se repita, que sea igual que antes –comentó Karin–. Pero envejecer implica protegerse de los sentimentalismos. La amistad debe ponerse a prueba y renovarse constantemente para que sobreviva. Puede que un viejo amor no se oxide, pero sí una vieja amistad.

–Bueno, el simple hecho de que ahora estemos hablando es un paso en la dirección adecuada. Es como arrancar el óxido con un cepillo con las cerdas de acero.

–¿Qué ocurrió después? ¿Cómo terminó la historia?

–Volví a casa. La policía o una organización secreta registró mi habitación. Ignoro qué esperaban encontrar.

–Pero supongo que te extrañaría que te quitaran el bolso, ¿no?

–Por supuesto, guardaba relación con la fotografía del hotel de Hudiksvall. Alguien quería impedir que yo me dedicase a buscar a ese hombre. Sin embargo, yo creo que Hong me dijo la verdad. China no quiere que los visitantes extranjeros vuelvan a casa contando ese tipo de «desafortunados incidentes». Sobre todo ahora, que el país se prepara para su gran número estrella, los Juegos Olímpicos.

–Todo un país de más de mil millones de habitantes que espera entre bastidores el momento de entrar en escena. Vaya una idea más curiosa.

–Muchos cientos de millones de personas, nuestros queridos campesinos, no tendrán ni idea de lo que significan los Juegos; o tal vez son conscientes de que, para ellos, la situación no mejorará sólo porque los jóvenes de todo el mundo se reúnan para competir en Pekín.

–Tengo un vago recuerdo de esa mujer, Hong. Era muy hermosa. Había en ella una actitud de alerta, como si estuviese preparada para que ocurriese cualquier cosa.

–Es posible. Yo la recuerdo de otro modo. A mí me ayudó.

–¿Sabes si servía a varias personas?

–Sí, he pensado en ello. No puedo responderte, porque no lo sé, pero seguramente tienes razón.

Pasearon por un muelle donde aún había muchos amarraderos vacíos. Una mujer que achicaba agua de un viejo bote de madera las saludó alegremente en un dialecto que Karin apenas comprendió.

Después del paseo, se tomaron un café en casa de Karin, que le habló del trabajo que estaba realizando en ese momento, la interpretación de varios poetas chinos y su obra desde la independencia de 1949 hasta hoy.

–No puedo dedicarme exclusivamente a estudiar imperios desaparecidos. Los poemas suponen un cambio en mi trabajo.

Birgitta estuvo a punto de hablarle de su secreto y apasionado juego de componer canciones, pero se contuvo.

–Muchos de ellos fueron muy valientes –continuó Karin–. Mao y los demás no solían aceptar críticas, aunque Mao era paciente con los poetas, puesto que él mismo escribía versos, supongo. Pero yo creo que sabía que los artistas podían aportar una perspectiva distinta y decisiva al gran cambio político. Cuando otros miembros del Partido opinaban que había que tener mano dura contra aquellos que escribían lo que no debían, aquellos cuyas pinceladas resultaban peligrosas, Mao casi siempre se oponía. Mientras era posible. Claro que lo que les sucedió a los artistas durante la Revolución Cultural fue responsabilidad suya, pero no lo que él pretendía. Y pese a que la última revolución que llevó a cabo tenía un sello cultural, fue básicamente política. Cuando Mao comprendió que algunos de los jóvenes rebeldes iban demasiado lejos, les puso freno y, aunque no podía confesarlo de forma abierta, yo creo que Mao lamentaba la destrucción llevada a cabo aquellos años. Desde luego, él sabía mejor que nadie que para hacer una tortilla es necesario cascar los huevos. ¿No era eso lo que decían?

–Sí, o que la revolución no era una invitación a tomar el té.

Ambas rompieron a reír de buena gana.

–¿Qué opinas tú de la China de hoy? –quiso saber Birgitta–. ¿Qué está pasando en ese país?

–Tengo el convencimiento de que hay diferentes fuerzas que están echando un pulso, dentro del Partido y del país en general. Y el Partido Comunista quiere demostrarle al mundo, a gente como tú y como yo, que es posible combinar el desarrollo económico con un Estado no democrático. Aunque todos los pensadores liberales de Occidente lo nieguen, la dictadura del Partido es reconciliable con el desarrollo económico y, naturalmente, eso es algo que nos inquieta a nosotros. Por eso se habla y se escribe tanto sobre las ejecuciones chinas. La falta de libertad, de apertura, los derechos humanos, tan defendidos en Occidente, constituyen nuestra arma de ataque contra China. Para mí eso no es más que hipocresía, pues la parte del mundo a la que pertenecemos está llena de países, como Estados Unidos o Rusia, donde se atenta a diario contra los derechos humanos. Además, los chinos saben que queremos hacer negocios con ellos, a cualquier precio. Nos adivinaron las intenciones ya en el siglo XIX, cuando decidimos convertirlos en consumidores de opio para así arrogarnos el derecho de negociar según nuestras condiciones. Los chinos han aprendido y no cometerán nuestros mismos errores. Esa es mi opinión y ya sé que mis conclusiones son parciales, pues la envergadura de lo que está sucediendo es mucho mayor de lo que yo puedo abarcar. No podemos aplicarle a China nuestros propios niveles, pero, sea lo que sea lo que pensemos, debemos prestar atención a lo que está ocurriendo. Tan sólo un necio creería que lo que hoy sucede allí no nos afectará a los demás en el futuro. Si yo tuviese hijos pequeños, me buscaría una canguro china para que aprendieran el idioma.

–Eso dice mi hijo.

–Porque tiene visión de futuro.

–Para mí el viaje fue una experiencia abrumadora; en un país tan infinitamente grande tenía la sensación de que se puede desaparecer en cualquier momento, y de que nadie preguntaría por ti en un lugar con tanta gente. Me habría gustado disponer de más tiempo para hablar con Hong.

Por la noche, durante la cena, volvieron a perderse en los recuerdos del pasado. Birgitta tenía la sensación, cada vez más intensa, de que no quería volver a perder el contacto con Karin. Sólo ella compartía con

Birgitta los años de juventud, nadie como Karin podía entender de qué hablaba en realidad.

Se quedaron charlando hasta tarde y, antes de acostarse, se hicieron el propósito de verse más a menudo en lo sucesivo.

–Comete alguna infracción de tráfico en Helsingborg –propuso Birgitta–. No confieses ante los policías que te den el alto en la calle y, tarde o temprano, irás a juicio y me tendrás como jueza. Después de juzgarte, podemos ir a cenar.

–Me cuesta imaginarte en la silla del juez.

–A mí también. Pero allí me veo a diario.

Al día siguiente, fueron juntas a Hovedbanegården.

–Bueno, ahora puedo volver a mis poetas chinos –dijo Karin–. Y tú, ¿qué vas a hacer?

–Esta tarde tengo que leerme dos demandas. Una contra una liga vietnamita que se dedica al contrabando de tabaco y a asaltar a personas mayores. Los implicados son unos jóvenes extraordinariamente crueles y desagradables. Y luego una demanda contra una mujer que ha maltratado a su madre. Por lo que sé hasta el momento, ni la madre ni la hija parecen estar en sus cabales. A eso me dedicaré esta tarde. ¡Qué envidia me das con tus poetas! En fin, mejor no pensarlo.

Estaban a punto de marcharse cada una por su lado, cuando Karin la agarró del brazo.

–Se me olvidó preguntarte por los asesinatos de Hudiksvall. ¿Cómo va la cosa?

–Al parecer, la policía persiste en la teoría de que el hombre que se suicidó era el culpable.

–¿Él solo? ¿Con tantos muertos?

–Bueno, supongo que un asesino que lo tenga bien planeado podría conseguirlo. Sin embargo, aún no han establecido el móvil.

–¿Locura?

–Yo no creía entonces que ése fuese el motivo; y sigo sin creerlo.

–¿Sigues en contacto con la policía?

–En absoluto. Simplemente leo lo que dicen los periódicos.

Birgitta vio cómo Karin se alejaba deprisa por la galería central. Después se dirigió a Kastrup, buscó el lugar del aparcamiento donde había dejado el coche y puso rumbo a casa.

«Hacerse viejo implica una especie de retirada», se dijo. «Sigues avanzando, pero al mismo tiempo se produce un retroceso pacífico, casi imperceptible, como en las conversaciones entre Karin y yo. Nos buscamos a nosotras mismas tratando de descubrir quiénes éramos antes y quiénes somos ahora.»

Hacia las doce ya estaba de vuelta en Helsingborg. Fue directa a su despacho, donde leyó una memoria del juzgado antes de enfrascarse en dos demandas que tenía sobre la mesa. Consiguió dejar preparado el caso de la mujer maltratada, guardó en el bolso el asunto de los vietnamitas y se marchó a casa. Notó que hacía más calor y los árboles habían empezado a florecer.

Una súbita alegría estalló en su interior. Se detuvo, cerró los ojos y se llenó de aire los pulmones. «Aún no es tarde», se dijo. «He visto la Muralla China. Hay muchas otras murallas y, ante todo, islas que deseo visitar antes de que mi vida termine, antes de que llegue el punto final. Algo me dice que Staffan y yo lograremos controlar la situación en la que hoy nos encontramos.»

La demanda contra los vietnamitas era compleja y difícil de abarcar en su multiplicidad de detalles. Birgitta Roslin trabajó en ella hasta las diez de la noche. Para entonces había hablado por teléfono con Hans Mattsson en dos ocasiones. Sabía que no se molestaba si lo llamaba a casa.

Habían dado las once y empezó a prepararse para irse a la cama cuando llamaron a la puerta. Frunció el entrecejo, pero fue a abrir. No había nadie. Dio un paso hacia la escalinata de la entrada y miró a un lado y otro de la calle. Vio pasar un coche pero, por lo demás, la calle estaba desierta y la verja cerrada. «Algún chiquillo», pensó. «Llaman a la puerta y echan a correr.»

Se metió de nuevo en casa y se durmió antes de medianoche. Poco después de las dos volvió a despertarse sin saber por qué. No recordaba haber tenido ningún sueño y prestó atención en la oscuridad, pero no se oía nada. Estaba a punto de darse media vuelta para seguir durmiendo cuando, de pronto, se sentó en la cama. Encendió la lámpara y aguzó el oído. Luego se levantó y abrió la puerta que daba al vestíbulo. Seguía sin oír nada. Se puso la bata y bajó las escaleras. Todas las puertas y las ventanas estaban cerradas. Se colocó junto a una ventana que daba a la calle principal y apartó la cortina. Creyó divisar una sombra que desaparecía veloz por la acera, pero desechó la idea pensando que serían figuraciones suyas. Jamás había tenido miedo a la oscuridad. Pensó que la habría despertado el hambre, se tomó un sándwich y un vaso de agua y volvió a la cama, donde no tardó en conciliar el sueño nuevamente.

A la mañana siguiente, cuando fue a buscar el maletín donde guardaba los documentos de los juicios, tuvo la sensación de que alguien había estado husmeando en su despacho. Fue la misma sensación que experimentó con la maleta en la habitación del hotel de Pekín. La noche anterior, al salir del despacho, dejó el abultado informe junto al maletín. Ahora, algunos de los papeles estaban esparcidos sobre el asa.

Pese a que tenía prisa, revisó la planta baja de la casa. No faltaba nada, todo estaba en orden. «Son invenciones mías», se dijo. «Los inexplicables sonidos nocturnos no deben justificarse por la mañana con figuraciones. Ya tuve bastante en Pekín con la obsesión de que me perseguían. No necesito para nada seguir con ello aquí en Helsingborg.»

Birgitta Roslin salió de su casa y bajó la cuesta en dirección a la ciudad y a los juzgados. La temperatura había subido unos grados más desde el día anterior. Mientras caminaba, fue repasando mentalmente el primer juicio del día. Se reforzarían los controles de seguridad, puesto que existía el riesgo de que los vietnamitas que se esperaba que acudiesen como público reaccionasen de forma violenta. De acuerdo con el fiscal y con su jefe, dedicaría dos días a los procedimientos previos. Sospechaba que ése era el mínimo indispensable, pero era tal la presión a la que se veían sometidos los juzgados, que terminó aceptando. En su agenda, no obstante, reservó un día más y diseñó un calendario alternativo para el siguiente caso.

Cuando llegó al edificio de los juzgados, entró en su despacho, desconectó el teléfono y se retrepó en la silla con los ojos cerrados. Repasó mentalmente los puntos más importantes del caso de los dos hermanos Tran, entre los que figuraban las dos detenciones y la demanda. Ya sólo faltaban el juicio y la sentencia. Durante la investigación, habían detenido a otros dos vietnamitas, llamados Dang y Phan. Los cuatro estaban acusados del mismo delito y eran cómplices.

A Birgitta Roslin le gustaba tener al fiscal Palm en la sala de vistas. Era un hombre de mediana edad que se tomaba en serio su profesión y no se contaba entre aquellos que ignoraban cómo preparar una acusación sin digresiones innecesarias. Por otro lado, a juzgar por el material al que ella había tenido acceso, Palm había dirigido la investigación de forma exhaustiva, cosa que no siempre sucedía.

Cuando dieron las diez, entró en la sala y tomó asiento. Los secretarios y el procurador ya se encontraban en sus puestos y había lleno total en la sala, vigilada tanto por guardas de seguridad como por policías. Todos los presentes habían pasado por los mismos detectores por los que se pasa en los aeropuertos. Dejó caer el mazo sobre la mesa, anotó los nombres, comprobó que todos los implicados estaban presentes y le dio al fiscal orden de comenzar. Palm hablaba despacio y su razonamiento resultaba fácil de seguir. Birgitta se permitía de vez en cuando echar una ojeada a las gradas del público. Había un grupo numeroso de vietnamitas, la mayoría muy jóvenes. Entre los demás, reconoció a varios periodistas y a una mujer joven de gran talento que dibujaba interiores de juzgados para varios periódicos nacionales. Birgitta tenía en su despacho un dibujo de sí misma recortado de un diario. Sin embargo, lo tenía guardado en un cajón, pues no quería pasar por vanidosa ante las visitas. Fue un día largo y duro. Pese a que la investigación de los puntos más importantes demostraba con toda claridad cómo se habían cometido los distintos delitos, los cuatro acusados empezaron a inculparse mutuamente. Dos de ellos hablaban sueco, pero los hermanos Tran necesitaban a una intérprete. Birgitta Roslin se vio obligada a recordarle en varias ocasiones que estaba expresándose de un modo demasiado impreciso y llegó a preguntarse si la intérprete comprendía de verdad lo que decían los jóvenes. Hubo un momento en que tuvo que mandar callar a varias personas del público e incluso amenazarlas con expulsarlas si no se calmaban.

Hans Mattsson se le acercó a la hora del almuerzo y le preguntó cómo iba la cosa.

–Mienten –aseguró Birgitta–. Pero las pruebas de la investigación son concluyentes. La cuestión es si la intérprete es o no buena.

–Pues goza de mucha reputación –afirmó sorprendido Hans Mattsson–. Me aseguré de que nos enviasen a la mejor de todo el país.

–Puede que tenga un mal día.

–Y tú, ¿tienes un mal día?

–No, pero esto va lento. Dudo que terminemos para mañana por la tarde.

En los interrogatorios de la tarde, Birgitta Roslin continuó observando a los espectadores de vez en cuando. De repente se fijó en una mujer vietnamita de mediana edad que ocupaba un asiento en un rincón de la sala, medio oculta detrás del resto del público. Cada vez que Birgitta la miraba, la sorprendía mirándola a ella, en tanto que el resto de los vietnamitas se concentraban sobre todo en sus amigos o familiares acusados.

Recordó el día en que, hacía unos meses, fue a presenciar aquel juicio en China. «Tal vez ella sea una especie de intercambio vietnamita», se dijo irónica. «Claro que, en tal caso, alguien me lo habría dicho. Y, además, ella no tiene a su lado a nadie que le vaya explicando lo que ocurre.»

Una vez terminado el interrogatorio del día, aún dudaba de que las sesiones del día siguiente bastasen para exponer cuanto había que decir. Se sentó en su despacho e hizo una valoración de lo que faltaba para dar por terminado el juicio e informar de cuándo dictaría sentencia. Tal vez todo fuese bien, si no sucedía nada inesperado.

Aquella noche durmió profundamente, ningún ruido la molestó.

Al día siguiente, cuando se retomó el juicio, vio que la mujer volvía a ocupar su discreto puesto en la sala. Había algo en su persona que la inquietaba. Aprovechando una de las pausas, le pidió a un guarda de seguridad que comprobase si la mujer también estaba sola fuera de la sala. Justo antes de que reanudasen la vista, el guarda se le acercó para decirle que, en efecto, así era. La mujer no había hablado con nadie.

–Mantenla vigilada –le ordenó Birgitta.

–Si quieres, puedo impedirle que entre.

–¿Y cómo íbamos a justificar su expulsión?

–Simplemente diciendo que te preocupa.

–No, lo único que te pido es que la tengas vigilada. Sólo eso.

Pese a que Birgitta Roslin estuvo dudando hasta el último minuto, consiguió apremiar las declaraciones de modo que estuvieron listos aquella misma tarde. Informó de que dictaría sentencia el 20 de junio y dio por terminado el juicio. Lo último que vio antes de dejar la sala y tras haberles dado las gracias a sus colaboradores fue la mujer vietnamita, que se volvió a mirarla y se quedó observándola mientras salía de la sala.

Hans Mattsson acudió a su despacho una vez terminado el juicio. Había escuchado las alocuciones finales de la defensa y del fiscal por el sistema de megafonía interna.

–Palm ha tenido un par de días estupendos.

–La cuestión es cómo establecer la pena. No cabe la menor duda de que los hermanos Tran son los protagonistas. Los otros dos son cómplices, claro está. Pero parecen intimidados por los hermanos. Resulta difícil ignorar que cabe la posibilidad de que hayan asumido más culpa de la que en realidad tienen.

–Bueno, si quieres que hablemos de ello, no tienes más que decirlo.

Birgitta Roslin recogió sus notas y se preparó para marcharse a casa. Staffan le había enviado un mensaje al móvil en el que le aseguraba que todos se encontraban bien. Estaba a punto de salir del despacho, cuando sonó el teléfono. Por un instante, pensó en no contestar, pero al final alcanzó el auricular.

–Soy yo.

Reconoció la voz del hombre que había llamado, pero no la ubicaba.

–¿Quién?

–Nordin, el vigilante.

–Perdona, estoy algo cansada.

–Llamaba para avisarte de que tienes visita.

–¿De quién se trata?
–La mujer que me pediste que tuviese vigilada.
–¿Sigue aquí? ¿Qué quiere?
–No lo sé.
–Si es pariente de alguno de los vietnamitas acusados, no puedo hablar con ella.
–Creo que te equivocas.
Birgitta Roslin empezaba a impacientarse.
–¿Qué quieres decir? No me está permitido hablar con ella.
–Quiero decir que no es vietnamita. Habla un inglés perfecto y es china. Quiere hablar contigo. Según dice, es muy importante.
–¿Dónde está?
–Te está esperando fuera. La veo desde aquí. Acaba de arrancar una hoja de un abedul.
–Ya, ¿y tiene nombre esa mujer?
–Seguro que sí, pero no me lo ha dicho.
–Voy ahora mismo. Dile que me espere.
Birgitta Roslin se acercó a la ventana, desde allí pudo ver a la mujer en la acera.
Pocos minutos después bajó a la calle.

35

La mujer, que se llamaba Ho, podía ser la hermana menor de Hong. Al verla de cerca, la asombró el parecido no sólo por el peinado, sino también por la dignidad que emanaba de su persona. Cuando Birgitta bajó a la calle, Ho aún tenía la hoja de abedul en la mano.

La mujer se presentó en un inglés impecable, igual que Hong.

–Tengo un mensaje para ti –le dijo Ho–. Si no te molesto...

–Mi jornada laboral ha terminado.

–No entendí una sola palabra de lo que se dijo en la sala, pero me di cuenta del respeto con que todos te trataban.

–Hace unos meses, tuve la oportunidad de presenciar un juicio en China. También lo presidía una jueza, a la que todos miraban con gran respeto.

Birgitta Roslin le preguntó si quería ir a una cafetería o a un restaurante, pero Ho señaló los bancos de un parque cercano.

Las dos mujeres fueron a sentarse en uno de ellos. A pocos metros de donde se encontraban había un grupo de hombres de cierta edad a los que Birgitta había visto muchas veces. Tenía el vago recuerdo de haber condenado a uno de ellos por alguna falta que había olvidado. «Son los eternos habitantes del parque. Los borrachos de los jardines, hombres solitarios que barren la hojarasca de los cementerios, los que hacen que gire la rueda de la sociedad sueca. Si anulamos su presencia, ¿qué nos queda?», solía preguntarse.

Entre los borrachos agrupados en torno al banco había un hombre de color. También en esas esferas iba adquiriendo su identidad la nueva Suecia.

Birgitta Roslin sonrió para sí.

–Ha llegado la primavera –comentó.

–He venido para hablarte de la muerte de Hong.

Birgitta no sabía cuál sería el mensaje de aquella mujer, pero desde luego no se esperaba aquello. Sintió una punzada, no de dolor, sino de un pánico repentino.

–¿Qué pasó?

–Falleció en un accidente de tráfico durante un viaje a África. Su hermano estaba con ella, pero sobrevivió. Bueno, quizá ni siquiera iba en el coche. La verdad es que desconozco los detalles.

Birgitta se quedó muda mirando a Ho, procesando la información, intentando comprenderla. El flamante colorido de la primavera quedó de pronto ensombrecido por la noticia.

–¿Cuándo sucedió?

–Hace varios meses.

–¿En África?

–La querida Hong formaba parte de una delegación que viajó a Zimbabue. Nuestro ministro de Comercio, el señor Ke, hizo al país africano una visita que se consideraba de capital importancia. El accidente ocurrió durante un viaje a Mozambique.

Dos de los borrachos empezaron a gritarse y a golpearse.

–Vámonos –dijo Birgitta al tiempo que se levantaba del banco.

Fueron a una pastelería que quedaba cerca y donde apenas si había clientes. Birgitta le pidió a la joven camarera que bajase el volumen de la música.

La joven obedeció. Ho pidió una botella de agua mineral y Birgitta tomó café.

–Cuéntame –rogó Birgitta–, con todo lujo de detalles y despacio, todo lo que sepas. Durante los pocos días que tuve oportunidad de conocer a Hong, se convirtió en algo así como una amiga. Pero ¿quién eres tú? ¿Quién te ha enviado desde tan lejos, desde el mismo Pekín? Y, ante todo, ¿por qué?

Ho meneó la cabeza.

–No, no, vengo de Londres. Hong tenía muchos amigos que lamentan su muerte. Ma Li, que estuvo con ella en África, fue la que me dio la noticia de su muerte. Y me pidió que me pusiera en contacto contigo.

–¿Ma Li?

–Otra amiga de Hong.

–Bueno, empieza desde el principio –propuso Birgitta–. Aún me cuesta creer lo que dices.

–A todos nos cuesta y, aun así, es la verdad. Ma Li me escribió para contarme lo sucedido.

Birgitta Roslin esperó a que continuara, pero comprendió que el silencio también llevaba un mensaje en torno al cual Ho intentaba crear un espacio, para encerrarlo en él.

–Los datos se contradicen –observó Ho–. A juzgar por las palabras de Ma Li, era como si ella supiese que Hong iba a morir antes de que ocurriese, como si se tratase de una verdad anunciada.

–¿Por quién lo supo ella?

–Por Ya Ru, el hermano de Hong. Según contó, Hong quiso hacer una excursión por la sabana para ver animales salvajes. Lo más probable es que el chófer fuese a demasiada velocidad, el coche volcó y Hong murió en el acto. El coche empezó a arder, pues estalló el depósito de la gasolina.

Birgitta meneaba la cabeza, un escalofrío recorrió todo su cuerpo. Sencillamente, no podía imaginarse a Hong muerta y, además, víctima de algo tan banal como un accidente de tráfico.

–Pocos días antes de morir, Hong mantuvo una larga conversación con Ma Li –prosiguió Ho–. Ignoro sobre qué hablaron, pues Ma Li no traiciona la confianza de sus amigos, pero sé que Hong le dio instrucciones precisas. Si algo le sucedía, tú debías saberlo.

–¿Por qué? Yo apenas la conocía.

–No sabría decirte.

–Ma Li te lo explicaría, ¿no?

–Hong quería que supieras dónde puedes encontrarme en Londres, por si alguna vez necesitabas ayuda.

Birgitta Roslin sintió cómo el miedo crecía en su interior. «Es un reflejo de lo que me sucedió a mí», pensó. «A mí me robaron en una calle de Pekín, Hong sufre un accidente en África. De algún modo, los dos hechos están relacionados.»

El mensaje de Hong la aterrorizó. «Si alguna vez necesitas ayuda, debes saber que en Londres hay una mujer llamada Ho.»

–Pero no entiendo a qué te refieres. ¿Has venido para prevenirme? ¿De qué, qué podría pasar?

–Ma Li no me dio detalles.

–Pero lo que decía en la carta bastó para que vinieses hasta aquí. ¿Sabías dónde encontrarme, cómo localizarme? ¿Qué te escribió Ma Li?

–Hong le había hablado de la jueza sueca, la señora Roslin, amiga suya desde hacía muchos años. Y le contó el lamentable suceso del robo y la investigación policial.

–¿De verdad que fue eso lo que dijo?

–Te estoy citando la carta. Palabra por palabra. Además, Hong hablaba de la fotografía que le habías mostrado.

Birgitta Roslin dio un respingo.

–¿Es eso cierto? ¿Le habló de la fotografía? ¿Dijo algo más?

–Sí, que creías que era de un chino que tenía algo que ver con unos asesinatos en Suecia.

–¿Qué dijo del hombre?
–Hong estaba preocupada. Al parecer, había descubierto algo.
–¿Qué?
–No lo sé.
Birgitta Roslin guardó silencio. Intentaba interpretar el mensaje de Hong. No podía tratarse más que de un grito de advertencia lanzado desde el silencio. ¿Abrigaría Hong la sospecha de que a ella pudiese ocurrirle algo? ¿O sabía que Birgitta estaba en peligro? ¿Habría averiguado quién era el hombre de la fotografía? Y, de ser así, ¿por qué no se lo contó?
Birgitta sentía crecer el malestar. Callaba y miraba a Ho, a la espera de que dijese algo más.
–Hay algo que necesito saber. ¿Quién eres tú?
–Llevo en Londres desde principios de 1990. Llegué como secretaria de la embajada. Luego me nombraron directora de la Cámara de Comercio anglochina. En la actualidad soy independiente y trabajo como asesora de empresas chinas que quieren establecerse en Inglaterra. Aunque no sólo allí. También colaboro en la construcción de un gran complejo para exposiciones que se edificará en las afueras de una ciudad sueca llamada Kalmar. Mi trabajo me obliga a recorrer Europa.
–¿Cómo conociste a Hong?
La respuesta sorprendió a Birgitta.
–Éramos parientes. Primas. Nos conocíamos desde la juventud, aunque ella era diez años mayor que yo.
Birgitta pensó en por qué habría dicho Hong que eran viejas amigas. Aquello implicaba algún tipo de mensaje oculto que no pudo interpretar más que diciéndose que, para Hong, su breve amistad había alcanzado gran profundidad. Que era posible hacerse grandes confidencias. O, más bien, necesario.
–¿Qué decía de mí la carta?
–Hong quería que se te informara cuanto antes.
–¿Qué más?
–Ya te lo he dicho. Debías saber de mi existencia, dónde encontrarme, por si sucedía algo.
–Ya, bueno, ahí es donde no me cuadra la cosa. ¿Qué iba a suceder?
–No lo sé.
Algo en el tono de voz de Ho puso en guardia a Birgitta. «Hasta ahora me ha dicho la verdad, pero en este punto... no es sincera. Sabe más de lo que dice», concluyó para sí.
–China es un país grande –dijo Birgitta–. Para un occidental resul-

ta fácil mezclar las cosas y asociar su extensión al misterio. La falta de conocimiento hace que todo resulte misterioso. Seguro que yo cometo el mismo error. Y, de hecho, así veía a Hong. No importaba qué me decía, nunca llegaba a comprender realmente qué quería decirme.

–China no es más misteriosa que cualquier otro país del mundo. Eso de que nuestro país es incomprensible es un mito occidental. Los europeos jamás han aceptado el hecho de no poder comprender cómo pensamos. Ni tampoco que hiciéramos tantos descubrimiento decisivos ni que inventáramos tantas cosas antes que vosotros. La pólvora, la brújula, la imprenta, todo es chino, en su origen. Ni siquiera en el arte de medir el tiempo fuisteis los primeros. Mil años antes de que empezaseis a fabricar relojes mecánicos, nosotros ya teníamos relojes de agua y de cristal. Es algo que jamás podréis perdonarnos. De ahí que nos consideréis incomprensibles y misteriosos.

–¿Cuándo viste a Hong por última vez?

–Hace cuatro años. Viajó a Londres y pasamos varias tardes juntas. Fue en verano. Quería dar largos paseos por Hampstead Heath y preguntarme sobre cómo veían los ingleses la evolución de China. Me hizo preguntas difíciles de responder y se mostraba impaciente cuando mis respuestas no le parecían claras. Por lo demás, quería ver un partido de críquet.

–¿Por qué?

–Pues no me lo dijo. Hong tenía unos gustos muy interesantes.

–A mí los deportes no me interesan demasiado, pero el críquet me resulta un deporte del todo incomprensible, en el que parece imposible decidir quién es el ganador.

–Yo creo que su entusiasmo era bastante infantil y que se basaba en su deseo de comprender cómo funcionan los ingleses estudiando su deporte nacional. Hong era una persona muy obstinada.

Ho miró el reloj.

–Tengo que volver a Londres desde Copenhague dentro de unas horas.

Birgitta Roslin dudaba si plantearle una pregunta que había ido madurando poco a poco.

–Por cierto, no serías tú quien entró en mi casa anteanoche, ¿verdad? En mi despacho...

Ho no pareció comprender y Birgitta repitió la pregunta. Ho negó con un gesto.

–Me alojo en un hotel, ¿por qué iba a entrar en tu casa como una ladrona?

–Era sólo una pregunta. Me despertó un ruido.

–Pero ¿entró alguien en tu casa?

–No lo sé.

–¿Echas en falta algo?

–No, pero me dio la impresión de que mis documentos estaban desordenados.

–Pues no –reiteró Ho–. Yo no estuve allí.

–¿Y has venido sola?

–Nadie sabe que he venido a Suecia. Ni siquiera mi marido ni mis hijos. Creen que estoy en Bruselas, pues viajo allí a menudo.

Ho le dio a Birgitta una tarjeta de visita con su nombre completo, Ho Mei Wan, su dirección y varios números de teléfono.

–¿Dónde vives?

–En Chinatown. En verano hay mucho ruido en la calle, a veces durante toda la noche, pero prefiero vivir allí. Es una pequeña China en medio de Londres.

Birgitta Roslin se guardó la tarjeta en el bolso. Acompañó a Ho a la estación y se aseguró de que tomaba el tren adecuado.

–Mi marido es conductor de trenes –le explicó Birgitta–. ¿A qué se dedica el tuyo?

–Es camarero –respondió Ho–. También por eso vivimos en Chinatown. Trabaja en el restaurante de la planta baja de nuestro edificio.

Birgitta vio cómo el tren con destino a Copenhague desaparecía en el túnel.

Se marchó a casa, preparó la comida y fue consciente de lo cansada que estaba. Decidió ver las noticias, pero se durmió frente al televisor en cuanto se echó en el sofá. Staffan llamó desde Funchal. La conexión era pésima y tenía que gritar para hacerse entender, pero Birgitta comprendió que todo estaba en orden y que lo estaban pasando de maravilla. De pronto, se interrumpió la conversación. Esperaba que llamasen otra vez, pero no fue así, de modo que volvió a tumbarse en el sofá. El que Hong estuviese muerta le resultaba tan irreal que le costaba asimilarlo. Sin embargo, desde que se lo oyó contar a Ho, tuvo la sensación de que algo no encajaba.

Empezó a lamentar no haberle hecho a Ho más preguntas. Claro que estaba demasiado agotada después de aquel juicio tan complicado y no tenía fuerzas. Ahora era demasiado tarde. Ho iba camino de su casa inglesa en Chinatown.

Birgitta Roslin encendió una vela por Hong y buscó entre los mapas y planos de la estantería hasta localizar uno de Londres. El restaurante estaba junto a Leicester Square. En cierta ocasión, ella estuvo sentada en aquel pequeño parque con Staffan, viendo pasar a la gente. Fue un año, a finales de otoño, y salieron de viaje sin prepararlo de antemano, así, de un día para otro. El caso de la mujer que había maltratado a su madre no era tan complejo como el que había tramitado contra los cuatro vietnamitas, pero no podía permitirse el lujo de estar cansada cuando ocupase su asiento en el tribunal. El respeto que sentía por sí misma se lo impedía. A fin de asegurarse el sueño, se tomó medio somnífero antes de apagar la luz.

El juicio resultó más sencillo de lo que ella esperaba. La mujer acusada cambió de pronto su versión con respecto a lo declarado en los interrogatorios anteriores y confesó sin ambages las circunstancias que expuso el fiscal. La defensa tampoco aportó ninguna sorpresa que prolongase el juicio, de modo que a las cuatro menos cuarto de la tarde Birgitta Roslin dio por finalizada la sesión y anunció la fecha del mes de junio en que se comunicaría la sentencia.

Una vez en su despacho marcó, sin haberlo planeado, el número de la policía de Hudiksvall. Le pareció reconocer la voz de la joven que atendió la llamada. Sonaba menos nerviosa y estresada que aquel día de invierno en que Birgitta llamó.

–Quisiera hablar con Vivi Sundberg. Si es que está.

–Acabo de verla pasar. ¿De parte de quién?

–La jueza de Helsingborg. Eso será suficiente.

Vivi Sundberg acudió enseguida.

–Birgitta Roslin. ¡Cuánto tiempo!

–Se me ha ocurrido llamar, así sin más.

–¿Algún chino nuevo? ¿Nuevas teorías?

Birgitta percibió la ironía en la voz de Vivi Sundberg y estuvo a punto de responder que tenía montones de chinos nuevos que sacarse del sombrero, pero se limitó a explicarle que llamaba porque sentía curiosidad.

–Seguimos creyendo que el hombre que, por desgracia, logró quitarse la vida era el culpable –aseguró Vivi Sundberg–. Aunque ya no viva, la investigación sigue en marcha. No podemos juzgar a un muerto, pero sí darles a los vivos una explicación de lo que sucedió y, desde luego, de por qué.

–¿Lo conseguiréis?

–Es demasiado pronto para responder.

–¿Alguna otra pista?

–No puedo ofrecer detalles al respecto.

–¿Ningún otro sospechoso?

–De eso tampoco puedo ofrecer detalles. Seguimos inmersos en una intrincada investigación con muchos datos complejos.

–Pero ¿de verdad creéis que fue el hombre al que detuvisteis? ¿Y que él tenía un móvil para matar a diecinueve personas?

–Eso parece. Lo que sí puedo decirte es que hemos contado con todos los expertos, criminólogos, creadores de perfiles, psicólogos y, además, los policías judiciales y técnicos con más experiencia del país. El profesor Persson abriga sus dudas, como es natural. Pero ¿cuándo no ha sido así? Sin embargo, nadie más que él nos ha contradicho. Y aún nos queda mucho camino por andar.

–Y el niño que murió pero que no tenía por qué estar allí, ¿cómo lo explicáis? –quiso saber Birgitta.

–No tenemos explicación, pero sí una idea de cómo sucedió.

–Yo sigo teniendo una duda –prosiguió Birgitta–. ¿Alguna de las víctimas parecía más importante que las demás?

–¿A qué te refieres?

–Si alguien sufrió un ataque más brutal, por ejemplo. O murió el primero. O quizás el último.

–No tengo respuesta a esas preguntas.

–Al menos, dime si te sorprenden.

–No.

–¿Habéis encontrado alguna explicación a la cinta roja?

–No.

–Yo estuve en China –explicó Birgitta–. Y fui a visitar la Muralla China. Me asaltaron y pasé un día entero en compañía de unos policías muy estrictos.

–¡Vaya! –exclamó Vivi Sundberg–. ¿Resultaste herida?

–No, sólo me asustaron, pero me devolvieron el bolso robado.

–En ese caso tuviste suerte, después de todo.

–Sí –respondió Birgitta–. Tuve suerte. Gracias por dedicarme tu tiempo.

Birgitta Roslin se quedó sentada en el despacho después de la conversación. No dudaba de que los expertos a los que habían recurrido habrían reaccionado si hubiesen hallado indicios de que la investigación entraba en un callejón sin salida.

Aquella tarde dio un largo paseo y dedicó unas horas a hojear nuevos folletos de vinos. Anotó algunos tintos italianos que quería comprar y vio en la televisión una película antigua que había visto con Staffan al principio de su relación. Jane Fonda interpretaba a una prostituta, los colores estaban desvaídos y apagados, el argumento era de lo más extraño y Birgitta no pudo por menos de sonreír al ver la ropa tan curiosa y, ante todo, los zapatos con plataforma, tan altos y tan vulgares, que la moda imponía entonces.

Estaba a punto de dormirse cuando sonó el teléfono. El reloj de la mesilla indicaba las doce menos cuarto. Aguardó hasta que dejó de sonar. De haber sido Staffan o alguno de los chicos habrían llamado al móvil. Al cabo de un rato, volvió a sonar y Birgitta se apresuró a coger el teléfono, que estaba en su escritorio.

–¿Birgitta Roslin? Lamento llamar tan tarde. ¿Sabes quién soy?

Reconocía la voz, pero no fue capaz de atribuirle un rostro. Era un hombre. Un hombre de edad.

–No, no exactamente.

–Sture Hermansson.

–¿Te conozco de algo?

–Bueno, conocer, lo que se dice conocer, quizá sea demasiado decir, pero viniste a mi pequeño hotel de Hudiksvall hace unos meses.

–¡Ah, sí! Ya me acuerdo.

–Siento llamar tan tarde.

–Eso ya lo has dicho antes. Me figuro que tienes algún recado que darme.

–Ha vuelto.

Sture Hermansson dijo estas palabras en voz baja. Y Birgitta comprendió de inmediato a quién se refería.

–¿El chino?

–El mismo.

–¿Estás seguro?

–Llegó hace unos minutos. No había hecho reserva. Acabo de darle la llave y ahora está en su habitación, la número doce, la misma de la otra vez.

–¿Estás seguro de que es él?

–Bueno, tú tienes la película, pero a mí me parece que es la misma persona. Al menos utiliza el mismo nombre.

Birgitta Roslin intentó decidir qué debía hacer. El corazón le martilleaba en el pecho.

Sture Hermansson la interrumpió en sus pensamientos.

–Hay una cosa más.

–¿Qué?

–Ha preguntado por ti.

Birgitta contuvo la respiración. El miedo la invadió de inmediato y la dejó paralizada.

–No es posible.

–Mi inglés no es muy bueno. Si he de ser sincero, me llevó unos minutos comprender por quién preguntaba. Dijo algo así como «Bilgitta Loslin».

–¿Qué le dijiste?

–Que vivías en Helsingborg. Pareció sorprendido. Me dio la impresión de que creía que eras de Hudiksvall.

–¿Qué más le dijiste?

–Le di tu dirección, puesto que me la habías dado cuando me pediste que llamase si pasaba algo. Y ahora puede decirse que ha pasado algo.

«Menudo imbécil», se lamentó Birgitta para sí, presa del pánico.

–Hazme un favor –le dijo–. Llámame cuando salga, aunque lo haga a medianoche, llámame.

–Me figuro que querrás que le diga que he hablado contigo.

–Sería estupendo si te abstuvieras.

–Bien, en ese caso, no lo haré. No le diré nada.

Ahí terminó la conversación. Birgitta Roslin no comprendía lo que estaba sucediendo.

Hong estaba muerta, pero el hombre de la cinta roja había vuelto.

36

Tras una noche de insomnio, Birgitta Roslin llamó al hotel Eden poco antes de las siete de la mañana. Esperó un buen rato, pero nadie respondió.

Había pasado la noche intentando controlar su miedo. Si Ho no hubiese viajado desde Londres para contarle que Hong estaba muerta, no habría reaccionado de aquel modo a la llamada nocturna de Sture Hermansson. El hecho de que el hostelero no hubiese vuelto a ponerse en contacto con ella durante la noche le dio a entender que nada había sucedido.

El chino seguiría durmiendo.

Esperó media hora más. Tenía varios días sin juicios en los que esperaba poder adelantar algo de trabajo administrativo y empezar a valorar la sentencia que finalmente debía imponerles a los cuatro vietnamitas.

Sonó el teléfono, pero era Staffan, desde Funchal.

–Vamos a hacer una excursión –le explicó.

–¿A la montaña? ¿Al valle? ¿Por los hermosos senderos de flores?

–En barco. Hemos reservado plaza en un gran velero que nos llevará a alta mar. De modo que puede que no tengamos cobertura durante un par de días.

–¿Adónde vais?

–A ninguna parte. Fue idea de los chicos. Nos hemos apuntado como tripulación no cualificada, junto con el capitán del barco, un cocinero y dos marineros expertos.

–¿Cuándo zarpáis?

–Ya hemos salido. Hace un tiempo espléndido, pero por desgracia no sopla la menor brisa.

–¿Hay botes salvavidas? ¿Tenéis chalecos?

–Oye, no nos subestimes. Deséanos una buena travesía. Si quieres, te llevo un frasco de agua salada.

La conexión dejaba mucho que desear y se despidieron a gritos. Birgitta Roslin colgó el auricular y deseó haber ido con ellos, pese a que Hans Mattsson se habría sentido algo decepcionado y sus colegas, un tanto irritados.

Volvió a llamar al hotel Eden, pero en esta ocasión comunicaba. Aguardó, lo intentó cinco minutos más tarde, seguía comunicando. Miró por la ventana y comprobó que continuaba haciendo un magnífico tiempo primaveral. Cayó en la cuenta de que llevaba demasiada ropa y fue a cambiarse. Aún comunicaba. Decidió intentarlo otra vez cuando bajase al despacho. Tras una ojeada al frigorífico, escribió una lista de lo que necesitaba comprar y marcó el número de Hudiksvall.

En esta ocasión, respondió una mujer con acento extranjero.

–Eden.

–Quería hablar con Sture Hermansson.

–Imposible –gritó la mujer.

Después empezó a hablar histérica en una lengua extranjera que Birgitta intuyó que sería ruso.

Sonó como si se le hubiese caído el auricular. Alguien lo recuperó del suelo. Esta vez era un hombre que hablaba el dialecto de Hälsingland.

–¿Diga?

–Quería hablar con Sture Hermansson.

–¿Quién pregunta?

–¿Con quién hablo? ¿Es el hotel Eden?

–Sí, exacto. Pero no puedes hablar con Sture.

–Soy Birgitta Roslin y llamo de Helsingborg. Sture Hermansson me llamó ayer hacia las doce de la noche. Y habíamos quedado en hablar por la mañana.

–Pues está muerto.

Birgitta perdió el resuello. Por un instante, sintió un vértigo terrible, incluso calambres.

–¿Qué ha pasado?

–No lo sabemos. Parece que se ha cortado con un cuchillo y se ha desangrado.

–¿Con quién estoy hablando?

–Me llamo Tage Elander. No como el ex primer ministro Erlander, sino sin la erre. Tengo una tapicería en la casa de al lado. La limpiadora, la rusa, vino corriendo hace unos minutos. Y ahora estamos esperando a la ambulancia y a la policía.

–¿Lo han asesinado?

–¿A Sture? ¿Por qué, en nombre del Señor, iban a haberlo asesinado? Se cortó con un cuchillo de cocina, por accidente. Como estaba solo, nadie lo oyó pedir ayuda. Es trágico. Un hombre tan amable.

Birgitta no estaba segura de haber comprendido bien lo que le había dicho Elander.

–No podía estar solo en el hotel.

–¿Por qué no?

–Tenía huéspedes.

–Según la rusa, estaba vacío.

–No, tenía por lo menos un huésped. Me lo contó anoche. Un chino que se alojaba en la número doce.

–Puede que yo no la entendiese. Espera, voy a preguntarle.

Birgitta oyó la conversación de fondo. La voz de la rusa seguía sonando chillona y excitada.

Elander volvió al auricular.

–Insiste en que esta noche no había un solo huésped.

–No hay más que mirar en el registro. Habitación número doce. Un huésped con nombre chino.

Elander volvió a desaparecer. Birgitta oyó que la limpiadora rusa llamada Natascha estaba llorando. Al mismo tiempo, una puerta se abrió y otras voces llenaron la habitación.

Hasta que Elander dejó oír su voz de nuevo al aparato.

–Tengo que colgar. Han llegado la policía y la ambulancia. Pero no hay registro.

–¿Qué quieres decir?

–Que no está. La limpiadora dice que siempre lo dejaba en el mostrador. Pero no está.

–Estoy segura de que había un huésped en el hotel.

–Pues ahora ya no. ¿Será él quien se llevó el registro?

–Peor aún –respondió Birgitta Roslin–. Puede que fuera él quien usó el cuchillo de cocina para matar a Sture Hermansson.

–No entiendo una palabra de lo que dices. Más valdría que hablaras con alguno de los policías.

–Lo haré, pero no ahora.

Birgitta colgó el auricular. Había mantenido la conversación de pie pero en ese instante tuvo que sentarse. El corazón le martilleaba el pecho.

De repente, lo vio todo claro. El hombre que, según sus sospechas, había matado a los habitantes de Hesjövallen había vuelto para preguntar por ella antes de desaparecer con el registro del hotel y de matar a su dueño, y eso sólo podía significar una cosa. Había vuelto para asesinarla a ella. Cuando le pidió al joven chino que mostrase la fotografía que ella había sacado de la cámara de Sture Hermansson, no sospechó las consecuencias que aquello podría acarrearle. Por razones obvias, el hombre creyó que ella vivía en Hudiksvall. Ahora había corregido el error. Sture Hermansson le había facilitado al chino la dirección correcta.

Por un instante, se sintió inmersa en el caos más absoluto. El asalto callejero y la muerte de Hong, el bolso robado que apareció más tarde, la anónima visita a su habitación del hotel, todo guardaba relación, pero ¿qué sucedería ahora?

En un impulso desesperado, marcó el número de su marido, pero su teléfono estaba fuera de cobertura. Birgitta maldijo para sus adentros aquella aventura marinera. Lo intentó con el número de una de sus hijas, pero con el mismo resultado.

Llamó entonces a Karin Wiman, que tampoco respondió.

El pánico no le daba respiro. No veía otra posibilidad que la de huir. Debía marcharse de allí. Al menos, hasta que comprendiese lo que estaba pasando y en qué estaba metida.

Una vez tomada la decisión, actuó como solía en situaciones extremas, con rapidez y resolución, sin dudar lo más mínimo. Llamó a Hans Mattsson y logró hablar con él, pese a que estaba en una reunión.

–Me encuentro mal –le dijo–. No es la tensión, pero tengo algo de fiebre. Algún virus. Estaré de baja unos días.

–Te has esforzado demasiado para terminar cuanto antes el juicio de los vietnamitas –se lamentó Mattsson–. No me sorprende que hayas caído enferma. Acabo de terminar un escrito que presentaré ante la Dirección Nacional de Administración de Justicia donde les explico que los juzgados suecos están imposibles. Tal y como están las cosas ahora, con tanto empleado judicial y tantos jueces al borde del colapso, la seguridad en la justicia corre peligro.

–Bueno, no será más que un par de días. No tengo ninguna vista hasta la semana que viene.

–Que te mejores. Y lee el diario local. «La jueza Roslin presidió la vista como de costumbre, con mano firme y sin permitir disturbios por parte del público. ¡Todo un ejemplo!» Desde luego, necesitamos todos los elogios que nos dediquen. En otro mundo y otro tiempo, podríamos haberte nombrado la Jueza del Año, si tuviésemos ese tipo de dudosos reconocimientos.

Birgitta Roslin subió al piso de arriba y preparó una pequeña maleta. En un viejo ejemplar de un antiguo libro de la carrera de derecho guardó unas libras que le habían quedado del último viaje a Inglaterra. No dejaba de pensar que el hombre que había asesinado a Sture iba rumbo al sur. Además, podía haber partido durante la noche, si iba en automóvil. Nadie lo había visto marcharse.

Entonces cayó en la cuenta de que había olvidado la cámara de vigilancia del hotel y marcó el número del Eden. En esta ocasión le respondió un hombre que tosía. Birgitta Roslin no se molestó en presentarse.

–Hay una cámara de vigilancia en el hotel. Sture Hermansson solía fotografiar a sus huéspedes. No es cierto que el hotel estuviese vacío anoche. Había un huésped.

–¿Con quién hablo?

–¿Eres policía?

–Sí.

–Ya me has oído. No importa quién soy yo.

Birgitta colgó el auricular. Ya eran las ocho y media. Se marchó de la casa en un taxi que la llevó a la estación y, poco después de las nueve, iba en un tren camino de Copenhague. El pánico empezaba a transformarse en una especie de defensa de sus actos. Estaba convencida de que el peligro no era fruto de su imaginación. En el momento en que mostró la fotografía del hombre que se había alojado en el hotel Eden, removió sin saberlo un hormiguero poblado de agresivas hormigas cazadoras. La muerte de Hong era una alarma irrevocable. Su única salida en aquel momento consistía en utilizar la ayuda ofrecida por Ho.

Ya en la terminal de Kastrup, leyó en la pantalla que había un vuelo para Heathrow al cabo de dos horas. Se dirigió a la oficina de ventas y compró un billete con la vuelta abierta. Después de facturar se sentó a tomarse un café y llamó una vez más a Karin Wiman, pero colgó antes de que su amiga pudiese contestar. ¿Qué iba a decirle? Karin no lo comprendería, pese a lo que Birgitta le había contado cuando se vieron días antes. En el mundo de Karin no sucedía el tipo de cosas que venían caracterizando la vida de Birgitta. Y, en realidad, también en su propio mundo resultaban extrañas, se dijo. Una inverosímil cadena de acontecimientos la había ido arrastrando hasta el rincón donde ahora se encontraba.

Llegó a Londres con una hora de retraso; el caos reinaba en el aeropuerto y poco a poco comprendió que habían dado la alarma por la amenaza de un ataque terrorista, pues se había encontrado un bolso sin dueño en una de las salas de embarque. A última hora de la mañana consiguió llegar al centro y hacerse con una habitación en un hotel aceptable situado en una de las calles perpendiculares a Tottenham Court Road. Una vez instalada en la habitación, y después de tapar con un jersey las rendijas de la ventana que daba a un desolado jardín trasero, se tumbó exhausta en la cama. Había echado una cabezada en el avión, pero la despertaron los gritos de un niño que no dejó de llorar hasta que las ruedas del avión descansaron sobre el asfalto de Heathrow.

La madre, demasiado joven, terminó por estallar en lágrimas ella también.

Cuando se despertó sobresaltada, vio que había estado durmiendo tres horas y que ya atardecía. Tenía pensado ir ese mismo día en busca de Ho a su casa de Chinatown. Ahora, en cambio, decidió esperar al día siguiente. Dio un corto paseo por Picadilly Circus y entró en un restaurante. De repente, un nutrido grupo de turistas chinos cruzó las puertas del local. Los observó con creciente pánico antes de conseguir tranquilizarse. Después de comer, regresó al hotel y se sentó en el bar a tomarse un té. Cuando fue a buscar la llave de su habitación, vio que el recepcionista de la noche era chino. Empezó a preguntarse si Europa se había llenado de chinos de repente o si ya estaban allí antes sin que ella hubiese reparado en el fenómeno.

Pensó en lo sucedido, en el regreso del chino al hotel Eden y en la muerte de Sture Hermansson. Estuvo tentada de llamar a Vivi Sundberg para que la pusiera al corriente, pero se abstuvo. Si el registro había desaparecido, la fotografía de la cámara casera instalada por Sture no impresionaría en lo más mínimo a la policía. Por otro lado, si la policía no veía un asesinato sino un accidente, una simple llamada telefónica no surtiría el menor efecto. Lo que sí hizo fue llamar al hotel, aunque nadie respondió. Ni siquiera había un contestador que informase de que el hotel estaba cerrado por el momento. No durante la temporada, sino probablemente para siempre.

Sin poder liberarse del pavor que sentía, atrancó la puerta con una silla y comprobó bien los pestillos de las ventanas. Se fue a la cama, pasó durante un rato de un canal de televisión a otro pero terminó por admitir que lo que veía ante sí era un velero que surcaba las aguas de Madeira, y no lo que pasaba por la pantalla.

De pronto, a medianoche, la despertó el ruido del televisor aún encendido que mostraba una antigua película en blanco y negro de James Cagney en el papel de gángster, y apagó la lámpara cuya luz le daba directamente en la cara. Intentó dormirse otra vez pero sin éxito, de modo que permaneció despierta el resto de la noche.

Cuando se levantó para tomarse un café sin comer nada, caía una fina llovizna. Tras pedir prestado un paraguas en recepción, atendida ahora por una joven de aspecto asiático, tal vez de Filipinas o de Tailandia, salió a la calle. Bajó hacia Leicester Square y siguió hasta dar con Chinatown. La mayoría de los restaurantes no había abierto aún. Hans Mattsson, que se dedicaba a viajar por todo el mundo en busca de lugares que pudieran ofrecerle auténticas experiencias culinarias, le contó en una ocasión que el mejor método para encontrar los restaurantes más genuinos, ya fuesen chinos, iraquíes o italianos, era buscar aquellos que estuviesen abiertos por la mañana. Eso indicaba que no sólo abrían para los turistas y, por esa razón, eran preferibles. Memorizó varios que tenían abiertas sus puertas y siguió buscando la dirección de Ho. En la planta baja del edificio había, en efecto, un restaurante, pero pertenecía al grupo de los que cerraban por la mañana. El edificio, construido en ladrillo rojo oscuro, estaba flanqueado por dos callejones sin nombre. Decidió llamar a la puerta que conducía a las viviendas del edificio.

En el último instante, sin embargo, algo la hizo dudar y retirar el dedo del timbre. Cruzó la calle, entró en una cafetería y pidió una taza de té. En realidad, ¿qué sabía ella de Ho? ¿Y qué sabía de Hong? Hong apareció un buen día junto a su mesa en el restaurante, como surgida de la nada. ¿Quién la había enviado? ¿Fue Hong quien mandó a uno de sus corpulentos espías a vigilarlas a ella y a Karin Wiman durante su visita a la Muralla? Tanto Ho como Hong estaban bien informadas de quién era ella, de eso no cabía la menor duda. Y todo por una fotografía. El robo del bolso no se le antojaba ya un hecho aislado, sino parte de el engranaje de cuanto había sucedido hasta el momento. Y cuanto más se esforzaba por sacar algo en claro, más se adentraba en el laberinto.

¿Tenía razón cuando pensó que Hong apareció en su camino para apartarla del hotel? Incluso cabía la posibilidad de que fuese mentira que Hong hubiese muerto en un accidente de coche. En realidad, ¿qué contradecía la hipótesis de que Hong y el hombre que se hacía llamar Wang Min Hao no estuviesen involucrados en los sucesos de Hesjövallen? Y Ho, ¿acaso habría ido a Helsingborg por las mismas razones? ¿Sabría ella que un chino estaba a punto de reaparecer en el hotel Eden? Esos ángeles amables y solícitos tal vez no fuesen más que ángeles caídos cuya misión era alejarla de sus posibilidades de defenderse.

Birgitta Roslin intentó recordar lo que le había contado a Hong a lo largo de las diversas conversaciones que mantuvieron. Demasiado, concluyó. La sorprendía no haber actuado con más cautela. Hong le había ido sonsacando las respuestas. Una observación inocua sobre la atención que los medios de comunicación chinos le habían prestado al asesinato múltiple de Hesjövallen. ¿Acaso eso tenía algún sentido? ¿O la habría arrastrado hasta una placa de hielo donde observaría cómo se resbalaba para luego ayudarle a salir de allí, una vez obtenida suficiente información?

¿Y por qué se habría pasado Ho un día entero sentada en una sala de vistas cuando no entendía ni una palabra de sueco? ¿O acaso sí conocía el idioma? Y después, de repente, le entraron las prisas por volver a Londres. ¿Y si Ho permaneció allí todo ese tiempo sólo para comprobar que ella no abandonaba la sala? Quizás había ido a Suecia en compañía de alguien que se pasó muchas horas registrando su casa mientras ella estaba en el juicio.

«Necesito hablar con alguien», decidió. «Pero no Karin Wiman, ella no me comprendería. Staffan o mis hijos..., pero están en alta mar y no puedo comunicarme con ellos.»

Birgitta Roslin estaba a punto de salir de la cafetería cuando vio que abrían la puerta del restaurante de enfrente. Vio salir a Ho, que se encaminó hacia Leicester Square. Le dio la impresión de que estaba alerta. Birgitta vaciló un instante y al final salió a la calle y empezó a seguirla. Cuando llegaron a la plaza, Ho entró en el parque antes de girar en dirección el Strand. Birgitta estaba preparada para que se volviera en cualquier momento a comprobar si la seguían. Y así fue, justo antes de llegar a Zimbabue House. Birgitta tuvo el tiempo justo de abrir el paraguas de modo que le ocultase el rostro. Después por poco la perdió de vista, hasta que volvió a ver su impermeable amarillo. Varias manzanas antes de llegar a la entrada del hotel Savoy, Ho abrió la pesada puerta de un edificio de oficinas. Birgitta esperó unos minutos antes de acercarse para leer el bien lustrado letrero de bronce en el que se leía que allí estaban las oficinas de la Cámara de Comercio anglochina.

Volvió por el mismo camino y se detuvo en una cafetería de Regent Street, junto a Picadilly Circus. Desde allí marcó uno de los números que figuraban en la tarjeta de visita de Ho. Un contestador la invitó a que dejara un mensaje. Colgó, se preparó lo que iba a decir en inglés y volvió a marcar.

–Hice lo que me dijiste. He venido a Londres porque creo que me persiguen. En este momento estoy en Simons, una cafetería situada junto a Rawson, cerca de Picadilly, en Regent Street. Son las diez. Me quedaré aquí una hora más. Si no te pones en contacto conmigo en ese tiempo, intentaré llamarte más tarde.

Ho apareció cuarenta minutos después. Su impermeable amarillo destacaba chillón entre la masa de impermeables negros. Birgitta tuvo la sensación de que aquello también tenía un significado especial.

Cuando la vio entrar en la cafetería, Birgitta notó que estaba inquieta y, de hecho, empezó a hablar antes de haber retirado la silla para sentarse.

–¿Qué ha pasado?

Una camarera acudió a tomar nota y Ho pidió un té. Cuando la joven se hubo marchado, Birgitta le ofreció todo lujo de detalles acerca del hombre chino que se había presentado en el hotel de Hudiksvall, le explicó que era el hombre del que ya le había hablado con anterioridad y que el propietario del hotel había sido asesinado.

–¿Estás segura?

–No creerás que iba a emprender un viaje a Londres para contarte algo de lo que no estoy segura. He venido porque lo que te acabo de contar es verídico, ha ocurrido y tengo miedo. Ese hombre le preguntó a Sture Hermansson por mí. Se enteró de mi dirección, sabe dónde vivo. Y ahora estoy aquí. He hecho lo que Ma Li, o más bien Hong, te pidió que me dijeras. Tengo miedo, pero también estoy furiosa, puesto que ni tú ni Hong me habéis dicho la verdad.

–¿Por qué iba yo a mentir? Claro que has hecho un largo viaje a Londres; pero no olvides que mi viaje a Helsingborg fue igual de largo.

–No me habéis contado todo lo que está pasando. No me explicáis nada, pese a que estoy convencida de que hay cosas que explicar.

Ho empezaba a ponerse nerviosa. Birgitta no dejaba de pensar en el impermeable amarillo demasiado chillón.

–Tienes razón, pero podría ser que ni Ma Li ni Hong supieran más de lo que han dicho.

–Cuando viniste a verme, no lo entendí –confesó Birgitta–. Pero ahora lo veo clarísimo. A Hong le preocupaba que alguien quisiera matarme. Eso fue lo que le transmitió a Ma Li. Y el mensaje pasó de ella a ti, tres mujeres seguidas, todo para avisar a una cuarta mujer de que algo la amenazaba; pero no se trataba de una amenaza cualquiera. Era una amenaza de muerte. Ni más ni menos. Al no entenderlo, he estado exponiéndome a un peligro cuyas consecuencias acabo de comprender ahora. ¿Estoy en lo cierto?

–Por eso fui a verte.

Birgitta se inclinó hacia delante y tomó la mano de Ho.

–Pues ayúdame a comprender. Responde a mis preguntas.

–Si puedo.

–Sí que puedes. ¿No es cierto que te acompañó alguien a Helsingborg? ¿No es cierto que, en estos momentos, alguien nos está vigilando a las dos? Has tenido tiempo de llamar antes de venir.

–¿Y por qué iba a hacer algo así?

–Eso no es una respuesta, es otra pregunta. Yo quiero respuestas.

–No, nadie me acompañó a Helsingborg.

–¿Por qué te pasaste todo el día en la sala de vistas donde yo estaba trabajando? Se supone que no entendías una palabra de lo que se decía, ¿no?

–Exacto.

Birgitta cambió rápidamente al sueco. Ho frunció el ceño y meneó la cabeza.

–No te entiendo.

–¿Seguro? ¿No será que, en realidad, entiendes mi idioma perfectamente?

–De haberlo hecho, habría hablado contigo en sueco, ¿no crees?

–Comprenderás que abrigue mis dudas. Puede que sea una ventaja para ti fingir que no entiendes mi lengua. Me pregunto incluso si no llevarás ese impermeable amarillo para que *alguien* te distinga mejor.

–Pero ¿por qué?

–No lo sé. En este momento no sé absolutamente nada. Lo más importante, claro está, es que Hong quería advertirme de algo. Pero ¿por qué ibas a ayudarme tú? ¿Qué puedes hacer?

–Empecemos por el final –la tranquilizó Ho–. Chinatown es un mundo aparte. Aunque tú y miles de ingleses y turistas se paseen por nuestras calles, Gerrard Street, Lisle Street, Wardour Street, las demás calles y callejas, lo único que os dejamos ver es la superficie. Detrás de tu Chinatown está mi Chinatown. Un lugar donde uno puede esconderse, cambiar de identidad, sobrevivir durante meses e incluso años sin que nadie sepa quién es. Aunque la mayoría de las personas que viven allí son chinos adaptados a la sociedad británica, el punto de partida es, pese a todo, que nos hallamos en nuestro propio mundo. Y yo puedo ayudarte dejando que entres en mi Chinatown, a la que jamás tendrías acceso sin mi intervención.

–Pero ¿de qué debo tener miedo?

–En su carta, Ma Li no se expresó con demasiada claridad. Además, no olvides que ella también tenía miedo. Eso no lo decía, pero yo lo noté.

–Todos tienen miedo. ¿Y tú?

–Aún no. Pero no lo descarto.

En ese momento, sonó el teléfono de Ho, que miró la pantalla y se levantó.

–¿Dónde te alojas? –le preguntó–. ¿En qué hotel? Debo volver al trabajo.

–Sanderson.

–Sé dónde está. ¿Habitación?

–Ciento treinta y cinco.

–¿Podemos vernos mañana?

–¿Por qué tan tarde?

–No podré faltar a mi trabajo hasta entonces. Esta noche tengo una reunión a la que debo asistir.

–¿En serio?

Ho tomó la mano de Birgitta.

–Sí –afirmó–. Una delegación china ha venido para hablar de negocios con varias grandes empresas británicas. Si no asisto, me despiden.

–En estos momentos sólo puedo contar contigo.

–Llámame mañana por la mañana. Intentaré tomarme un rato libre.

Ho se perdió en medio de la lluvia con su impermeable amarillo aleteando al viento. Birgitta Roslin se quedó sentada, víctima de un inmenso cansancio. Permaneció allí un buen rato antes de regresar al hotel, que, claro está, no era el Sanderson. Aún no confiaba en Ho, como no confiaba en ningún asiático.

Aquella noche fue al restaurante del hotel. Después de la cena cesó la lluvia y Birgitta decidió salir y acercarse un rato al banco en que se sentaron un día Staffan y ella, antes de que cerrasen la verja del parque.

Observaba pasar a la gente que iba y venía, unos jóvenes que descansaban en el mismo banco se abrazaban a su lado. Al cabo de unos minutos se marcharon y ocupó su lugar un hombre de edad que llevaba en la mano el periódico del día anterior, recién sacado de una papelera.

Una vez más, intentó llamar a Staffan, que seguía en alta mar cerca de Madeira, pese a que sabía que sería inútil.

Los visitantes del parque empezaron a ser cada vez más escasos y, finalmente, se levantó con la intención de regresar al hotel.

Entonces lo vio. Salió de uno de los senderos de detrás del banco donde ella había estado sentada. Iba vestido de negro, no podía ser otro que el hombre de la fotografía que sacó de la cámara de vigilancia de Sture Hermansson. Caminaba derecho hacia donde ella se encontraba y llevaba en la mano un objeto reluciente...

Birgitta lanzó un grito y dio un paso atrás. Él estaba cada vez más cerca, ella cayó hacia atrás y se golpeó la cabeza contra uno de los cantos de hierro del banco.

Lo último que vio fue el rostro de aquel hombre, como si, con su mirada, hubiese tomado otra fotografía de aquel individuo.

Y eso fue todo. Después, se sumergió en una oscuridad muda e inmensa.

37

Ya Ru amaba las sombras. Allí podía hacerse invisible, igual que los depredadores que admiraba tanto como temía. Pero había otros con la misma capacidad. A menudo pensaba que vivía en un mundo en que los jóvenes empresarios estaban accediendo al poder sobre la economía y que, por tanto, llegaría el día en que exigirían ocupar un puesto en la mesa donde se tomaban las decisiones políticas. Todos creaban sus propias sombras, desde las que vigilar a los demás sin ser vistos.

Sin embargo, las sombras tras las que él se ocultaba aquella noche en la lluviosa Londres tenían otro objetivo. Observaba a Birgitta Roslin sentada en un banco del pequeño parque de Leicester Square. Se había colocado de forma que sólo le veía la espalda, pero no se atrevía a arriesgarse a que lo descubriera. Ya se había dado cuenta de que estaba alerta, vigilante como un animal inquieto. Ya Ru no la subestimaba. Si Hong había confiado en ella, debía tomársela en serio.

Había estado siguiéndola todo el día, desde que apareció por la mañana ante la casa de Ho. Le divertía pensar que él era propietario del restaurante en el que trabajaba Wa, el marido de Ho. Claro que ellos lo ignoraban, Ya Ru rara vez ponía algo a su nombre. El restaurante Ming era de Chinese Food Inc., una sociedad anónima registrada en Liechtenstein, donde Ya Ru tenía registradas todos los restaurantes que poseía en Europa. Controlaba los balances anuales y los informes trimestrales que le presentaban jóvenes talentos chinos reclutados en las principales universidades inglesas. Ya Ru odiaba todo lo inglés. Jamás olvidaría la historia. Y se alegraba de arrebatarle al país a algunos de los brillantes hombres de negocios que habían estudiado en las mejores universidades.

Ya Ru jamás había comido en el restaurante Ming. Y tampoco era ésa su intención aquella noche. En cuanto hubiese cumplido su cometido, volvería a Pekín.

Hubo una época de su vida en que entraba en los aeropuertos con un sentimiento casi religioso. Eran las instalaciones portuarias de la era moderna. Antes, jamás viajaba a ningún lugar sin llevar consigo un ejemplar de los viajes de Marco Polo. El arrojo y la voluntad de aquel hombre habían constituido para él un modelo. Ahora, en cambio, los viajes se le antojaban más bien un tormento, aunque él tenía su propio avión y no dependía de horarios, además de no tener que esperar casi nunca a que le dieran pista en los desolados y embrutecedores aeropuertos. La sensación de que también el cerebro se revitalizaba con aquellos desplazamientos tan rápidos, la embriagadora felicidad de cruzar zonas horarias y, en los casos más extremos, de llegar a un destino incluso antes de partir entraba en conflicto con todo aquel absurdo tiempo que la gente pasaba esperando despegar o el equipaje. Los centros comerciales iluminados de neón de los aeropuertos, las cintas mecánicas, las jaulas de cristal cada vez más reducidas donde los fumadores tenían que apretujarse para compartir el cáncer o las enfermedades cardiovasculares no eran lugares donde uno podía dedicarse a nuevos pensamientos, a nuevos razonamientos filosóficos. Pensó en la época en que la gente iba en tren o en barco de vapor. En aquel tiempo y en esas circunstancias, las discusiones sesudas eran una obviedad, tanto como el lujo y la indolencia.

De ahí que hubiese mandado decorar el Gulfstream, el avión del que ahora era propietario, con algunos muebles antiguos en los que guardaba lo más importante de la literatura china y extranjera.

Se sentía como un pariente lejano, sin otros lazos de sangre que los míticos, del capitán Nemo, que viajaba como un solitario césar sin imperio, con una gran biblioteca y un odio aniquilador contra la humanidad que había destrozado su vida. Se consideraba que Nemo tenía como modelo a un príncipe indio desaparecido. Aquel príncipe se había opuesto al Imperio Británico y, por esa razón, Ya Ru se sentía emparentado con él. Pero, en cualquier caso, a quien sí se sentía unido de verdad era al sombrío y exasperado capitán Nemo, el genial ingeniero y el sabio filósofo. Llamó al Gulfstream en el que viajaba *Nautilus II,* y la pared que había junto a la entrada a la cabina de los pilotos estaba adornada con una ampliación de uno de los grabados originales del libro en el que el capitán Nemo aparece con sus involuntarios visitantes en la gran biblioteca del *Nautilus*.

En cualquier caso, ahora se hallaba en la sombra. Bien escondido para observar a placer a la mujer a la que tenía que matar. Al igual que el capitán Nemo, también él creía en la venganza. El imperativo de la venganza era un leitmotiv a lo largo de la historia.

Muy pronto, todo habría terminado. Ahora que se encontraba en Chinatown, en Londres, con las gotas de lluvia discurriéndole por el cuello del chaquetón, se le ocurrió que resultaba interesante que el final de aquella historia tuviese lugar en Inglaterra. En efecto, los dos hermanos Wang emprendieron desde allí el regreso a China, aunque sólo uno de ellos pudo volver a ver su país.

A Ya Ru le gustaba esperar cuando era él mismo quien controlaba su espera. Al contrario de lo que sucedía en los aeropuertos, donde eran otros quienes tenían el control. Aquello causaba sorpresa entre sus amigos, que, por lo general, consideraban que la vida era demasiado corta, creada por un dios que se parecía a un viejo mandarín cascarrabias que no quería que la alegría de la vida durase demasiado. En una conversación con esos amigos, que ahora estaban haciéndose con toda la China moderna, Ya Ru aseguró que, al contrario, el dios que creó la vida sabía muy bien lo que hacía. Si se permitía a los hombres vivir demasiado, sus conocimientos crecerían de tal manera que serían capaces de saber lo que pensaban los mandarines y, quizás, optar por destruirlos. La brevedad de la vida impide muchas rebeliones, sostenía. Y sus amigos se mostraban de acuerdo, como de costumbre, pese a que no siempre comprendían sus razonamientos. Incluso entre aquellos jóvenes privilegiados, Ya Ru destacaba de la mayoría. Ninguno cuestionaba a aquel que estaba por encima de todos ellos.

Una vez al año, reunía a sus conocidos en su granja del noroeste de Cantón. Escogían a los caballos que iban a soltar y hacían sus apuestas antes de disfrutar de la lucha por el liderazgo de la manada, hasta que uno de ellos se erguía vencedor sobre la cima de una colina con la boca llena de espuma, tras haber demostrado ser el más fuerte.

Ya Ru se fijaba siempre en los animales para comprender su comportamiento y el de los demás. Él era el leopardo y también el caballo que luchaba por convertirse en el único emperador.

Deng era el gato pardo, mejor que otros a la hora de cazar ratones, mientras que Mao era el búho, el pensador, pero también la cruel ave de rapiña que sabía cuándo atacar en silencio para atrapar a su presa.

Interrumpió sus razonamientos cuando se dio cuenta de que Birgitta Roslin se levantaba para marcharse. Después de haberla seguido todo el día, no cabía duda de que la mujer tenía miedo. No dejaba de mirar a su alrededor y parecía inquieta en todo momento, tenía la cabeza llena de extraños presentimientos. Él podría aprovechar esa circunstancia, aunque aún no había decidido cómo.

Pero la mujer se levantó y Ya Ru aguardó al abrigo de las sombras.

De repente sucedió algo para lo que no estaba en absoluto preparado. Birgitta Roslin dio un respingo, lanzó un grito, tropezó y cayó hacia atrás, golpeándose la cabeza contra un banco. Un chino se detuvo y se agachó para comprobar qué había sucedido. Y varias personas se congregaron en el lugar. Ya Ru salió de su oscuro escondite y se acercó al grupo que rodeaba a la mujer tendida en el suelo. Dos policías que hacían su ronda por allí se apresuraron a acudir. Ya Ru se adelantó pasando entre la gente para poder ver mejor. Birgitta Roslin estaba sentada. Al parecer, había sufrido un desmayo que le duró varios segundos. Oyó que la policía le preguntaba si necesitaba una ambulancia, pero ella respondió que no.

Aquélla era la primera vez que Ya Ru oía su voz y la registró en su memoria: una voz bastante grave y muy expresiva.

–Debí de tropezar –la oyó decir–. Tuve la sensación de que se me acercaba alguien y me asusté.

–¿La han atacado?

–No, ha sido mi imaginación.

El hombre que la había asustado seguía allí. Ya Ru pensó que existía cierto parecido entre Liu y aquel hombre que, por casualidad, había entrado en una historia con la que no tenía nada que ver.

Ya Ru sonrió para sí. «No es poca la información que me proporciona con sus reacciones. En primer lugar, su miedo y su actitud de alerta. Y ahora me demuestra clarísimamente que lo que le causa temor es la posibilidad de que un hombre chino se le acerque de pronto.»

Los policías acompañaron a Birgitta a su hotel. Ya Ru se mantuvo a cierta distancia. Ya sabía dónde se alojaba. Después de cerciorarse una vez más de que se encontraba bien y podía quedarse sola, los policías se marcharon mientras ella entraba en el hotel. Ya Ru vio cómo le entregaban la llave, que el recepcionista tomó de uno de los casilleros superiores. Aguardó unos minutos y entró. El recepcionista era chino. Ya Ru le hizo una reverencia y le mostró un papel.

–A la señora que acaba de entrar se le cayó esto en la calle.

El recepcionista tomó el papel y lo guardó en un casillero vacío, el correspondiente a la habitación seiscientos catorce, en la última planta del hotel.

Era un papel en blanco, no había nada escrito. Ya Ru intuía que Birgitta Roslin le preguntaría al recepcionista quién lo había dejado. «Un chino», sería la respuesta. Y se asustaría mucho más aún, pero también estaría más alerta. Pero puesto que él ya lo sabía, no suponía ningún riesgo.

Ya Ru fingió leer un folleto del hotel mientras reflexionaba sobre cómo averiguar cuánto tiempo se alojaría Birgitta Roslin en el hotel. Se le presentó la ocasión cuando el recepcionista chino se marchó a una habitación trasera y una joven inglesa vino a sustituirlo. Ya Ru se acercó al mostrador.

–La señora Birgitta Roslin –dijo–. De Suecia. Tengo que recogerla para llevarla al aeropuerto, pero no está claro si partirá mañana o pasado mañana.

La recepcionista no cuestionó sus palabras y tecleó el nombre en el ordenador.

–La señora Roslin había reservado tres días –explicó–. ¿Quiere que la llame para que puedan aclarar cuándo han de venir a buscarla?

–No, lo arreglaré con la oficina. Nosotros no molestamos a nuestros clientes sin necesidad.

Cuando Ya Ru salió del hotel, había empezado a caer de nuevo una fina lluvia. Se subió el cuello del chaquetón y se encaminó a Garrick Street para tomar un taxi. Ya no tenía que preocuparse por el tiempo de que disponía. «Ha pasado un tiempo indecible desde que todo esto empezó», se dijo. «Así que puede continuar unos días antes de que llegue el implacable final.»

Llamó a un taxi y le dio al taxista la dirección de Whitehall, donde su empresa de Liechtenstein poseía un apartamento en el que él solía quedarse cuando iba a Inglaterra. En más de una ocasión pensó que traicionaba la memoria de sus antepasados al quedarse en Londres y no en París o en Berlín. Y en ese momento, mientras iba en el taxi, decidió venderlo y comprarse uno en París.

Ya era hora de terminar también con aquello.

Se tumbó en la cama y escuchó el silencio. Había insonorizado todas las paredes nada más comprar el apartamento y así no oía siquiera el lejano murmullo del tráfico. El único ruido era el leve zumbido del aire acondicionado. Y eso le daba la sensación de encontrarse a bordo de un barco. Sentía una gran paz.

–¿Cuánto tiempo hace? –preguntó en voz alta–. ¿Cuánto tiempo hace del principio de lo que ahora debe llegar a su fin?

Calculó mentalmente. Corría el año de 1868 cuando San se instaló en la habitación de la misión. Y ahora era 2006. Hacía ciento treinta y ocho años. San se sentaba a la luz de su vela para escribir despacio carácter tras carácter hasta componer su historia y la de sus dos hermanos, Guo Si y Wu. Empezó el día en que abandonaron su miserable hogar para emprender el largo camino hacia Cantón. Allí, un espíritu maligno se les apareció bajo la persona de Zi. A partir de ahí, la muerte los siguió adondequiera que fueran. El único que quedó al final fue el propio San, con su férrea voluntad de contar su historia.

«Murieron de la forma más humillante que pueda imaginarse», pensó Ya Ru. Los distintos emperadores y los mandarines seguían el consejo de Confucio y sometían al pueblo a un yugo tan duro que hacía imposible la rebelión. Los hermanos huyeron hacia lo que creían una vida mejor, pero, del mismo modo en que los ingleses trataban a la gente en sus colonias, los americanos torturaron a los dos hermanos mientras éstos participaban en la construcción del ferrocarril. Al mismo tiempo, los ingleses intentaban convertir a los chinos en drogadictos inundando China de opio. Así veo yo a esos salvajes mercaderes ingleses, como traficantes de droga que, en una esquina, les venden narcóticos a unas personas a las que odian y desprecian como seres de una clase inferior. No hace tanto que los chinos aparecían caricaturizados como monos con rabo en los dibujos europeos y americanos. Y la caricatura se ajustaba a la realidad. Fuimos creados para ser esclavizados y humillados. No éramos humanos. Éramos animales. Con rabo.»

Cuando Ya Ru paseaba por las calles de Londres, solía pensar que muchos de los edificios que lo rodeaban habían sido construidos con el dinero de la gente esclavizada, con su sudor y su sufrimiento, con el dolor de sus espaldas y con su muerte.

¿Qué había escrito San? Que construyeron el ferrocarril en el desierto americano con sus propias costillas como traviesas bajo los raíles. Del mismo modo, los gritos y los padecimientos de los hombres esclavizados estaban fundidos en los puentes de hierro que se extendían sobre el Támesis o en los gruesos muros de los grandes edificios que poblaban los antiguos y célebres centros de las finanzas de Londres.

El sueño apartó a Ya Ru de sus pensamientos. Cuando despertó, salió de la sala de estar, amueblada exclusivamente con piezas fabricadas en China. Sobre la mesa que había delante del sofá de color rojo oscuro había una bolsa de seda azul claro. La abrió, no sin antes haber puesto debajo un papel blanco sobre el que esparció una delgada capa de finísimo polvo de vidrio. Era una costumbre inveterada, un método antiquísimo para matar a una persona, echar el invisible polvo cristalino en un plato de sopa o una taza de té. No había salvación para quien lo bebía. Miles de granos microscópicos cortaban los intestinos. Antiguamente se llamaba «la muerte invisible», puesto que se presentaba de forma súbita e inexplicable.

Y con el vidrio pulverizado hallaría su fin, su punto final, la historia que San comenzó en su día. Ya Ru volvió a guardar el polvo en la bolsa de seda antes de anudarla otra vez. Después apagó todas las luces de la habitación, salvo una lámpara de pantalla roja con dragones bordados en hilo de oro. Se sentó en una silla que perteneció a un gran señor de la provincia de Shangtun. Respiró despacio para entrar en ese estado de paz interior que le permitía pensar con toda claridad.

Le llevó una hora decidir cómo iba a escribir el último capítulo en que mataría a Birgitta Roslin, quien, con toda probabilidad, le había confiado a su hermana Hong una información peligrosa para él. Información que ella bien podría haber transmitido sin que él supiese a quién. Una vez tomada la decisión, hizo sonar una campanilla que había sobre la mesa. Minutos después oyó que la vieja Lang empezaba a prepararle la cena en la cocina.

Lang había trabajado como limpiadora de su despacho de Pekín. Noche tras noche, Ya Ru contemplaba sus movimientos lentos. Lang era la mejor de todas las limpiadoras que mantenían en orden la casa y todas sus dependencias.

Una noche se le ocurrió preguntarle cómo era su vida. Cuando Lang le contó que, además de limpiar, se dedicaba a preparar cenas tradicionales para bodas y entierros, le pidió que le preparase una cena para la noche siguiente. A partir de aquel día la contrató como cocinera, con un salario que la mujer no habría podido soñar siquiera. Puesto que Lang tenía un hijo que había emigrado a Londres, Ya Ru le permitió trasladarse a Europa para servirlo allí durante sus numerosas visitas a Occidente.

Aquella noche, Lang le sirvió una serie de platos, exactamente lo que él quería, sin necesidad de recibir instrucciones. La mujer dejó el té sobre una pequeña cocina de queroseno que había en la sala de estar.

–¿Querrá el desayuno por la mañana? –le preguntó antes de retirarse.

–No. Lo prepararé yo mismo. La cena sí. Pescado.

Ya Ru se acostó temprano. Desde que salió de Pekín, no había dormido muchas horas seguidas. El viaje a Europa, los muchos y complejos transbordos para llegar a la ciudad del norte de Suecia, la visita a Helsingborg, la entrada furtiva en el apartamento de Birgitta Roslin donde encontró una nota junto al teléfono en la que la jueza había escrito y subrayado la palabra «Londres»... Había volado a Estocolmo en su propio avión y les ordenó a los pilotos que solicitasen de inmediato el permiso necesario para volar primero a Copenhague y después a Inglaterra. Él ya suponía que Birgitta Roslin iría a ver a Ho. Y, en efecto, la vio llegar a su casa, vacilar ante la puerta y dirigirse después al café de enfrente.

Hizo unas anotaciones en su diario, apagó la luz y no tardó en dormirse.

Al día siguiente, una gruesa capa de nubes cubría el cielo de Londres. Ya Ru se levantó sobre las cinco, como era su costumbre, para escuchar las noticias de China en onda corta. Echó un vistazo a los movimientos de la Bolsa en el ordenador, habló con un par de directores a su servicio sobre varios de los proyectos que tenía en marcha y se preparó un sencillo desayuno compuesto principalmente de fruta.

Salió de su apartamento a las siete, con la bolsa de seda en el bolsillo. En el plan que había diseñado había un momento de inseguridad. Ignoraba a qué hora desayunaba Birgitta Roslin. Si, para cuando él llegase, ella ya había pasado por el comedor, tendría que aplazarlo todo hasta el día siguiente.

Se encaminó a Trafalgar Square, se detuvo un momento a escuchar a un chelista solitario que tocaba sentado en la acera, con un sombrero a sus pies. Antes de proseguir su camino, le arrojó unas monedas. Tomó después Irving Street, hasta llegar al hotel. En la recepción había un hombre al que veía por primera vez. Ya Ru se acercó al mostrador y tomó una de las tarjetas de visita del hotel y aprovechó para comprobar que la hoja de papel en blanco que había dejado el día anterior ya no estaba en el casillero.

La puerta de entrada al comedor estaba abierta. Y no tardó en ver a Birgitta Roslin sentada junto a una ventana. Parecía que empezaba a desayunar en ese momento, puesto que acababan de servirle el café.

Ya Ru contuvo la respiración y reflexionó un instante. Después, decidió no esperar. La larga historia de San terminaría aquella misma mañana. Se quitó el abrigo y se dirigió al jefe de los camareros: no estaba alojado en el hotel, pero le gustaría desayunar allí y pagar por ello, naturalmente. El jefe de los camareros era de Corea del Sur y condujo a Ya Ru a una mesa situada justo detrás de aquella en la que Birgitta Roslin tomaba su desayuno.

Ya Ru paseó la mirada por el comedor. Había una salida de emergencia en la pared más próxima a su mesa. Cuando se levantó para ir en busca de un periódico, tanteó el picaporte y comprobó que no estaba cerrada con llave. Regresó a la mesa, pidió un té y esperó. Aún había muchas mesas vacías, pero Ya Ru se había fijado en que la mayoría de las llaves no estaban en sus casilleros. El hotel estaba casi lleno.

Sacó el móvil y la tarjeta de visita del hotel que se había llevado antes de la recepción. Marcó el número y aguardó la respuesta. Cuando la recepcionista respondió, le dijo que tenía un mensaje importante para uno de sus huéspedes, la señora Birgitta Roslin.

–Lo paso con su habitación.

–Estará en el comedor –le advirtió Ya Ru–. Siempre desayuna a esta hora. Le agradecería que fuese a buscarla. Suele ocupar una mesa junto a la ventana. Lleva un traje azul oscuro y tiene el cabello castaño y corto.

–Le pediré que venga.

Ya Ru no colgó el teléfono hasta que vio a la recepcionista entrar en el comedor. Entonces lo apagó, se lo guardó en el bolsillo y sacó la bolsa de seda con el polvo de vidrio. Al mismo tiempo que Birgitta se levantaba y salía por la puerta, Ya Ru fue acercándose a su mesa. Tomó el periódico que ella estaba leyendo y miró a su alrededor, fingiendo querer comprobar que el huésped que había ocupado la mesa se había marchado y no volvería. Aguardó hasta que un camarero fue a servir más café en la mesa contigua, sin dejar de vigilar la puerta que conducía a la recepción. Cuando el camarero se marchó, abrió la bolsa y vertió su contenido en la taza medio llena de café.

Birgitta Roslin volvió al comedor, pero Ya Ru ya se había dado la vuelta para regresar a su mesa.

En ese preciso momento, el cristal de la ventana se hizo añicos y el sordo impacto de una bala se mezcló con el ruido del vidrio al caer. Ya Ru no tuvo tiempo de pensar que algo había salido mal, terriblemente mal. El disparo lo alcanzó en la sien derecha y abrió un gran orificio de efecto fulminante y letal. Sus funciones vitales cesaron antes de que su cuerpo se desplomase sobre la mesa derribando el florero.

Birgitta Roslin quedó paralizada, al igual que los demás comensales, los camareros y el jefe, que sostenía una fuente de huevos cocidos entre sus manos temblorosas. De repente, un grito rasgó el silencio. Birgitta Roslin miraba fijamente el cadáver que yacía sobre el blanco mantel de la mesa, aún sin comprender que aquello estaba relacionado con ella. La idea repentina de que se trataba de un ataque terrorista le cruzó la mente.

Después, sintió que una mano le agarraba del brazo. Intentó zafarse mientras se daba la vuelta.

Y allí estaba Ho.

–No preguntes –le dijo Ho–. Ven conmigo. No podemos quedarnos aquí.

Fue empujando a Birgitta hasta el vestíbulo del hotel y, una vez allí, le dijo:

–Dame la llave de tu habitación. Haré tu maleta mientras tú pagas el hotel.

–¿Qué ha pasado?

–No preguntes y haz lo que te digo.

Ho le agarraba el brazo con tal fuerza que le hizo daño. Entretanto, el caos empezaba a reinar en el hotel. La gente corría de un lado a otro gritando.

–Insiste en pagar cuanto antes –le instó Ho–. Tenemos que salir de aquí.

Birgitta Roslin empezó a comprender. No lo sucedido, sino lo que le decía Ho. Se acercó al mostrador y le gritó a la desconcertada recepcionista que quería pagar. Ho se dirigió a uno de los ascensores y, diez minutos más tarde, regresó con la maleta de Birgitta. A aquellas alturas, el vestíbulo del hotel estaba lleno de policías y de personal de la ambulancia.

Birgitta ya había pagado su cuenta.

–Bien, ahora saldremos de aquí tranquilamente –le dijo Ho–. Si alguien intenta detenernos, di que tienes que coger un avión.

Lograron salir pasando por entre la gente sin que nadie quisiera detenerlas. Birgitta se detuvo y se dio la vuelta. Ho volvió a tirarle del brazo.

–No te des la vuelta. Sigue caminando con normalidad. Ya hablaremos luego.

Llegaron a la casa de Ho y subieron a su apartamento, que estaba en la segunda planta. Allí había un joven de unos veinte años. Estaba muy pálido y, presa de gran excitación, empezó a hablar enseguida con Ho. Birgitta comprendió que Ho se esforzaba por tranquilizarlo. Lo condujo a otra habitación sin interrumpir en un solo momento la agitada conversación. Cuando salieron, el hombre llevaba un bulto alargado. Se marchó enseguida. Ho se colocó junto a la ventana y observó la calle. Birgitta se había dejado caer en una silla. Hasta aquel momento, no había reparado en que el hombre que había caído fulminado por el disparo había estado sentado a la mesa contigua a la suya.

Miró a Ho, que ya se había apartado de la ventana. Estaba muy pálida y, según observó Birgitta, le temblaba todo el cuerpo.

–¿Qué ha pasado? –preguntó Birgitta.

–Eras tú quien debía morir –explicó Ho–. Era a ti a quien ese hombre quería asesinar. Tengo que contarte la verdad.

Birgitta Roslin meneó la cabeza sin comprender.

–Pues tendrás que ser más explícita –observó–. De lo contrario no sabré qué hacer.

–El hombre que ha muerto era Ya Ru, el hermano de Hong.

–Pero ¿qué ha pasado?

–Intentaba matarte. Pudimos detenerlo en el último instante.

–¿Pudisteis? ¿Quiénes?

–El nombre del hotel no era el verdadero. Podrías haber muerto por ello. ¿Por qué lo hiciste? ¿Creías que no podías confiar en mí? ¿Tan desconcertada estás que no sabes distinguir a los amigos de los enemigos?

Birgitta alzó la mano para interrumpirla.

–A ver, vas demasiado rápido. No te sigo. ¿El hermano de Hong? ¿Y por qué quería matarme a mí, precisamente?

–Porque tú sabías demasiado del asesinato múltiple cometido en tu país. Todas aquellas personas que murieron. Al parecer, o al menos eso creía Hong, Ya Ru estaba detrás de todo aquello.

–Pero ¿por qué?

–A eso no puedo responder. No lo sé.

Birgitta Roslin guardó silencio. Cuando Ho se disponía a seguir, ella la detuvo.

–Veamos, has dicho «pudimos detenerlo» –le recordó tras un instante–. El hombre que acaba de marcharse llevaba un bulto al salir. ¿Qué era? ¿Un arma?

–Sí. Decidí encomendarle a San que te vigilara para protegerte. Pero en el hotel que me diste no tenían tu nombre. Fue a San a quien se le ocurrió que el hotel más cercano era donde en verdad te alojabas. Te vimos por la ventana. Cuando Ya Ru se acercó a tu mesa y te miró, comprendimos que tenía intención de asesinarte. San sacó la pistola y disparó. Sucedió tan rápido, que ninguno de los viandantes vio lo que pasaba. La mayoría debió de pensar que se trataba de una motocicleta. San llevaba el arma escondida en el impermeable.

–¿San?

–El hijo de Hong. Ella me lo encomendó.

–¿Por qué?

–No sólo temía por su vida o por la tuya. También por la de su hijo. San estaba convencido de que Ya Ru había mandado matar a su madre, y no he tenido que esforzarme mucho para persuadirlo de que se vengara.

Birgitta Roslin se sintió mareada. Con una sensación de dolor cada vez más intenso, empezó a comprender lo que había sucedido; lo que ella había sospechado con anterioridad rechazándolo por absurdo. Alguna historia del pasado había llevado a la muerte a los habitantes de Hesjövallen.

Extendió el brazo y se aferró al de Ho. Tenía los ojos anegados en llanto.

–¿Ha pasado ya?

–Eso creo. Puedes irte a casa. Ya Ru está muerto. Todo ha terminado. Ni tú ni yo sabemos qué va a ocurrir, pero, en esta historia, tú ya no tienes parte.

–¿Y cómo podré vivir con esto sin conocer todos los detalles?

–Intentaré ayudarte.

–¿Qué será de San?

–La policía obtendrá sin duda declaraciones de testigos según los cuales un chino mató a otro chino, pero nadie podrá acusarlo a él.

–Me salvó la vida.

–Seguramente también salvó la suya matando a Ya Ru.

–Pero ¿quién es ese hombre, el hermano de Hong, que tanto miedo les inspira a todos?

Ho negó con un gesto.

–No sé si puedo contestarte. En más de un sentido es un exponente de la nueva China de la que ni Hong, ni yo, ni Ma Li ni, por cierto, el propio San queremos saber nada. Se están librando en nuestro país grandes batallas sobre el futuro y sobre cómo ha de ser. Nadie sabe nada, nada está decidido. Sólo podemos hacer lo que creemos correcto.

–¿Como, por ejemplo, matar a Ya Ru?

–Eso era necesario.

Birgitta Roslin fue a la cocina y se sirvió un vaso de agua. Cuando lo dejó sobre la mesa, comprendió que había llegado la hora de volver a casa. Todo lo que aún resultaba oscuro podía esperar. Ahora sólo quería volver a casa, lejos de Londres y de todo lo sucedido.

Ho la acompañó a Heathrow en un taxi. Tras cuatro horas de espera, pudo tomar un vuelo a Copenhague. Ho quería quedarse hasta que saliera el avión, pero Birgitta Roslin le pidió que no lo hiciera.

Ya en su casa de Helsingborg, abrió una botella de vino que consumió a lo largo de toda la noche. El día siguiente lo pasó durmiendo. La despertó una llamada de Staffan: la travesía había terminado. Birgitta no pudo contenerse y rompió a llorar.

–¿Qué te pasa? ¿Ha ocurrido algo?

–No, nada. Es sólo que estoy cansada.

–¿Quieres que interrumpamos las vacaciones y volvamos ya?

–No, no es nada. Si quieres ayudarme, créeme, no hay ningún problema. Háblame de la travesía.

Estuvieron hablando un buen rato. Birgitta se empeñó en que le contase el viaje en barco con todo lujo de detalles, así como los planes que tenían para esa noche y para el día siguiente. Cuando por fin terminaron la conversación, había conseguido tranquilizar a su marido.

Y también ella se sentía más tranquila.

Al día siguiente pidió el alta y volvió al trabajo. Y habló por teléfono con Ho.

–Pronto tendré mucho que contarte –le aseguró Ho.

–Te prometo escuchar con atención. ¿Cómo está San?

–Indignado, asustado y llorando a su madre. Pero San es fuerte.

Después de la conversación, Birgitta se quedó un rato sentada en la cocina.

Cerró los ojos.

La imagen del hombre que yacía exánime sobre la mesa del comedor del hotel empezó a desdibujarse en su mente, hasta desaparecer del todo.

38

Unos días antes del solsticio de verano, Birgitta presidió su último juicio antes de las vacaciones. Staffan y ella habían alquilado una cabaña en Bornholm, donde pasarían tres semanas y donde recibirían la visita de sus hijos, de uno en uno. El juicio que, según sus cálculos, estaría listo en tres días, trataba de tres mujeres y un hombre que actuaban como piratas callejeros. Dos de las mujeres eran de Rumania, el hombre y la tercera mujer, suecos. La impresionó la brutalidad que habían mostrado, en especial una de las mujeres más jóvenes, en dos ocasiones en que atacaron a los habitantes de una caravana en un aparcamiento nocturno. A uno de los hombres, un alemán algo mayor, la joven lo había golpeado con un martillo hasta el punto de quebrarle el cráneo. El hombre sobrevivió, pero de haber recibido los golpes en otro punto de la cabeza, habría muerto en el acto. En otra ocasión, le clavó a una mujer un destornillador a pocos centímetros del corazón.

El fiscal Palm describió a la banda como «empresarios activos en diversos ramos del crimen». Además de pasarse las noches merodeando por los aparcamientos entre Helsingborg y Varberg, también se dedicaban a robar sobre todo en tiendas de ropa y en comercios de material electrónico. Provistos de bolsas especiales cuyo forro habían retirado y sustituido por papel de aluminio para desactivar las alarmas cuando atravesaran la salida, robaron objetos por valor superior al millón de coronas antes de ser detenidos. Cometieron el error de volver a una tienda de ropa de Halmstad que ya habían visitado y el personal del comercio los reconoció enseguida. Todos confesaron, las pruebas y los objetos robados estaban identificados. Para sorpresa de la policía, compartida por Birgitta, no se acusaron unos a otros a la hora de confesar quién había hecho qué.

Aquella día, mientras se dirigía al juzgado, llovía y hacía fresco. Los sucesos que culminaron en el hotel de Londres solían atormentarla por la mañana.

Había hablado con Ho en dos ocasiones, y en ambas quedó decepcionada, pues sintió que ella le contestaba con evasivas y rehuía explicarle lo ocurrido después del disparo. Ho, por su parte, insistía en que debía tener paciencia.

–La verdad nunca es simple –le dijo–. Sólo los occidentales creéis que el saber es algo que puede adquirirse con ligereza y rapidez. Lleva su tiempo. La verdad no tiene prisa.

Sin embargo, Ho le había contado algo que le infundió más temor que ninguna otra cosa. En la mano del cadáver de Ya Ru, la policía encontró una bolsa de seda que contenía restos de un finísimo polvo de vidrio. Los investigadores británicos no lograron determinar qué era exactamente, pero Ho le explicó que se trataba de un antiguo y refinado método chino para matar a alguien.

Así de cerca había estado, pues. A veces, y siempre que se encontraba a solas, sufría violentos ataques de llanto. Ni siquiera se había confiado a Staffan. Había llevado sola aquella carga desde que regresó de Londres y logró ocultarla bien, pues nadie sospechaba siquiera cómo se encontraba.

Por aquella época recibió en su despacho la llamada de una persona con la que no tenía el menor deseo de hablar: Lars Emanuelsson.

–Va pasando el tiempo –le dijo el reportero–. ¿Alguna novedad?

Fue la semana siguiente a la muerte de Ya Ru. Por un instante, temió que Lars Emanuelsson hubiese logrado averiguar que ella debería haber sido la víctima aquella mañana en el hotel londinense.

–No, ninguna –respondió–. La policía de Hudiksvall no ha cambiado su hipótesis, ¿verdad?

–¿Sobre la culpabilidad del suicida? ¿Un individuo insignificante y probablemente desquiciado iba a cometer el mayor asesinato de la historia del crimen en Suecia? Sí, claro, podría ser, pero me consta que no son pocos quienes lo ponen en duda. Yo, por ejemplo. Y tú.

–Yo ya no pienso en ello. Lo he olvidado.

–No creo que sea del todo cierto.

–Lo que tú creas es cosa tuya. ¿Qué querías? Estoy ocupada.

–¿Qué tal tus contactos en Hudiksvall? ¿Sigues comunicándote con Vivi Sundberg?

–Mira, dejamos la conversación ahora mismo.

–Ni que decir tiene que me gustaría que te pusieras en contacto conmigo cuando tengas algo que contar. Sé por experiencia que aún quedan muchas sorpresas ocultas tras la tragedia acontecida en el pueblo.

–Voy a colgar.

Y eso hizo, mientras se preguntaba hasta cuándo seguiría molestándola Lars Emanuelsson. Aunque, bien mirado, quizás echase de menos su tozudez cuando dejase de sufrirla.

Así pues, aquella mañana de la víspera del solsticio llegó al despacho, reunió los documentos del juicio, llamó a una secretaria para aclarar las fechas de varias vistas pendientes para el otoño y se encaminó a la sala. Apenas entró, descubrió la presencia de Ho, que estaba sentada en uno de los últimos bancos, en el mismo lugar que en su primera visita a Helsingborg.

Birgitta alzó la mano a modo de saludo y la vio sonreír, entonces escribió una nota en la que le explicaba que tendrían un receso para almorzar a las doce. Llamó a uno de los conserjes y señaló a Ho. El hombre le entregó la nota, y ella la leyó y asintió en silencio.

Acto seguido, se dedicó al grupo de desgraciados que parecían cualquier cosa menos una banda de rudos piratas. Llegado el momento del receso, habían alcanzado un punto en que ya preveían que podrían terminar el juicio al día siguiente.

Salió a la calle, donde Ho la aguardaba bajo un árbol en flor.

–Ha debido de ocurrir algo para que hayas venido –le dijo Birgitta.

–No.

–Puedo verte esta noche. ¿Dónde te alojas?

–En Copenhague, en casa de unos amigos.

–¿Me equivoco si pienso que tienes algo decisivo que contarme?

–Ahora todo está más claro. Por eso he venido. Además, te he traído algo.

–¿Qué?

Ho meneó la cabeza.

–Hablaremos de ello esta noche. ¿Qué han hecho las personas a las que estás juzgando?

–Robo, agresión, nada de asesinato.

–Estuve observándolos. Todos te temen.

–No creo que me teman, simplemente saben que soy yo quien decide qué pena les caerá. Y, con todo lo que llevan hecho, es normal que les resulte aterrador.

Birgitta Roslin le propuso que almorzaran juntas, pero Ho tenía asuntos que resolver. Birgitta se preguntó qué tendría que resolver Ho en una ciudad extranjera como Helsingborg.

El juicio siguió su curso lento pero seguro. Cuando Birgitta Roslin dio por concluida la sesión por aquel día, habían avanzado tanto como ella esperaba. Ho la aguardaba ante la puerta del juzgado. Puesto que Staffan se encontraba en un tren camino de Gotemburgo, la invitó a su casa. Ho dudaba, según observó.

–Estoy sola. Mi marido no está y mis hijos no viven aquí, si te incomoda tener que conocerlos.

–No, no es eso. Es que no he venido sola. San está conmigo.
–¿Dónde?
Ho señaló al otro lado de la calle y allí estaba San, apoyado contra la fachada.
–Dile que venga y vamos a mi casa.
San parecía menos preocupado que durante su primer y caótico encuentro. En esta ocasión, Birgitta tuvo la oportunidad de comprobar que se parecía a su madre, tenía el rostro de Hong y también su sonrisa.
–¿Cuántos años tiene?
–Veintidós.
Su inglés era tan bueno como el de Hong y el de Ho.
Se sentaron en la sala de estar. San tomó café, pero Ho prefería té. Sobre la mesa estaba abierto el juego que Birgitta había comprado en su viaje a Pekín. Además del bolso, Ho llevaba una bolsa de papel de la que sacó una serie de copias de un texto escrito en caracteres chinos y un bloc con un texto en inglés.
–Ya Ru tenía un apartamento en Londres. Uno de mis amigos conocía a Lang, su cocinera. Ella le preparaba la comida y lo rodeaba del silencio que él exigía. Nos dejó entrar en el apartamento y encontramos el diario del que proceden estas notas. He traducido fragmentos de lo que escribió, donde se aclara en gran parte por qué sucedió todo esto. No todo, pero lo suficiente como para que podamos comprender. Ya Ru tenía motivos totalmente privados que sólo él podía entender.
–Era un hombre con mucho poder, según me dijiste. Lo que significa que su muerte habrá despertado gran interés en China.
San, que había guardado silencio hasta entonces, respondió a esa pregunta.
–Pues no. Ningún interés, sólo silencio, como el de Shakespeare, «el resto es silencio». Tal era su poder que otros con tanto poder como él han conseguido silenciar lo ocurrido. Es como si Ya Ru no hubiese existido jamás. Creemos que no fueron pocos los que se alegraron o sintieron alivio ante la noticia de su muerte, incluso aquellos que se contaban entre sus amigos. Ya Ru era peligroso, atesoraba información que luego utilizaba para aniquilar a sus enemigos o a aquellos que se convertían en competidores molestos. Ahora están desmantelando todas sus empresas, comprando el silencio de la gente; todo se petrifica y se convierte en una pared de cemento que los separa a él y a su destino tanto de la historia oficial como de los que seguimos vivos.
Birgitta Roslin hojeó los papeles que Ho había dejado sobre la mesa.
–¿Quieres que los lea ahora?
–No, mejor luego, a solas.

–¿No me asustaré al leerlos?

–No.

–¿Y sabré por fin lo que le ocurrió a Hong?

–Él la mató. No con sus propias manos, con las de otra persona. A la que él liquidó a su vez. Una muerte encubrió la otra. Nadie podía imaginar que Ya Ru hubiese asesinado a su hermana. Salvo los más lúcidos, que sabían qué pensaba Ya Ru de sí mismo y de los demás. Lo extraño y lo que nunca sabremos explicar es cómo pudo matar a su propia hermana, cuando valoraba a su familia y a sus antepasados por encima de todo lo demás. Ésa es una contradicción, un misterio que no podremos resolver jamás. Ya ru era poderoso. Y muy temido por su inteligencia y su crueldad, pero puede que estuviese enfermo.

–¿En qué sentido?

–Llevaba en su corazón un odio que lo carcomía por dentro. Quién sabe si no estaba loco.

–Hay algo que me gustaría saber. ¿Qué fueron a hacer a África?

–Existe un proyecto según el cual China trasladará a varios millones de sus campesinos pobres a diversos países africanos. En estos momentos se están construyendo las estructuras económicas y políticas que someterán a esos países pobres de África a una relación de dependencia respecto a China. Para Ya Ru esto no era una cínica repetición del colonialismo que había practicado Occidente, sino una solución inteligente. Para Hong, en cambio, o para mí y Ma Li y muchos otros, es un ataque a los principios de la China que hemos contribuido a crear.

–No lo entiendo –confesó Birgitta–. China es una dictadura. La libertad es limitada, las garantías jurídicas, mínimas. ¿Qué es lo que defendéis, en realidad?

–China es un país pobre. El desarrollo económico del que todos hablan no ha beneficiado más que a una parte limitada de la población. Si se persevera en esta forma de conducir a China al futuro, seguirá extendiéndose el abismo y nos veremos abocados a la catástrofe. China volverá a verse arrojada a un caos irresoluble. O las estructuras fascistas terminarán por imponerse sin remedio. Nosotros defendemos a los millones de campesinos que son, en definitiva, los que posibilitan el desarrollo con su trabajo. Un desarrollo del que cada vez participan menos.

–Pues no lo entiendo. ¿Ya Ru en un bando y Hong en el otro? ¿De repente dejan de entenderse y él mata a su hermana? No, no lo entiendo.

–El enfrentamiento de fuerzas encontradas que tiene lugar hoy en China es a vida o muerte. El pobre contra el rico, el indefenso contra el poderoso. Lo protagonizan personas que, con creciente indignación, ven destruido todo aquello por lo que han luchado; y personas que descubren posibilidades antes inimaginables de enriquecerse y de adquirir poder. Ese escenario exige que muera gente. Soplan vientos que arrasan de verdad.

Birgitta Roslin miró a San.

–Háblame de tu madre.

–¿No la conocías?

–Bueno, la vi un par de veces, pero no la conocía bien.

–No era fácil ser hijo suyo. Era fuerte, resuelta, considerada, pero también irascible y cruel. Admito que la temía. Pero la amaba, a pesar de todo, puesto que intentaba verse a sí misma como parte de una realidad más grande. Tan obvio le parecía ayudar a un borracho a levantarse en la calle como discutir apasionadamente de política. Para mí, más que una madre era alguien a quien respetar. Nada era sencillo. Sin embargo, la añoro muchísimo y tendré que aprender a vivir con ese sentimiento.

–¿A qué te dedicas?

–Estudio medicina. Pero ahora me he tomado un año de luto y he interrumpido los estudios para comprender qué significa vivir sin ella.

–¿Quién es tu padre?

–Un hombre que lleva muerto muchos años. Era poeta. No sé mucho más de él, salvo que murió poco después de que yo naciera. Mi madre apenas hablaba de él, pero me dijo que era un buen hombre y un buen revolucionario. La única imagen suya que tengo es una fotografía en la que aparece con un cachorro en brazos.

Aquella noche hablaron de China largo y tendido y Birgitta Roslin les confesó su voluntad juvenil de sumarse a la Guardia Roja en Suecia. Entretanto crecía su impaciencia por quedarse sola y poder leer los documentos que Ho le había entregado.

Hacia las diez de la noche, llamó a un taxi para que llevase a Ho y a San a la estación de ferrocarril.

–Llámame cuando los hayas leído –le dijo Ho.

–¿Tiene final la historia?

Ho reflexionó un instante antes de responder:

–Las historias siempre tienen final –aseguró–. Ésta también. Aunque el final es por lo general el principio de otra historia. Los puntos que vamos poniendo en la vida suelen ser provisionales, en cierto modo.

Birgitta vio alejarse el taxi y se sentó enseguida a leer la traducción del diario de Ya Ru. Staffan volvería a casa al día siguiente y, para entonces, esperaba haber concluido la lectura. No eran más de veinte páginas, pero le costaba leer la diminuta letra de Ho.

¿Qué era, en realidad, lo que acababa de leer? Después, al pensar en la noche anterior, aún con el suave perfume de Ho en el ambiente, se dio cuenta de que podría haber comprendido gran parte de la historia por sí misma. O, más bien, que debería haber comprendido, pero que se negó a aceptar lo que de hecho sabía. En otros pasajes seleccionados y traducidos por Ho de los diarios de Ya Ru o de otras fuentes de cuya existencia ella no tenía la menor idea, halló la explicación a circunstancias que ella sola no habría podido aclarar.

Claro que, a lo largo de su lectura, se preguntó en más de una ocasión qué habría omitido Ho al hacer la selección. Habría podido preguntarle, pero sabía que ella no le daría respuestas. En los textos halló indicios de secretos que jamás comprendería, puertas que ella nunca podría abrir. Historias de gente del pasado, otro diario escrito como contrapunto del de J.A., el sueco que se convirtió en capataz en Norteamérica durante la construcción del ferrocarril.

Ya Ru insistía una y otra vez en sus escritos en hasta qué punto lo irritaba el hecho de que Hong no comprendiese que el camino que China había emprendido era el único bueno y que era preciso que la gente como Ya Ru ejerciese una influencia decisiva en ese escenario. Birgitta Roslin empezó a comprender que Ya Ru presentaba una serie de rasgos que lo identificaban con un psicópata y que, por otra parte, él mismo parecía detectar de vez en cuando.

En ningún momento halló en él la menor intención conciliadora, la expresión de una duda, de sufrir remordimientos ni siquiera por el destino de Hong, quien, después de todo, era su hermana. Se preguntó si Ho habría reformulado el texto para que Ya Ru apareciese únicamente como un ser brutal sin ningún rasgo que suavizase su carácter. Se preguntó incluso si todo aquel texto no sería una creación literaria de Ho. Aunque no lo creía. San había cometido un asesinato y, como en las sagas islandesas, había vengado con sangre la muerte de su madre.

Cuando terminó de leer la traducción de Ho por segunda vez, era cerca de medianoche. Había pasajes oscuros, muchos detalles que aún carecían de explicación. La cinta roja, por ejemplo. ¿Qué significaba? Sólo Liu habría podido responder a esa pregunta, si estuviera vivo. No eran pocos los cabos sueltos que seguirían sueltos, quizá para siempre.

Y ahora, ¿qué? ¿Qué podía o qué debía hacer con lo que sabía? Birgitta Roslin intuía la respuesta, aunque aún no tenía muy claro cómo conducirse. Podría invertir en ello parte de sus vacaciones, mientras Staffan pescaba, actividad que a ella le resultaba sencillamente aburrida.

O por las mañanas, cuando él se sentaba a leer novelas históricas o biografías de músicos de jazz y ella daba paseos solitarios. Entonces dispondría de tiempo para redactar en su mente la carta que pretendía enviarle a la policía de Hudiksvall. Después podría guardar la caja de recuerdos de sus padres; para ella, todo habría terminado. Hesjövallen iría desapareciendo de su conciencia hasta transformarse en un pálido recuerdo. Aunque, por supuesto, ella jamás olvidaría del todo lo sucedido.

Partieron hacia Bornholm con tiempo variable, pero les gustó la casa que habían alquilado. Sus hijos iban y venían y pasaban los días en indolente calma. Anna los sorprendió, en primer lugar, al presentarse de improviso tras su largo viaje por Asia, y, en segundo lugar, cuando les hizo saber que en otoño empezaría a estudiar ciencias políticas en Lund.

Birgitta pensó en varias ocasiones que había llegado el momento de contarle a Staffan lo sucedido, tanto en Pekín como después en Londres; pero terminaba cambiando de idea, pues si bien seguramente lo comprendería, le costaría aceptar que hubiese esperado tanto para contárselo. Le dolería, lo sentiría como una falta de confianza y de intimidad. Y no valía la pena, de modo que siguió guardando silencio.

Mientras no le hablase a él del viaje a Londres y de lo que allí sucedió, tampoco le diría una palabra de ello a Karin Wiman.

Se lo guardaría para sí, como una cicatriz invisible a los ojos de todos.

El lunes 7 de agosto, Staffan y ella volvieron al trabajo. La noche anterior se sentaron por fin a hablar de su vida en común. Era como si los dos, sin haberlo acordado previamente, hubiesen comprendido que no podían volver de sus vacaciones de verano sin al menos haber intentado hablar de lo que estaba arruinando su matrimonio. Lo que Birgitta Roslin interpretó como un gigantesco avance fue el hecho de que su marido trajese a colación, por iniciativa propia y sin que ella lo presionase, la cuestión de su inexistente vida sexual. Staffan confesó que lamentaba y temía lo que él mismo llamó ausencia de deseo e incapacidad. Birgitta le preguntó sin rodeos si se sentía atraído por otra persona, pero él contestó que no había nadie. Lo atormentaba su inapetencia sexual, aunque rehuía el problema.

–¿Qué piensas hacer? –le preguntó Birgitta–. No podemos pasar un año más sin tocarnos. No lo soportaré.

–Buscaré ayuda. No creas que yo lo sobrellevo mejor que tú. Es sólo que me cuesta hablar de ello.

–Pues ahora lo estás haciendo.

–Porque sé que debo.

–Ya casi no sé lo que piensas. A veces, cuando te veo por las mañanas, te veo como a un extraño.

–Yo no habría podido expresarlo mejor, pero te aseguro que siento lo mismo, aunque no tan extremo.

–¿De verdad crees que podemos vivir así el resto de nuestras vidas?

–No, pero he ido dejándolo... Te prometo que iré a un terapeuta.

–¿Quieres que te acompañe?

Staffan negó con un gesto.

–Al menos, no la primera vez. Después, si es preciso.

–¿Comprendes lo que esto significa para mí?

–Eso espero.

–No será fácil pero, en el mejor de los casos, podremos dejar atrás todo esto. Ha sido como un desierto...

El 7 de agosto, Staffan empezó el día subiendo al tren de las 8:12 dirección a Estocolmo. Birgitta no llegó a su despacho hasta las nueve. Puesto que Hans Mattsson estaba de vacaciones, la responsabilidad de todo el juzgado recaía sobre ella en cierto modo, y comenzó por convocar una reunión con el resto del personal. Convencida de que todo estaba bajo control, se retiró a su despacho a escribirle a Vivi Sundberg una larga carta sobre la que había estado reflexionando todo el verano.

Naturalmente, se preguntó qué quería o esperaba conseguir. Por supuesto la verdad, se respondió. Que cuanto había ocurrido en Hesjövallen hallase explicación, igual que el asesinato del anciano propietario del hotel. Sin embargo, ¿no perseguía también una especie de venganza por la desconfianza con que la habían tratado? ¿Cuánto había de vanidad y hasta qué punto su iniciativa era un intento serio por que los investigadores de Hudiksvall comprendiesen que el suicida, pese a su confesión, no tenía nada que ver con aquello?

En cierto modo, también lo hacía por su madre; porque, al buscar la verdad, honraría a sus padres adoptivos, cuyo final fue tan cruento.

Dos horas le llevó redactar la carta. La leyó varias veces antes de meterla en el sobre y escribir en el lugar del destinatario el nombre de Vivi Sundberg, policía de Hudiksvall. Después, dejó la carta en la recepción de los juzgados, en la bandeja del correo para enviar, y abrió de par en par la ventana del despacho para airear el ambiente, cargado después de tanto pensar en las víctimas de las solitarias casas de Hesjövallen.

El resto del día lo dedicó a leer el borrador de un debate del Ministerio de Justicia para una de las sempiternas reorganizaciones del sistema judicial sueco.

Sin embargo, también se concedió el tiempo necesario para sacar una de sus canciones inacabadas e intentar añadirle unos versos.

La idea se le ocurrió durante el verano. Se llamaría *Paseo por la playa.* Aquel día, no obstante, no estaba muy inspirada. Arrojó a la papelera varios intentos fallidos y volvió a dejar en el cajón el texto sin terminar. En cualquier caso, estaba firmemente decidida a no abandonar.

A las seis apagó el ordenador y salió del despacho.

Al salir comprobó que la bandeja del correo estaba vacía.

39

Liu se ocultó en el lindero del bosque pensando que por fin había llegado a su destino. No olvidaba que Ya Ru le había dicho que aquella misión era la más importante de cuantas le había encomendado. Su cometido consistía en poner punto final a todo aquello, a todos los sucesos indignantes que comenzaron hacía más de ciento cuarenta años.

Liu pensaba en Ya Ru, que le encomendó aquella tarea, le proporcionó las armas y lo incitó a cumplirla. Ya Ru le habló de los predecesores. El interminable viaje ya duraba mucho años, a través de mares y continentes, travesías llenas de miedo y de muerte, de insufrible persecución, y ahora había llegado el momento del obligado final, de la venganza.

Los que partieron habían muerto hacía ya mucho. Alguno yacía en el fondo del mar, otros descansaban en tumbas sin nombre. Todos aquellos años, las tumbas no dejaron de emitir su lamento fúnebre. Ahora, su misión de emisario consistía en hacer que el doloroso canto cesara de una vez por todas. Ahora él tenía que conseguir que aquel viaje llegase a su fin.

Liu se encontraba en la linde de un bosque cubierto de nieve, rodeado de frío. Era el 12 de enero de 2006. Había visto en un termómetro que estaban a nueve grados bajo cero. Movía los pies sin cesar, para mantenerlos calientes. Aún era muy pronto. Desde donde se encontraba vio en varias de las casas la luz de las lámparas o el reflejo azulado del televisor. Aguzaba el oído, pero no oía un solo sonido. Ni siquiera se oían perros, pensó. Liu creía que las personas de esta parte del mundo tenían perros para que los guardasen por las noches. Había visto huellas de perro, pero luego comprendió que los tenían dentro de las casas.

Pensó si el hecho de que los perros estuviesen en las casas no le causaría problemas, pero desechó la idea: nadie sospechaba siquiera lo que iba a suceder, no lo detendría ningún perro.

Se quitó un guante y miró la hora. Las nueve menos cuarto. Aún tardarían en apagar las luces. Volvió a ponerse el guante y pensó en Ya

Ru y en todas las historias que le contó sobre las personas ya muertas que habían hecho aquellos viajes tan largos. Cada miembro de la familia había recorrido un tramo del camino. Por una curiosa casualidad él, que ni siquiera pertenecía a la familia, sería el encargado de poner fin a todo. Y aquello lo hacía sentir una gran responsabilidad. Ya Ru confiaba en él como en su propio hermano.

Oyó el motor de un coche en la distancia, pero no se dirigía al pueblo. Era un vehículo que pasaba por la carretera principal. «En este país», se dijo, «en las silenciosas noches invernales, los sonidos recorren un camino muy largo, igual que cuando se transmiten por las aguas.»

Movió los pies despacio allí donde se encontraba, junto al bosque. ¿Cómo reaccionaría cuando todo hubiese terminado? ¿Existiría en su razón o en su conciencia una parte aún desconocida para él? Imposible saberlo. Lo importante era que estaba preparado. Todo fue bien en Nevada pero, claro, nunca se sabe; sobre todo cuando la misión, como ahora, era de mayor envergadura.

Dejó vagar la imaginación y, de pronto, pensó en su propio padre, un funcionario medio al servicio del Partido, perseguido y maltratado durante la Revolución Cultural. Su padre le había contado cómo la Guardia Roja les pintaban la cara de blanco a él y a otros «capitalistas», por aquello de que el mal siempre era blanco...

E intentó ver de esa manera a las personas que habitaban aquellas casas silenciosas. Todas con los rostros blancos, como demonios del mal.

Se apagó una de las luces, poco después se hizo la oscuridad en otra de las ventanas. Dos de las casas estaban ya a oscuras. Seguía esperando. Los muertos llevaban ciento cuarenta años esperando, para él eran suficientes unas horas.

Se quitó el guante de la mano derecha y tanteó con los dedos la espada que colgaba de su cinturón. El acero estaba frío, la hoja afilada capaz de cortar sin dificultad la piel de los dedos. Era una espada japonesa que había conseguido comprar por casualidad en una visita a Shanghai. Alguien le había hablado de un viejo coleccionista que aún tenía algunas de aquellas preciadas espadas de la ocupación durante la década de los treinta. Buscó el modesto comercio y, en cuanto tuvo la espada entre sus manos, no lo dudó un segundo. La compró y se la llevó a un herrero para que le reparase el puño y la afilase como una hoja de afeitar.

Se estremeció. La puerta de una de las casas acababa de abrirse. Liu se adentró un poco en la espesura y vio a un hombre que salía a la escalinata con un perro. La lámpara que había colgada sobre la puerta iluminaba el jardín cubierto de nieve. Agarró el puño de la espada y entrecerró los ojos para distinguir mejor los movimientos del perro. ¿Qué ocurriría si el perro olfateaba su presencia? Aquello arruinaría sus planes. No dudaría un instante en matar al perro si era necesario, pero ¿qué haría el hombre que ahora fumaba en el porche?

De repente, el perro se detuvo y empezó a olisquear a su alrededor. Por un momento, pensó que el animal había detectado su presencia por el olor. Pero enseguida reemprendió sus carreras por el jardín.

El hombre llamó al perro, que corrió al interior de la casa. La puerta se cerró y, poco después, se apagó la luz del vestíbulo.

Siguió esperando. Hacia medianoche, cuando la única luz que se veía era la de un televisor, notó que había empezado a nevar. Los copos caían sobre su mano extendida como plumas blancas y ligeras. Como flores de cerezo, pensó. Sólo que la nieve no tiene perfume, no respira como las flores.

Veinte minutos más tarde apagaron el televisor. Seguía nevando. Sacó unos pequeños prismáticos con visión nocturna que llevaba en el bolsillo del anorak y observó despacio las casas del pueblo. En ningún lugar se veía más luz que la del alumbrado urbano. Volvió a guardar los prismáticos, respiró hondo y recreó en su interior la imagen que Ya Ru le había descrito en tantas ocasiones.

Un buque. Gente sobre la cubierta, como hormigas, agitando ansiosos pañuelos y sombreros. Pero no ve sus rostros.

Ni un rostro. Sólo brazos y manos moviéndose.

Aguardó un rato más. Después, cruzó despacio la carretera. Llevaba en una mano una pequeña linterna y en la otra la espada.

Se acercó a la casa más apartada, la que daba al oeste. Se detuvo una última vez y aguzó el oído.

Después, entró en la casa.

«7 de agosto de 2006

»Vivi,

»Este relato se encuentra en el diario de un hombre llamado Ya Ru. Se lo oyó contar a la persona que, en primer lugar, viajó hasta Nevada, donde mató a una serie de personas, y que luego fue a Hesjövallen. Quiero que lo leas para que comprendas el resto de esta carta.

»Ninguna de esas personas vive hoy, pero la verdad sobre lo que sucedió en Hesjövallen abarca mucho más y es muy distinta de lo que creíamos todos. No estoy segura de que pueda probarse todo lo que te he contado. Lo más probable es que no. Igual que, por ejemplo, no puedo explicar cómo fue a parar la cinta roja en medio de la nieve que cubría Hesjövallen. Sabemos quién la llevó hasta allí, pero eso es todo.

»Lars-Erik Valfridsson, que se colgó en el calabozo de la policía, no era culpable. Es algo que al menos deberían saber sus familiares. En cuanto a por qué se quitó la vida, sólo podemos especular.

»Ni que decir tiene que comprendo los inconvenientes que esta carta supondrá para vuestra investigación, pero todos aspiramos a esclarecer las cosas y ahora espero haber contribuido a ello.

»He intentado incluir en esta carta todo lo que sé. El día que dejemos de buscar la verdad (que, claro está, nunca es objetiva, pero en el mejor de los casos se basa en datos objetivos), nuestro sistema judicial se vendrá abajo.

»Vuelvo a ocupar mi puesto. Estoy en Helsingborg y como comprenderás, espero que me llames, pues las preguntas son muchas y complejas.

»Saludos cordiales,

»Birgitta Roslin.»

Epílogo

Aquel día, Birgitta Roslin fue a comprar a la tienda de siempre de vuelta a casa. En la cola de la caja tomó del expositor uno de los diarios de la tarde y se puso a hojearlo mientras esperaba su turno. En una de las páginas del diario leyó distraída que habían matado a un lobo solitario en un pueblo al norte de Gävle.

Ni ella ni ninguna otra persona sabía que, un día de enero, el lobo llegó a Suecia desde Noruega por Vaudalen. Estaba hambriento, pues no había comido nada desde el día que apuró los restos de un cadáver de alce congelado que encontró en Österdalarna.

El lobo continuó hacia el este, pasó Nävjarna, cruzó la superficie congelada del lago Ljusnan, junto a Kårböle, y volvió a perderse en los bosques desiertos.

Ahora yacía muerto de un disparo en un cobertizo a las afueras de Gävle.

Nadie sabía que, la mañana del 13 de enero, llegó a un lejano pueblo de Hälsingland llamado Hesjövallen.

Entonces, todo estaba cubierto de nieve. Ahora llegaba el final del verano.

Hesjövallen estaba vacío. Ya no lo habitaba nadie. En algunos de los jardines relucían las serbas, pero ya no había nadie que reparase en su colorido.

El otoño se acercaba a Norrland. La gente se preparaba para un nuevo y largo invierno.

Colofón

El presente relato es una novela, lo que significa que he escrito un trasfondo sobre la realidad que no constituye a partes iguales una reproducción realista de una serie de sucesos. Creo que no existe ningún lugar llamado Hesjövallen: espero haber estudiado bien los mapas. Sin embargo, es un hecho indiscutible que, en el momento en que escribo estas líneas, Robert Mugabe es el presidente de Zimbabue.

En otras palabras, he escrito una novela sobre lo que podría haber ocurrido, no sobre lo que necesariamente sucedió. Esto constituye, en el mundo de la ficción, no sólo una posibilidad sino la base de creación del mismo.

Sin embargo, incluso en una novela, los detalles más importantes deben exponerse con corrección. Ya se trate de los pájaros que existen en el Pekín de hoy o de si un juez dispone en su despacho de un sofá pagado por la Dirección Nacional de Administración de Justicia.

Son muchas las personas que me han prestado su colaboración en este trabajo. Ante todo Robert Johnsson, que una vez más ha sido perseverante y exhaustivo a la hora de recabar datos. Sin embargo hay otros, y la lista sería muy larga; entre ellos se cuentan todas las personas del continente africano con las que tuve la ocasión de cambiar impresiones.

De ahí que no mencione ningún otro nombre, sino que exprese aquí mi gratitud a todos ellos. Naturalmente, yo soy el único responsable del relato.

Maputo, enero de 2008

Últimos títulos

640. Antonio B. el Ruso, ciudadano de tercera
Ramiro Pinilla

641. Los príncipes valientes
Javier Pérez Andújar

642. Zona de tránsito
Julia Franck

643. Zapatos italianos
Henning Mankell

644. El asco
Thomas Bernhard en San Salvador
Horacio Castellanos Moya

645. Ferry de octubre a Gabriola
Malcolm Lowry

646. Réquiem por el Este
Andreï Makine

647. Lanús
Sergio Olguín

648. El refugiado
Arnon Grunberg

649. Sauce ciego, mujer dormida
Haruki Murakami

650/1. Noticias de la noche
Petros Márkaris

650/2. Defensa cerrada
Petros Márkaris

650/4. El accionista mayoritario
Petros Márkaris

651. Ganas de hablar
Eduardo Mendicutti

652. Un trastorno propio de este país
Ken Kalfus

653. Tsugumi
Banana Yoshimoto

654. Balas de plata
Élmer Mendoza
III Premio TQE de Novela

655. El coleccionista de mundos
Ilija Trojanow

656. Boca sellada
Simonetta Agnello Hornby

657. La muerte me da
Cristina Rivera Garza

658. El fundamentalista reticente
Mohsin Hamid

659. El navegante dormido
Abilio Estévez

660. Campo de amapolas blancas
Gonzalo Hidalgo Bayal

661. El día de la lechuza
Leonardo Sciascia

662. Sin nombre
Helder Macedo

663. El interior del bosque
Eugenio Fuentes

664. Las maestras paralíticas
Gudbergur Bergsson

665. Sobre los acantilados de mármol
Ernst Jünger

666. Los atormentados
John Connolly

667. La lámpara de Aladino
Luis Sepúlveda

668. Tirana memoria
Horacio Castellanos Moya

669. Adverbios
Daniel Handler

670. After Dark
Haruki Murakami

671. El sobre negro
Norman Manea

672. Todos los cuentos
Cristina Fernández Cubas

673. Expediente del atentado
Álvaro Uribe

674. El chino
Henning Mankell

675. El doctor Salt
Gerard Donovan

676. Guerra en la familia
Liz Jensen